復刻版
文教時報 第12巻

2025年2月25日　発行

編・解説者　藤澤健一・近藤健一郎
発行者　船橋竜祐
発行所　不二出版株式会社
〒112-0005 東京都文京区水道2-10-10
TEL 03-5981-6704 FAX 03-5981-6705
E-mail administrator@fujishuppan.co.jp
印刷・製本　株式会社 デジタルパブリッシングサービス

ISBN978-4-8350-8080-2　Printed in Japan

復刻版 文教時報 第4回配本
（第10巻～第12巻）

2019年2月25日 第1刷発行

揃定価（本体64、000円＋税）

編・解説者 藤澤健一・近藤健一郎

発行者 小林淳子

発行所 不二出版
東京都文京区水道2-10-10
TEL 03(5981)6704

印刷所 栄光

製本所 青木製本

乱丁・落丁はお取り替えいたします。

第12巻 ISBN978-4-8350-8080-2
第4回配本（全3冊 分売不可 セットISBN978-4-8350-8077-2）

文教時報

82

NO. 82 '63/11

琉球政府・文教局・調査広報課

はしがき

文教局調査広報課長

安谷屋　玄　信

科学技術の急激な発達と、これに伴う産業構造の近代化は、経済の各方面に新らたな課題を与えるとともに、人間能力の開発の問題を一そう積極的にとり上げる必性要を強めてきました。しかも、経済の進歩と社会福祉の向上の主体をなす人間能力の開発は、たんに当面の必要な要請にこたえるといつた安易なものではなく、国民文化、経済の長期にわたる発展を左右する重要な問題となつてきつつあります。平たい言葉で使われる「国づくり」の根幹は、一にかかつてその「人づくり」の「高さ」と「広さ」にあるといつても過言ではないのであります。すべての住民が、未来の沖縄の発展を、青少年の高い技術と豊かな徳性、若々しい英知と勇気に期待する素朴な感情は、毎年立法院議会において、文教施策とその予算が特別に慎重な審議をされていることから充分に読みとることができるのであります。このように住民の期待にこたえ、「人づくり」の具体的な総合方針を定めたのが文教施策であります。

しかしながら、この施策の大部分を実現していくには、その財政的裏付けが絶対的に必要であつて、文教局の予算が、ここ数年、政府予算の約三分の一を占め、現年度は前年度よりもその総額においても約230万弗の増加を見ていることでも、その重要性をうかがい知ることができるのであります。

本号は、1964年度の文教局才出予算を解説したものですが、総額1,664万弗にのぼる文教局予算を通して、文教局が、どのような文教施策を進めつつあるかを具体的に知ることができるのであります。去る9月、連合教育区別に予算説明会を開催して、その概要を説明しましたが、本号はこれを体系的具体的に解説したものであります。

本号が、教育関係者はもとより、一般にも1964年度の文教施策を理解していただくための手近な参考資料となり、ひいては琉球教育の進展に役立つことを願つて刊行するしだいであります。

1963年11月

1964年度

教育予算はどうなつているか

予算編成方針

(一) 教育財政の需要

教育財政需要額を決定する重要なる要因は、教育の対象となる児童生徒数と妥当な教育水準を保持するに必要な児童生徒一人当たり教育費である。児童生徒数の現状と将来の予定、及び生徒一人当たり教育費の年次別の日琉比較はおよそ次のとおりである。

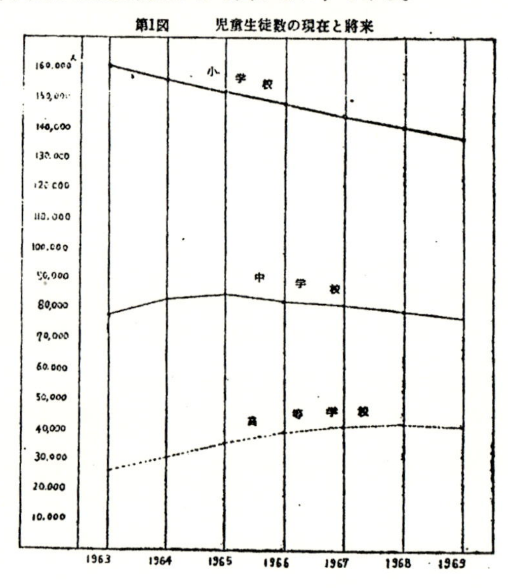

小学校の児童数は前掲の図に示すように、すでにピークをこしたが、中学校においては、これからピークを迎える時期になつているのである。このような中、高校生徒数の増加は必然的に、それに伴う教員、校舎、設備、備品その他の需要増による教育費を要求する。なお、児童生徒一人当たり公教育費の年次別日琉比較表にあるように、年を追つて上昇する生徒一人当たり教育費は、世界各国ともに、科学文明の急速なる発達とともに教育水準の一層の向上を要請している現われとしてみるべきものである。このように、生徒数の激増と教育費に対する時代の要請と世論の期待を、政府財政の許す限りにおいて実現すべく、予算編成に当つて努力したのである。

このために、教育の一般的な適正妥当な規模と内容を想定し、日本々土の教育水準とその教育費を一応の参考として、琉球における適正額の算定につとめ、文教局関係予算を策定したのである。

(二) 文教局才出予算の総額と概観

このたびの文教局才出予算総額を政府予算総額との比較においてみよう。

まず1964年度琉球政府一般会計才出予算の総額は 51,980,723 弗である。このうち文教局才出予算額は 16,640,998 弗である。したがつて、新年度の文教局才出予算額は、琉球政府一般会計才出予算額の32%に当たる。また、この文教局予算の総額は、前年度の当初予算額 13,910,186 弗にくらべて 2,730,812 弗の増加で、19パーセトの増加、補正後の前年度予算額14,357,676 弗にくらべて2,283,322 弗の増加で、15.9パーセントの増になつている。

第2図　児童生徒一人当たり教育費の年次推移

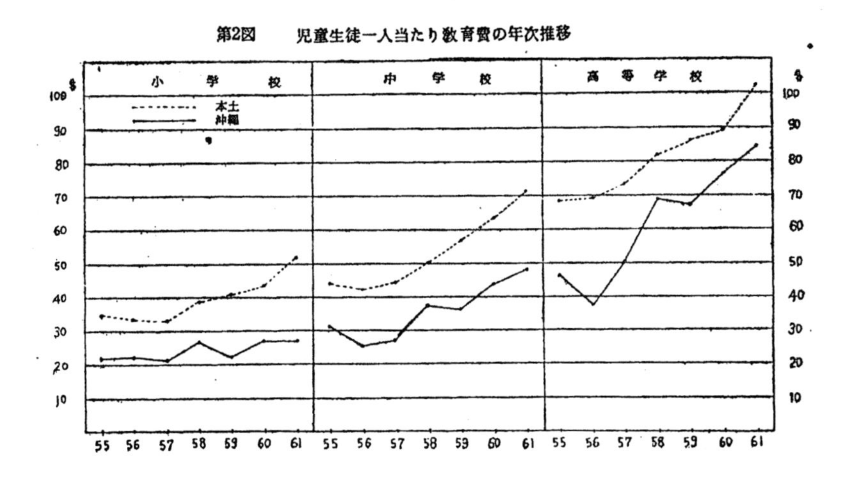

第1表　文教局才出予算（事項別）

事項別	予算額	比率
総額	16,640,998 $	100.0 %
文教局	15,526,587	93.3
琉球大学	1,086,215	6.5
文化財保護委員会	28,196	0.2

総額 16,640,9?8 弗にのぼる文教局才出予算を事項別にみると次のようになつている。

琉球大学補助、文化財保護関係を除いた文教局才出予算額は15,526,587弗であつて、これを事項別にみると、消費的支出としての教職員給与が、予算額の67パーセント、資本的支出としての校舎建設費が13パーセント、合わせて80パーセントをしめているのであるから、義務経費としてのこの二つの予算額が必然的にその他の教育活動費を圧縮することになつている。

第2表　琉大、文化財を除く文教局才出予算

事　項	予算額	比率
文教局才出予算額	15,526,587 $	100.0 %
A　消費的支出	12,393,632	79.8
1　教職員の給与	10,362,011	66.7
2　その他の消費的支出	2,031,621	13.1
B　資本的支出	3,132,955	20.2
1　学校建設費	2,073,424	13.4
2　その他の資本支出	1,059,531	6.8

第3表　文教局才出予算額（分野別）

教育分野	予算額	比率
文教局才出予算額	15,526,587 $	100.0 %
学校教育費	14,340,036	92.4
小学校	6,219,155	40.1
中学校	4,886,479	31.5
高等学校	3,001.185	19.3
特殊学校	233,217	1.5
社会教育費	394,943	2.5
教育行政費	538,412	3.5
育英事業費	147,046	0.9
その他	106,150	0.7

(三) 重点施策

1　文教施設及び設備備品の充実

校舎及び設備備品の充実は本年度も文教施策の重要なる柱として予算の計上を図り、校舎建築費は前年度にくらべて48万弗の増加をみている。一般教科備品は約10万弗である。このうち公立小中学校用の一般教科備品費は 56,400 弗である。以下校舎建設及び一般教科備品について概説しよう。

(1)　教科備品の充実

新しい学習指導要領による指導内容は、学校における教材教具を充実強化することによつて理解を容易にし、能率的な学習指導ができるようになつている。政府では1963年度までの11年間に公立小中学校に対しては 331,776 弗の支出を教材教具充実のために行つてきた。各教育区、ＰＴＡはその間に約 472,694 弗の支出をなしている。これらの支出と本土募金18万弗の支出を合わせると 984,470 弗の支出となつている。この額は中央教育委員会規則第17号で制定された教科備品の基準総額に対して13パーセントの達成率になる。しかしながら、備品の破損消耗等を考慮すると実際の備品保有状況は上記の比率に満たないであろう。

今年度の文教局予算に計上されている教科備品費は 56,400 弗である。これに従来の実績による教育区、ＰＴＡの推計負担額８万８千弗を合わせると基準に対する達成率は、·99 パーセント上昇する。このように備品充実はその重要性にもかかわらず財政のわくによつて制限を受けることになつている。備品の基準達成にはなお相当の努力が必要となろう。

(2) 校舎建築の推進

政府立並びに公立学校の校舎建築については毎年多額の経費を投入してその整備に努めているが、児童生徒１人当たり保有面積は未だ臨時最低基準に達していない。1963年６月現在の状況を本土の昭和37年と比較すると右の表のとおりである。

第４表

学校種別	区分	一人当たり基準面積	一人当たり保有面積	達成率
小学校	沖縄	2.64㎡	2.21㎡	83.6%
	本土	3.30	2.04	―
中学校	沖縄	2.97	4.25	61.1
	本土	3.56	3.69	―

表によると、本土においてはすでに基準面積を上廻る校舎を保有している。これに対して沖縄の校舎保有状況は基準に満たない。本土との差も大きい。今後基準達成に努力するとともに、さらに基準面積の引き上げによる継続的な校舎整備に努める必要があろう。

イ 本年度における建設計画

本年度の学校建設予算は 2,073,424 弗である。そのうち政府立学校の施設費が 697,353 弗、公立小中学校の施設費が 1,341,246 弗となつている。

その他公立学校校舎の修繕費が７万７千弗余計上されている。政府立学校の修繕費も建物修繕費３万２千余弗のうちから支出を予定されている。このほか公立学校の給水施設の建設及び整備に必要な経費47,160弗計上した。青少年の健全育成のための野外活動のセンターとして旧真喜屋小学校校舎の改装を行なう。その経費として5千弗の計上をみた。

本年度予算による施設整備事業は第5表及び第6表のとおりである。

第5表　　施設整備予定事業

区　分	小学校	中学校	高等学校
1 不足教室整備	42教室	195教室	74教室
2 木造老朽校舎の改築	10〃	20〃	8〃
3 農業近代化促進のための施設	―	―	3棟
堆肥舎	―	―	2〃
農具舎	―	―	1〃
農場灌漑施設	―	―	
4 教科教室	9〃	18〃	19教室
5 技術家庭科教室	―	20〃	―
6 保健室	6室	6室	6室
7 給食準備室	6棟	6棟	8棟
8 図書館	―	―	4教室
9 普通教室兼体育室	―	6室	3室
10 便所	12棟	12棟	6棟
11 へき地教員住宅	3棟		2棟
12 寄宿舎	―	1〃	4〃

第6表　　新設校整備予定事業

区　分	肢体不自由児養護学校	精神薄弱児養護学校	新設工業高校
校地	2,769坪	3,000坪	13,666坪
普通教室	9教室	8教室	12教室
管理室	2室	2室	2室
保健室	―	―	1〃
給食準備室	―	―	1棟
便所	2棟	1棟	1〃
寄宿舎	344㎡	576㎡	―
自動車工場	―	―	1〃

2　教職員の待遇改善と資質の向上

教育諸条件の整備の中でも教育職員の定数確保、待遇の適正化及びその資質の向上は最も重要なことがらである。そのため政府においてもたえずこの面には格段の努力がはらわれているのである。以下これらの諸点について概説を試みよう。

(1) 教員数の確保

教員、とりわけ義務教育学校の教員数の確保については、従前の学級数及び教員数の算定基準を、「公立の小学校及び中学校の学級編制及び教職員定数の算定基準（1962年中教委規則第29号）」によつて大巾に改善した。小学校の場合、児童数が前年度よりも4,682人も減少しているので旧基準では学級数及び教員数は減少することになるが、新基準によつて学級127、教員数333人の増加をみている。中学校の場合、生徒の増加により必然的に学級数、教員数ともに増加するのであるが、新基準により増加の比率は一段と大きくなつている。新旧基準による学級数及び教員数の算定例を示すと右のとおりである。

第7表

区分	学級数			教職員数		
	旧基準	新基準	増加	旧基準	新基準	増加
小学校	3,463	3,590	127	3,745	4,078	333
中学校	1,666	1,708	42	2,457	2,693	236
計	5,129	5,298	169	6,202	6,771	569

(2) 教職員の資質の向上

児童生徒の学力の向上を図り教育水準を引き上げるためには、教職員の資質の向上、その指導力の強化が不可欠である。

本年度は教育関係職員の研修費として1万7千弗余の予算を計上した。この予算によつて各教科の指導技術改善のための研修、本土講師による夏季認定講習、教育指導委員による講習会、校長、教頭を対象とする学校経営研修会、教育課程の年間計画作成講習会等の実施が企画されている。夏季認定講習会は、講師33人のうちから特に中学校の数学教員養成のために10人をあて、校長指導主事講習のために4人を当てるよう従来の方法を改善する計画になつている。

教職員の学習指導を強化するためにそのほかに各種手びき書、特に教育課程の年間指導計画の手びきを発刊して、その伝達講習会を連合区単位に開く予定である。

(3) 各種教育団体の育成

本年度は各種教育団体の奨励のために2万2千弗の予算が計上されている。これらの団体としては、小中高校長協会をはじめ、農業クラブ、家庭クラブ、生物、気象、造形、職業教育、国語等の各研究会がある。その他、珠算簿記競技会、教育音楽、定時制生活体験発表会等のコンクールに対して補助行う。体育面では高体連、高野連、中体連主催の各大抄に対する補助が予定されている。

3　地方教育区財政の強化と指導援助の拡充

教育基本法第三条は「教育の機会均等」を謳つている。これは、教育は幾多の附ずい的条件の差違にかかわらず、すべての子弟に同一質量の教育を行なうよう心がけるべきことを規定したものである。教育行政の基本原則もここにあるのである。この原則にそつて、政府及び地方教育区はともに努力を続けている現状である。しかるに現実はなお幾多の問題を残しているのである。これを地方の教育財政についてみると、財政力の乏しい教育区に教育財政需要が重圧となり、ついには市町村税の数倍の教育税を賦課せざるを得ぬ事態ともなつている。もちろん、それらの市町村の中には市町村の税外収入が豊かなために市町村税を低くし、結果的には、適正な教育税額が低い市町村税と比較されて、高過ぎるような印象を与える教育区もあると思わる。

このような教育区の貧富差と教育水準の均等維持の要請を調整する事は、全琉の教育に責任を負う中央教育委員会及び文教局の大きな課題である。この課題解決の方法として、(一)教育補助金の財政平衡交付(二)教育区財政調整補助金の制度が考えられている。地方教育財政の財源保障、行政水準の維持を目ざすこれらの施策とともに、行政職員の資質向上も重要なる課題である。以下これらの問題に対処する本年度の予算を概観したい。

(1)　教育補助金の財政平衡交付と使用目的の明示

教育補助金は、地方教育区を対象にするものだけでも、1964年度においてすでに46種類に及び、それぞれの使途が明示されている。これは文教局補助金を通じて、地方の教育水準を均勢よく向上するようにするとともに、特定部分に対しては重点的な補助金政策によつて、教育内容の急速なる向上をはかることを目的としている。また他面には、きわめて広範囲にわたる補助金行政を行なうことにもなる。しかしこの場合も単に総花式配分ではなく、各教育区の態容、財政能力によつて、補助金算定の基礎となる測定単位に強い補正を行なつている。しかも、この補正も年々実態に近づけるように強化されてきている。

しかるに、このような補助の平衡交付を行なつてもなお地方教育財政の不均等の解決はみない現状であつて、ここに重点施策として本年度はさらに、財政調整補助金が新設された。

(2)　教育区財政調整補助金の新設

昨年末予算編成当初より、議論に議論を呼んだこの補助金は、当初667,048弗を要求したものであるが、それは精細な単位費用の積み上げによつて、標準需要額を算定したもので2,151,805弗となつている。

これに対して、教育税の総収入額はおよそ1,556,000弗と算定した。この教育税総額のうち71,243弗を従来の実績によつて標準外の需要に当てられるものとみて差引くと、標準教育税収入は1,484,757弗となる。上記の標準需要額からここで算定した標準教育税収入を差引いたのが、財政調整補助金として補てんされるべき金額である。これは第3図に示すとおりである。

文教局が予算要求したこの補助金66万7千弗は現実には、15万5千弗に決定されている。しかしながら、この補助金新設の意義、今後の運用には大きな効果が期待されているのである。

まず第一にこの補助金のための標準教育費需要額といい、標準教育税額といい、それらはともに立法の根拠を有するまでに至つて暫定的な行政措置であるとみなければならない。この補助金の新設は、一応、「地方教育財政の確立」に一段階を画したものといえよう。

第3図

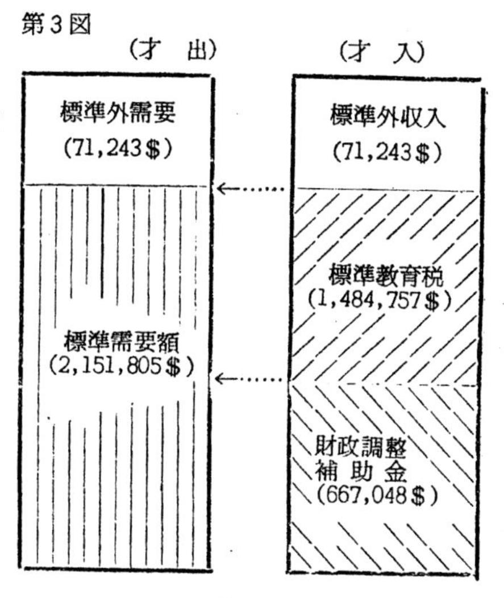

(3) 教育区行政職員の資質の向上

教育財政制度は一つの大きな転換期にさしかかつているといえようが、その点教育財政調整を目的とする補助金の新設は重要な役割を担い、将来より一層その効果的運用がはかられなければならない。この時期に当り、制度の運用に当たる行政職員の資質の向上はこれまた緊急なる課題である。

従来、補助金執行に当つて、厳正、迅速性に欠ける点があつたのではないか。たとえば校舎の建築、教科用備品購入の計画及び執行の緻密さ、迅速さ、さらにはその責任において、いささか欠けるものがあつたのではないか。備品購入補助金を次年度に繰り越し、しかも、その次年度の年度末ぎりぎりの執行、校舎配置の関係で建築が遅れ、または建築監理の不完全の故に補助金執行が遅れる等一考を要する問題といえよう。

64年度においては、教育行政職員研修の予算増額とともに、真に実のある研修を行ない、行政水準の向上を期したい。

(4) 教育税の適正化と指導の強化

教育税に法定の明確な税率と課税標準額のないことは、その課税方式に各種の差異を生ぜしめる結果となり、課税標準に対する比率課税も、それぞれの市町村税目に対して、各教育区ごとにまちまちである。

各教育区の自主性に基づく措置とはいえ、住民公課という重要なる財政収入なることにかんがみ、文教局では55年以来、教育税について継続的助言を続けてきた。

これは、文教局補助金と教育税によつて各教育区の教育水準が均等化し、教育の効果がひとしく現われるよう精細なる計算の上に立つた行政措置である。

4 教育の機会均等

住民がその能力に応じて、ひとしく教育を受ける権利を有することは教育基本法の明示するところである。

この趣旨に基づいて、文教局では身体、精神などに障害のあるもののためには特殊教育の推進を図り、あるいは経済的理由によつて就学困難なものに対しては就学を援助する措置を講じてきた。

また、交通、文化的条件に恵まれないへき地に対してはへき地教育振興法に基づく財政的援助を行ない、その他、仂きながら学ぶ勤労青少年に対する定時制教育の振興、私学の育成等、教育の機会均等を目ざして年々力をそそいできた。

このような数々の施策に加えて、さらにその飛躍的発展を図るため1964会計年度においては、次のような項目が新たに予算化された。

第1にへき地手当の大幅増額

第2に特殊教育の一そうの推進を図るため肢体不自由児及び精神薄弱児のための養護学校の新設

第3に学校統合に基づく就学奨励費の計上このほか、教科書無償配布に要する経費も小学校全児童を対象として実施できるよう予算計上されている。

(1) へき地教育の振興

へき地教育振興法の趣旨に基づき、へき地の教育、文化の向上を目ざして本年度は次のような予算が計上されている。

これらの経費のほかに、教育補助金が教育区の財政能力や人口、交通、地理的条件等によつて補正交付されるので、へき地教育区の負担軽減、財政援助ともなり、結果的にはへき地教育の振興に大いに寄与するものと思料される。

第8表　へき地教育関係予算

へき地手当補助金	95,546弗
へき地教員住宅補助金	6,360
へき地教育文化備品補助金	10,000
へき地教員養成費	5,400
複式手当補助金	3,012
開拓地学校運営補助金	1,841
計	122,159

(2) 特殊教育の振興

特殊学校（盲、ろう、澄井、稲沖）及び特殊学級（小学校35学級、中学校3学級）については、一歩一歩その向上を図るべく年々必要な予算措置を講じてきたが、今年度は特に肢体不自由児及び精神薄弱児のための養護学校を新設する。これにより、これまで恵まれなかつた子どもたちに光明を与えることができるのは、人道的、社会的、教育的立場から見てきわめて意義あることである。

これによつて肢体不自由児は、養護学校と既設の整肢療護園分教場で、およそ170人程収容することができ、また、精神薄弱児の方は特殊学校と養護学校でおよそ270人程度収容できる予定である。

(3) 要保護及び準要保護児童生徒の就学奨励

要保護児童生徒に対する就学奨励の一つとして、中学校の要保護生徒の教科書費が計上されている。小学校では、全児に対して教科書が無償配布されるので、中学校の要保護生徒の分はこの中にあわせて計上されている。

準要保護児童生徒に対しては、日本政府より南方同胞援護会を通じて教科書と学用品の現物支給がなされる予定である。その対象人員は総在籍の6％に相当する数で、小学校9,422人、中学校5,071人で金額に換算すると76,817弗となつている。

このほかに、準要保護児童生徒に対する学校給食費補助も昨年同様に予算に計上されている。

(4) 学校統合の促進とこれに基づく就学奨励

沖縄における小中学校の学校規模を見ると、5学級以下の小規模学校が多いことが注目される。この現象は特に中学校において著しい。参考までに公立小中学校の中に占める5学級以下の小規模学校数の比率を本土と比較して見ると下表のとおりとなる。

これにより見ると、沖縄では中学校の約半数が小規模学校で占められているが、これらの小規模学校については教育効果の面から次のことがらが問題点として挙げられる。

第9表 小規模学校数の全学校数に占める比率
(1962年5月1日現在)

	小学校	中学校
沖縄	18.1%	46.6%
本土	26.9%	15.0%

まず第一に教員組織の問題がある。このような学校では複式学級が多く、そうでなくても中学校では教科の数だけ教員数が得られないため、必然的に教師は専門教科以外の教科を担当しなければならなくなり、教員の負担過重を招くうえに、教材研究も浅く広くなり、これが直接間接に児童生徒の学力に影響してくること。

第二に、このような小規模学校では生徒が一般に閉鎖的となり、社会性に乏しく、視野が狭くなりがちであるので、現今のような複雑な社会の成員として成長するためには、決して十分な環境とはいえず、むしろこのような温室的環境で勉強するより、ある程度大きな社会組織の中でもまれながら勉強する方が「よりよき人間形成」の面からみても望ましいということ。

第三に教育財政の効率的運用面からの問題点。中学校は義務教育最終の場であるので、社会に出るため職業や技術の訓練も必要でこの面での中学校教育課程のねらいを全うし得るような施設、設備を持たなければならないが、現在の財政規模では、すべての学校がこのような施設を持つことは困難であるばかりでなく、財政面でも非能率的であること。

以上のような理由で、文教局では、ここ数年来小規模学校の統合を助言し、かつ推進してきており、63年度には八重山連合区の2教育区において学校統合が実現した。

しかし、学校統合には設置者として相当の経費がかかるので、その奨励助成のための補助を必要とする。そのために本会計年度においては学校統合に伴う経費の補助としてスクールバス購入補助、バス通学費補助、寄宿舎建設費補助、下宿料補助等の経費を予算に計上した。

(5) 定時制教育の振興

政府立高等学校における備品費は従来学校単位に割当てていたが、定時制教育の特殊性に鑑み、本年度予算に特に定時制給食用備品購入費として1,000弗が計上された。

(6) 幼稚園教育の育成

幼稚園教育は人間形成の基礎を培うものであり、学校教育の一環として重要な位置を占めている。

1963年9月現在の全琉幼稚園数は公立35、私立12計47、園児数6,346人でその就園率は26%となつている。

文教局としては、幼稚園教育の育成のために第一に既設幼稚園の充実、第二に未設置地域の幼稚園設置奨励、第三に幼稚園教師の養成とその資質の向上に努力を続けていきたい。

(7) 小学校教科書の無償給与

義務教育無償の趣旨に沿つて、1963年度より小学校の全児童に対して教科書の無償給与を行なつているが、今年度も前年同様に実施できるよう予算にその経費を計上してある。そのうち⅓に相当する額を日本政府にその負担方の要請をしている。

(8) 私学の振興

私立高校の内容充実を促進させるため、逐年その振興策を講じていく考えであるが、とりあえず理科教育振興策として年次計画によつて基準の50%を補助する予定で、今年度はこれに要する経費として1,500弗が計上されている。

5 高等学校生徒の急増対策

1962学年度より中学校の卒業者数が急増しこれに伴つて高等学校進学希望者数も急増してきたので、これらの生徒を、どれだけ、またどのような方法で高等学校に収容するかということは極めて重要な問題となつてきた。文教局ではこれらの問題に対処するため高校生急増対策委員会を組織するとともに、文教審議会にも諮つてその基本方針を打出してもらい、現在それに基づく総合的な教育施策を進めつつある。今会計年度は急増第2年目を迎えるが、生徒数急増に伴う、校舎建築の推進、教員数の確保、施設、設備の充実、さらには高校新設等大幅な予算措置を必要とする。施設の面では既に重点施策の「1、文教施設校舎等及び設備、備品の充実」の項でふれてあるので省略するとし、ここでは校舎建築以外の急増対策のための予算措置の概略について説明する。

(1) 教職員の確保

1964学年度は教員数が昨年より140名余りの大幅増加が見込まれるため、これに要する予算を確保するとともに、この必要の教員確保については先きに立法された「高等学校急増に伴う教職員の確保に関する臨時措置法」による待遇改善（初任給調整手当の新設）と教職員免許状取得条件の緩和等着々と軌道にのりつつある。

(2) 教員養成の拡充

教職員数確保の一環として、今年度から大幅な教員志望奨学生制度の拡充を計つた。すなわち、主として理工系の教員確保のため、琉球大学30名、日本本土大学50名、工業科教員養成所10名計90名の奨学生を選定し、卒業後、高等学校の教員として勤務することを条件として奨学金を与え、もつて理工系教員の養成とその数の確保をはかりたい。

(3) 設備備品等の充実

政府立高校の理科を除く一般教科備品は、1963年度までに目標額に対して19.3%の投入率となつている。図書備品については文部省基準の31%の達成率を示している。今年度はこれらの備品の達成率をそれぞれ23%、35.2%まで高めることができる。さらに、新設校を含む各高校における一般備品（教科備品以外）の充実をはかるための経費も急増対策の一環として予算化されている。おのおのの予算額は次のとおりである。

第10表

政府立高校一般教科備品費	26,000弗
〃 〃 図書備品費	7,800弗
〃 〃 一般備品費	39,250弗

(4) 学校及び学級の増設

来学年度の政府立高校の生徒数の増加は5,459人（全日制4,747人、定時制712人）と予定されている。これらの増加生徒の収容方法としては、今学年度に新設された小禄高校と来学年度開校予定の中部工業高校の2校で14学級2,728人を、既設高校における学級定員の引上げで1,715人、計5,459人によつて解決する計画であり、これに要する経費（人件費、施設費を除く）として62,227弗が計上されている。

6 科学技術教育の振興

科学技術の進展に即応するため、住民の科学技術に関する基礎教養を培い、また、産業界の要請にこたえて技術者養成に努めることは学校教育の一つの大きな使命である。

このため、科学教育の振興策としては小、中、高等学校における理科教育設備の充実、指導者養成、理科担当教員の資質の向上等をはかるため必要な予算が計上された。

産業教育の振興については、産業教育備品の充実、水産高校専攻科運営の強化、産業教育関係教員の研修、工業高校の新設等に必要な経費が計上された。

(1) 科学教育の振興

理科教育振興法の趣旨に基づいて、公立および政府立の小、中、高等学校の理科教育備品充実のため本年度はＵＳＣＡＲの援助を得て大幅な予算増をみた。この予算が全額支出されると、公立小中学校の場合は基準に対する現有率17.7%が26%に、高等学校の場合は10.1%が24.4%と高めることができる。このほか政府立特殊教育諸学校および理科教育センターの備品も予算に計上されている。本年度の理科備品費の学校種別予算内訳を示すと次のとおりである。

次に、理科担当教員の現職教育の強化については、理科教育センターを中心として長期短期の各種の研修会を開催し、指導力及び指導効果の向上を期したい。

第11表　理科備品費の学校種別内訳

学校種別	64年度予算額	前年度予算額	備考
公立小中学校	90,000弗	30,000弗	64年度理科備品費総額のうち150,000弗はUSCAR補助
政府立中学校	1,328	16,147	
政府立高校	76,090		
政府立特殊学校	4,097		
理科教育センター	16,713		
計	188,228	46,147	

すなわち、長期研修会としては、中学校理科指導者研修会（２週間）、本土招へい講師による高等学校の地学（海洋関係）化学研修会（ともに２週間）、小学校理科指導者研修会（30日間）、小学校女教師研修会（１週間）等を予定している。短期の研修会としては、各連合区を単位として小学校下学年研修会、小学校上学年研修会、中学校理科実験研修会等を計画している。これらの研修会は長期のものは主として指導者養成、短期のものは一般の理科担当教師の資質の向上をねらいとしている。

(2) 産業教育の振興

高等学校の産業教育備品の目標達成率は63会計年度で51.7%となつているが、本年度は84.000弗の予算が計上されており、これにより達成率を55.5%まで高めることができる。

高等学校の産業教育備品はここ数年来かなりの額の予算を計上これに投入しているが、高等学校生急増対策による学科の新設、増設、教育課程の改訂による目標額の増加等もあつて、その達成率は一進一退の現状である。

中学校の産業教育備品は、今年度新たに技術科センター校を18校選定して、備品の充実をはかりたい。センター校は前年度までに45校設置されているので今年度のを加えると63校となり全琉中学校数の約４割がその指定を受け、それに必要な施設を持つことになる。

センター校は生徒在籍数の多い順に設置されているが、センター校以外の91校に対して前年度までは補助金として財政能力等を補正の上交付していたが、今年度は在籍を勘案して補正なしで最低必要な備品が購入できるように割当てる予定である。これらの備品費の投入で目標達成率は35.7%となる。

このほかに、高等学校工業科の新設、増設のために必要な備品費、水産実習船用備品、日本政府援助による水産高校専攻科備品、もそれぞれ予算に計上されている。今年度の産業教育備品費及び補助金の校種別、学科別予算内訳を示すと下表のとおりである。

第12表　　産業教育備品費（含補助金）の内訳

校種別	学種別	予算額	備考
高校	工業科関係	10,000弗	USA
	商業科　〃	10,000〃	〃
	その他	64,000〃	
	工業科新増設	27,500〃	内15,500はUSA
	水産実習船	2,400〃	
	水産高校専攻科	22,889	GOJ
	計	136,788	
中校	センター校（19校）	141,680	内174,500はUSA
	センター校以外(91校)	65;043	
	計	206,723	
合計		343,511	

水産教育の振興については、海洋実習は海邦丸（207屯）のみで沖縄・宮古両水産高校の実習訓練を実施しているが、教育課程で示された期間の乗船歴を得ためには、どうしても海邦丸だけでは間に合わないので、63年度予算で日本政府の援助を得て最新式の装備をもつ大型練習船の建造に着手、10月19日に進水式をすませ、近く竣工のはこびとなつている。また、沖縄水産校専攻科は漁船の大型化に伴う高級船員の養成という目的で去る63年４月に設置されたが、沖縄では専攻科の指導運営の適格者が得られないため、本年度の日政援助で指導員を２名招いて運営、指導の強化をはかるべく措置してある。なお、備品についても日政援助でその充実をはかることになつている。

第三に産業教育関係教員の研修については本会計年度は中学校技術科教師及び家庭科教員の技術研修を各一回、高等学校農業科教員の農業機械研修を一回実施する予定である。また、高等学校工業科教員12名の台湾での実技研修がＡＩＤの援助で現在行なわれており、このほかに例年通り文部省援助により産業教育研究教員も１年組６名、半年組８名を派遣する予定である。

最後に、工業教育の推進については、最近の産業技術の急速な発達による工業技術者の需要の増大、さらには高校急増対策の一環から、政府としてもその実現に努力してきたが地元側の積極的な協力もあつて本年度予算で中部に機械科・電気科・自動車科を置く工業高校の新設が決定し、目下校地の整備、校舎の建築等が着々と進められ来年四月の開校をまつに至つた。このため、現在コザ高校に設置されている自動車科、電気科をこの新設工業高校に吸収することにし、施設の一部を移すための経費及び主として機械科備品の購入のための予算を計上してある。また、来学年度においては工業専攻科及び高校に進学しない者を対象とした技術教育のための工業技術学校といつたものの設置も考えている。その構想は、専攻科の場合は機械科、電気科、建築科などの２年制、技術学校の場合は溶接科、建築科、木工科、塗装科などで学習期間を６カ月、１年、２年と柔軟性をもたせるよう考えている。

7 学力向上対策

昨年５月の鹿児島調査団の報告会を契機として、沖縄における児童生徒の学力向上への気運は急速に高まり、各地に学力向上対策協議会が設立され、学校・ＰＴＡなどを中心に活発なる活動が開始され、着々とその効果を挙げつつあることは喜ばしいことである。文教局としても、これら地域の盛り上がりを促進するとともに、学力向上対策の根本ともいわれる教職員の資質の向上、とりわけ教育指導者層の養成と指導力の強化をはかり、また児童生徒の生活指導の強化、学力の実態を側定する学力調査の継続実績とその分析による学習指導の改善等に一段と努力を重ねていきたい。

(1) 教育指導者の養成と指導力の強化

学校教育を効率的に推進し、教育効果を高めていく上に教育指導者の養成と指導力の強化とは極めて重要なポイントである。そのため、学校経営の中核をなす校長・教頭を対象とする学校経営研究会を毎学期一回開催し、相互研修により、その資質を高めていきたい。その内容としては、一学期には現場における問題点とその対策を研究する全琉校長会、二学期に各連合区から５～６人を中央に集めての合宿研修会、三学期には新学年度の諸計画に対する研修会がそれぞれ予定されている。

また、昨年度は本土における学校経営の優秀な学校を選定して２～３週間同一校に配置して、長期にわたつてその学校で研修できるよう校長を長野、富山、香川、岡山の各県にそれぞれ２人ずつ派遣しその効果が高く評価されたが、今年度も引続いて派遣研修させる予定である。

文部省では毎年５回、２週間にわたつて校長、指導主事講座を開催しているが沖縄からもこの講座に参加させる予定である。

(2) 生活指導の強化

生活指導即学力向上の線にのつとり、今年度は現場の指導者の研修の強化による理論の習熟をはかるため訪問教師・進路指導主事・道徳特別教育活動主任・高校カウンセラー・補導主任等の研修会を開催する。また生活指導の実践録を手引きとして発刊する。

(3) 学力調査とその分析

文教局に計上されている予算は究極のところすべて子どものよりよい成長と発展のためのものということになるが、そのうちで直接学力向上対策に利用されるものとしては一つには全国学力調査である、二つには各種心理テスト等が考えられる。

全回学力調査は義務教育における教育の機会均等の実質的確保のため、また、学習指導を向上させるための資料を得るのが目的で行なわれるもので、得られた資料は学校、区教育委員会、連合区教育委員会および文教局でそれぞれの立場において活用されることにより、教育課程に関する諸施策の樹立や、学習指導の質的改善、教育諸条件の改善等がはかられることになる。また、このようなことが児童生徒の学力向上に直接つながるものと考えられる。この意味で昭和31年度から莫大な予算を投じて毎年これを実施してきたのである。

つぎに、現代の教育は子どもの個性の伸長という目標のもとにたえず子どもに加えられた指導の効果を反省し、明日への指導を〃より合理的より効果的〃なものたらしめるよう方向づけられてきている。そのためには科学的に客観的に子どもの特性を知ることが学習指導以前に重要視さるべき問題である。文教局としてはこのような考え方に立つて子どものよりよき成長をはかるために各種の心理テストの普及と指導をすすめてきている。学力向上ということ、その対策ということは結局子どもの可能性を早期に発見し、それに即応する指導を行なうことだと考えるからである。

以上の観点から今年度は全国学力調査ならびに各種心理テストに要する経費を継続予算化してある。

なお、学力向上は前にも述べた通り児童生徒の生活指導の強化と不離一体にあるので、本年度の新規事業として指導のための教育調査を実施するための予算を計上してある。

また、教育相談およびへき地教員の研修をとおして現職教員の資質、指導技術の向上をはかるための経費も計上してある。これらの経費を項目ごとに示せば右表のとおりである。

第13表

学力調査費	14.536弗
各種標準検査費	1,665
指導のための教育調査費	480
へき地教員研修費	307
教育相談研修費	130

8 育 英 事 業 の 拡 充

(1) 特別奨学生制度の拡充

(イ) 高校特別奨学生制度

沖縄内全高校より選抜された544人の特別奨学生へ奨学金を貸与することになつている。貸与額は自宅通学者は1か月$8.33、下宿通学者は1か月$12.33である。

(ロ) 大学特別奨学生制度

本土大学への入学志望者に対しては、昭和37年度入学者から日本育英会の奨学生として実施されたが、今年度から沖縄内大学の学生に対しても適用されることになる、沖縄内大学より選抜された66人へ貸与されることになつている。貸与額は、自宅通学者に対しては1か月$12.50、下宿通学者に対しては1か月$20.83である。

(2) 国費学生給与の増加

(イ) 国費大学院学生

1961年度より文部省実施による国費大学院学生へ月額13,500（日円）が支給されているが、その文部省給与費の対応費として24人へ月額$3.00の奨学金を支給することとなつている。24人の内訳は琉大要員18人、政府要員1人、医療要員5人となつている。

(ロ) 国 費 学 生

316人へ奨学金月額10,000.00（日円）を支給することになつている。(従来7,000.00円)

その他の奨学費として次のものが支給される。（日円）

生 活 費　300円～1,000円（月 額）

教科書費　6,000円　（年1回）

被 服 費　6,000円　（〃）

暖 房 費　600円～6,000円（〃）

実験実習費――査定補助

学校納入の諸会費――実費補助

医療費――実費査定補助

健康保険給会費――実費補助

(3) 育英事業十周年記念事業の促進

育英事業十周年記念事業として育英会館を建設することとしている。総坪数357坪三階建総工費$109,450.00を予定し、その資金は、琉球政府、南方同胞援護会、琉球育英会の三者で分担することになつている。

(4) 学生補導の強化

学生の実態を把握するために調査を強化する。また育英会報の発行等で連絡の密をはかり、学生のために種々の便宜をはらつたり、学事生活面の補導に役立てることにしている。

9 保健体育の振興

学習指導要領の改訂は、小・中・高校の順で漸次行なわれ、本年はその趣旨徹底と実践指導の強化をはかる年である。したがつて予算編成にとあたつては現職教育の強化とそれによる教員の資質の向上に留意した。

学校保健法は62年に制定されて本年は同法にもとづいて学校保健管理の強化につとめ、かつ学校保健振興の諸条件の整備をはかりたい。多年からの懸案の学校医の完全配置は医師会の協力を得て本年度内にぜひ実現したいと考えている。

また学校病といわれる児童生徒の学習の支障になる諸種の病気の撲滅にも一層効果をあげたい。厚生局とも充分連繋をとり、着実に対策の実績をあげたい。

(1) 学校体育指導の強化

改訂学習指導要領の徹底は、その趣旨の理解とその実践にかかつている。しかるに実践の効果は、いろいろ技術的な面を要求するところが多くしかも多種多様である。したがつて本年は、(イ)集団行動、(ロ)リズム運動、の二つの学習指導実技研修会を連合区単位に実施する予定である。そのための教職員研修費は165弗計上した。

(2) 学校保健の強化

学校保健の強化をはかるために、

第一に、現場教師のその面の資質向上をはかりたい。本年度はその目的のもとに研修会を行なう予定である。

第二に、養護教諭の資質の向上をはかり、養護教諭の配置校はもとより、他の学校の保健面の向上を推進したい。養護教諭研修会の質的向上を一段と進めるため、本年は本土の養護教諭研究集会に一名派遣することにし、その研修結果にもとづく講習会を行ないたい。

第三に、学校保健管理を強化することである。それについては、トラホームの治療に主力をそそぎ、厚生局とも連絡をとり合つて病気の撲滅を効果的にしたい。更に、中耳炎、結膜炎、蓄膿症、アデノイド、寄生虫、う歯、皮ふ病等の疾病罹患者についても留意し、これら学習に支障をきたす病気の治療費の一部を補助してゆきたい。

また、学校医を全小、中校に配置し、児童、生徒の健康の保持増進をはかりたい。そのために要する校医手当の一部は政府で補助する。

学校保健管理の強化策として、精密検診を実施したい。寄生虫卵の保有者は予想外に多く児童生徒の健康の保持増進のためには,検便実施は極めて必要かつ急を要すると考える。

以上の学校保健の強化のために本年度は第14表のように予算を計上した。

(3) 学校安全の強化

児童、生徒の各種の事故が増加の傾向にある今日、児童生徒を事故から守るために現場教師に対し安全教育の研修会を実施し安全教育の徹底をはかりたい。なお学校管理下における災害に対し、その補助を行なうため財団法人沖縄学校安全会が設立されているので、その運営費の一部を補助しその育成強化に努めている。

第14表

学校保健関係予算	
学校保健研修会	159$
養護教諭研修会	159$
医療費補助	2,618$
校医手当補助	3,000$
検便費	5,982$

安全教育の研修費	159$
学校安全会補助	1,000$

(4) 学校給食の強化

学校給食の効果は、その指導者の指導いかんによることが大である。学校管理者及び指導者の資質の向上並びに食事内容の改善について研修会を行ないたい。

本年度は昨年に引続き完全給食校が増加すると思われるので、給食設備補助等を考慮して、その実現を促したい。この際、給食費負担困難な児童、生徒には給食費の補助をしてあげる。

学校給食会は昨年特殊法人として発足した。学校給食会は給食物資輸送の任務を負うと同時に、学校給食の普及充実をはかりその実現のための主たる働らきをする任務を併せてもつている。したがつて、学校給食会の保護育成が必要だと考える。これら学校給食の強化のために次のように予算を計上した。

学校給食研修費	147$
給食費補助	13,655$
学校給食設備費補助	5,285$
学校給食会補助	60,545$

(5) 社会体育の充実

総合競技場の建設は順調に進み、奥武山陸上競技場の内部工事の一部、聖火台を本年度で完成し、残り外野スタンドの便所、メインスタンドの内部工事、電気水道工事等を来年度の工事として1965年暮に完成する予定である。中央の体育施設の完備に並行して地方体育施設の充実をはかるため、本年はコザスポーツセンター等の建設を助成する。

スポーツ振興法の立法による教育区委員会に、体育指導委員を設置することになつているので、政府では体育指導委員設置補助費を記上した。体育指導委員設置はそれに先立つて、区教育委員会で関係規則を制定する必要があり、その指導を行なうことによつて、設置の早期実現をはかることにしている。

社会体育研修は、本年は野外活動研修会の形で、1964年2月に塩屋橋附近で実施する予定である。受講者は、各市町村から1名あて参加させる予定である。

次に、スポーツ用品の購入については、カーヌとキャンプ用品（テント、飯盒等）を購入予定であり、地方における野外活動研修等に利用する。

本土への選手派遣としては、本年も考慮しており、また本土より選手を招へいすることや、沖縄体育大会、青年体育大会、教員体育大会等の選手強化育成ならびに研究奨励のための予算も計上した。

本年の体育祭は沖縄体育協会と共催で1964年3月に宮古で実施したい。

これら社会体育の充実のために計上された予算額は次の通りである。

第15表

総合競技場建設費	62,500＄
体育指導委員設置補助費	1,440＄
地方体育施設充実費補助	4,440＄
社会体育研修会費	321＄
スポーツ用備品購入費	1,033＄
選手団派遣費	10,877＄
各種スポーツ大会運営費補助	895＄
スポーツ技術向上訓練費	960＄

10　社会教育の振興と青少年の健全育成

社会教育は学校教育とともにいわゆる教育の二大車輪である。したがつて学校教育をおえた者に対する実際生活に即しながらの、文化的な教養を高めるところの社会教育および芸術文化の充実振興をはかることは重要な仕事である。

本年度はとくに、青少年の健全育成に力を注ぎたい。そのためにモデル地区を更に増設して青少年問題に対処したい。また指導者養成は極めて重要なことである。幸い青年婦人は本年も本土政府予算で、本土研修を実施することができるが、加えて新たに青年代表を本土の教育研究活動に派遣する予定である。これらの研修や中央での研修参加等を契機として、地方における社会教育研修の活発化をはかり併せて地方の社会教育指導者養成に役立てたい。

社会教育施設として本年はとくに、中央図書館の建設を継続したい。中央図書館は昨年度一階185坪の建築を完成したが、本年はその内部施設を完備する予定である。また博物館の新設も予定している。以上のことを詳述すると。

(1)　青 少 年 の 健 全 育 成

(イ)　青少年健全育成モデル地区の設定

青少年の健全育成をはかるためには社会環境の浄化をはかり、健全な環境をつくることが痛感されるので、本年度はモデル地区を２か所設定し、その育成をはかりたい、モデル地区の指定や育成については、地域の関係機関や団体、民間有志の方々の協力によつて総合的な施策を必要とするので組織的に事を進める方針である。

(ロ)　青 年 学 級 の 振 興

勤労青少年の重要な教育の場である青年学級は、本年度においては全琉で58学級設置開設する計画である。

産業推進の移り変りによつて、青年の都市集中の傾向において、青年をどこでとらえて教育するかは、今後解決を迫られる課題である。本年度から、職場・職域内に青年学級を設置し、勤労青少年に学習の場を与え、職業能力と教養の向上をはかつていきたい。この場合一般学級の職業教育の場として、中学校の技術教室を活用することを奨励する。

(ハ)　職 業 教 育 の 振 興

最近産業経済の発展に伴い測量技術者の需要が増大しているので、本年度は主として青年を対象に、測量士補の技術試験に応じられる技術者養成を行ないたい。工業高校の施設、設備を利用して、40人の６か月間、年２回養成する予定である。

㈡ 青年代表の本土教育研究活動への派遣

青年代表を本土各地域に派遣して、その地域の生活、教育、文化、産業等実地視察、研究調査や現地青年との交歓を行なうことによつて、郷土振興に資する知識、技能を高めさせたい、研修の期間は20日間程度で10人を１グループとし、青年、婦人２グループ編成の予定である。

(2) 社　会　教　育　の　振　興

(イ) 公 民 館 の 振 興

現在全琉で588館設置されているが、本年度は600館に増設し、更に設備の充実、定期講座の活発化、公民館職員の研修会及び本土研修会への派遣、研究指定による運営の強化等をはかる。公民館の健全な発展を促進したい。

(ロ) 社 会 学 級 の 振 興

社会学級講座は、その場限りの講演会や集会とちがつて、一定の目標をもち、相当長期間にわたつて計画的、継続的に学習するしくみである。その社会学級の運営に要する経費を補助してその育成をはかりたい。

(3) 新生活運動の推進

新生活運動は市町村実践協議会が中心となり、各機関、団体が協力して推進しているがなお一層、組織の強化と運営の充実をはかつていきたい。本年度はとくに企業体や職場における組織を強化し、目標を重点的にとらえて、指導者の講習、研究指定、広報活動等の事業を活発に行ないその成果を期していきたい。

(4) 社会教育主事の活動推進

現在全琉で社会教育主事は37名おかれているが、未設置教育区の社会教育水準を高めることが必要である。そこで未設置の教育区の分は、現職の社会教育主事に兼務発令することによつて補いたい。これら社会教育主事の給与並びに旅費に要する経費は政府で全額補助することになつている。

(5) 社　会　教　育　施　設

63年度において東恩納文庫と中央図書館の１階の建築が完成したが、本年度はその内部施設を完備する予定である。また博物館を本年度で新設する予定で、とくに本館300坪の建設にあたる。

(6) 社会教育指導者の養成

社会教育の指導者に人を得ることは社会教育の振興に非常にえいきようをもつものであ

る。したがつてとくに指導者養成のための経費には考慮を払つた。
本土における研究大会および研修会には指導者41名を派遣する予定である。
以上の社会教育関係の64年度における予算額は次のとおりである。

第15表

社会教育振興費	
青年指導者養成講習費	$ 1,319
婦人指導者養成講習費	1,314
PTA指導者講習費	423
レクレーション普及費	475
視聴覚教育費	1,541
社会教育主事講習費	29
図書館司書研修費	36
社会学級振興費	5,847
職業家庭技術講習費	260
新生活運動費	2,046
社会教育総合研修費	133
測量技術員養成講座費	2,656
青年婦人の国内研究活動費	2,403
公民館振興費	21,076
青年学級振興費	3,704
社会教育主事設置補助	52,489 (37人)
子供博物館補助	1,000
博物館運営費	11,155
図書館費	13,497

1964年文教局重点施策

1　文教施設（校舎等）及び設備、備品の充実

◎　校舎建築の推進｛生徒急増による不足教室の解消、老朽校舎の改築、特別教室、実験実習施設の建築、給水、照明、寄宿舎、教員住宅の建設

◎　設備、備品の充実

◎　肢体不自由児養護学校の新設

◎　精神薄弱児養護学校の新設

◎　青少年野外活動施設の建設

◎　中央図書館の継続建設

◎　博物館の建設

◎　文教施設用地の確保

2　教職員の待遇改善と資質の向上

◎　小、中、高校教員数の確保

◎　教職員の給与改善

◎　教職員の資質の向上

◎　各種研究団体の助成

◎　数学教員の養成訓練

3　地方教育区の財政強化と指導援助の拡充

◎　教育区財政調整補助金の新設

◎　教育税の適正化と指導の強化

◎　地方教育区行政職員等の資質の向上

附　教育税の税率及び課税客体等の総合研究

4　教育の機会均等

◎　へき地教育の振興

◎　小学校教科書の無償給与

◎　特殊教育の振興（肢体不自由児、精薄児養護学校の新設）

◎　定時制教育の振興

◎　要保護及準要保護児童生徒の就学奨励

◎　幼稚園教育の育成

◎　学校統合の促進とこれに基く就学奨励

◎　私学の振興

5　高等学校及び中学校生徒の急増対策

◎　高校急増臨時措置法の立法

◎　施設・備品等の充実

◎　教員の確保

◎　高等学校の新設

◎　教員養成の拡充

6　科学技術教育の振興

◎　理科教育の振興｛理科備品の充実、理科担当教員の研修強化
理科教育センター強化

◎　産業教育の振興｛産業教育用備品の充実水産練習船の建造と、専攻科運営の強化、産業科担当教員の研修強化、工業高校の新設

◎　職業技術センター校の増設

7　学力の向上と生活指導の強化

◎　教育指導者の養成と指導力の強化　◎　生活指導の強化

◎　学力向上対策　◎　教育測定調査の拡充

8　育英事業の拡充

◎　特別奨学制度の拡充｛高校特別奨学生制度
大学特別奨学生制度　◎国費学生給与の増加

◎　育英事業十周年記念事業の促進　◎　学生補導の強化

9　保健体育の振興

◎　学校体育指導及学校保健の強化　◎　スポーツ振興法の立法

◎　学校給食及び学校安全の強化（給食会、安全会の育成）

◎　社会体育の振興（総合競技場及び地方体育施設の建設）

◎　指導者の資質向上と体育団体の育成

10　社会教育の振興と青少年の健全育成

◎　青少年の健全育成　◎　青年学級の振興

◎　社会教育主事の活動促進　◎　社会教育指導者の養成

◎　公民館、社会学級、職業教育の振興　◎　新生活運動の推進

◎　青年、婦人指導者の国内研究活動の助成　◎　図書館博物館の新設

1964年度文教局各課目標

⊙　庶　務　課

1　教育関係法規の整備

イ　現行法規の検討及び改正のための研究

ロ　未制定法案の研究

ハ　法規研修の拡充

2　適正予算の確保

イ　政策に基く適正予算措置の努力

ロ　中央と地方並びに教育分野別の予算の均衡適正化

3　内部体制の強化

イ　文書取扱規程の周知徹底　　ホ　予算執行体制の強化

ロ　勤務時間及諸届提出の厳守　　ヘ　各課との連絡調整の強化

ハ　人事発令事務の統一　　ト　局内会議の適正なる運営

ニ　局内職員研修の強化　　チ　学校、地方教育区等に対する局主催行事の調整

4　会計事務の指導及び財務監視

イ　会計事務研修会の拡充　　ハ　継続的財務監視

ロ　会計事務現地指導と定期的監査

⊙ 調 査 広 報 課

1．長期財政計画

教育水準を本土並みに引き上げるための長期計画

2．日米援助要請計画

イ　日米両政府に対する経済的技術的援助要請

3．調査統計の強化

イ　教育行政の基礎資料として学校基本調査、教育財政調査の継続実施

ロ　学校設備調査の新規実施

4．予算資料の収集整備

イ　予算資料の収集整備及び分析研究

5．地方教育財政の強化

イ　教育補助金及び教育税の合理化、適正化

6．広報活動の拡充

イ　教育政策の周知徹底

⊙ 義 務 教 育 課

1　義務教育水準の向上

イ　学級編制及び教員定数基準の改善　　ハ　義務教育費の確保

ロ　教職員の資質の向上　　ニ　教員採用候補者選考試験の実施

2　教職員の給与の改善及び福祉の向上

イ　教職員の給与諸手当の増額　　ロ　教職員の福祉及び保障制度の確立

3　地方教育行財政の適正強化

イ　連合区事務局の組織と運営の強化　ロ　地方教育区財政の適正強化

ハ　連合区事務局職員の研修並びに資質の向上

4　特殊教育の振興

イ　政府立特殊学校の管理運営の強化　ハ　特殊学級の育成、充実

ロ　肢体不自由児及び精神薄弱児の両養護学校の設置運営

5　へき地教育の振興

イ　へき地教育振興法の目的達成への努力　ロ　へき地文化備品の充実

ハ　へき地学校教員の待遇改善

6　学校統合の促進

イ　小規模学校の統合　　ハ　統合に伴う就学援助

ロ　学校規模の適正化

7　義務教育教科書無償制度の樹立

8　要保護及び準要保護児童生徒の就学援助

イ　教科書並びに学習用品の無償給与

9　政府立中学校の管理運営

イ　施設、設備の整備充実　　ロ　人事管理

10　幼稚園教育の育成

イ　設置の促進、奨励　　ロ　教員の資質の向上並びに研修

◉ 指　導　課

1　指導力の強化

イ　連合区との共同研修の強化　　ハ　指導主事一本土研修講座への参加

ロ　学校長の経営力の強化一小、中、高校長経営研修講座

ニ　教頭、中堅教員の研修

2　1963学年度学校教育指導目標達成の推進

イ　学校経営の合理化
ロ　学習指導の強化
ハ　科学技術教育の振興
ニ　道徳教育及び生活指導の強化
ホ　進路指導の徹底
ヘ　学校保健の強化
ト　学校環境の整美
チ　特殊学級、促進学級の育成
リ　へき地教育の強化

3　教科備品の充実一理科備品、一般教科備品

4　教育研究団体の育成

イ　教科研究会、同好会

5　指導資料の編集

イ　学習指導資料の発刊、学力向上の手引
ロ　学校経営の手引書
ハ　研究指定校の研究集録

1963年度学校教育指導指針

目　標	着　眼　点
(1)　学校経営の充実深化	1.　学校経営の総合的計画の樹立と実践 イ　学校の具体的教育目標の確立 ロ　経営方針と努力点の明確化 ハ　校務分掌の適正化と処理の合理化 ニ　四領域の年間指導計画の確立と実践 ホ　科学的な評価計画による反省 ヘ　地域社会の教育関心の高揚と協力体制の確立 2.　教育者としての意識の高揚と研修体制の強化 3.　経営者の指導力の強化
(2)　学習指導の強化	1.　指導要領の研究と実践 イ　指導内容の研究と指導技術の改善

	2. 基礎的な学力の充実向上 イ　授業時数の確保と指導内容の充実 ロ　教材研究の徹底と指導重点の明確化 ハ　思考力、表現力を育てる学習指導の重視 ニ　ドリル学習の計画的継続的な実践の重視 ホ　診断に基づく指導の強化と個人差即応の指導推進 ヘ　視聴覚教具教材の充実と活用 ト　家庭学習の強化と自発的学習態度の啓培 3. 校内研修の推進
(3) 科学技術教育の振興	1. 科学技術教育の総合計画の樹立 イ　関係教材内容の具体化 ロ　論理的思考力の啓培 2. 施設々備の管理活用並びに器具器材の製作収集 3. 学習指導における実験、観察、実習の重視 4. 科学的生活態度の育成
(4) 道徳教育および生活指導の強化	1. 各教科領域における道徳教育の強化 2. 道徳の時間の年間計画の実践と充実 3. 年間を見通しての継続的な指導 4. 愛情に基づく個々の児童生徒の理解とよりよい人間関係を生み出す学級づくり 5. 主体性のある秩序正しい集団生活への適応とねばり強い生活態度の育成 6. 家庭との密接な提携 7. 学校間および関係機関との提携
(5) 進路指導の徹底	1. 年間指導計画による継続的指導 2. 諸検査の技術面の研究と適性に応ずる進路指導 3. 資料の整備充実 4. 家庭並びに関係機関との提携

(6) 学校保健の強化	1. 学校保健計画の樹立 2. 学校保健委員会の設置並びに活動の促進 3. 学校給食の合理的運営 4. 学校安全の強化
(7) 学校環境の整美	1. 校地校舎の計画的な配置と校地の緑化 2. 花園、教材園の計画的運営 3. 校地校舎の保清と保護管理（排水への配慮） 4. 教師、児童、生徒全員による組織的な整美活動
(8) 特殊学級、促進学級の育成	1. 全教師の研究と理解および父兄の啓もうと協力 2. 施設設備や教材教具の充実 3. カリキュラムの研究
(9) へき地教育の強化	複式カリキュラムおよび学習指導法の研究

⊙ 高校教育課

1 高等学校生徒の急増対策

イ 高校生徒数の増加並びに教育課程の改訂に伴う教職員定員の確保及び教員養成の拡充給与の確保

ロ 高校生徒数の増加に伴う施設、設備及び備品の充実

ハ 高等学校の新設

ニ 高等学校の規模の拡大による運営費の確保

2 高等学校の管理指導の強化

イ 高等学校の合理的運営の強化

ロ 高等学校教職員の資質の向上と給与の改善

ハ 高等学校の施設設備及び備品の管理保全と活用の強化

3 産業教育の振興

(1) 高等学校産業教育の施設及び備品の充実

(イ) 教育課程の改訂に伴う産業教育備品の充実

(ロ) 産業教育実習施設の充実

(ハ) 農業近代化

(2) 高等学校産業科教員の現職教育の強化

(3) 産業教育振興費の確保

(4) 中学校技術、家庭科教育の施設、設備及び備品の充実と活用の強化

(5) 中学校のセンター校の拡充

(6) 中学校技術家庭科担当教員の研修組織の強化と技術訓練講習会の拡張

(7) 水産実習船及び水産専攻科運営の強化

4 高等学校生徒の進路指導の強化

イ 進路指導者の養成と指導力の強化

ロ 学力向上対策学習環境の整備

ハ 職場開拓と定着補導

5 教育の機会均等

イ へき地教育の振興

ロ 私立学校の育成

6 育英事業の拡充

イ 特別奨学制度の拡充（高校及び大学）

ロ 国費学生給与の増加

ハ 育英事業十周年記念事業の促進

ニ 学生補導の強化

⊙ 施 設 課

1． 教育施設工事管理の強化

2． 中学校及び高等学校生徒の急増に対応する教室の充足

3． 老朽校舎の改築

4． 高校農業教育近代化促進のための施設の充実

5． 教科教室の建築

6． 便所其他の施設の建築

7． 特殊教育施設の充実

8． へき地教員住宅、寄宿舎の建設

9． 給水施設の改善、拡充、並びに政府立学校諸施設の充実

10． 政府立学校の校地および実習地の確保

11． 青少年野外訓練施設の新設

⊙ 保健体育課

1 学校体育指導の強化

イ 改訂学習指導要領による指導の徹底　ハ 効率的学習指導の促進

ロ 改訂学習指導要領の実践のための施設用具の充実並びにその活用度を高める

2 学校保健の強化

イ 学校保健計画樹立の指導　ハ 学校保健管理を強化し、学校伝染病の撲滅

ロ 学校保健委員会の設置促進とその運営の強化　ニ 養護教諭の資質の向上

3 学校給食の強化

イ 学校給食指導計画に基づく給食指導の徹底　ハ 完全給食の奨励とその強化

ロ 学校給食施設、設備の充実　ニ 琉球学校給食会の育成強化

4 学校安全の強化

イ 学校安全教育計画の樹立と指導の適正　ハ 学校安全会の育成

ロ 学校環境並びに施設用具の安全管理の徹底

5 社会体育の振興

イ 奥武山陸上競技場の継続建設　ニ スポーツ技術の向上強化

ロ 地方における指導組織の強化と施設の建設　ホ 社会体育団体の育成強化

ハ 青少年野外活動組織の育成と指導の強化及施設の建設

6 指導者の資質の向上

イ 各種研修会の実施　ロ 体育関係諸団体並びに同好会等の育成強化

⊙ 社会教育課

1 社会教育推進体制の確立

イ 教育区における社会教育計画の樹立　ロ 学校教育との連携

2 社会教育指導者の養成

イ 公民館職員及び関係者の研修　ハ 社会教育主事の研修

ロ 社会教育団体の指導者の研修　ニ 視聴覚技術教育指導者の研修

3 勤労青少年教育の振興

イ 青年学級の設置奨励と運営の充実　ニ 職業教育の充実

ロ 青少年団体の組織の強化と民主的運営の育成

ハ 青少年育成モデル地区の設定とその育成

4　成人教育の振興

イ　社会学級講座の充実　　ハ　教育隣組の育成と家庭教育の強化

ロ　婦人団体及びＰＴＡ組織の強化と民主的運営

5　公民館の振興

イ　設備の充実　　ハ　村公民館の設置奨励

ロ　組織運営の強化

6　視聴覚教育の振興

イ　視聴覚教育教材教具の充実整備と計画的な利用　　ロ　教育映画の推せん

7　レクリエーションの振興

イ　レクリエーション活動の普及

8　新生活運動の推進

イ　市町村新生活実践協議会の組織の強化　　ハ　関係各機関及び団体との連携

ロ　重点的な目標設定と実践強化

9　中央図書館、博物館の建設

◉　教育研究課

1　学習指導ならびに生活指導改善のための調査、研究とその普及指導

イ　全国学力調査の実施と調査結果の分析活用

ロ　指導のための教育調査の実施と調査結果の分析活用

2　各種心理テスト利用による科学的診断および治療についての研究とその普及指導

イ　実験協力校の設定と共同研究の拡充　　ハ　研究紀要の刊行

ロ　学業不振児の診断と治療についての事例研究

3　教育相談に関する研究とその普及指導

イ　教育相談技術研修会の開催　　ロ　学校における教育相談とその普及指導

4　教育測定評価についての研究

イ　研究紀要の刊行

5　へき地教育に関する研究と研修

イ　複式カリキュラム構成についての研修会開催

6　琉球歴史資料および沖縄県史の編集事業の推進

イ　琉球歴史資料第八集の刊行　　ロ　県史に関する資料収集の充実強化

7　研究図書資料の整備充実

1964会計年度文教局予算中の地方教育区への各種補助金・直接支出金と政府立学校費

㈠ 地方教育区

1　学校教育費（公立小．中学校）

総　額　$ 11,015,282

内訳　補　助　金　10,750,782

直接支出金　264,500

児童生徒１人当たり金額　$ 46.34

⑴ 補助金の明細

予算項目	科目	予算額	備考
学校給食費	学校給食補助金	18,940	給食費補助　13,655 給食設備〃　5,285
各種奨励費	研究奨励　〃	2,820	（実験、研究学校研究奨励補助）
教育測定調査費	委員手当　〃	5,686	（学力調査委員手当補助）
産業教育振興費	備品　〃	32,223	
学校建設費	施設　〃	1,341,246	
学校教育補助	給料　〃	6,915,465	
〃　〃	期末手当　〃	1,453,349	
〃　〃	単位給　〃	1,800	
〃　〃	退職給与　〃	86,845	
〃　〃	公務災害　〃	2,636	
〃　〃	複式手当　〃	3,012	
〃　〃	開拓地学校運営　〃	1,841	
〃　〃	学校運営　〃	617,900	旅費39,245、教科書414,720 修繕77,848、備品56,400、学校保健11,600、学校統合18,087
〃　〃	へき地教育振興　〃	111,906	へき地手当95,546、備品10,000 住宅料6,360
〃　〃	実習生受入〃	113	
〃　〃	教育区財政調整〃	155,000	
計		10,750,782	

(2) **文教局直接支出金**

予算項目	科目	予算額	備考
科学教育振興費	備品費	90,000	理科備品
産業教育振興費	〃	174,500	
計		264,500	

(注) 公立小中学校児童生徒数　1963年5月　237,573人
　64年5月　238,138人(推計)

2 社会教育費

総額 $ 37,489

人口1人当たり 4.2¢

明細

予算項目	科目	予算額	備考
社会教育振興費	燃料補助金	700	
〃 〃	講師手当 〃	5,544	青年指導者120　婦人指導者120 社会学級5,304
〃 〃	研究奨励費	2,189	青年指導者599、婦人指導者599 PTA指導者186、レクレーション120、社会学級171、新生活運動514
公民館振興費	施設補助金	11,800	
〃 〃	研究奨励費	843	
〃 〃	運営補助金	8,600	
青年学級振興費	〃 〃	3,173	
〃 〃	研究奨励費	200	
社会体育振興費	社会体育施設補助金	3,000	
〃 〃	体育指導員設置 〃 〃	1,440	
計		37,489	

(注) 人口 1960年12月現在 883,122人

3 教育行政費

総額 $ 212,311

人口1人当たり 24.0¢

明　細

予算項目	科目	予算額	備考
社会教育主事設置補助	給与補助金	51,789	
〃　〃	旅費〃	700	
教育行政補助	教育行政〃	159,822	区10,000、連合区149,822
計		212,311	

(二) 政府立学校

1 高等学校

予算総額 2,999,685
生徒1人当たり金額 $110.21

項目名	科目名	予算額	備考
建物修繕費	施設費	30,350	政府有建物面積は按分比例
科学教育振興費	備品費	76,090	
政府立高等学校費	一般職給料	1,443,935	
〃　〃	期末手当	316,180	非常勤職員手当 50,134 超勤手当 27,578 特殊勤務手当 7,870 へき地手当 2,664 宿日直手当 15,980 初任給調整手当 3,189
〃　〃	その他手当	107,415	
〃　〃	職員旅費	17,855	
〃　〃	備品費	74,906	
〃　〃	需要費	60,277	消耗品費ほか
産業教育振興費	その他手当	7,955	非常勤職員手当
〃　〃	職員旅費	13,641	
〃　〃	備品費	136,789	
〃　〃	需要費	159,541	消耗品費ほか
学校建設費	施設費ほか	554,751	附帯費をふくむ

(注) 生徒数　1963年5月　25,986
　　　　　　1964年5月　30,919

2 中 学 校

予 算 総 額　$73,053

生徒1人当たり金額　$150.94

項目名	科目	予算額	備考
建物修繕費	施設費	799	政府有建物面積に按分比例
科学振興費	備品費	1,328	
政府立中学校費	一般職給料	23,791	
〃 〃	期末手当	5,113	非常勤職員手当　1,257
〃 〃	その他手当	2,014	超勤手当　492 宿日直手当　262
〃 〃	職員旅費	231	
〃 〃	備品費	9,500	
〃 〃	需要費	2,971	消耗品費ほか
学校建設費	施設費　ほか	27,306	附帯費をふくむ

生徒数　1963年5月　484人

3　特殊教育諸学校

予 算 総 額　$233,217

生徒1人当たり金額　$731.09

項目名	科目	予算額	備考
建物修繕費	施設費	824	政府有建物面積に按分比例
政府立特殊学校費	一般職給料	49,968	
〃 〃	期末手当	10,731	非常勤職員手当　4,097
〃 〃	その他手当	10,070	超勤手当　3,047 特殊勤務手当　1,470
〃 〃	旅費	813	宿日直手当1,456
〃 〃	備品費	12,458	
〃 〃	需要費	22,120	消耗品費ほか
学校建設費	施設費　ほか	122,136	附帯費をふくむ
科学教育振興費	備品費	4,097	

生徒数　1963年5月　319人

教育関係日米援助の状況

(一) 日本政府援助（昭和38年度）

項目	金額(弗)	備考
沖縄育英奨学資金援助費	70,056	琉球政府予算に計上
沖縄現職教員講習会講師派遣費	22,853	日本政府直接支出
沖縄教員内地派遣研修費	19,206	〃　〃
国費沖縄学生招致費	115,875	〃　〃
琉球大学への教授派遣費	947	〃　〃
琉球大学教員の内地派遣研修費	1,725	〃　〃
沖縄への教育指導員派遣費	31,650	〃　〃
沖縄青年婦人内地教育研究活動援助費	2,403	琉球政府予算に計上
水産高校専攻科設置援助	29,283	日本政府直接支出
教科書贈与費	101,646	琉球政府予算に計上
沖縄文化財に対する技術的援助	781	日本政府直接支出
計	396,425	

(二) 米国援助（1964年度）

項目	金額(弗)	備考
校舎建築費	1,000,000	琉球政府予算に計上
産業教育備品費	210,000	〃　〃
公立学校備品費	150,000	〃　〃
教員給与費	1,000,000	〃　〃
博物館建設費	150,000	〃　〃
英語センター費	95.000	〃　〃
給食物資	1,670,234	現物支給
米国学生派遣費	予定額 335,725	米国直接支出
計	4,610,959	

他局に組まれた文教予算

事項	予算額	備考
事業費の印刷製本費	19,242	内務局用度管財課に一括計上
一般印刷費	5,400	〃
備品費	5,300	〃
消耗品費	11,109	〃
被服費	2,000	〃
土地購入費	165,360	〃
管外研修旅費	2,039	計画局予算に一括計上
講師招へい費	1,520	〃
講師雑費	218	〃
計	212,188	

1964年予算説明会

質疑と要望事項　　久米島地区

1 海にかこまれた沖縄では皆泳教育が必要と思われるが、プール設置の計画はどうなっているか。

2 清水小学校の下の校舎を旧真喜屋小学校（青少年野外活動の施設に改善する計画）なみに施設してもらいたい。

3 体育指導員の職務内容について

4 教育財政調整補助金の使途について、割当後は委員会に指示があるか、使途に制限があるか

5 冷干害のため農村は疲弊している、教育税の補塡だけでなく特別補助は考えられないか。

6 久米島の電力問題について、現在夜間だけで理科、技術教育に支障をきたしている。昼電が早急に必要であり、文教局も側面よりその実現方に協力してもらいたい。

7 青少年不良化問題に関連して、マスコミ対策について承りたい。

8 幼児教育の問題点、幼稚園の計画についてお聞きしたい。

9 小学生（男子）は年間通じて短ズボンにしたら、文教局は服装について指示をしているか。

10 仲里小、大岳小はＰＴＡ自力で給食室を建てているが、内部設備について局でやつてもらいたい。

1964年度文教局才出予算

科目	予算額	1963年度予算額	比較増△減	説明
文教局	16,640,998	14,357,676	2,283,322	
1 文教局費	550,434	322,149	228,285	
(1) 文教本局費	192,461	165,109	27,352	本局事務、作品展、教科用図書目録編集、広報普及、各種試験検定
(2) 学校給食費	79,676	62,943	16,733	学校給食事業 学校給食会補助
(3) 教員養成費	23,781	6,972	16,809	教員養成 数学教員養成
(4) 建物修繕費	32,488	13,888	18,600	
(5) 実験学校指導費	1,100	2,024	△ 924	実験、研究学校奨励補助、各種研究団体への奨励
(6) 各種奨励費	25,953	22,318	3,635	
(7) 科学振興費	190,319	47,293	143,024	
(8) 私立学校補助	1,500	1,000	500	
(9) 学校安全会補助	1,000	600	400	
(10) 教員候補者採用試験費	2,156	0	2,156	
2 中央教育委員会費	12,326	11,256	1,070	
(1) 中央教育委員会費	12,326	11,256	1,070	
3 各種調査研究費	32,740	41,563	△ 8,823	
(1) 教育測定調査費	22,412	37,208	△ 14,796	教育課程、各種調査統計各種学力テスト
(2) 琉球歴史資料編集費	10,328	4,355	5,973	琉球歴史資料、沖縄県史の編さん
4 教育関係職員等研修費	17,063	18,819	△ 1,756	
(1) 教育関係職員等研修費	17,063	18,819	△ 1,756	教育指導員、夏季講習講師受入各教科研修、校長研修会等
5 政府立学校費	2,170,348	1,875,342	295,006	
(1) 政府立高等学校費	2,020,568	1,745,593	274,975	
(2) 政府立特殊学校費	106,160	88,261	17,899	
(3) 政府立中学校費	43,620	41,488	2,132	
6 産業教育振興費	524,649	683,367	△ 158,718	
(1) 産業教育振興費	524,649	683,367	△ 158,718	産業教育、実習船運営、農業近代化、中校職業備品購入
7 社会教育費	488,868	231,192	257,676	

(1) 社会教育振興費	18,482	16,253	2,229	青年、婦人、PTA指導者養成講習会、レクレーション普及、視聴覚教育、社会学級振興、新生活運動、測量技術員養成講座青年婦人国内研究活動等
(2) 公民館振興費	21,076	21,887	△ 811	
(3) 青年学級振興費	3,704	3,937	△ 233	
(4) 社会教育主事設置補助	52,489	48,209	4,280	給与、旅費補助
(5) 子供博物館補助	1,000	1,000	0	
(6) 博物館費	11,155	10,033	1,122	
(7) 図書館費	13,497	12,383	1,114	社会体育研修、各種スポーツ大会運営選手派遣招へい費総合競技場建設地方体育振興等
(8) 社会体育振興費	81,315	97,490	△ 16,175	
(9) 中央図書館建設費	25,000	20,000	5,000	
(10) 博物館建設費	161,000	0	161,000	
(11) 英語教育普及費	100,150	0	100,150	
8 学校建設費	2,073,424	1,584,700	488,724	政府立、公立学校の建設及び施設
(1) 学校建設費	2,073,424	1,584,700	488,724	
9 学校教育補助	9,349,867	8,190,980	1,158,887	公立小中校の給料、期末手当、単位給手当、退職給与、公務災害、復式手当、開拓地運営、学校運営、へき地教育振興、実習生受入補助、教育区財調整補助
(1) 学校教育補助	9,349,867	8,190,980	1,158,887	
10 教育行政補助	159,822	140,192	19,630	
(1) 教育行政補助	159,822	140,192	19,630	
11 育英事業費	147,046	125,877	21,169	
(1) 育英事業費	147,046	125,877	21,169	
12 琉球大学補助	1,086,215	1,099,562	△ 13,347	
(1) 琉球大学補助	1,086,215	1,099,562	△ 13,347	
13 文化財保護費	28,196	32,677	△ 4,481	
(1) 文化財保護委員会費	13,993	12,791	1,202	
(2) 文化財保護費	14,203	19,886	△ 5,683	

沖縄の教職員の皆さんへ

東京教育大学
付属小学校　長谷喜久一

文部省委員として第一次沖縄教育指導員の仕事に出かけてからも4年余りになりますが、きつと沖縄の先生方は当時の情熱を今も日々の実践活動に傾けておられると思います。

この情熱には当時非常に敬服いたしじつとしておられなくて精いつぱい努めたことをなつかしく思い出しています。

時々本土派遣の先生方の話を聞き、ご精進されていることを目のあたりに思い浮べることができます。先般久米島航路の災害を紙上で知り、とりわけあの航路を往復いたしていました関係で身近かなこととようすを心配しています。

沖縄の教育では、とにかく先生方が児童、生徒の将来のことを考えて真剣に取り組んでおられる姿が本土の教育の在り方に比べ一段と高いように思えるのは、半年近く在琉したことが心のどこかでそう言わせているかも知れません。

けれどもいろいろと調査によりますと具体的に比較される数字の上でやはり下まわるのは、学校環境や先生方の指導の具体的な面での実践活動に今一段の表われ方が必要ではなかろうかと考えます。熱意が非常にあつても、心あせるばかりで仲々実績の上らぬのは、やはり環境整備やその中で活躍される先生方の雰囲気から出てくることが児童生徒の自発性とぴつたり合い、そこに築かれる文化財の伝承や創造の営みが合理化されることに効果を上げることが期待されるのではないかと考えます。

知ろうということ、表わそうとすることは、何れも児童生徒の興味や意欲によつて高められ、その技術は精神的な面での賞揚を考えることによつてある程度効果を上げられると思いますが、数字で表わされ、比較されるものは、その内容をどう扱うかの点で差を生ずると思います。

したがつて教育内容の理解を高めること、内容をいかに児童生徒に与えたり身につけさすかの指導技術上の問題を確実な姿で指導者の一人一人に身につけることが、レベルをあげるポイントではなかろうかと思います。

勝手なことを申しあげましたがこれはとりもなおさず自分への警告としての意味をもつていますので、このような考え方が、あるいは、沖縄の先生方に受け入れていただくことができるのではないかと考えての「私の忠告」としてきいていただきたいと思います。

校長指導主事等研修講座に出席して

昭和38.9.2（月）〜9.14（土）
東京学芸付属大泉中学校

玉　木　清　仁

開講式へき頭、この講習は厳格をもつとうとする。講義中は禁煙、写真をとることを遠慮する。2回遅刻すると修了証はあげられない。午後の演習の際は 司 会 者を決めることと、先ず一本の筋金をいれられた。午前（9時〜12時）は講義、午後（1時〜4時）は演習か、情報交換、見学あるいはまた講義があつたが、適当な日程であつた。

講座の骨子は何であつたか

1　終戦後基本的人権はそこなわれた、現象は銀座新宿あたりの深夜のひとり歩きは生命の保障はいたしかねる。チンピラぐれん隊で。科学技術のめざましい発展がある反面、社会秩序からは一等国ではない。このままでは跛行的な国家になりはしないか。

2　個人はゆるされないが集団の中では許されるという考え方がありはしないか。万引の生徒一わたしだけでないと、非行の生徒一わたしの学校だけでないと、
明治以来のモラルは学校で維持されていたが、今は崩壊したのじやないか。今までのものはみな悪い、教育界における反省（日教組が拍車をかけ反動となる。）

3　法律規則を守るのは最低のモラルである。外国はキリスト教がバツクボーンになつているが。日本は何があるか。ソ連の生徒心得、中共の生徒心得にも先生をうやまえ、サボつてはいけないとある。独立した国家では法律規則を守るのがあたりまえ、そのあたりまえが通らないのが、日本の現象じやないか。

4　学校の先生は村のモラルである。一般人よりは社会正義を忠実に守るべきものじやなかろうか。特種の使命がある。教師は子どもの運命を決定する。子どもが困難なことにぶつかつて、先生のことを思い出すならその先生は本当の先生である。

5　教師は㋑労働者として割り切れない、㋺公務員である。職務上の義務、身分上の義務がある。㋩専門職である。教師とは勉強するもの、教師が勉強せば自然子どもが勉強し

ていくだろう。

6　どこの社会にも権力、権威がある。それは国民から信託された権威である。所属職員を監督する、校長は正すべきところはただすと、毅然たる態度をとるべきである。

講義の内容はあらましどんなものであつたか

1）初等中等教育の諸問題（局長福田繁）

道徳教育の充実収善をはかつて学習指導要領の具体化を考えていく

㋑　教師に適切な指導貸料を提供する。

㋺　子どもに適切な読物を与えていく。

㋩　道徳の指定校を設けて周辺に及ぼす。

㊁　大学には教員養成の意味で道徳の基本科目を必須にする。

㋭　現職教育を考える。

2）教　育　法　規（木田宏）

㋑　法とは人間社会の規律である。規律とは主体的に人間の意志の力によつて秩序をつくる。㋺強要性がある。㋩教育法規とは教育行府の法規である。行政とは国内の教育活動に対して国家が関与する法規である。

3）世 界 の 教 育（平塚益徳）

民主主義に於ける自主性とは①個人然り国家然り自分が足りないという謙虚な自覚、求道的態度がなければならない。③足りないことをつつまずかくさず他に示すこと、そして他から助言を求める、批判を積極的に歓迎する。③自分のことは自分で責任をもつてやる。①と②がないと独善主義排他主義になる。③がないで①と②ばかりになると、あなたまかせで自分がない。イソップ物語の馬を売りに行く親子のようなものである。究極は③であるが、①と②が忘れられているのが現状じやないか。

ソ連）1928年から15年かけてアメリカの生産に追いつこうと始まつた五ヵ年計画は、1960年で第六次五ヵ年計画が終つたこの間に世界を震憾させるような教育をした。その特色は、㋑知識、技術、運動芸術然り、ソ連栄光のためになる人間をつくること。今度人工衛星に乗つたテレシコワは、フルシチョーフに会つて自分はソ連軍人の義務を果たしたと述べたという。㋺国民のあらゆる層から人材を吸いあげる。㋩1942年20ヵ条の道徳教育の目標及び具体的な方法の１条の後半に、ソ連で勉強するものはあらゆる努力と忍耐とをもつて知識を獲得し、獲得した知識をソ連栄光のために完全に使えよ。とある。

㊁1946年先生の規則6カ条の2条に、行政官庁からの通牒は敏速に実施にうつせ。と、1957年人工衛星うちあげに成功したソ連は、世界各国の教育を一大転換させた。それでも1958年フルシチョー教育改革が発表されて自己反省がなされた。それは①労働との結びつきが足らない。②試験制度がルーズである。③理数系と芸術系の子どもは早くから別けて教育すべきである。

イギリス）道徳教育と科学技術の国、1959年ソ連からの攻勢に立ちあがつた。①義務教育の年限をのばす。②指導者の教育。③社会教育の重視。一生が勉強の時期、あらゆる場所が勉強。日本くらいナショナリズムのはつきりしない国はない。①ジャコビレこれは自分の国ばかりのことを考える自分の国のために他国を考える。②ヒユーアニヤンは㋑自国の発展が他国の迷惑にならない㋺自国のためになるものは他国にも何かプラスになる。㋩いろいろの考えを認める（思想の複数を認める）。㊁国の基いを道義道徳におく、ヒユーマニヤンがイギリスの考え方である。
Nationalism Jacobin Humanitarion

アメリカ）考え方①プログレシツブ㋑子どもの性は善、㋺子どもの個性、興味自由を尊重
Progressive
する。㋩教師は観察者、日本にはこの①が受く入つてきた。②エツセンシヤル㋑善悪の
Essential
両派の矛盾がある。㋺うつちやつておけば悪が、強くなる。㋩子どもの興待個性自己活動を尊重するが、小さい時に悪を矯正して必要なことは個性にしたがつて教える。①の考えだからソ連に負けたんだと、②に変つている。1958年国家防衛教育法が出来た。日本は自己反省するなら結構であるが、自虐は払拭すべきである。

4）教 育 思 潮（稲富栄次郎）

ドイツは観念論の哲学の上に立つている、アメリカはプログマチシズムの上に、イギリスは昔からの実践の上に立つてのゼントルマン、フランスはカトリツク教で詰込教育、1882年初等教育の方針が現在まで守られている。日本は土台がない。精神文化は郷土性をもつ。民族性、気候風土がある。ドイツは天然資源が貧しいので観念論であり、内面的に安住して生きる外はない。理屈つぽい。アメリカはプログマチシズムで生まれるべくして生まれたもの、知識は実用に供して恵まれた天然貨源を開発していけば自然に富む。理屈を言う必要がない。日本は郷土性で、呉越同舟、ごつたがえしの国である。シーズンになると野球相撲でごつたがえす、世界の文学書はあつまり、音楽は能、謡曲、ベートーベン、マンボ、フランスのシヤンソン、アメリカのジヤズ（黒んぼうのあきらめた踊り）民謡あり歌謡あり。また日本ほど宗教のある国はない。浅草観音、明治神宮、

成田不動尊は大にぎわいで、神や仏の合宿所に人間が間借りしている。抱擁力がある。外国のものを種々食べるが眼の色は黒である。西洋は我思う故に我ありというが、日本は我をあらわさない。自我がはつきりしない。感覚は鋭敏で、感情はせん細で微妙で余韻嫋嫋である。禅宗など悟りをひらく。長所は堂々と歩くべきで、欠点は謙虚と認めて今度の教育に改めるべきである。

5）学 校 経 営（玖村敏雄）

㋑教師は環境である。環境の媒介者であり解釈者である。㋺教育は内からの目覚めをねらつておしつけでなく、わからせる、感じさせる、力をかしてやる創造である。子どもと教師との共同製作である。㋩教育者は人間であり全人でなければならない。㊁会社は分業的で人間の一部分しかあつかわれていないので人間が疎外されがちだが、教育に人間疎外があつてはいけない。自分自身が人間になるという 職 業 は少ない職業である。㋭現場人に情熱がたぎつているだろうか。ヘーゲルは情熱なしに一切のものはできないといつたが。

われわれは今後どう処していくか

1）犯罪と生活が背中合わせの社会はとかく異常である。よつてきた心の空虚を満たすものは何か。それはしばらくおくとして、先ず学校は、道徳教育の充実方策を考えていくべきであろう。それは校内体制の確立であろう。指導体制を確立し、望ましい雰囲気と環境を整備する必要がある。

2）法に暗いということは、職務に自信が持てぬということにもなる。必要な法規は早急に立法すべきである。自由と平等はほどほどに、地方公務員法など早く立法すべきである。法の整備された本土は落ちついたものと思われる。

3）戦前は個人競技が多かつた日本が、戦後は団体競技が多くなつた。個に強いアメリカはチームワークが必要といわれるが、敗戦と同時におけのたががはずれたような日本は考えなければならない問題が多いだろう。

4）法は最低のモラルで、中味はおたがいが盛るべきであろう。しかし法を法のままやろうとしてはあまりに味がなさすぎるだろう。

5）最後に文育局はサービス機関で、助言者で今後も参考資料を多く示してほしい。

教育は教師と児童生徒との関係がなんといつても深いが、組合をつくるとなると校長対教師教師の対立は好ましくない。ＩＬＯと日本の機構を勉強しなければならないが、本土ではなおも日教組との対立が濃厚のようであつた。児童生徒の幸福を考えて、教育の目標を決め、その方法を現実を考えて漸進的に改めるべきものは改めていきたい。学校経営の中心は、あたたかみ、笑いがしめるべきである。

（山田小中学校長）

道徳教育（勝部真長）はタイムス紙上で発表したし、他の講義は紙数の都合で割愛した。

1964年予算説明会

質疑と要望事項

旧辺土名地区

○学校統合に要する経費はどの程度補助されているか。また、将来の見通しはどうか。

○学校統合に対する補助は法定化されているか、また統合に伴う経費としての敷地購入費に対しても補助できないか。

○養護教諭の未配置教育区があるのは予算上の問題か、人の問題か。

○財政調整補助金の交付はいつごろか、また、この補助金交付に対しては教育区の財政状況をよく検討の上決定してほしい。

○社会教育主事は各教育区へ配置してほしい兼任になつているがへき地教育区では実際上義務は無理である。

○一般旅費、研修旅費の補助をもつと増額してほしい。

那覇連合区

○教員定数について公文書によると7月以降の教員の増員は認めないことになつているが、那覇市の場合は児童生徒の増加が著しいので、9月にもう一度再調査して学級増を認めてほしい。

○予算年度内における教員定数をおさえる場合には過去の状況をもとにして余裕を持たしてもらいたい。

○新基準による教員数算定の方法は都市地域には不利にはなつていないか、基準算定の際には基準の段階をもつとふやしてほしい。

○大規模学校の分離についての予算措置はどうなつているか。

○新設校に対する備品等の補助はどれだけあるか。

○幼稚園教育が重要施策として取り上げられたことは喜ばしいが、これに対する積極的な予算措置を講じてほしい

○財政調整補助金制度に対する法的整備には手をつけているかどうか。

○間仕切り教室の早期解消を望む。

昭和38年7月教育課程審議会

学校における道徳教育の充実方策について

―答申全文紹介―

文教局　指　導　課

このたび、教育課程審議会は、標記のことについて、つぎのように、答申しています。

道徳教育が戦後教育の重要問題として叫ばれるようになつた理由については、ここで述べるまでもないと思います。

各教科の中でおこなわれるべきことを主張した時代から、特設時間をおいて深化補充すべきであるという考えに立ち、このたびの指導要領の改訂によつて学校教育の一領域として明確に位置づけられました。これまで毎年のように研究校、実験学校を指定してそのための充実強化をはかつてきたわけでありますが、道徳教育についての関心の高い割合に、一般にまだ充実した段階にはど遠いものと考えられます。内容的に、指導技術において、年間計画の上からも、誠に多くの問題をかかえているのが現状でありましよう。現段階の道徳教育を深く反省考察しいろいろの角度からその充実方策の要点を示したのがこの度の答申案だと思います。

沖縄における現段階の道徳教育についてもすべて充当することでありますので、答申されたことについて、それぞれの立場から充分検討の上、その具体的な方策を樹立し、実施されることを願います。

〔答申内容〕

一　基本方針

道徳教育の基本をなすものは、人間尊重の精神である。国家社会における倫理は、これに基づいて確立されなければならない。

教育基本法は、その普遍的原理の大綱を示したものである。しかしこれを教育の場に生かしていくためには、わが国の歴史にかんがみ、その伝統のすぐれたものは伸ばし、また足りないところは補つて、真にわが国にふさわしい実践的指針たりうるように、その内容を具体化していかなければならない。

第一に、右の基本方針に関連し、審議の過程において、主として、次の㈠、㈡、㈢および㈣の点について論議が行なわれたが、われわれは、これらの意見をじゆうぶん尊重すべきであると考える。

㈠ 教育基本法は、道徳教育についてその普遍的原理を示しているが、そこにいう人格の完成とは、個人の価値をたつとぶとともに国家社会のよき形成者たる自主的精神に充ちた心身ともに健康な日本国民の育成をめざすものでなければならない。

㈡ したがつてその教育に当たつては、日常生活の中から生きた教材を選ぶとともに、広く古今東西の教訓に学ぶことはもとより特にわが国の文化、伝統に根ざしたすぐれたものをじゆうぶん生かして、内容的に充実していく必要がある。

㈢ その際、今日の世界における日本の地位を果たすべき重要な使用にかんがみ、国民としての自覚を高め、公正な愛国心を培うように一層努力する必要がある。

㈣ 道徳教育においては、人間としての豊かな情操を培い、人間性を高めることが基本であるから、今後宗教的あるいは芸術的な面からの情操教育が一層徹底するよう、指導内容や指導方法について配慮する必要がある。

そこで今後の課題は、いかにしてこれらの趣旨を具体的な指導内容に取り入れ、適切な指導を行なつていくかということにあると考える。

第二に、科学技術の革新に伴つて時代の進展はまことにめざましいものがある。これに対処して将来の日本をになうに足る国民を育成するよう強い社会的要請が寄せられているが、教育がその期待にこたえうるよう強い社会的要請が寄せられているが、教育がその期待にこたえるようにわれわれは最善の努力をはらうべきであると思う。しかしながら、科学技術の画期的な進歩に伴う機械化や組織化などは、ややもすると人間性を否定するような傾向を伴いがちである。その点に留意し、道徳教育においてはあくまで人間尊重の精神を貫き、科学技術の進歩と日本の繁栄が広く人類の福祉に貢献していくように努力しなければならない。

第三に、道徳教育の充実については、単に学校のみならず、家庭や一般社会においても国民のすべてが一貫した態度をもつて協力していかなければならない、しかし、今日においては一般社会における道徳的な規範力の弱化や家庭における指導力の低下などがみられるので、学校における道徳教育の重要性に特に留意しなければならない。

二　道徳教育の現状と問題点

小学校、中学校における道徳教育の現状をみると、教師の熱意と適切な指導により、また地域の協力を得て相当の成果をあげているものもみられるのである。しかし、学校や地域によつてはかなりの格差がある、一般的には必ずしもじゆうぶんにその効果をあげているとは云えない。その事由を検討してみると次のようなことが指摘できる。

(一) 教師のうちには、一般社会における倫理的秩序の動揺に関連して価値観の相違がみられる。そこで、いわゆる生活指導のみをもつて足れりとするなどの道徳教育の本質を理解していない意見もあり、道徳の指導について熱意に乏しく自信と勇気を欠いている者も認められる。また一部ではあるが、道徳の時間を設けていない学校すら残存している。このような状態は、道徳教育の充実に大きな障害となつている。

道徳教育の効果は、何よりも教師の人格的影響力とその指導のいかんにかかつている。まず、教師みずからが教師としての使命感に徹して教職に専念し、一般社会からも信頼されるに値するよう努力する必要があると思う。

(二) 各学校において、具体的、効果的な指導計画の作成の仕方や適切な教材の選定に種々の困難を感じている者が多く、道徳の指導が適切を欠くうらみがある。

(三) 一部には、学校経営が弛緩し、秩序がじゆうぶんに保持されていないような状況がみられる。このような状況は、児童生徒に対する行き届いた指導を困難にし、道徳教育の効果をあげる上に大きな悪影響を及ぼすことになる。これらの点でじゆうぶん留意して、学校を人間育成の場として真にふさわしい環境に整する必要がある。

(四) 家庭教育や社会教育は、学校における道徳教育と密接な関連を有するが、その間に価値観の相違や動揺がみられる。学校教育においても地域の実情をじゆうぶんに勘案し、一体的、協力的な指導を行なう必要がある。

(五) 教育委員会などにおける道徳教育の指導については、そのための指導主事の配置がふじゆうぶんである。また指導が徹底しない面がある。

三 充実方策

学校における道徳教育の充実方策は、すでに述べた基本方針や現状と問題点に関連するものであるから、そこでもある程度ふれたがさらに一層次のような具体的充実方策を講ずる必要がある。

(一) 目標内容の具体化

道徳の目標や内容について、各学校において指導しやすいようにするため、児童生徒の発達段階に応じた指導の具体的なねらいや重点を一層明確に示すようにする必要があること。

㈡ 教師用の資料等

教師が道徳の指導を有効適切に進めることができるように、教師用の指導資料をできるだけ豊富に提供する必要があること。そのため、この指導資料には、指導の効果を高めるための読み物資料、視聴覚教材の利用その他各種の指導方法をも解説するなど適切な指導が行なわれるように配慮すること。

㈢ 児童生徒の読み物資料

道徳的な判断力や心情を養い、実践的な意欲を培うために、児童生徒にとつて適切な道徳の読み物資料の使用が望ましい。

この読み物資料の内容については、学習指導要領に準拠しているかどうかを適切な方法により確認する措置を講ずるようにすること。

また読み物資料の使用に当たつては、道徳教育の性格にかんがみ、他の指導方法と合わせてこれを適切に活用するように配慮すること。

㈣ 教員養成の改善

教員養成に当たつては、道徳教育の基盤となる諸科目を必修させるようにするとともに、現行の教職に関する専門科目における「道徳教育の研究」を一層改善充実して、教師の指導力の強化を図るようにすること。

㈤ 現職教育の充実

教師の道徳観を確立し、道徳教育の指導理念と適切な指導方法を把握させ、その意欲を高めるため、組織的計画的な現職教育を一層徹底して行なうようにすること。

㈥ 校内体制の確立

道徳教育の推進は、学校経営全般にかかわる問題であるから、学校における指導体制を確立し、望ましい雰囲気と環境を整備する必要があること。

特にこのための校内体制を確立し、道徳教育についての意欲と関心を盛りあげるように努める必要があること。

㈦ 家庭や社会との協力

学校における道徳教育が、家庭および社会と連繋を保ち、その協力によつて教育環境を浄化し、その効果を一層高めるように配慮する必要があること。

㈧ 教育委員会などにおける指導の強化

道徳教育についての教育委員会などにおける指導体制を一層強化するために、指導主事の拡充を行ない、かつ、指導の徹底を図るよう必要な措置を講ずること。

附　記

高等学校における道徳教育については、昭和38年度から実施された新教育課程において、社会科のうちに倫理社会が受けられるとともに、特別教育活動その他における生活指導を一層充実するよう配慮されているが、その徹底を図るとともに必要に応じさらにその充実方策について検討すべきである。

1964年予算説明会

質疑と要望事項　　　中部連合区

○義務教育の児童生徒一人当り教育費は高等学校の場合よりも本土との差が大きい。義務教育費をもつと本土に近づけるよう努力してほしい。

○理科教室の配当や技術教員の配置を文教局がしぶつているように思われる。その理由を伺いたい。

○学校給食研修はどんなふうに持つのか。給食補助はどんなふうに行なうのか。給食設備補助はどんなものを考えているか。

○社会教育主事の完全配置は何年までに実現できるか。

○教室の不足数はどれだけか。給食室、便所、保健室の計画はどうなつているか。普通教室と特別教室の割合はどんなふうに計画しているか。

○教育区財政調整補助金の配分方法はどうなるか。

○学校の備品購入計画を文教局で査定する場合、備品目録に記載されているものについは事後承諾ですましてもらいたい。

○生徒の増加に応ずる教室の増加ははかられず不足するというおかしな現象が起つている。生徒数に応ずるだけの教室確保につとめてほしい。そのための教室整備台帳の作成はいかが。

○教科書無償が教育の他の面にしわ寄せされることはないか。

○年度半ばに校長等の本土研修派遣が決定されたため、旅費補助（文教局）50%に応ずる区教育委員会の財源が望めず教員個人が負担する事態を生じた。研修派遣はできるだけ事前に本人や区委員会と調整してほしい。

（南部連合区）

○産休教員の補充教員を申請したが、指令がまだきてない。遅延の理由を伺いたい。

○糸満に戦前のブロック建の建物が残つている。その破損がひどく、修繕を昨年申請したが、まだ実施されていない。ぜひ修繕してほしい。

○給食準備室を自力で建てたが、その内部備品の補助があるか。もしなければ、それに代わるものたとえば便所等を他に優先して配当してもらえるか。

○新年度の予算では養護教諭の配置はどうなつているか。

—あとがき—

※14ケ月ぶりで文教時報82号をおとどけする。予算やその他いろいろのつごうで休刊同様になつていた。

※1964年度教育予算の概略を本号で説明することにした。教育関係者の皆さんとともにそれを活用し更に将来のために役立つことがあれば幸いである。

皆さんのご支援とご高見がよせられることを期待する次第。

※第三回教育指導員の来島が発表された。教育内容をさらに深くほりさげ、その実をあげるために学ぶことができるいい機会である。指導員の先生方がご無事でご使命を果されるよう祈ります。

※奇しくも、第一回の教育指導委員として久米島地区へ来島され、久米島教職員の皆さんから尊敬され親しまれた長谷先生から第三回指導委来島のおりに玉稿がよせられた。

誌上をもつて先生に深く感謝申しあげます。

※文部省主催の校長研修会へご出席され、その報告書をよせられた、玉木清仁先生ご苦労さまでした。

※巻末に道徳教育の充実方策についての教育審議会の答申全文を掲載した、ご研究ください。

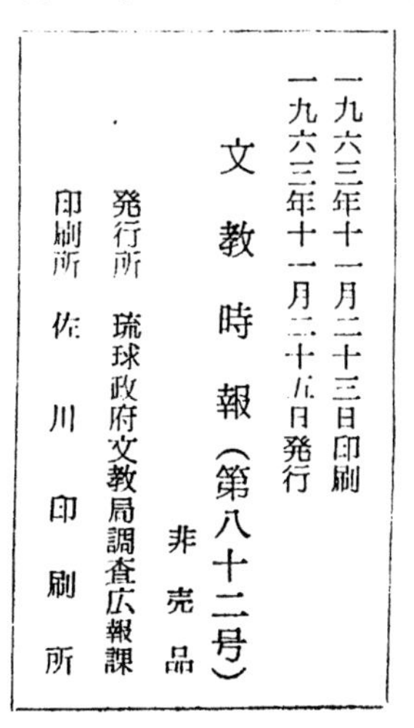
一九六三年十一月二十三日印刷
一九六三年十一月二十五日発行
文教時報（第八十二号）
非売品
発行所 琉球政府文教局調査広報課
印刷所 佐川印刷所

文教時報

83

No. 83　'64/1

特集……全琉教育作品展

琉球政府・文教局・調査広報課

目　次

第３回　教　具　作　品　展

会場に展示された教具

（那覇）

学習しながらつくられていく歴史年表（4年）

（宮古）

石　膏　像

（宮古）

← はえの変態標本

（那覇）

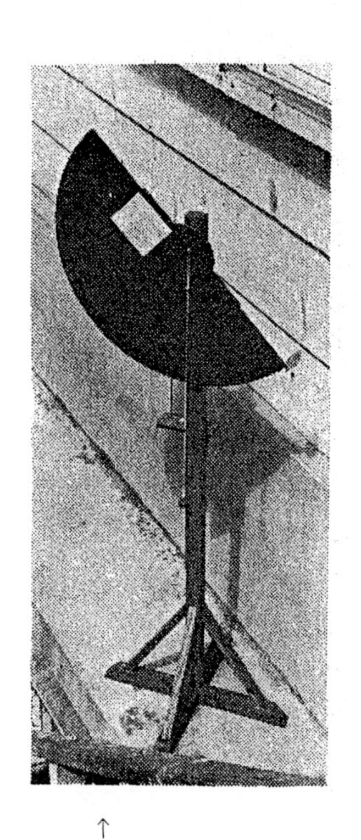

↑

太陽高度測定板

（那覇）

↑　電気抵抗実験器　　（那覇）

← 風向計　（那覇）

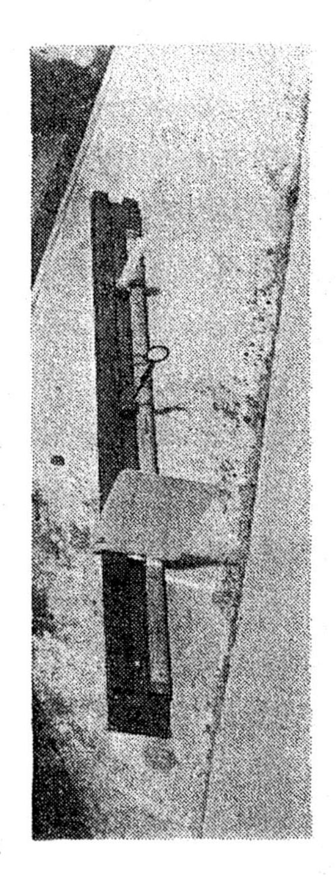

↑ 光学台　（那覇）

↑ 小太鼓の打ち方練習板　（那覇）

ノギス読針用指導板 →

（那覇）

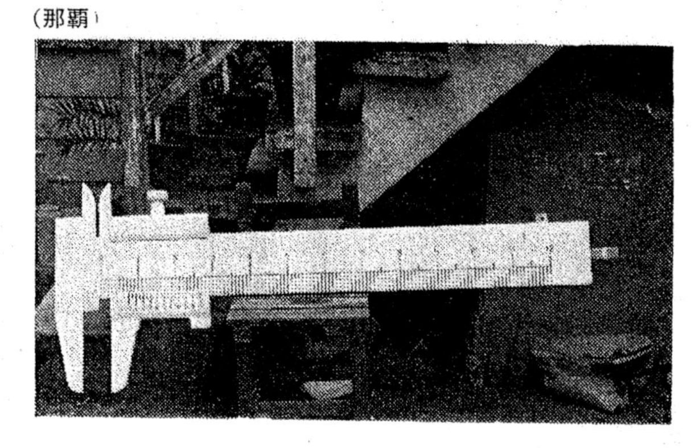

初の本土政府経済援助による練習船（翔南丸）

↑
翔南丸全景

↑　翔南丸の頭脳
近代装備が備えられている

蔵元船長の説明にき　→
きいる大田主席

↑　レセプションであいさつする

文教局長

あいさつにたつ

高等弁務官代理　→

←　念願の

練習船を得て

喜びの関係者

レセプションの

ひとこま

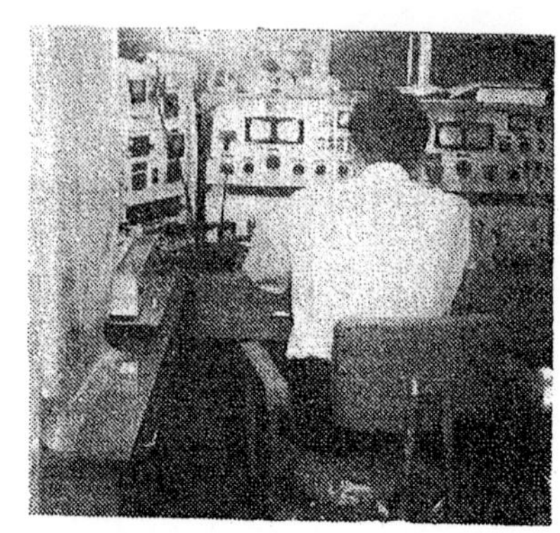

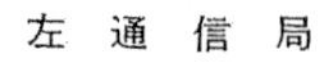

左　通　信　局

右上　前島沖まで試乗　船首の「文教局」と
　　　そめぬかれた旗が風にはためくのが印象的

右中　試乗招待客の大田主席も釣りを楽しむ

↑　快適な試乗をおえて謝意をのべる招待客

←　泊北岸に接岸した翔南丸

全琉教育作品展総括

文教局　指導主事　松　田　正　精

第三回全琉教育作品展自作教具展示会を各連合区の特色ある実施運営により９月～11月の間に盛大に終了することができた。

このことについて各連合区の関係者ならびに審査員の先生方に深くお礼を申しあげるとともに，教育現場で多くの教具を製作された先生方のご協力を心から感謝申しあげます。

全琉教育作品展実施要項

１　趣　　旨

全琉小中学校の教師ならびに児童，生徒を対象に教材教具の作品展を実施することにより創意くふうの製作活動を促すとともに教材研究を徹底して，指導の具体化，能率化をはかる。

２　作品製作上の留意点

イ　指導要領の指導内容について，具体的に学習効果を高めることのできるもの。

ロ　既製教具からそのヒントを得て創意くふうしたもの

ハ　作品はできるだけ各教科にわたりその必要数も考慮する。

ニ　児童，生徒の発達段階や個人差等も考慮して興味深く学習が進められるもの。

ホ　地域の特性を生かし手軽るに活用できるもの。

ヘ　作品については，設計図，材料費，使用法等説明書をそえること。

３　審査方法

○現場審査

(1)　現場審査は各学校の製作された品目について，各連合区の計画により，各学校単位におこなう。

(2)　各連合区の審査委員会は，審査の結果総合的に優秀な学校を２～３校，審査成績表をそえて文教局に報告する。

○各連合区別日程

連合区	現場審査	展示会	会場名
北　部	９月13日 ～ 15日	９月28日～30日	名護小学校
中　部	９月13日 ～ 15日	９月21日～23日	連合区ホール
那　覇	９月11日 ～ 12日	９月28日～29日	連合区会議室

南部	9月27日 ～ 28日	10月5日～7日	連合区ホール
宮古	10月25日29，30日	11月1日～3日	琉米文化会館
八重山	10月29日 ～ 30日	11月2日～4日	登野城小学校

4　展示会（各連合区ごとに）

(1)　現場審査の結果どの学校にもすいせんできるような教具を出品させる。

(2)　離島で現場審査の困難なところは、書類審査の上出品させる。

5　審査基準

イ　教具として使用価値の高いもの。

ロ　創意くふうして着想のよいもの。

ハ　構造が堅牢で性能の良いもの。

ニ　経済的で安全度の高いもの。

ホ　使用頻度の高いもの。

6　授　　賞

○学校賞

連合区からすいせんされた学校の中から連合区と文教局の審査により賞を決定する。

○個人賞

各連合区出品点数の一割以内。

7　各連合区教科別製作品目

連合区	国	社	数	理	音	美術	保体	技家	英	道徳	視聴覚	計
北部	116	28	118	187	4	26	3	3	1	1	－	487
中部	501	40	132	551	21	1	89	12	2	1	20	1,370
那覇	31	98	66	148	50	39	35	113	16	13	18	627
南部	31	34	83	122	19	7	13	7	2	1	6	325
宮古	40	41	92	95	13	10	29	35	3	5	－	363
八重山	4	5	16	32	6	3	2	13	－	－	－	81
計	723	246	507	1,135	113	86	171	183	24	21	44	3,253

説　　明

本年度の全琉作品展，製作品総点数は3,253点で連合区別製作点数を上位からならべると中部，那覇，北部、宮古，南部，八重山の順である。

趣旨にもあるように，全教科ならびに領域についての製作をすすめたが，実験観察等の必要性から理科の製作点数が上位をしめている。

国語723点，算数，数学の507点，社会246点，技術家庭183点，保健体育171点，音楽113点，美術86点，視聴覚44点の順となって，主要教科に遍しているが体育，音楽，道徳，特活視聴覚等の教科領域ではかなり学校の優劣差が見られた。

教育作品展連合区別製作出品校名

南部（16校）　小校 14　中校 2　○印は優秀校

米須小	具志頭小	○百名小	新城小	大里北小	南風原小
真壁小	兼城小	高嶺小	長嶺小	○座安小	佐敷小
玉城小	高嶺中	東風平中	糸満南小		

北部（9校）　小校 7　中校 2

兼次小	謝花小	○東江小	辺土名小	○名護小	屋部小
屋部中	久辺小	久辺中			

那覇（30校）　小校 20　中校 10

高良小	与儀小	城北小	小禄小	○真和志小	浦添小
垣花小	○識名小	古蔵中	開南小	松川小	上山中
久茂地小	大道小	那覇中	若狭小	安謝小	神原中
泊小	真嘉比小	寄宮中	壺屋小	城南小	真和志中
神原小	城西小	安岡中	首里中	浦添中	仲西中

中部（12校）　小校 9　中校 3

北美小	兼原小	高原小	西原小	○北谷小	大山小
渡慶次小	○越来小	美里小	○美東中	普天間中	越来中

宮古（28校）　小校 15　中校 13

平一小	北小	久松小	鏡原小	西辺小	狩俣小
宮島分	西城小	城辺小	福嶺小	伊良部小	下地小
砂川小	上野小	宮原小	西城中	城辺中	福嶺中
大神中	池間中	上野中	佐良浜中	平良中	久松中
鏡原中	西辺中	狩俣中	伊良部中		

八重山（12校）　小 8　中 4

○石垣小	登野城小	石垣中	名蔵小	平真小	大浜中
白保小	明石小	大原中	平久保小	野底小	与那国中

教育作品展の概況

南部連合区
指導主事　吉川嘉進

1　出品作品の概況

本年度管内各校から製作報告のあつた教具作品は，小学校227点，中学校10点合計237点で，その内小学校139点，中学校10点が連合区に出品された。

作品を校種別，教科別にみると次の表のとおりである。

教科＼校種	小学校	中学校	合計
国	33	0	33
社	29	2	31
算数	75	0	75
理	44	1	45
音	20	0	20
図工	14	1	15
保体	5	1	6
家	5	1	6
技	0	4	4
英	0	0	0
道	1	0	1
特	1	0	1
合計	227	10	237
連合区出品数	139	10	149
入選数			
備考	内主任作品12点		

連合区に出品した学校数は，小学校13校，中学校 5校で，中学校は低調である。

小学校においては，昨年度にひきつづき77点や42点も製作出品し，一教師が心魂を打ち込んだ作品が18点も出品された。

2　創作品の内容

製作品は個々の教師の創意くふう着想による作品から段々に学年単位の協同研究による作品にうつりつつあり，学習の能率化，学習困難点を補助する教具，あるいは学習の定着を助ける教具等使用頻度が高い教具が計画的にそれぞれの学年で学級数に応じて作製されている。

今年度のすぐれた作品をここに紹介すると，百名小学校小[illegible]啓子教諭の作製された「星座投映装置」は理科用のボール二個で球を作り，緯度経度を合わせ，星の明るさを区別してドリルで穴をあけ，点光源を用いて直径 1.8mの半球の投写幕に投映して四季の星座，時間による変化を指導できるようくふうした作品がある。

また同校の大嶺礼子教諭による「音階早見板」は，市販の作品にヒントを得たものであるが，小学校5年生の音楽全単元で利用できる計算尺式の音階早見板である。

展　示　会　場

高嶺小学校大城朝正教諭の考案による「体の柔軟度を養う器具」は廃品の箱板を利用したものであるが，児童が楽しみながら自由に足を左右に大きく開いたり，伏臥の姿勢から背を高くしたりすることによって，体の柔軟度が養なわれるようにくふうしたものである。

3　教具展所見

各校の巡回審査会の折に去年，一昨年の教具作品の活用状況をみたがきわめて満足すべきものであった。作品が担当教師の学習指導上どうしても必要なものが作製され単に教具作品展に出品のために作られたものではないことがはっきりした。

自作教具に対する関心の度合いは学校によつて非常に差がめだっている。

今年度の全国学力調査の応答分析の結果からも，どの教科においても視聴覚教具の豊富な利用が痛感されているが，自作教具に対する関心は，そのまま学校の施設，設備，備品などのように学習指導に生かし具体的な学習活動を通してそれぞれの教科のねらいを適確に身につけさせるかをくふうする教師の学習指導に対するかまえに通ずるものではなかろうか。

教育展出品作品名と関係学年（資料Ⅰ）

品　名	学　年	品　名	学　年
社　会			
等高線説明図	4	立体模型図	4
沖縄のバス路線	3，4	日本地形図立体模型図	5
校舎実測模型	1	白地図（世界地図）	6
日本の鉄道	5	郷土を主とした白地図資料	4
日本の山地，山脈，海流	5	沖縄白地図（掛図）	4
4年社会郷土資料	4	地形模型図	5

教育作品展の反省と次期への対策

北部連合区

1　昨年との比較

出品点数は少なかつたが教具として使用価値の高い作品が多かつた。

2　経費の問題

イ　予算計上されている学校はごくわずかである。

ロ　来年度は連合区より助言して各学校教育委員会やPTA等にも製作費を計上させたい。

ハ　連合区としても奨励費を計上したい。

ニ　特に北部は材料入手が困難で費用がかかるので計画的に材料を手に入れて経費の軽減をはかるようにしたい。

3　現場教師の関心の問題

イ　関心の高い教師が現場には多いがそれを取り上げて奨励する体制作りが不充分だと思われる。

ロ　一般的には関心がうすい。

4　作品の活用面

作品の活用はよくなされている。

5　作品管理の面

イ　管理はよくやられているが中学校の場合保管室がなくて今後の管理に問題がある。

ロ　小学校の場合は各クラス別に作製し各教室に保管して活用することが望ましい。

6　教師の負担の問題

イ　計画的に作製して負担の軽減をはかりたい。

ロ　教師個人で経費を負担している場合もあるがそうならないようにその対策を考慮したい。

ハ　短期間で作ることは教師のあらゆる面に負担過重になるので綿密な計画のもとに作製して負担の軽減をはかりたい。

7　来年度作品展への対策

イ　校長，教頭研修会の新年度計画の中におりこんで意欲を盛りたてる。

ロ　各区教育予算に教具製作費を計上させて計画的に作製させる。

ハ　連合区予算に作品搬入費を計上し余り学校に負担をかけないようにする。

教具製作をこころみて

百名小学校

喜舎場米子

教具製作に対する私の考え方

第3回南部地区教具作品展で，はからずも個人賞をいただいた。出品数15点の中には新学期から手がけ，利用しつつ改良を加えてきたものもある。教具作りは当初から，環境造りという考えではじめた。

環境造りとは，言いかえれば教室経営のことである。私はそれについて次のように考えている。つまり新しい教室としての環境は，常に計画的で，科学的でなければならない。無駄を排し，合理的でしかも人間形成の場として，ふくよかな心情を育てあげる雰囲気が必要である。

そのための条件として児童が教室を自分達の生活の場所として，のびのびと生活できるゆとりのある雰囲気にする。彼等の生活は彼等のちえと手で運営できる生き生きした学級このようなものを目やすとして，必要な教具と施設を整えようと考えたのである。

したがって教具は児童がてがるに使用できしかも，種類も豊富にありたいものである。そこでは学習の能率比が自ら行なわれるし，科学性を育てる上にも手助けになる。

道端の一輪の花が展示台に活けられ，その下に用意された短冊形の小黒板に自由に，花の名や感想，特に疑問事項等が記入されるようになっている。展示台は枠を作った安定性のある固定的なものだが，教室の中で場所をかえることはさして手間どらない。児童の手で運営できる簡単なものだが，存在価値は充分あると思う，展示台は教室造りのはじめに考案した教具の一つである。

展示台の一例で紹介したように，教具の利用をいかにするかがその教具の有効性を支配する。展示台下の小黒板はもっぱら展示台の利用を高めるために設けたもので，学習の能率化と科学性の高揚を企図したわけである。

この種の考案は，社会科の掛図等についても考えることにしている。例えば壁面の地図と学習しつつある単元の流れの中につくり出される資料や作品は，その掲示の場所の設計と掲示方法によって学習が一層ひきたてられるようにと心掛けているのである。

私共は学習指導に臨む際およそ三つの研究が要求されると思う。一つは児童理解，児童調査，二つは学習題材の研究，三つは教具の研究である。教具の研究はしたがって児童理解，児童調査，学習題材と併せて研究しなければならない。そのような教具は私は次のような条件を具備することが望ましいと考えている。

1　教具は，指導のための教べん物と言う考えでなく，それは豊かな学習の内容を構成するものである。

② あくまでも児童のためのものであり、いつでも児童が自由に使うことができ，くり返して学習できるものである。

③ その教具は，児童と共同で作り，作られて、いくものである。もちろん、市販の教具、既成の教具を排斥するものではない。

しかし教具は，あくまでも個人差に応じ，地域差に即したので直接的なものでありたい。したがって，その土地で生まれ，その学級で作られたものが，直接的で有効性に富むという条件を一般的にはもつている。

それで学級に大工道具一式を備えてはいかがでしよう。女の先生でもべんり大工になってほしいものである。数多いものから，このような教具がなければ児童の理解が深まらない，必然的要求から考えられる教具を弁別し自分なりの設計や略図，寸法，材料等ちよっとくふうすれば案外，楽しく仕上がるものが数少なくないものである。

今度の教具製作は簡単な，手軽るにできるものは，放課後の時間を利用して作った。大きなものは今夏の休みを利用して作ったのであるが，前期の講習をすましてからであつたためと，家庭をもっていることから時間的にはいろいろ制約をうけた。しかし決して極度の無理というほどではなかった。おかげで家庭の主婦のつとめを一方にもちながら，教師としてやれる自信を覚え，勇気がわきました。

製作品一つを次に紹介しましよう。

ゴムかけ図形板（面積説明板）

着色したゴム紐の輪を板上の釘にひつかけて，求める図形を作成する。

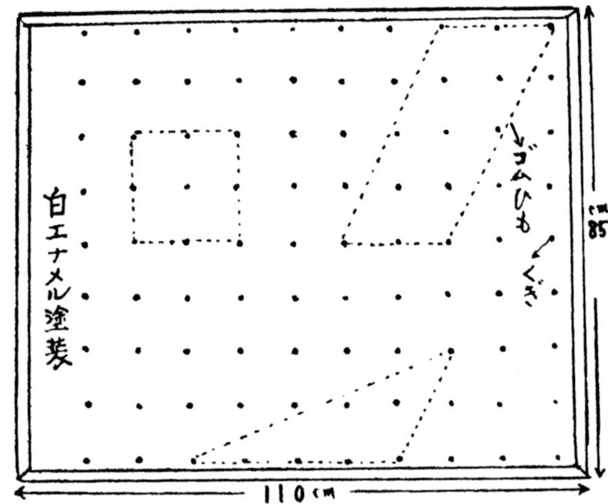

用　途

○乗法の導入及び練習段階における指導

○面積の導入及び練習段階における指導

○図形概念の指導

長　所

○極めてかんたんに正確に図形ができる。
児童が作図することも容易である。

○ゴム紐が色別であるため図形を比較する場合児童の直観力に強く訴える。

○ゴム紐による図形の伸縮，図形の動的取扱いが興味深く指導できる。

○釘が枠板より短く，裏返しにしても破損のおそれがない。またゴム紐の補充が容易

作り方

ベニヤ板とラワン材で図のような板を作って10cmごとに釘を打ちつければよい。

釘はできれば，しんちゆうの丸釘を使った方があとでさびる心配がなく，またきれいである。

ベニヤ板は厚いものを使わないと釘がぬけやすい。また塗装（白エナメル）は釘を打つ前に行なわないと，きれいにできない。

ラワン材で頑丈な枠を作る。別の木材でも可。

各単元（各学年）と教具の有効性

（1年）

(い)単元　たのしいあそび

色板による平面図形の構成

(ろ)単元　なつがきた　たなばた

「ましかく」「ながしかく」の用語とその概念，「はんぶん」などの用語とその意味（全体と部分との関係）

(は)単元　がくげいかい，まめざいく

正方形，長方形，三角形などの概念を理解する基礎としての指導

「かど」「へり」の用語とその概念指導

（2年）

(い)単元　はこつくり

直方体，立方体の展開図の指導

平面図形と立体図形の関係を理解させる。

直方体，立方体を構成する面の形や数についての指導

（3年）

(い)単元　かたちしらべ，はがき作り，

長方形に関する用語（へん，ちようてん）や，長方形の性質

正方形の性質と対角線によってできる「直角三角形」の指導

（4年）

(い)単元　形と角（一），（二）

○直線の「平行」の意味 ○直線の「垂直」の意味	平行と垂直
○「四方形」の意味 ○「ひし形」の定義と性質 ○台形の定義	いろいろな四角形
○「三角形」の意味と「正三角形」の定義 ○「二等辺三角形」の定義	いろいろな三角形
○「角」の概念 ○用語「角の頂点」「角の辺」	角の大きさ

(ろ)単元　面積と体積，広さくらべ

「面積の概念」長方形，正方形の面積の求め方

面積の単位「平方センチメートル cm^2」

（5年）

(い)単元　形と大きさ，三角形の辺と角，四角形，三角形の面積

○三角形の辺と角の関係の確認

○正方形，長方形の対角線の性質
○四角形が特殊化する過程の考察
○平行四辺形の「底辺」と「高さ」の関係
○台形の「上底」「下底」と「高さ」の関係
○三角形の「底辺」と「高さ」の関係
⑶単元　縮図
○縮図，拡大図の関係と作図指導

(資料Ⅱ)　教具作品展作品名と関係学年　(算数，理科)

品名	学年	品名	学年
算数		九九用そろばんと九九用三角定木	全
3ケタの数書き方指導板	2		
分数並びに図解説明器	4	理科	
方眼板	4	天体星座板	4
分数指導数	2	ばね実験器	6
棒グラフ板	4	試験管たて	1~6
分数板	全	歯車実験器	6
玉ころがし器	1	対流実験器	5
求積説明板	5 (職)	陸風海風実験器	5
時計盤	1	燃焼の条件	5
掛け算九九練習器	3	岩石標本箱	6
立体の展開説明器	6	太陽高度測定器	6
玉ころがし遊び	1	肺呼吸実験器	6
図形展開板	6	吸上ポンプ	4
時間尺黒板	3	人体解剖図	6
直径測定器	5	骨格説明図	6
平面図形関係説明器	5	プーリ	6
回転体説明器	6	理科掛図	全
角柱展開図説明器	6	図書館資料絵葉書	全
分数理解板	全	電気抵抗実験図	6

3位数の書き方指導板

—スチール板—

東江小学校　二 年 担 任

1　設 計 図（省略）

2　製作手順

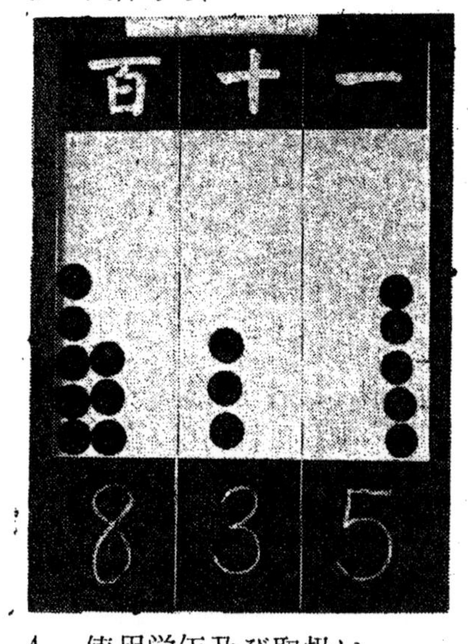

① 骨組組立
額縁及び黒板下地板（黒板塗料緑色を塗る）

② トタン張り

③ 塗料塗り
トタン張りにクリーム色の塗料をぬる（上部は緑色）
図示　寸法通り線をひき上に位取りを書き入れる

④ プラスチック玉作り
黒、赤、緑のプラスチック板から直径 4 cmの円を各々10個切り取る。

3　経　　費

ラ ワ ン 材	50仙	計　2弗65仙
ト タ ン	60	
塗 料	30	
プラスチック板	50	
磁 石 玉	75	

4　使用学年及び取扱い単元
算数　二年上　二年生になつて　小単元　花つみ

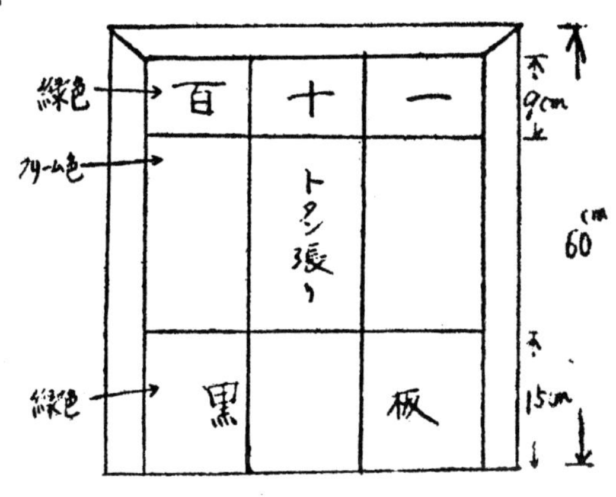

5　製作上の創意くふう点

① 三けたの記数法を具体物（磁石玉）を利用して，興味深く理解できるようにした。

② 各位ごとに玉の色をかえて（一位は赤，十位は緑、百位は黒）十進記数法の理解がたやすくできるようにした。

③ 下を黒板にして自由に記数の練習ができるようにした。

天 体 星 座 板

夏の北天・南天・冬の北天・南天（4点）

大 城 文 子
金 城 秀 樹
砂 川 ちよの
宮 里 政 順
宮 城 小夜子
桜 川 雅 浩（父兄）

製作手順

① トリノコ用紙に原図をかく。（90cm×70cm）拡大図（教科書の）

② プラスチック板に原図をはったままドリルであなをあける。

○1等、2等星は6mmのあな，3等星は5mm，6等星は1mmのあな
○更に1等星と2等星は切り出し小刀でけずって星の形をつくりあげる。
○星の形をつくるとき三角ヤスリを使うとよい（完成後の反省）

③ 星のれんけいはけいかき針でかるくせんをひく。

④ プラスチックヒゴとプラスチック板（円）をつくる。

⑤ 接　着

⑥ わくづくりとニスぬり

グラフ指導板

大城　文子　　金城　秀樹　　砂川ちよの
宮里　政順　　宮城小夜子　　桜川　雅浩（父兄）

設計図

おもて　　うら

（省　略）

88cm

118cm

経　　費

（イ）プラスチック板（青）……………4点分…7＄60¢
（ロ）プラスチックヒゴや板　（白）……〃……1＄
（ハ）わく（ラワン）　……………………〃……1＄
（ニ）トリノコ……………………………4枚………　20¢
（ホ）接 着 剤……………………………4枚分……　20¢

計　10＄

使用学年及び取扱い単元

4年　　夏の星　　冬の星

創意くふう点

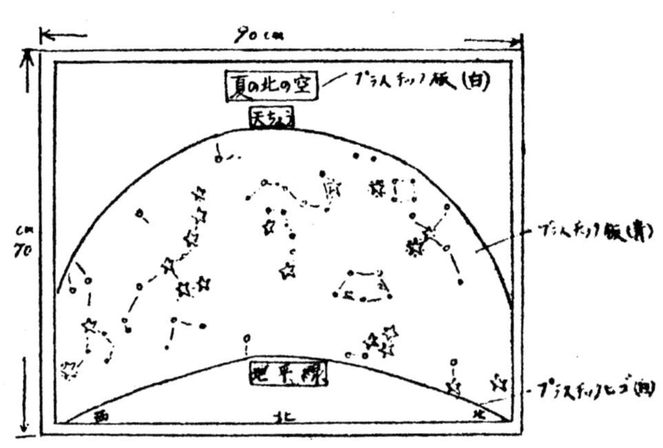

(1) 自然に穴から入りこむ日光で星の感じを出した。
(2) 少しきずがつくだけでわれたり，おれたりするので慎重にやった。
(3) 接着剤はプラスチックをとかして，かわくと同時にピタッとくっつくものを用いた。
(4) 常時窓ぎわにかけて児童に親しめるようにした。

製作手順.

(1) 防水ベニアにきる。
(2) とりょうをぬる。（かわかして3回）
(3) 白と黄の線をひく。（2回）
(4) わくをつける。（ニスぬり）
(5) 金具をつける。
(6) うらも同じ。

経　　費

(1) 材料費　2＄
(2) と　料　80¢
(3) 金　具　20¢

計　3＄

使用学年及び取扱い単元

4年　　グラフ　　温度しらべ

創意くふう点

(1) 棒グラフ，折れ線グラフの共通使用に便利をはかる。
(2) うらは棒グラフにも使用でき，ローマ字板にもできる。
(3) 線を白と黄色にし，わかりやすくした。

日本の鉄道

渡具知美代子　　仲村　栄光
島袋　チエ子　　金城　民定

設計図（21頁参照）

製作手順

① ベニヤ板に日本白地図を書く。
② 上図のように鉄道線を記入する。
③ ○印の所に豆電球スイッチをとりつけ配線する。

経　費

① ベニヤ板一枚　70¢
② 部品一切　2$30¢　計 3$

校舎模型

宮里　政順

設計図（21頁参照）

製作手順

① 校内を測量，平面図を作製する。
② ベニヤ板に$S=\frac{1}{200}$の平面図を写す。
③ 建物の高さを実測する。
④ $\frac{1}{200}$の縮尺で各建物の模型を作る。
⑤ 模型をボンドで接着する。

経　費

① ベニヤ板一枚　70¢
② バルサ（工作用板）3$
③ ボンド　50¢　計 4$20¢

使用学年及び取扱い単元

1年　自分の教室

創意くふう点

・自分の教室の位置を知らせる。

使用学年及び取扱い単元

5年　　日本の交通

創意くふう点

日本の鉄道幹線をあげて，その鉄道に関係した問題を取扱うことができる。廊下に常掲して絶えずふれさせ親しませるようにする。

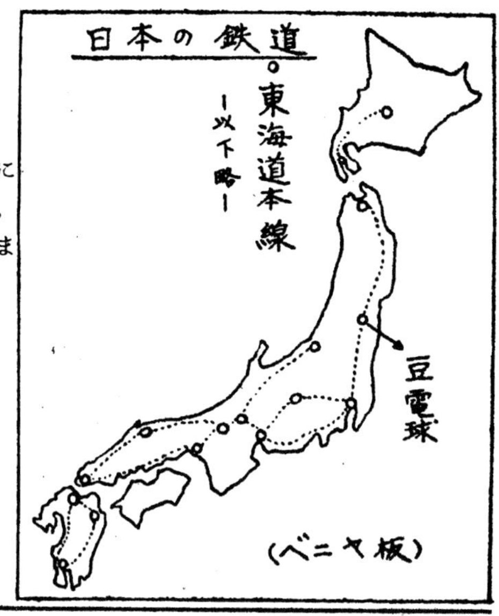

・他建物との位置関係を知らせる。

・地図指導で平面図への移行にも使用できる。

・6年の算数単元「しゅくしゃく」でも取扱いできる。

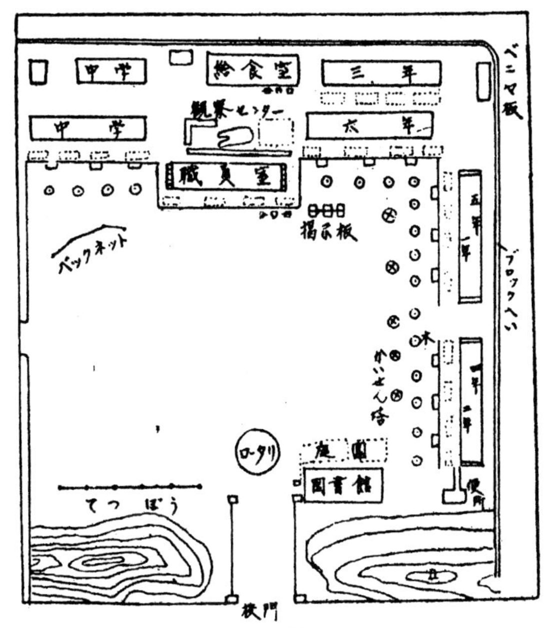

音階早見板の作成

百名小学校　教諭　大嶺礼子

どの児童にとっても，旋律の視唱と旋律をみてかくということには，抵抗を感じるものであろうと思われる。小学校の場合，ハ長調は低学年から出ているし，ヘ長調の指導も四年でなされているわけだが，案外，児童には理解されていない。そういう実態の上に、五年のト長調が重なるわけだから，児童自身，全くまいってしまう。

その問題は，児童に限られたことでなく，私自身，お玉じやくしを読むということには一種の抵抗を感じさせられる。複雑な五線譜になればなるほどである。おとなさえそうであるので，いわんや児童にとってはおや，である。

何かよい考えはないか迷っていた矢先，フト，学生の頃に求めた市販の音階早見表を思い出し，ホツトした気持ちになった。

一応，全児童分の音階早見表を作ってみようかとも考えたが，時間的な面から，それはさしひかえることにした。

やはり，拡大する以外に方法はなさそうだ。早速，ベニヤ板を二枚かいこみ，仕事にとりかかったわけだが，昼中はいろいろと仕事があり，この仕事の方は，夕方から始めて、遅い時は午前の一時位まで，家族総出のにぎやかな四日間で仕上げた。

製作中，困難を感じた個所は，穴あけ作業である。丸穴が，シヤープ，フラツト両面で

「簡単なプラネタリウム」製作

百名小校　小松澄子

天文教材は小学二年生から中学三年までに天体の運行法則，天体と私達の生活の関係を学ぶ学習である。

これらの学習を興味深く理解させるために非常に苦心し，夜間星座の観測を計画しても，天候にわざわいされたり，児童が集まらなかったりして，充分な指導は望めないのが普通である。

結局，星座早見盤の見方の指導をして，家庭学習にゆだねてしまう方法が最も多くとられている学習形態であろう。このような学習では天体に対する関心を高めることは，のぞめないと思われるので，簡単なプラネタリウムを製作し、現実に近い天体を表現して天文教材の指導を行なったらと思いついて製作した。

材料　○アルミニウム製ボール（径30cm 3個）

○水道管のパイプ少々（大小）　○ビニールコード少々　○その他　ライト

作り方

1　天球儀→ボールの底を木槌で半球形にする。

○経線，緯線をボールの内がわに入れる。

○星の穴あけ→星の明るさは一階級ごとに2.5倍の差があるが星の区別がつく程度にした。ドリルの径は次の表のとおりです。

ドリルは市販されてないので時計屋に製作してもらった。

2　豆ランプ→天球儀の中で点燈する電球の適否がこのプラネタリウムの機能を左右す

三十個，四角の穴が十個，D字形の穴が六個，いずれも彫刻刃で彫るものだから，四刃一組になったのを，二セットも駄目にしてしまった。しかし、適当な道具がない上での作業なので，やむを得ぬ方法だった。

経費は，およそ，二ドル位だが，古ベニヤ（本校では，米軍からの払い下げがある。）を使用すれば，五十～六十仙には止っただろうと思う。

でき上った教具をかかえていくと，児童は、大部好奇の目を向けた。教室の後の方に掲げていると，早速，ひき出したり，おしこんだり，楽しそうに遊んでいる。

ハ長調，ヘ長調，ト長調の視唱力も，前よりいくらかよくなった。

児童が，くりかえし，くりかえし使用することにより，経験的に覚えこんでいってくれれば，私がねらいとした，この教具を使っての音階指導が，達成できることになるわけだがローマは一日にしてならずのたとえの如く，この問題も気長に待つのみである。

るので，充分に目的に適したものを選ばなければならない。

「ドリルの直径」

1等星	1㎜
2等星	0.8㎜
3等星	0.6㎜

わたしは最初，自動車のヘッドライトを使用したために星像が二重にしかも細長くうつし出されてしまった。これはフイラメントが2本になっていることと，長くなっているために起るピンホールの現象である。以上の理由で使用するものは点光源でなければならないという制約をうけた。

工作にあたって注意することは豆ランプは天球儀の中心に設置することである。

3　天球儀支持器→これは外筒と内筒の二つの部分に分ける。外筒をスムーズに回転させるために，ベアリング二個使用した。一個の場合は北極星が大きく円運動する事があるのでそれを防ぐためである。

4　ドーム　径1.8*m*の半球形にし黒白布を八枚の舟型をつくりそれを 縫い合わせる。頂点には吊り環をつけて滑車を用い吊り降ろしが出来るようにすると場所に制限を受ける事がない。

以上が製作方法であるが，工作は，はじめに考えた程むずかしくはなかった。

この教具で児童に指導すると星座早見盤や幻燈で指導するよりも興味を持ち星の関係位置等をよく覚え，実際の観測に際しても，意欲的に星を捜す事ができ，天文の学習を自主的に行なうようになるのではないかと思う。

また点光源が，とどかないため（本土へ注文中）ラジオ用の豆球を代用しているが、少し細長く投映されたにもかかわらず奇声を上げて喜んで学習したのだから……だが，このプラネタリウムの欠点として，惑星や月の運行などを投映することのできないうらみがある。また暗幕を使用しないと星像がはっきりしない。

今後これらの事を改良研究し，より完全な教具で指導していきたいと考えている。

本部半島地形模型

屋部中校　久高将清

1　準　備

イ，1962年10月地学クラブのクラブ活動の一つとして本部半島の地形模型を製作することにした。クラブ員の生徒10名で約3カ月位かかるものと予想した。

ロ，まず「本部半島の地形図」を入手することが第一の仕事であった。琉大の地理教室に連絡して地形図（青写真）を送ってもらった。

ハ，地形図の大きさによって，台の大きさ，必要なボール紙の枚数，のり等を購入した。

ニ，ボール紙を切るノミ（ハサミではいけない）は，小さな　　　　　を買ってきてやすりで，といで作った。

2　製作の手順

(イ)　地形図の大きさにあわせて，模型の台を作った。

タテ　67cm　　ヨコ　70cm　　角材と3分の杉板を使用。

(ロ)　トレース

○地形図の等高線を一本一本別々にボール紙をトレースする（地形図とボール紙のあいだにカーボン紙をはさんで3H位の硬いえんぴつで等高線を追つていく）

○まず台に最初にはるボール紙には海岸線だけをトレースするが次からは切断する等高線と，その上の等高線を記入しなければならない。これは次のボール紙をはる目じるしになる。

ハ　切り方

○トレースしたボール紙はノミ（刃の巾が5㎜位）で真すぐに突き切る。

○突き切ったボール紙は台に貼ってかさねていく。このとき前に貼ってあるボール紙に記入されている「次の等高線」によく合わせて貼る。

○この方法で10mごとにトレースされたボール紙を突き切ってかさねていく。

ニ　仕上げ

○最高点まで重ね終ったら軽くサンドペーパーで高い方から低い方に向けてこする。

○色をぬって，段彩する。

0～40m	みどり
50～100	きみどり
100～200	きいろ
200～300	おうどういろ
300～400	茶　色

海は珊瑚礁の発達しているところと，そうでないところを区別した。

○河川の記入

○地名の記入（地名は活字で書かれた字を切つて貼る）

○最後にラッカーをふりかけ，タイトル，縮尺，方位等を記入して完成、

3　材料と経費

品目	数量	金額
○地形図	1枚	弗35仙
○ボール紙	17枚	85
○ノリ（大）	6コ	1.02
○カーボン紙	20枚	10
○杉板角材		50
○絵の具		40
○ニ　ス		80
計		4＄02仙

4　使用学年

イ，中学校1年社会

ロ，単元名，郷土（特に地形図の読み方）

5　所　感

できあがつた地形模型

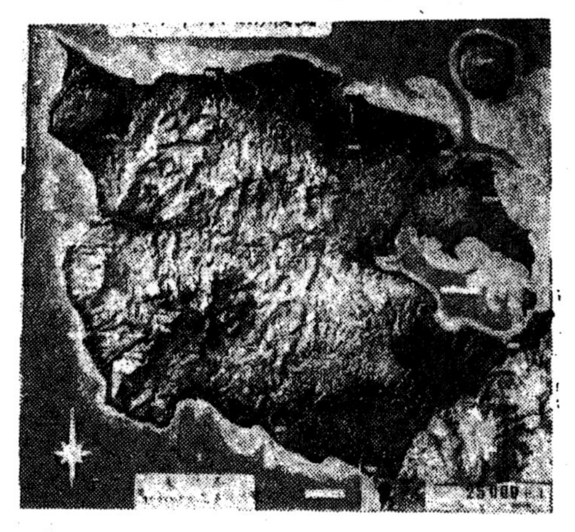

イ，本部半島は，中央に古生代石灰岩から構成されている嘉津宇岳，八重岳，乙羽岳等の山地と，その周囲に発達した数段の海岸段丘，更に海岸の低地に地形を区分することができる。石灰岩の山地は30°～40°の急傾斜をもっており，段丘面は河川によって複雑に侵蝕されている。地形図上の一本一本の等高線を間違わずに根気よく追跡していく作業は生徒にとっては大変困難だった。等高線のトレースは生徒には無理で実際には教師の手にかかった。生徒はトレースされたボール紙をノミで突き切る作業だけをした。そのため3カ月で完成を予定していたのが，6カ月かかってしまった。

ロ，地形図の読み方は，現在，沖縄では自由に地形図を手に入れることができないため、ほとんど不可能に近い。この本部半地形模型も，生徒一人一人が地図を手にして野外を歩くことができれば，その効果は大きいと思う。

分数図解説明器

東江小学校　4年担任

1　設計図（27頁参照）

2　製作手順

○木　製

○単位分数の大きさは1，$\frac{1}{2}$，$\frac{1}{3}$……$\frac{1}{10}$まで作ってある。

○各単位分数とも白色にし区分を黄色で色別してある。

○上側に緑色の黒板塗料をぬり小黒板も兼用できるようにした。

○各単位分数ごとにおさめられる小箱を作ってある。

3　経　費

○木　材（角材・ベニヤ板）

○塗　料

○金　具

○雑　費

計　5＄00

4　使用学年

小3年，　4年，　5年

特記事項

「くらべましょう」　三年上巻

「分　数」　四年2教材

五年

5　製作上の創意くふう点 −特記事項−

(1) 分数の基礎指導の際，板書による図解，掛図等を作る面倒をはぶき，気軽るに取り扱いが出きて固定的な教具としてくふうした。

(2) A　単位分数

B　分数の大きさ

C　相等関係（通分，約分，仮分数⇄帯分数）

D　簡単な分数の加減乗除

E　割合などの分数概念を容易に導入し，さらにこれを発見させるためにくふうした。

(3) 上側に黒板を取り付けて，相等関係の理解が容易にできるようにした。

$\frac{3}{6}=\frac{2}{4}=\frac{1}{2}$などの指導は，板書と具体物を通して理解しやすいように考慮した。

(4) 教卓の上に置けるようにし教師のせいに応じて板書，説明し易いようにしてある。

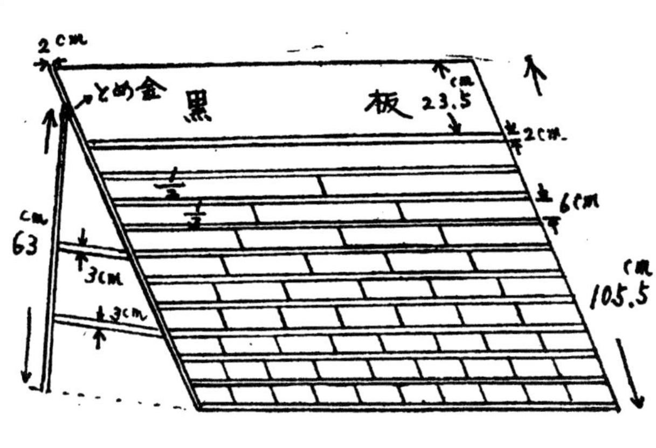

(5) 反　省

割合分数の概念を指導するのに困難点があるが単位分数を中心とする，分数の導入と発展，割合という考え方の指導において非常に手軽るく教具が使えて 4,5,6年生には大へん有効であった。

（資料Ⅱ）　教具作品展作品名と関係学年（理科・体育・音楽）

品　名	学　年	品　名	学　年
理　科		通水速度測定器	3
光学台	6	簡易水槽	3
太陽高度測定器	6	**体　育**	
星座早見表	4	逆上り補助台	5
蚊の発生	5	平均台	全
はえの発生	〃	体育用移動黒板	全
ハブの標本	6	ハードル	6
電熱式びん切り器	6	うんてい　はんとう棒	全
風のおこる実験器		固定跳箱	4～6
海草標本	4	**音　楽**	
簡易プラネタリウム	6	小太鼓練習板	
温度計模型		音楽リズムカード	

香川研修を終えて

久米島具志川中学校長　上江洲　仁　清

本土に於いて学校長としての実務研修を受けて来るように，との文教局及び那覇連合区教委よりの示達を受けて，感謝と喜びの中にも一種不安な複雑な心境で，５月27日に高松市に到着しました。県教委職員の歓迎のプラカードに迎えられて以来，県教育長久保田先生お始め関係学校当局はもとより，市町の教委及びＰＴＡ並びに母の会の皆さん方の至れり尽せりの御歓迎と，行き届いた誠意溢るる御配慮の下に，全く安定した気楽な雰囲気で一か月間充実した研修生活を過ごさせていただいたことに対して，関係各方面に心から感謝いたしております。

特に香川県当局が送迎にいとまない程頻繁に来る教育視察や研修申込みを拒否している中に，ひとり沖縄は例外として特恵的に同胞として温かく迎えて下さる御芳志を冒頭に特筆して謝意を表したいのであります。

研修勤務校は県教委の指定に依って，前期は津田町津田中学校校長砂川正躬氏18学級職員31人生徒862人）で後期は高松市城内中校（校長横井金男氏27学級，職員45人生徒1,457人）であり，何れも香川県におけるトップレベルの優秀校であります。

研修期間中は校長室と職員室に割当てられたテーブルを前にして同校の一職員として経営活動全般に参加しつつ，学校長としての管理指導の態度と技術を身につけるよう努力したのであります。

次に両校で研修した内容のうち，特に感銘を深くした諸点と見聞した全県の教育事情について御紹介し所見を申し上げます。

（一）教育環境．

前記二校の経営活動を理解するためには先づその基盤をなす環境の実態に目を向けねばならぬ。香川県は御承知の通り面積人口共に我が沖縄に類似しており，人口の密度も高く土地が狭い上に大企業も殆んど発達していないので，相当高度の知識技術を身につけて都市に進出しようとする気風が強い。早く家庭の職業に従事するよりは，学問を資本として生活しようとするいわゆる教育投資的風潮が県下にみなぎっている。従って進学率は極めて高く父兄の要望もこの一点に集中している。

特に城内中校ではこの傾向が強く，創立以来（昭和31年４月）95%の高率を示している。家庭の教育に対する期待は商工業者でありながら，高校普通科から大学進学という方向の者が多く，卒業生は京浜や阪神方面で活躍している者が目立つ。

学校（職員生徒）も父兄もよい意味の競争意識が強く，特に昨37年来高校の学区制が改正（香川県を二区に分割）されてからは名門高校を目指しての競争は熾烈である。

ＰＴＡ組織は一般ＰＴＡ後援会 母の会の三重組織になっている。一般ＰＴＡの外に 学年団ＰＴＡを組織し，学校と家庭の緊密な連繫の下に 物心両面の 協力態勢が十分できている。

（二）教育課程

以上のような環境を勘案して教育課程は編成されているが，その特徴を拾って見ると，

A 週及び年間時数の多いことが目立つ。

(イ)正規の授業時数は1，2年は週37時間（年間1,295時間）3年は週36時間（年間1260時間）

(ロ)始業前ホームテスト実施（10分間）

(ハ)整理テスト（2，3年生…毎土曜3時間）

(ニ)業間体操…第三校時直後全校一斉に

(ホ)補習授業…早朝又は放課後に6～8時間

(ヘ)実力テスト…月二回程度全教科放課後に。

B 時数確保への対策

香川県では「市町村立学校の管理運営に関する規則」で夏季休業は8月1日から 8月31日までときめられている。気候温和なおかげもあるが，このため授業日数は毎年 250 日以上確保できる。

城内中校では昭和37年度の実施時数は1,238時間で文部省基準を118時間上回っている。（外に毎土曜実施の整理テストが三時間あて行なわれている。）

農繁休は年間10日以内は認められているが，城内中校ではもちろん採用していない。

それでも近年職員の出張が多いためともすると授業時数を欠けるおそれがあるのでその対策として次のような処置をとっている。

(イ)授業時の出張の抑制，教委や学校長の指導で授業時の出張を抑制すると共に，県及び市郡の研究会や講習会等は土曜日の午後か平常時の午後3時半以後に実施するように校長会で決定。

郡市内各小中校の体育行事は8月中の休暇を利用している（参加者も体育主任と選手のみの場合が多い）

(ロ)学年団で授業時間割の変更

繰替え授業で自習時間を作らない。

前日で補欠授業計画書を教務に提出。

(ハ)諸行事の精選と計画的運営に力を注いでいる。

例 予行演習なしの運動会。

城内中校では11月末までに，津田中校では1月末までに全教科の履修を終了し，それ以降は総複習をしている。

（三）職員配置と現職教育

職員構成は紙数の制限上割愛するが職員配置上特に気を配られている点は

(イ)専攻教科を尊重している…一学年一教科制を最大限に取り入れている。

(ロ)卒業学年を尊重している。第三学年は完成の学年であるのでファイトに富み指導力豊かな教師を優先充当している。

(ハ)学年団の組織を強化している。

どこの学校でも行なわれている事だが，両校では生徒指導，学力指導，読書指導等の職員の校務分掌も生徒に関する事項は各学年団から代表者が出ており，それらの職員は所属する学年団のそれぞれの方面の責任者であり遂行者である。

現職教員の実施状況を拾って見ると

(イ)専門教養の深化を図るため全職員が研究テーマを定め研究成果を第三学期に文書発表している。

(ロ)校内教科別研究授業が活発である。

全職員年一回研究授業を行ない，全教科同じ時間の研究授業日も設定（10月に）

(ハ)道徳時間の充実に全県的に努力している。

実際授業を通しての研修活動が活発。

郡市教委の学校訪問（5月と2月）には各学年から道徳の授業を行ない指導を受ける。

県及び市郡編集の「道徳資料集」を参考に各校で道徳教育カリキュラムを作成する。

(ニ)校長及び教頭を中心とする法規研究会や有名人講話も，職員の視野を広めるために行なう。

(四) 授業実践

イ　学習指導上特に教師が留意している点は学習環境の整美である。校内の美化作業に特に力を入れ，清潔で落着いた学習雰囲気の保持に特に気を配っている。

ロ　生徒の授業を受ける態度には細心の考慮が払われている。授業にとっ組む生徒の構えは真剣そのもの（学習に全員参加）

よい意味での競争意識が強く，疑問点を質すのに意欲的で職員室やローカ等でも遠慮なく教師に質問しているのが目につく。

(ハ)気迫に満ちた授業

授業にスマートさは感じないが，どの教室でもどの授業でも「これだけは分らせたい，これだけはおぼえさせたい」という教師の願いが，気迫が，授業の節々にこもっているようである。「うまい授業」よりは「ためになる授業，力のつく授業」を目指している。教師も生徒も真剣で呼吸がピッタリあっている。

(ニ)指導内容をしっかりにぎって（教材研究は家庭まで延長している）診断と評価を重視している。

(ホ)家庭学習の仕方の指導に特に力を注いでいる。教科別に家庭学習の要点と学習のし方について具体的に基準案を示し，これに基づいて「第何週の何曜日は何教科のどこをやる」という細案を各自作成しその学習実施の評価として毎土曜日放課後三時間整理テストを実施しているので宅習成果が週ごとに現われるのである。
宅習は現在学年と前学年の復習を中心にして行なわれている。三年生は二年の教科の復習を七月末日までに終了するよう計画され，一日最低四時間の宅習時間を督励している。家庭学習用の参考書や問題集を学校で選定し全員持参させている。県教科研究部作成のテストブックを全教科採用し平素の授業と関連して活用している。家庭学習について父母と連繋を密にしている。宿題を忘れるものはいない。

(五) ペーパーテストの実施状況と処理

①定期テスト　②実力モギテスト19回（奈良大学）　③東大モギテスト8回　④文部省テスト　⑤同上予備テスト　⑥標準学力テスト　⑦県テスト（1，2年生）　⑧ホームテスト（毎日始業前10分間）　⑨整理テスト（毎土曜3時間）　⑩単元終末テストや豆テスト（頻繁に）

(イ)テストに明け暮れている印象を受けるが教師も生徒もこれを当然の事（学生の本分）として受け取り重苦しさを感じない。

(ロ)モギテストによって前学年のものを絶えず反覆練習する機会に恵まれる。

(ハ)採点は教師，生徒相互に，自己評価，校内放送活用，学校外の施設活用等で行なわれており，監督者のいないテストも自主的に行なわれている。

(ニ)結果の処理については

・「個人学業成績記録票」に中間期末モギテストの結果を中学三ヵ年間に亘って継続的に記入し個人指導に活用されている。
・通知票には素点を記入し，学年及学級の順位を示し上位者は公表している。
・成績状況は文書または口頭でたえず父母に連絡している。
・採点及び処理は当日で行ない，テスト処理後の全体的傾向をは握すると共に個人の進歩を重視する立場から知能テストとの相関を調査したり偏差値を出したりして科学的に分析検討を加えている。

(ホ)教科選手権制とクラスマーチ

津田中校では全校生徒に五教科の基礎的問題をテストしてクラスマーチを実施したり，学年別教科別に最高得点者に教科選手権賞を授与したり，モギテスト優秀者賞や進度賞授与で成果をおさめている。校長は常に全校生徒の成績一覧表をにぎつており，個別的に面接時間を特設して鼓舞激励と人間的ふれ合いをしている。

(ヘ)表彰の時期と方法

同校では卒業式の授賞は進級進学賞以外は一切廃止。学期末や行事当日あるいは臨機に効果をねらって授与する。

(六) 学校保健委員会の活動

生徒の健康管理及び環境衛生には特に力を入れており，保健委員会の活動は目覚まし

い。中でも三師（学校医師，歯科医師，薬剤士）と婦人会の積極的な奉仕活動は特筆に値する

(イ)定期健康診断（測定耳鼻咽喉科，眼科，歯科の全面にわたる）を入念に実施し疾病異常者は一学期中に完全治療をさせている。

学校では治療券と根治証明書を発行している。

(ロ)校区内各家庭の水質検査学習部屋の照度測定，尿検査，検眼も委員会の手で実施。

(ハ)保健衛生のしつけが徹底しており，歯磨の三三三運動も多くの学校で実施。

(ニ)保健衛生室の施設備品は沖縄の地方病院のそれを上回る所もある。（篤志家の寄贈も多い。

（七）地域社会の協力体制

(イ)教育は第四次産業。教育へ投資しているのだとの考え方が強い。県民一丸となって教育第一主義的精神に徹している。沖縄では想像できない施設設備にも反映している。

(ロ)教師の真摯な教育活動に敬意を表し絶えず激励を惜しまない。教育者尊重の精神。教育成果祝賀大会はその最たるものと思う。

(ハ)青少年保護育成条例を作って子どもを社会悪から法的に守っている。

(ニ)教育映画審査委員会を結成しテレビ，ラジオの教育番組審議会を作り，マスコミを教育的に活用している。

(ホ)幼稚園教育，特殊学級，養護学級，健康学級，同和教育，へき地教育等の教育文化施設の充実も香川教育の豊かさであり誇りでもある。

(ヘ)教育公務員の長期研修制度による指導者養成施設や教育研究所の研究委員の現場との一か年ごとの交流も香川教育に大きな活力を与えている。

（八）所　見

(1)　研修勤務校の校長はどなたも人格識見共にすぐれ、豊かな指導力と卓絶した統率力をもっておられることに頭がさがる。職員は校長の在否に拘わらず何ら活動に影響しない。教頭，学年主任，各教科主任，各部長等が校長の意を体し，整然たる秩序の下に厳たる勤務態度で学校運営に主体的にとっ組んでいる姿が特に目につく。教師の自主的活動はそのまま生徒の動きにも反映している。

(2)　「学力日本一」の教育県の教師としての誇りと自信をもちつつも，眼を常に内に向けて着実で地味な日々の平凡な実践活動に若々しい情熱と愛情を傾けている姿に香川教育の揺ぎない地盤の固さを痛感した。

(3)　教師も，生徒も，父兄も「学力の充実」に向って互いに仲のよい競争をしている。保身術的な自己弁解が通用しないことを悟っている。香川の教師達は創意くふうをこらし精魂を傾けて精進している。香川教師の教壇に直結した活発な研修活動と豊かな読書量及び広い視野に立った研究振りには大いに啓発された。

(4) 教師集団の責任と協力の態勢が確立されていることは学校運営の効率化に大きく作用している。学年始めに割当てられた校務分掌や職務会での決定事項がそれぞれの担当教師によって見事に企画運営され、これが公私のけじめを弁えた教師達の協力によって着々実を結んでゆく事実を羨やましく思う。

(5) 県教育庁の方針や努力目標が校長を通して現場が素直に受けとめて，それを自分自身の問題として解決に努力している事例を数多く目撃してきた。他教科に比較していくらか遜色のある国語教育に対して「国語二点増」目標を掲げて努力している学校，国語，英語の放送テスト実施によって弱点強化を図ろうとする教育研究所の計画もその一例。

(6) 地域の人々や父兄が学校を信頼し協力的である。子どものしつけ,家庭学習への協力，健康管理等学習以前の問題を家庭が分担しているので，学校独自の教育機能が重点的に推進できる。しかしながら「学力向上」の栄養剤を求めてかれこれ騒ぎたてる声は余り聞かない。親も子どもも将来の目標を目指して「学業にとっ組むことが本分であり当然の仕事」だと考えている。教育先進県の底知れない実力と豊かさに敬意を表すると共にローマは一日にして成らずの感を深くし，同時に反面お互いの足許をふり返って一種のあせりと使命感にじっとしておれない心境で帰ってきました。今後実践を通して研修にお応えする決意を固めつつ報告を終わります。

(資料Ⅳ)　教具作品展作品名と関係学年（音楽，国語，共通）

品名	学年	品名	学年
音楽		歴史掛図	2
リズム掛図	6（職）	**理科**	
音楽指導掛図	1（職）	増圧式空気重量測定器	1
国語		気柱による音の共鳴実験器	2
国語指導板	全	イオン式応式説明板	全
漢字指導用塗板		高圧直流電源装置	2，3
指人形	全	ヘビの骨格	3
漢字の首部名表	5～6	**技術**	
（共通）		木材接合の標本	1～2
磁石付掲示板	全	3球受信器	
スクリン代用箱	全	電気テスター読針板	
中学校 社会		製図板セット	
拓本（禁止の碑）	1～3	ノギス読針指導板	

国語審議会報告全文

国語改善の考え方について

文部広報第367号より

I　国語改善の経過

国語問題の解決について，政府は早くからいろいろの施策を講じてきたが，明治35年には，そのための機関として，文部省に国語調査委員会が設けられた。それに先だって，明治33年小学校令施行規則によって，義務教育に用いるかなの字体と種類，字音かなづかい，漢字の種類などについての基準を示した。

大正10年には，文部省に臨時国語調査会が設けられ，大正12年に常用漢字表，大正14年に仮名遣改定案が発表された。また，昭和9年には，文部大臣の諮問機関として国語審議会が発足し，昭和17年に標準漢字表・新字音仮名遣表を答申したが，これは一般に普及するには至らなかった。

戦後，国語審議会は，改めて審議を重ね，昭和21年以来，当用漢字表・同別表・同音訓表・同字体表・現代かなづかい，その他の案を決定した。これらのものの多くは，政府に採択されて内閣訓令・同告示となり，法令，公用文・教科書および新聞雑誌，一般事務用文書などにも用いられるようになった。

これまでの経過をかえりみると国語の改善については，相異なる考え方があって，一方においては教育上社会生活上の負担を軽減することによって文化水準の向上に資するという見地から，ことばや文字を使いやすく学びやすいものにしなければならないと主張され，他方においては，文化の伝承や創造を重んずる立場から，性急な改革は行なうべきではないと主張されてきた。この考え方の相違が，国語そのものの複雑さに加えて，国語問題の処理をいっそう困難なものにしている。したがって，このさい重要なことは，個々の具体的な施策に先だち，大局的な観点に立って国語の基本的なあり方を検討し，国語改善についての正しい考え方を明らかにすることであろう。

II　国語改善の考え方について

1　ことば

ことばは思想感情を実現し，これを他人に伝達媒介する手段である。この手段としての機能から，ことばは平明簡素で能率的であることが要求される。それと同時にことばは社会的伝統的歴史的なものである。人々は，思想感情をそのことばによって養い，文化の伝承と創造の基礎も，ことばによってつちかわれる。したがって，ことばは単なる手段以上のものであるといわなければならない。ことばは，このように社会的、歴史的なものであるから，それが用いられる社会とともに動き，変化するだけでなく，条件や目的を異にする政治・経済・文化その他社会の各領域の間でも違いが生じてくる。しかし，その反面，国民的な立場あるいは教育・公務、または新聞・放送などのマスコミの必要から，各領域に通ずる基礎的一般的な基準が要請される。特に将来の国民育成の立場から，学校教育においては，そのことが強く要請される。

2 文　字

文字は一般に，思想感情を直接に表わすものではなくて，思想感情を表現するところのことばを視覚的に表わすものである。

ことばが社会的歴史的なものであるように，文字もまた社会的歴史的なものである。

また，文字は，その表わすことばから簡単に切り離すことはできない。ことにわが国においては，漢字は国語と密接な関係にあってこれを国語からにわかに引き離すことができない。

文字の中でいわゆる表音文字はいわゆる表意文字にくらべて字数が少なく字形が簡単であるという特長をもっている。これに対して表意文字は，字数が多く字形が複雑ではあるが，それぞれの文字によって表わす語の意味を一挙につかむことができるという利点をもっている。しかし，表音文字も，一つづりとなったときには，表意文字と等しい機能を発揮することができる。

わが国では，最初漢字だけを用いていたが，やがて漢字を表音的に用いるという独自の方法によって，かなの発達をみ，国語の表現がいちじるしく自由になった。また，多くの漢語が国語として用いられ，かなとともに漢字が国語を書き表わすために用いられることによって，いわゆる漢字かなまじり文が一般化してきた。しかし，漢字は，字数が多く，字形が複雑な上にいろいろな読み方や意味で用いられたために，習得が困難になり，その解決が国語改善の重要な課題となった。なお，最近，近代社会の発展に伴って，広い範囲にわたる多量の情報を，敏速に処理するために，文字を機械にのせるさいの問題が，ことに重く考えられるようになってきた。

文字には，習得あるいは事務処理の必要から，平明簡素を要する面と，国民の精神生活や文化伝承の必要から伝統を重んずべき面との両面がある。この両面をともに考えながら，一方では，各領域においてそれぞれ必要な解決をはかるとともに，他方では，各領域に通ずる基礎的一般的な基準を設けることが要請される。

3 む す び

以上述べたような点から，国語の改善を考えるにあたっては，国語を歴史的に形成され発展していくものとしてとらえ，過去における伝統的なものと，将来における発展的創造的なもののいずれをも尊重する立場に立ちながら，各方面の要求を考慮して，適切な調和点の発見に努めなければならない。したがって，国語の理想像を過去・現在・未来のある一定の時点に置き，国語をそこに固定させようとしたり，あるいは特定の領域の要求を特に重くみて，全体の問題を処理しようとしたりするような考え方は，採るべきでない。

国語改善審議の具体的な目標は国語問題の中で緊急にその解決が求められているものにつ

いて，将来を見通しつつ最も現実に即した解答を与えることであろう。その解答として，これまでとられてきた方法は，ことばや文字の使い方の基準を設定し，修正することであった。そうした基準の設定や修正は，これまでのわが国の歴史的な事情から，文字上の問題を主にしてきた。しかし，今後は，これらの問題についてもさらに検討を加えるとともに，ことばの問題についても審議を進める必要があると考えられる。なお，国語の健全な成長発展のためには，基礎的一般的な基準を示すと同時に，国語に対する国民の理解を深めることについても考えなければならない。

これまでの国語施策について

法令，公用文，新聞など国民の共通の場や義務教育では，漢字かなまじり文の行なわれている現状に即して，ことばや文字の使用上の基準を定めることが必要である。こういう立場から見れば，戦後の国語施策は，新しい時代の国語表記の基準を示したという意味で，社会的教育的意義があったと考えられる。しかし，個々の施策の内容については，問題となる点がある。ただ，個々の施策の実施にあたっては，これまでじゅうぶんに趣旨の徹底がはかられなかったための誤解も少なくなかった。たとえば，学術，文芸などの方面にも一律早急にこれを強制するかのように受け取られたこともその一つであろう。したがって，今後の問題としては，個々の施策について問題点がどこにあるかを見きわめて，それらを検討すると同時に，個々の施策の趣旨をさらに徹底するよう処置する必要がある。問題点を検討するにあたっては，専門の委員会などでじゅうぶんに調査研究し，世論の動向を考え合わせて，慎重に審議することが望ましい。

『当用漢字表』

当用漢字表は，わが国で使われる漢字の数があまりに多いのでこれを制限して，現代国語を書き表わすため日常使用する漢字の範囲を定めたものである。

当用漢字表については、地名・人名等固有名詞に使われる漢字の取り扱いが大きな問題である。特に，都道府県名に使われる漢字について考える必要がある。また，「当用漢字補正資料」その他の問題についても考えなければならない。ただ，固有名詞の漢字を採り入れることや，補正資料などによって補正することは，当用漢字選定の方針に関連するところがある（注1・注2）。したがって，将来これらの問題を考えに入れて，当用漢字表を改めて検討する必要がある。

（注１）当用漢字表では，固有名詞については別に考えるという方針であった。その後，新しくつける人名・地名については「人名用漢字別表」（昭和26年建議，内閣訓令・同告示）「町村の合併によって新しくつけられる地名の書き表わし方」（昭和28年建議）がある。

（注２）当用漢字表では，日本国憲法に使われている漢字は全部採り入れる方針であった。補正資料では，それらのうち，日常必要でないと考えられたものを削っている。

（注3）都道府県名の漢字のうち，当用漢字表にはいっていないものは，阪・奈・岡・阜・栃・茨・埼・崎・梨・媛・鹿・熊・潟・（縄）の十四字である。この中で，奈・鹿・熊の三字は人名用漢字別表にはいっている。

（注4）当用漢字補正資料は，昭和29年，国語審議会が，当用漢字表について28字を出し入れし，ほかに音訓各一を加え，字体一を変更した試案である。

『当用漢字音訓表』

当用漢字音訓表は，漢字の複雑多様な使い方を整理して，現代国語を書き表わすため日常使用する漢字の音訓の範囲を定めたものである。

音訓表については，音訓の整理をする必要があること，ことにあて字や同訓異字を原則として使わないという考え方は認めるとしても，現在社会で普通に行なわれている音や訓で，採られていないものが少なくないところに問題がある。その点について，漢字の表意性などを考えて，改めて検討する必要がある。

（注）現在社会で普通に行なわれているもので，音訓表に採られていない例としては，次のようなものがある。

礼ーライ（礼賛）　吉ーキツ（不吉）　茶ーサ（喫茶）　財ーサイ（財布）　街ーカイ（街道）

角ーかど　空ーあく　記ーしるす　探ーさがす　脚ーあし　魚ーさかな　街ーまち，遅ーおそい

お父さんーおとうさん　お母さんーおかあさん　兄さんーにいさん　姉さんーねえさん　一人ーひとり　二人ーふたり　七夕ーたなばた　日和ーひより　相撲ーすもう　海人ーあま　時計ーとけい　部屋ーへや

『当用漢字字体表』

当用漢字字体表は，漢字の字体の不統一や字画の複雑さを整理して，現代国語を書き表わすため日常使用する漢字の字体の標準を定めたものである。

字体表については，現代社会である程度行なわれている簡易字体で表外のものの中から、適当なものを採り入れることについて考える必要がある。簡易字体の採用はむしろ漢字を広く生かす道であると考えられる。

（注）現在社会である程度行なわれている簡易字体で，字体表に採られていないものの例としては，次のようなものがある。

仂（働）　卆（卒）　旺（曜）　浊（濁）　畄（留）　㐧（第）　[illegible]（簿）　耺（職）　貭（質）　进（選）　离（離）　类（類）

現代かなづかいは，だいたい現代語をかなで書き表わす場合の準則を定めたものである，いわゆる歴史的かなづかいは，語の発音と書かれるかなとがあまりにもかけ離れていて複雑なので，これを国民が日常使用するのには困難が大きい。そこに現代かなづかいの制定された意義がある。

『現代かなづかい』

現代かなづかいについては「じ・ぢ」「ず・づ」の使い分け、「おお・おう」「こお・こう」の類の書き分け，また（ワ）（エ）と発音される助詞は「は」「へ」と書くことを本則とし，（わ）（え）と書くことをも認めている点などに問題があるので，さらに検討する必要がある。

なお，現代かなづかいは歴史的かなづかいとの関連において説明されている部分があるが，その点にも検討すべき問題がある。

（注）現代かなづかいの問題点をさらに具体的にあげると次のような問題がある。

（1）「じ・ぢ」「ず・づ」の使い分けを残し，その適用について，さらに検討するかどうか。また，「じ・ず」一本にして，その使い分けをやめるかどうか。

（2）「おおきい」（大きい）「こおり」（氷）などを「おうきい」「こうり」などと書くように改めるかどうか。また，改めるとしても，一様にそうするのか，あるいは特定の語は別に考えるのか。

（3）助詞「は」「へ」を「わ」「え」と書くことを認めるという許容の事項をどうするか。

『送りがなのつけ方』

送りがなのつけ方は，当用漢字・現代かなづかいを使って現代国語を書き表わす場合の送りがなの標準を定めたものである。これまで法令，公用文，新聞，教育などの各方面で送りがながまちまちであったので，それを整理したものである。

送りがなのつけ方は，送りがながだんだん多くなっていく傾向ーことに教育の面では多く送るーに即して考えられている。したがって，全体として送りすぎている点また，例外や許容が多い点などが全般的な問題としてあげられる。特に，複合名詞の送りがなが問題となる。

これらの点については，漢字の性質を考えて，改めて検討する必要がある。

これから改善をはかる必要のある問題について

I　これから改善をはかる必要のある諸問題

わが国のことばと文字についてこれから改善をはかる必要のある問題としては，どのようなものがあるか。広く問題を探るために，（1）話しことばについて，（2）文について，（3）語句について（4）文法・文体について，（5）音声・発音について，（6）文字・表記法について，（7）ローマ字文についての諸分野にわたって検討した。

これらの分野の中で，緊急に解決をする必要があると考えられる具体的なものとしては，次の問題がある。

1　話しことばの敬語的表現について

2　漢語のいいかえ・書きかえについて

3　国語の標準的発音について

4　わが国の地名・人名の書き表わし方について

これらについて，早急に解決を必要とするおもな事情をのべると次のとおりである。

話しことばの敬語的表現について

敬語についてのいちおうのよりどころとしては，国語審議会の建議「これからの敬語」（昭和27年）があるが，特に話しことばに関しては，さらになんらかのよりどころがほしいという要望がある。

漢語の言いかえ・書きかえについて

これについては，国語審議会の報告「同音の漢字による書きかえ」（昭和31年）がある。また公用文・法令用語・学術用語・新聞用語，その他においても，それぞれにむずかしく，わかりにくい語句についてのいいかえ・書きかえを決め，実施している。

しかし，なお，これらのほかにも，言いかえ・書きかえを考える必要のある語句が少なくない。

国語の標準的発音について

この問題はこれまで，国語審議会としては，まだ本格的には取り上げていない問題であるが，国語問題の一つとして重要な面をもちその研究が必要とされている。

わが国の地名・人名の書き表わし方について

地名・人名に用いる漢字の問題については，さきに「これまでの国語施策について」でのべたとおりであるが，さらに，固有名詞の書き表わし方の根本方針についての検討が必要である。

以上の諸問題のうち「話しことばの敬語的表現について」を第一に取り上げるべき問題といえる。

Ⅰ　話しことばの敬語的表現について

ことばづかいの混乱ということは，いつの時代にも人々の話題になることである。特に，今日では，戦前に社会に出た中年層以上の人と，戦後に育った若い人たちとの間に，ものの見方の相違があり，ことばの使い方や好みの相違がいちじるしいので，この間いろいろの問題が生じている。

わが国の敬語は，複雑多様であるうえに，わずかな言い方の違いでも，人の感情を刺激することもあるほど微妙な性格をもっているから，常にことばづかいの中心の話題となってきた。

敬語については，さきに「これからの敬語」があるが，敬語は関係する方面が広く，これにもられている事がらだけでは処理できない問題がある。

一方，戦後の社会では，一般の人々が集会に出て発言することや話合いをすることが盛んになったこと，また，テレビが家庭へ普及したことなどのために，話しことばが，それも特に改まった席における話しことばが広く各階層の人にとって，ひとむかし前とは比較にならないほど重要なものになっており，多くの人の関心の的になっている。

そこで，話しことばに現われる尊敬表現・謙譲表現についてはもちろんのこと，「ですます体」・「でございます体」のような文体の問題，敬称・あいさつことばの問題，語気・抑揚のような音声の問題など，話しことばの敬語的表現について審議することが必要であると考える。

この問題を審議するにあたっては，次のような態度・方針によるべきである。

（1）信頼すべき実態調査の結果をふまえ，専門家の意見を参考とすることが必要である。

（2）広く世論に耳を傾け，社会一般に納得され支持されるように努めなければならない。

（3）決定に際しては，正しい形・誤った形というような示し方をせず，慣用されていると認められる形とか，適当と認められる形とかを示すようにする。

（4）実例を示すことを心がけなるべく具体的な場面を設定し語句の形ではなく文の形としてあげるようにする。

（5）目先の問題にとらわれず将来の見通しをも加味して，おおまかな方向づけをすることが必要である。

（以上原文のまま掲載）

文教局四階へひっこす

1964年の年明け早々文教局は第二庁舎西側の一階より同じ棟の四階へひっ越した。見通しのきく窓外の眺望格別だが，昇降の場合は足に頼らねばならぬところから不便この上もない。おかげで外来客には，職員は一応敬意を表し，その労をねぎらう言葉を用意することを常としている 。

訪問される客の労を少なくし，用を容易に運んでもらうために各課の配置を記しておきたい。

北側より

局長室，調査広報課（おくに次長室），庶務課，社会教育課，施設課，義務教育課，指導課，高校教育課，保健体育課，教育研究課

基準坪数を改訂

昭和43年度を基礎数値として

文部広報第366号より

1. 必　要　性

公立文教施設の整備については昭和34年を初 5年度とするか年計画をたてて促進を図ってきたが，本年度をもって終わることになる。しかし，もちろんこれによって公立文教施設整備そのものが終了するわけではなく，むしろ本格的な整備はこれからともいえよう。なぜならば，これまでの公立学校施設の整備は，児童・生徒の急増対策としていわゆるすし詰め教室の解消が最大の目標でありその他のことまでは手が回らなかったのが実情である。

ところが，昭和 36 年度の予算措置によって中学校生徒の急増対策が一応終了したことは，義務教育諸学校の施設整備に一時期を画したものといえる。

戦後の公立文教施設整備は，まず戦災復旧・義務教育年限延長時代に始まり，その次は不正常授業解消時代を経て，今ようやくいわば内容充実時代へはいろうとする時点に立っている。昭和37年度予算において初めて特別教室整備費が計上され，また設置者においても，これまで手が回りかねた特別教室，屋内運動場，特殊教育建物等の整備促進を図ろうという機運になっている。

本省では，右のような観点から昭和39年度以降の新５か年計画案を策定した。

その最も基本的な問題としては補助資格を計算する基準坪数の改定がある。現行基準は，すし詰め教室解消のための基準であり，したがって特別教室の積算はごくわずかしか見込まれていないので，特別教室その他内容充実のための基準としては，もはや役にたたなくなっている。現に，昭和37年以降予算計上されている特別教室整備費は，現行基準によって執行することができないため，いわゆる予算補助として文部・大蔵両省の申し合わせによる基準によって執行した。したがって新５か年計画は，すべて新基準案によって積算している。

新５か年計画策定の第二の必要性は，既定５か年計画に盛られていた要因が引き続き残っていること，事項によってはますます増大していることである。すなわち集団住宅の建設による社会増は年々急激になり，これに伴う校舎の不足整備もいっそう多くなることが予想される。また，学校統合計画もたけなわである。危険建物の改築事業についていえば，全国の学校建物の8割弱が木造であるため、昭和38年度の耐力度調査によれば410万坪というばく大な危険建物がある。これまでは，危険建物であっても，児童生徒の急増対策のため，耐えうるぎりぎりまで使用されてきた傾向があり今後いよいよ事業量がふえていくものと推定される。

以上のほか，公立学校施設の整備については解決すべき多くの課題をもっていたのであるが，あらゆる問題を一挙に解決することもできず，現在に至ったものである。

以下，新5か年計画の内容を概観することによって，公立学校施設整備の問題をどのようにとらえどのように解決しようとしているかをみることとする。

2．基本方針

（1）補助資格坪数の基準は、前に述べたとおり最小限度必要な特別教室をとりうるように引き上げると同時に，現行の「児童生徒一人当たり」基準を「学級当たり」基準に改める。学校施設の実際に必要とする面積は学級数を基礎とすることが合理的と考えられるからである。

（2）既定5か年計画においては資格坪数の7割を補助対象とし3割は自己負担の積算になっているが，この3割の自己負担を撤廃する。39年概算要求額約300億円の3割，90億円はこのために増加している。

（3）予算における建築単価および鉄筋・鉄骨造の比率を実情に即して引き上げる。実際の学校建築の鉄筋・鉄骨造の比率は，昭和34年度は47％であったが，昭和37年度は75％に伸びている。

（4）鉄筋建物は木造建物に比較して有効面積が少なくなり，負担法においてはこの差を12.5％としている。ところが既定5か年計画においてはこの差の積算がなされておらず，したがって予算執行はその分だけ食い込みの形になっていた。予算の鉄筋比率が少ないときはたいした問題でなかったが，鉄筋比率の高まっている現在では無視できないので，新5か年計画においてはこの差分を要求する。

（5）新年次計画の事業量は「公立義務教育諸学校の学級編制及び教職員定数の標準に関する法律」の改正とも関連して，原則として児童・生徒数がおおむね恒常化する昭和43年度における建物の必要，不足坪数および改築を要する坪数を基礎数値とした。したがって，新年次計画は5か年計画とする。

新年次計画に盛るべき事業量をはあくするために全国的な諸調査（昭和38年度における実態調査，昭和43年までの推定調査，耐力度調査等）を行ない，この結果に基づいて新5か年計画案を作成した。

3．事項別内容

右の方針によって新5か年計画の具体的内容を次表のとおり決めたのであるが，まず取り上げる事項としては，小学校屋内運動場，不適格校舎および小学校の普通教室を新規に要求するほかは，すべて昭和38年度予算における事項と同様である。

以下，事項別に積算の考え方を述べてみよう。

①社会増　昭和42年9月まで建設される予定の集団住宅約85万戸によって必要となる小・中学校校舎の不足坪数を整備する。

②普通教室　学級編制基準の改定に伴い必要となる小学校の不足教室（中学校では不足を生じないと推定される）約8千室分を整備する。

③特別教室　従来は小学校は理科，中学校は理科と工作の特別教室だけが予算計上され

ていたが，これらに限らず，新基準案によって一般的に必要な不足特別教室（小学校は約7千5百室，中学校は約9千室）を整備する。この不足室数は，普通教室を転用できる場合は転用したものとした数値である。

(4)不適格校舎　戦後旧軍施設等を校舎に転用したものが現在全国的にかなりある。これらは，転用当時は義務教育年限延長のための応急措置としてやむをえないものではあったが，教室面積の狭さ，柱の位置，採光の悪さ等のため，校舎として適当でないものがほとんどである。児童・生徒の急増期を過ぎた今日改築の要望が高まっているのでこの解消のためには必要な坪数を整備する。

(5)屋内運動場　屋内運動場の必要性について述べることは省略するが，現在屋内運動場をもっていない学校は，小・中学校とも約40％もある。新計画において，小・中学校とも約 1,500校分の屋内運動場を整備する。小学校の屋内運動場については危険建物として改築する場合と学校統合による場合のほかは，これまで補助対象とならなかったものである。

(6)統合校舎等　統合ずみ学校および昭和41年9月まで統合予定の学校約1,000校に必要な舎および屋内運動場の不足坪数を整備するもので，事業量としては危険建物に次いで大校きい。

(7)危険建物　38年5月1日現在で約 350万坪あるが，これらの建物の43年における要改築の資格坪数約220万坪を整備する。

(8)工業高校校舎　既定の急増対策の残坪数を38年度において整備する。

(9)その他の非義務制学校施設　原則として設置者の建築計画坪数を整備する。

(10)以上，新5か年計画の総坪数は約635万坪，このうち39年度要求は約111万坪 300億円である。

5か年計画の年次割は原則として均等五分の一であるが，次の事項については，建築計画等を考慮して不均等の年次割りとした。

社会増，小学校の特別教室，不適格校舎および幼稚園園舎については，昭和39年度は5か年計画の十分の一。

義務制危険建物および高校危険建物については，昭和39年度は同年建築計画坪数のうちの資格坪数。

（資料V）　教具作品展作品名と関係学年（家庭，数学，美術，体育）

品　名	学　年	品　名	学　年
（家　庭）		**（数　学）**	
ワンピースドレスの完成標本		周期実験器	
部分標本一部		**（美　術）**	
テーブルかけ		色環表	
標本えりのつけ方		**（体　育）**	
スカート段階標本		スコアボールド	

区分 事項名	内訳	全体計画（5か年計画）	39年度 要求坪数	前年度 予算坪数	要求 負担率	構造比率	平均単価	39年度 要求額	前年度 予算額
		坪	坪	坪		RSW	円	千円	千円
小学校校舎	社会増	702,773	70,277	23,568	1/8	70:15:15	67,635	1,600,239	423.824
	普通教室	304,386	60,877	0	〃	〃	〃	1,386,197	0
	特別教室	288,409	28,840	10,100	〃	〃	〃	656,700	181,630
	不適格校舎	20,683	2,068	0	〃	〃	〃	47,089	0
	計	1,316,251	162,062	33,668				3,690,225	605,454
中学校校舎	社会増	287,257	28,726	17,497	1/2	70:15:15	67,635	981,157	471,974
	特別教室	341,066	68,119	40,825	〃	〃	〃	2,326,651	1,101,237
	不適格校舎	56,809	5,681	0	〃	〃	〃	194,038	0
	計	685,132	102,526	58,322				3,501,846	1,573,211
屋内運動場	小学校	241,903	48,381	0	1/3	25:70:5	64,510	1,050,756	0
	中学校	282,054	56,411	27,799	1/2	〃	〃	1,837,733	742,777
	計	523,957	104,792	27,799				2,888,489	742,777
へき地集会室等	集会室	68,753	13,751	11,139	1/2	15:25:60	54,265	376,830	235,471
	寄宿舎	28,810	5,762	1,358	1/2	〃	〃	157,901	28.707
	計	97,563	19,513	12,497				534,731	264,178
総合校舎等		866,345	173,269	125,483	1/2	70:20:10	69,090	6,045,434	3,714,686
危険建物		2,214,297	396,140	188,562	1/3	70:15:15	68,175	9,092,304	3,530,898
特殊教育建物		94,220	18,844	8,226	1/2	65:15:20	65,990	627,975	228,125
小計		5,797,765	777,146	454,557				26,381,004	10,659,329
幼稚園園舎		74,658	7,465	1,700	1/3	0:20:80	45,340	113,949	17,000
高校危険建物		405,274	75,493	45,708	〃	85:10:5	76,115	1,934,537	975,083
高校（工業）校舎		43,736	43,736	48,362	〃	100: 0:0 85:10:5	79,500 76,115	1,156,549	1,114.550
定時制高校等校舎		30,052	6,010	2,467	〃	35:25:40	62,430	126,318	45.552
小計		553,720	132,704	98,237				3,331,353	2,152.185
合計		6,351,485	1,109,850	552,794				29,712.357	12,811.514
事務費		—	—	—	—	—	—	471,427	172,685
総計		—	—	—	—	—	—	30,183,784	12,984,199

一九六四年一月二十三日　印刷
一九六四年一月二十五日　発行

文教時報（第八十三号）

非売品

発行所　琉球政府文教局調査広報課

印刷所　中部印刷株式会社

文教時報

84

No. 84　　64／4

特　集……道義高揚週間

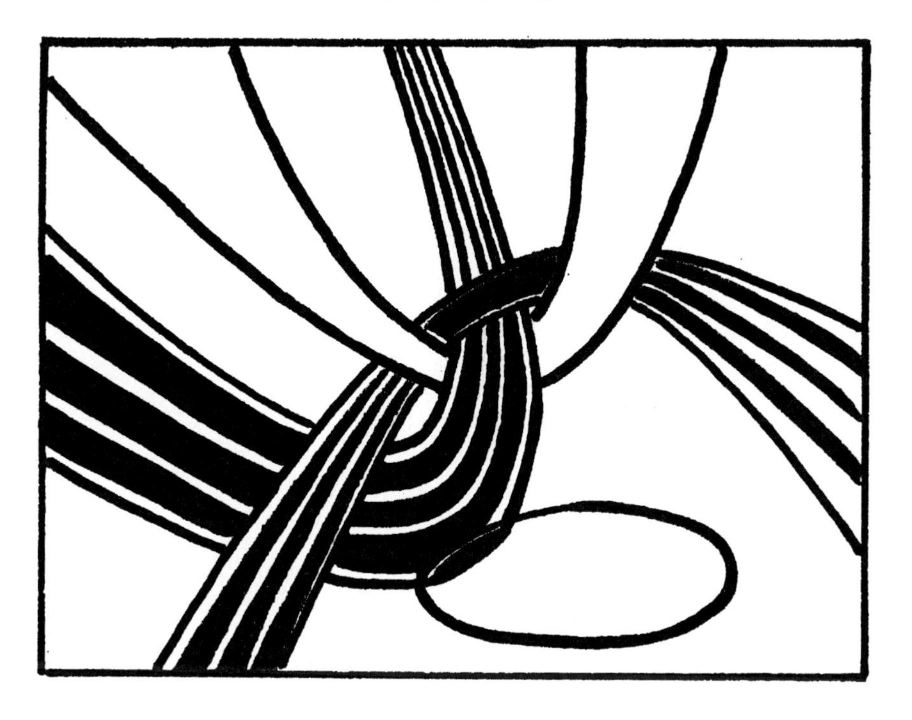

琉球政府・文教局調査広報課

もくじ

84号　特集……道義高揚週間

学校における道徳教育

松　田　洲　弘

一、道徳教育はこれまでどのような経過をたどつてきたか

戦前のことをふりかえつて見ると，明治５年の学制いらい「修身」を教科として設けてきた。それは昭和20年のマツカーサー指令によつて，地理，歴史の２教科とともに，授業禁止されるまで続いたわけである。戦後，地理，歴史は，社会科という教科で新しい形で復活したのであるが，修身については，新教育の考え方にもとづいて，いわゆる，学校生活全体の中で「なすことによつて学ぶ」ものとされた。各教科の時間の指導の際に，さらに特別教育活動や学校行事（入学式，始業式，卒業式，などの式日，運動会，学芸会，遠足，修学旅行など）等のあらゆる学校生活の間に機会をとらえて，そのつど子どもの生活態度を導くところの「生活指導」が道徳教育の本体としてすすめられた。

その後，社会科や学級会活動や中学校でのホームルームなどで，道徳的要素をおりこんで強化されるようになつた。そのようにして，とかく戦前のように，時間割の中に，修身という１時間の特別の時間を設けることなく，全学校教育の中で随意に，随所で臨機に行われるという状況であつた。ところがそのような方法では青少年の道徳的な心情判断や，しつけのことなど，充分に，指導することは困難であるとし，昭和３３年度から道徳の時間を週１時間ずつ小・中学校に設置されることとなつた。したがつて現在学校教育の中の道徳教育は，週１時間の「道徳」をよりどころとしつつ，かつ，学校全体を通じて機会あるごとに行なわれることになつている。

二、学校における「道徳」の目標は何か

学校教育の一環としての「道徳」の時間のねらいは，当然教育本基法にしめされた「人格の完成」ということと「心身ともに健康な日本国民の育成」を基底として「生命の尊重人格の尊敬，人権の確立，人間愛などの底を貫く人間尊重の精神」を育成することを中核としている。

三、学校における道徳教育のしくみや内容はどうなつているか

前述したように，道徳教育は学校教育の全領域をとおして行なわれることは当然であるが，今これを三つの段階にわけて考えることができる。道徳教育の第一段階は，習慣形成，つまり「しつけ」といわれる分野である。即ち，社会生活に必要な基本的行動様式を身につけさせることをあげている。

①　生命尊重，健康安全の習慣

② 自分のことは，自分でし，安易に依頼心をおこさない習慣
③ 適切な言葉づかいや立居振舞いの習慣（礼儀作法，エチケット）
④ 整理整とんによる環境美化の習慣
⑤ 物や金銭を粗末にせず，活かして使う習慣
⑥ 時間を無駄にせず，きまりある生活をし，余暇を利用する習慣
⑦ 根気よく仕事をやりぬく習慣等である。

道徳教育の第二の段階として，習慣化された社会生活の基本的行動様式や，道徳的心情判断，および，いろいろの行為についての内面化である。

戦前の修身は，習慣形成の実行のみに力をいれて，なぜそうするのか，という納得させる点，即ち内面化の面が弱かつた。したがつて一歩誤ると，自発性のない，うわべだけの形式的なものにとどまりがちであつた。現在の学校における道徳教育の特色は，戦前の修身にくらべて，この点を重視していることである。社会生活の「しつけ」のほかに，道徳的心情と判断力の育成ということがあげられている。それには，「自他人格の尊重，相互の幸福」「自主，自律」「自主と責任」「正直誠実」「正義と勇気」「忍耐，不撓不屈」「反省と思慮」「節度，節制」「明朗，快活」「動植物の愛護」「敬けん，宗教的情操」等が示されている。その他に，個性の伸張と創造的生活態度に関する事項として，「自分の特徴を知り，長所を伸ばす」「向上心，希望をもつ」「合理的に考え行動する」「創意くふうする態度」「研究的態度と真理愛」「進取，開拓の精神」等があげられている。

道徳教育の第三の段階として行動の社会化である。即ち，よいと分つたことは実行に移していくための具体的な組織や，くふうをすることである。要するに一人ではとかく崩れやすい良い習慣を，集団化し，組織化することによつて実行しやすくしていくことである。

指導要領は「国家，社会の成員としての道徳的態度と実践的意欲」に関することとして，「親切，同情」「尊敬，感謝」「信頼，友情」「公正，公平」「寛容」「規則の尊重」「権利，義務の遂行」「勤労と協力」「公徳心と公共物の保護」「家庭愛」「学校愛」「国民的自覚，愛国心」「国際協調と人類愛」等を示しているが，これらの内容の中には多分に行動の社会化によつて効果をあげられるものが多い。

以上のべてきたように学校における道徳教育は，小学校36の内容と中学校21の内容をその具体的目標として，習慣化，内面化，社会化の三段階をくり返し返し展開されているということができる。学校における道徳教育は，まだはじめられたばかりであり，他の領域に比較して幼児期にたとえられる。自らその目的を到達するためには，技術的にも，指導計画の上でも，家庭，社会，その他の関係機関の密接な協力が必要であるが，わけても家庭の協力については，その目標内容の上でもつともたいせつである。今後，学校区単位に強い協力体制をつくりあげるようにしなければならない。

（文教局　指導課　指導主事）

―座 談 会―

☆☆☆ 道徳教育を支えるもの
☆
☆
☆☆☆☆☆ あい路とその打開のために

日 時　64. 3. 19 (木)

場 所　開 南 小 学 校

参加者

学校側	糸 洲 守 英	(城岳小学校教諭)
	幸 喜 伝 善	(首里中学校教諭)
	仲 田 豊 順	(那覇高等学校長)
父兄側	屋 嘉 　 勇	(前島小学校PTA)
	下 里 信 子	(那覇中学校PTA)
	武 村 朝 良	(大道小学校PTA)
	嘉手納 タ ケ	(寄宮中学校PTA)
文教局	比 嘉 信 光	(指導課長) ―司 会
	親 泊 輝 昌	(教育研究課長)
	松 田 州 弘	(指導課指導主事)

司会　子どもたちの教育面で学力と共に人間形成ということが大きくクローズアップしてまいりまして，それは世界的な風潮ともなつております。行政府としましても，来る4月6日から5月10日まで青少年健全育成月間を設けることになりました。人間づくりはやはり、ひとり教師だけでなく，家庭も，社会も協力して始めてできることであります。本日はみなさんにお集まりいただき道徳教育を支えるもの，そのあい路と打開のためにと題してお話合いを願うことにしました。道徳教育の内容そのものでなく，それを支えていく上に忘れられていたこと，最も強調すべきことは何かといつたことについてお話いただきたいと思います。

比嘉課長

学校の道徳の時間で行なわれますことは実は道徳教育の整理と申すべきものだと思います。文部省のおさ田督学官が，イギリスでは道徳の時間は特設されずに，道徳は学校教育以前に家庭でむしろ行なわれ，学校では先生間の徳道，共通の見解に注意がむけられているというのです。誠に示唆に富んでいると思います。そのような意味で，話合いはまず道徳教育を支えるもの，学校の部面，家庭，社会と話をすすめ

たいと思います。それでは糸洲先生からうどぞ

道徳教育は学校と家庭の協力で
父親の関心が必要

糸洲 小学校ですが父兄の中には道徳教育は学校だけでやるものと解している方が多いのですね。学校では道徳教育に時間を特設してやつていますが，入学以前に何といつても家庭でしつけられるべきでありますし，入学後もやはり家庭教育は当然のことであります。ところが子どもの教育を学校に任せすぎるのです。何といつても家庭でも教育する。学校と協力して子どもをよくしていくという気持があつてほしいものです。

糸洲先生

司会 中学校側の幸喜先生いかがですか。

幸喜 内容的面から申しますと，道徳教育は学校では教育活動全体で行なうということが，道徳の時間特設にすすんだわけですが，特設の趣旨，ねらいについて先生方の勉強が足りないと思います。講習会で熱心に受講するということはありますが，進んで取り組もうとしない。それにはそれなりの理由があると思います。それは価値観とか，倫理観とかが先生方の間でさえ必らずしも一致しないということに由来すると思います。一応望ましい人間像を描いていてもそれは理論的で，抽象的でもありますから具体的にはどうやつていくか，先生方は自信がないのですね。指導技術のまずさとか，教師が信念をもちえないとか，教師間の共通理解に立つていないということはあい路であり，さらに研究体勢にも未熟さがかくせません。

司会 人間としての未完成ということはやはり悩みの一つですね。それに研修の不足，自己研修，組織等にも充分でない点が多いですね。高校側を仲田校長先生どうぞ。

仲田 高校側では道徳教育の重要性はよく認識しておりますが，戦前の修身教育に代わるべきものが戦後暫らくおかれない。それで虚脱状態が続いた。それで生徒会活動とか特活とか，社会科等に負うところが多かつたわけです。昭和26年文部省から出ました道徳の手引で，そのよりどころを求め，やがて倫理と社会として道徳教育の段階を迎えたわけです。高校における道徳教育を支えるものとしては，さらに特別教育活動など，生徒自ら共通の場と責任と意志を通じて自分をみがくことなどがあることを申し上げてよいと思います。

仲田校長

司会 学校側から父兄のみなさんに希望も出たわけですが，やはり道徳教育は家庭の果す役割が大きいと思います。その辺を屋嘉さん一つ。

屋嘉 人づくりということですが，その場合の人とは何かということですね。さらに改め

て人づくりが必要であるというのは何故かということですね。適当な例かどうか知りませんが，過去の，とくに明治の人は筋金が入つていたという話を聞くことがあります。

幼い時私どもは昔のりつぱな人の話をよく聞かされました。家庭で聞き古した話ですが不思議に頭に今でも残つているのですね。〃人をつくる〃ことで適当な方法の一つだと思います。それから自分の家庭は非常にいい家庭であると教えることですね。実のないからいばりはためにならんと思いますが，自分はいい家庭で育つているという誇りは精進し，発展するための信念をうえつけると思います。

下里さん

下里　確かに戦前の修身や歴史で学んだ偉人の逸話など折にふれて私たちを導いてくれます。先生方にもう少しその面にも時間をさいて下さつたらと思います。

屋嘉　歴史などで偉人の業績についてもその歴史的な意味とその背景などを考えることですね。それは人づくりの上では意義深いのじやないですか。しかし，私はおとながもつと自己反省すべきだと思いますね。

武村　そのことで私は父親の問題について申し上げてみます。厳しい自己反省はとくにこの場合男の私共が考えるべきものと思います。那覇市内の飲み屋街など子どもに見せられない醜態をよく目にします。消防の仕事関係で朝6時頃そんな地域へ出掛けることがありますが、ジユークボツクスをかけて踊り狂つているのを見かけることがあります。おとなの特に男性の自覚が必要だと痛感しているわけです。

嘉手納　私小学校の中学年の子どもがおりますが，たまに先生がお酒をのんで翌日4時間通して自習させられたことがあるというのですね。いろいろ事情はあつたと思いますが，やはり反省していただきたいものです。

下里　ただ今男性の問題が出ましたが，女性の立場から申しますとお父さんたちの協力がたらないと思います。教育は家内に任せてあでは困ると思います。父親再教育が必要ではないかと考えます。

司会　確かに東洋的な立場で男性は非常に我ままなんですね沖縄ではとくに強調して男性の反省を促さねばなりませんね。糸洲先生学校として何か方法は，

糸洲　香川県へ視察に行つて見た例ですが，向うでも父親の非協力には頭を悩ましていました。そこで定期的に父親学級を設けているのです。出席も，勤務とかの都合で日曜日の閑な時期をえらび，専ら父親の出席を督励するよう呼びかけるんですね。発足して間もないのですが成績はまあ，まあといつたところでした。

子どものしつけは家庭の責任で
道義の高揚まずおとなから

司会　一般的に幼い時は母親の，大きくなりますと女の子は母親の，男の子は父親の教育をうけることが多いとされていますから，父親が関心をもち積極的に教育に協力してくれる

ことですね。それはただ今の糸洲先生の話のような学校側として父親へ働らきかけることもいい方法でしようね。家庭における道徳面の指導についていま少しお話を願いましよう。

下里　私は日本の沖縄も含めてですが，家庭教育に問題があると思います。小さい時しつけるべきことがしつけられずに，おとなになつてから家庭で拘束する。外国の先進国ではそれとは逆だと聞いていますが。

屋嘉　確かにそういう面がありますよ。私個人のことですが，近所の子どもの父親が，私の子どもになぐられたといつてどなり込んで来たことがあります。調べてみるとたいしたことでもないのです。親が子どもに干渉しすぎるのですね。

親泊　子どもをしつける場合，子どもの発達段階とか，心理状態などよく考えることでしようね。子どもの心理を観念的にはわかつていても感情が先立つと，子どもの適応性を伸ばし，自主的に行なうための指導を誤つてしまいますから，やはり指導者の自己反省を忘れないことだと強調したいですね。

武村　家庭のしつけは，小さい時からの教育とくに家庭で満足に教育されなかつたということが大きな原因だと思いますが，30才以下の青年層の目に余る行為を見せつけられたり，往来する車の通行を遮断する者を時に見かけることがありますよ。

武村さん

幸喜　道義の高揚ということは，おとなに責任の大半があるのですね。事件をおこすのは多くはおとなですからね。おとなが率先垂範する。

嘉手納　それも家庭教育でしつかり引き締める。一週間ほど前に20日間の本土研修から戻りましたが，長野のある小学校で，婦人会が家庭教育の種々の問題をもちより研究していくうちに，一つのテーマをみんなで解決してゆこうということになつたそうです。家庭教育の生ま生ましい面が研究の対象となつて婦人会が研修するということで，学校側が黙つて見ておれない。またＰＴＡも何とか参加したいということから三者一体の合同研修となつたそうです三者が共通の問題でしかも子どもたちの幸福のためにやろういうのですから実績は着々あがつて，いろいろやろうとすることがスムーズにいくといつてお母さん方が喜んでいました。

司会　ただ今計画中のモデル地域の研究の方式もそのようないき方をとりいれようと考えているところです。

下里　お母さん方が家で教えることに対して口やかましいと子どもはいうのですね。先生方が一歩でも口ぞえしていただくと，りつぱに実を結ぶのだがと思うことがありますよ。

松田　父兄と家庭との問題で，昔ははつきりした態度や方針で子どもを教育して一貫していた。いまはそれが不安である。親は子どもの反撥を恐れるといつたような心配がある。

学校では何をどのように道徳教育として教えているか，理解がゆき届いていない。家庭と学校が一貫していないのですね。私どもは機会あるごとに学校における道徳教育の趣旨なり，考え方なり，内容なりを父兄へ説いているわけですが，学校側もその面の指導に力をいれる必要がありますね。とくに最近家族間の争いがよく新聞で報道されますが，家族の相互理解，学校，家庭の一貫性はまず道徳教育上欠かせない大事なことですね。

親泊　道徳的態度とか，行動様式なんていうのは，家庭と学校とそれに社会が根気づよく一体となつて一貫した教育方針をもつてやらねば困難ですね。私どもはともすると一方的な自分の立場に立つてのみ物を考えることがあります。例えば学校の批判を子どもを前にして家庭の方々がやるのですね。家庭と学校の相互信頼というのがそこでは育たないのですね。

仲田　私は一面こういうことも考えるべきことだと思うのですが，それは，今度の高校入試の志願類型ですね。理科系が圧倒的に多いのですよ。本人の適不適を二の次にして，親が一方的におしつけたり，反対に子どもの言いなりで選定するといつた，これは甚だ注目すべき家庭教育の断面だと思います。

司会　確かに考えの浅さといつた，思想の主体性のない教育は警戒すべきですね。

父兄へのPRがたりない

教師と父兄が親しく話合える場づくりを

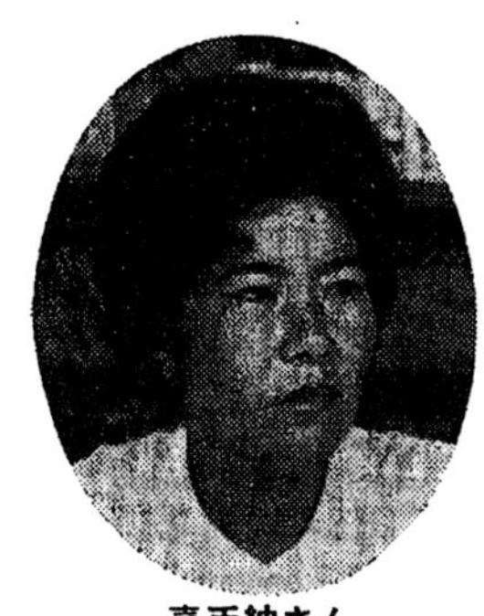
嘉手納さん

嘉手納　小学校，中学校では，ＰＴＡの集まりや授業参観などで来ていただきたい父兄が見えないということですね。学んでもらいたい父兄の方々の出席がよくないのですね。それは婦人会辺りでも悩みの種になつているのですが，学校としてはそういう場合どういう対策をとつておられますか。

幸喜　抽象的になるかも知れませんが，日本の学校はＰＲが足りないといわれています。ＰＲがへただともいうのです。それには道徳教育を学校だけでやろうという誤つた考えも若干あろうかと思います。ここには校長先生がおいでですが〔笑声〕校長の学校経営のまずさが大きいと思います。家庭へのＰＲを学校としてうまくやつていないのですから，家庭の協力も余り望めないのですね。父兄が積極的に学校へ協力することを要請する前にやはり，父兄へ学校がＰＲすることじやないですか，現状としてはやはり問題点の一つとして対策すべきものだと思います。

糸洲　これはあながち父兄ばかりの責任でもありませんが，父兄は学校へまいる時子どもを本当によくすることに留意すべきだと思います。学校へ来てまず始めに聞くことは，子どもの成績なんですね。例外なく成績からきり出すので，成績がよくなつた悪くなつたの抽象的な話で終始するのですね。私は成績の話はしないで，最近の学校生活のようすとか，子どもたちの教育上大切な点や指導のこつを説明しますから出席して下さいと父兄に呼びかけることにしています。

ＰＴＡの方々には学校での子どもたちの集団生活のようすとか，級友の交わりとか，学級活動，関必の傾向とか説明し，なるべく子どもの精神的な健全なる成長と父兄がどう着目し，指導するかを考えてもらうようにつとめています。

司会　確かにそのような教師の態度は大切ですね。子どもの生活とか健康とか，家庭でも絶えず関心のもてる全人教育としての面に話をもつていくことは大事なことですね。

嘉手納　これはよい例ですが，長女が小学校4年と5年に２か年一人の先生に指導してもらつたことがあります。その先生は学校と家庭との連絡について気をつかつて下さいました。毎月のプランを父兄へ配ばり，親の協力を要請するわけです。学級の成績も著しく向上したようにお見受けしました。地味なことですが先生の努力で随分変わるものだと感じました。

父兄の学校参観にくふうを
道徳教育の基礎調査をすすめたい

松田先生

松田　学級参観日，ＰＴＡのあり方ですね。通知表で学力など家庭に知らされるのですから，その日は全体的にどのように指導したか。困難点はどこか。どのようなことに力を注いだか，等話すことですね。その日父兄に見せることも個人，個人のことでなく集団の力でできる。集団で働いている個人の役割といつたことを感じとらせる学習場面を父兄に見せることも意義があろうかと思います。

司会　学校側としては出席しない父兄にはどうしていますか，また，出席出来る時刻など予め調査等やつて行事をもつていますか。

仲田　学校経営者の立場から，いまのようなことを計画の中にいれることは大事なことですね。連絡の方法は教育隣組など利用できますし，たいていはＰＴＡ本部から学校側の情報を流すようにしています。家庭訪問などは年間１回に限らずやるようにしています。

つとめて出席できない家庭の関心を高めるようにしています。つとめて出席できない家庭の関心を高めるようにつとめていますが，授業とか予算措置とかで随分教師に負担がかかつてきがちです。道徳教育における環境の基礎調査にはとかく見逃がされがちですが，今後ぜひ実施強化して道徳教育を充実させようと考えています。

子どもとともに悩む
観念論より実践へ

屋嘉 実は私自身ある財団法人の常務理事をやつておりますので，仕事上多くの小・中学校へまいることがあります。学校をまわつて感じますことは行事が多すぎるということです。行事板などいつでもいつぱい書かれているのですね。そんなことで先生方はやろうとすることはいろいろ制約をうけるのではないでしようか。

幸喜先生

幸喜 おつしやる通りです。先生方は負担がかかりすぎる。それに先生自身教師の能力の限界をこえてやろうとする。父兄との提携の意味はやはり，教師の負担の軽減・効果というところにあると思います。

屋嘉 先生方の負担は学級内の生徒の数からも言えるのじやないですか。那覇市内など在籍が2,000を超す学校が多いし，一学級の生徒数も随分多いですね。せいぜい30名から35名が適当じやないですか。

司会 文教局としましてもただ今学校規模の適正化については真剣に検討しているところです。それでは学校における道徳教育に関する問題を話合つていただきましよう。学校における道徳教育を充実させるために着目すべき点とか，あい路といつたところから。

松田 一般教科とは違いまして道徳や生活様式ということになりますと常に教師が生徒よりうわ手だと言い切れない。生活の行動様式の小さなことを拾いあげると生徒の中に教師に劣らないのも出てくるわけです。つまり教員は人間完成の途上にある。そこで教師は生徒を教えるというのではなくて，生徒とともに人間完成のためにつとめるということを心掛けるべきだと考えます。ことに戦後若い層の教員が多くなりまして，人格完成，円熟の時期を40代，50代と考えますと，教師自体の中にもつとめるべき問題が多いわけであります。

幸喜 確かにこの道徳や生活態度になりますと教師と生徒との落差は教科の場合よりせばまつてくる。だから道徳教育は観念的理解では最早駄目なんですね。このことは家庭でも同じように見ていいと思います。親が子どもに教えるのでなく，親子で話合つていつしよに考えてみるというゆき方なんですね。

嘉手納 理論的にはよく知つているが，やはり実行することにあるというわけですね。それも同じように悩み，共通な条件に立つて考えるというわけですね。

幸喜 道徳教育は実践と理論の上にまだまだ大きなずれがあるのですよ。学校現場で子どもの側からみますと，おとなでも先生だつてやつているじやないかとなり，学級にまいりますとみんなやつているじやないかということになるのですね。単なる理論，観念の段階で終つているのです。りつぱな行いとか，望ましい態度を一応理解していても，自分ひとりではないみんなやつているという考え方で実践を阻んでしまう。だから教師は自己反省し問題を常に生徒と同じ次元で悩み行う努力を忘れてはならないのじやないでしようか。

松田　指導要領は，中学校の場合21項目，小学校の場合36項目の目標をかかげています。教師自身それを読んで精神が浄化されるように覚えます。道徳教育は教師の修養の場でもありますよ。しかし，問題は，学校全体，先生方の道徳教育に対する意欲とか心構えとかで足並みが揃つているかどうかということですね。理論的には学校全体で一貫してすすめるということですが，実際にはすすめる場合，その裏付けになることが学校としてどうあるべきかということが十分徹底していない。問題児という解釈のし方でもいろいろ先生によつて違つた解釈のし方をしている。触法少年やぐ犯少年で，少年院や実務学院に送られる子どもに限定するかと思えば，道具の使い方，学習態度などで普通児と異なるところをとらえて何か原因があろうとし，これらの子どもを問題児とみる先生もいる。そのように先生方の間に実に考え方の相違がある。

嘉手納　学校参観などでよく目にするんですが，先生の指導を受けいれる力といいますか，能力の著しく劣る子どもたちがいるのじやないでしようか。

司会　教育制度の欠陥ですが，中以上の能力のある子どもが多くの場合指導の対象となる。ですから劣つている子には無理がある。特殊学級を設けているのは彼等を救うためです。劣つている子に学ぶ喜びや意欲をおこさせようと努力しているわけです。

幸喜　学校側が尻たたかれるのは学力の面ですね。やれ文部省の学力テストとか，新報テストとか，教師や父兄を学力ノイローゼにさせているのですよ。人間形成という雰囲気に水をさすようなことが多いですね。教育行政面でも，研究発表会でも，学力向上に集中し，道徳教育軽視の印象をうけますね。成績に対する一般の関心も高いのです。

下里　この頃は，高校へ志願する生徒を全員収容するほど入学させてないから，競争意識が昂じてきているのですね。中学校側は勢い学力に注意がゆきすぎる。生徒の成績など順位などつけて貼り出す。父兄はそれを見てやはりいい気はしないのですね。順位にうまく入らなかつた子はやはりやりきれないと思います。

親泊　学力の問題については確かに考えさせられることが多いと思います。学力をペーパーテストの結果だけで考えることは確かに警戒すべきでしよう。その結果をどう考え、どう活用するかを誤まるならばそれはむしろ有害とも言えます。文部省のテストを沖縄でも実施しました意図は，全国との水準を考察し教育条件の整備に役立てることでありまして，結果を劣つているとかといつて安直に解釈することは危険であるというわけです。自分たちの水準を見究め学力の解釈をもつと正しい意味でうけとめたいものです。学力の考えですが，道徳のような道徳的判断力，行動能力等も実際は学力に含めて考えてよいと思います。つまり人間形成の上から価値の追求をしていく，正しい判断力をもち，それが実践力や行動の裏づけになるという考え方でする。その意味で学力を人間形成の観点に立つて広く解釈することをおすすめしたいと思います。

幸喜　実際は学力の向上している時は道徳教育もうまくいつているというのが，実情ですね。確かに親泊先生の云われる広い意味の学力，知識や判断力が身についていると道徳実践にもいい影響を与えているようです。

松田　学力向上の問題とからんで見逃せないのは塾の問題ですね人間形成という点で学校と塾の相違点を再確認することが必要だと思います。塾は本来一つの教科とか技術を習熟させることにねらいがあります。塾の壁に貼り出された級とか成績は，希望するものの集団でしかもその中味は不確定の集団ですから，学級や学校で貼り出される成績表のような強い意味はもちません。とくに教師と生徒間と指導者と塾生間との両者の接触のし方は全く違います。前者はあくまでも人格のふれ合いですが，後者は主として技能を媒体とするふれ合いに過ぎません。このような双方の相違点を再確認することは必要であろうと考えます。

個性をのばして
生活にうるおいと自信を

屋嘉さん

屋嘉　私は学校教育の面でもつと個性をのばす教育が強調されてよいと考えますが，上級進学者の多い少ないも教育成果のものさしにはなりましようが，もつと子どもの個性を伸ばすことに力を注いでいいと思います。

仲田　学校には教科外活動の施設がいろいろありますが，全生徒が，いまのお話のようにそれぞれ自分の趣味に適合したグループに属することになつています。そこでそれぞれの素質を伸ばすように考えられています。

親泊　個性をのばすということは大切だと考えます。文化国家というのは言い換えれば多くの異つた個性がダイナミックに働らく社会とも言えるんじやないでしようか。

下里　個性をのばすことはやはり学校側のしつかりした計画と指導が必要じやありませんか。学芸会などで出演者の指導に力がそそがれ過ぎるとか，コンクールに出場する子どもたちの指導で他の子どもたちの指導に手がぬかれるとかで，出演する者としない者との間にじつくりいかないものができてはと心配するわけです。また，出場者をその関係クラブからもち出さず，クラブ員が何の関わりもなく選ばれるようなことは，クラブ員の責任意識をそがいします。クラブ活動など自由の時間だといつて子どもまかせにしますと，かえつて人格尊重とか，義務感とかが傷つけられるおそれがあるわけで，先生方にいろいろ心を配ばつていただきたいことです。

道徳実践指導に
校長先生まず率先して

屋嘉　先程学校長の学校経営についてお話がありましたが，全琉養護教諭の研修会で聞いた校長先生へのご注意です。ミルク給食で飲まない生徒がいるためにミルクが残るので，その残りについ文教局へ報告しようかと校長へ伺つたら，それは困まるといわれたが，別段対策について係を指導するようすがなく，いつしよに考えようとせず，係に任せきりだつたと言うのですね。それは稀少の例だと思いますが，校長先生が率先道徳教育に乗り出していただくことが最も効果のあることだと思います。

社会の連帯意識で 島ぐるみの道義高揚を

司会　ここらで社会の問題に話題を移してみたいと思います。

下里　教育の問題は学校と家庭ばかりでなくその中間にある社会の影響が大きいと思います。ことにマスコミの風は学校と家庭では防げないことが多いと思います。

屋嘉　マスコミのとりあげ方にはこれはどうかと思うことがありますね。殺人といつたニュースバリューのみで三面トツプにし，よいことなどした記事は軽く扱われることが多いのですね。もつとマスコミが美談とか人づくりに役立つ報道をしてくれることを要望したいものです。

司会　以前は家庭で童話の本を読んできかせることが唯一の子どもの楽しみだなんて考えられた時代もあつたのですね。確かに最近はテレビ，ラジオが子どもたちの生活にぐんぐんくいこんでくる。

幸喜　私はマスコミは最早私たちの力で解決するより，環境条件の整備とか浄化といつた大きな政治力をもつて解決する段階であろうかと考えます。学校教育面ではむしろマスコミに対する批判力を養うということに力をそそぐことだと思います。一方的にくい込んでくるマスコミにそれを受けて批判する。つまりそれを逆利用といつた，批判力が必要だと考えるわけです。

下里　社会の人たちが自方の子どもだけに目をむけずに，連帯意識といつた大きな気持で子どもを見てあげることでないと教育は実を結ばないと思いますが。

親泊課長

親泊　その点についてこんな話があります。ある人が欧米をまわつて来て，文化国家の条件として3つあるというのです。その一つはその国家の生々発展の相が見えるということ。二つめは，巾の広い自由があること。三つめは社会の秩序が整つているということです。日本は，その点は一と二はよいが三つめは欧米諸国に比べて決してほめられるべき状態ではないというのです。衣食足りて礼節を忘れているわけです。道義の高揚が叫ばれる所以であります。沖縄も正にその通りだと思います。秩序は社会全体の問題として考えるべきことです。いま那覇市ではりつぱな市民憲章ができていますが，それをどのように実践していくか問題があろうかと思います。

屋嘉　テームワークの思想を涵養することですね。自分の権利義務をわきまえながら人様のために働く精神，それで社会の人たちは一つに結ばれるというわけです。

下里　子どもたちは敏感ですから，親や先生の真向いの姿勢だけに注意せず，同時に不用意なその後姿まで目にしていると思いますと，社会の人たちがひとしく子どもたちのよい指導者であつて欲しいですね。私は主人の職業がらよく感ずることですが，いまの若い方の中に法律にふれなければよいという考え方をする人がいます。年輩の方は若い頃軍隊教育をうけたから幸せだつたというのですね。軍隊教育の中に何か一本筋のある教育があつたのでしようが，それが親泊先生のいわれた秩序，権威による秩序でなく，人格を尊重することから生まれる秩序が，社会の中にあれば本当にありがたいのですが

司会　罪悪感をもたない者が若い人の中にいるということは今後，注目すべきことです。戦後，法にふれなければよいという者が多くなつた。道徳意識が欠けている。戦後のいまわしい無軌道ぶりを発揮する者たちの生ずる事実から，道義の高揚は社会の連帯責任としてぜひ実現したいものですね。

屋嘉　百名小学校の仲村渠部落で衛生訓練をやつたことがありますが，実に成績がよいのですよ。部落の人にたずねたら子どもたちに教えられたというのです。お母さん達が連帯で子どもたのすすめにしたがつたわけです。同ようのことが，上田小学校でも真壁小学校でも方々で見られたものです。私は悲観することなく力を合わせてたち向うことだと思います。子どもたちの行動の一つ一つに余り神経質にならずにおおらかに接することがよいのじやないでしようか。

嘉手納　何だか，理論にかたよらずむしろそれを強力に実践うつすことだという気がしてなりません。

屋嘉　人づくりは百年の大計といいますし，それに私は子どもたちに世界の沖縄という広い大きい気持をもたせて伸び伸び育つようにしてやることだと思います。

司会　長時間いろいろ有意義な話合いで終始したと思います。ぜひ全琉の学校やＰＴＡ関係のみなさんにも本日のお話を紹介することにいたします。ありがとうございました。

（文責・登川）

第119回 定例中央教育委員会

1964年1月18日（土）～1964年1月22日（水）

- 委員長選挙　　委員長　石原　昌淳　　副委員長　照屋　知広
- 砂川中学校創立15周年記念事業寄付金募集認可申請について（可決）
- 政府立学校職員等の日額旅費の支給を必要とする旅行及び支給額について（可決）
- 高校教員志望学生の奨学に関する規則の一部を改正する規則について（可決）
- 学校設備調査細則について（可決）
- 安里製パン工場の認可申請について（可決）
- 西表製パン所の認可申請について（可決）
- 北部連合区起債許可申請について（可決）
- 石垣第二中学校設置認可申請について（可決）
- 那覇教育区立真嘉比幼稚園設置認可申請について（可決）
- 美里小学校創立85周年記念事業寄付金募集認可申請について（可決）
- 教員志望奨学生の採用の承認について（可決）
- 名護タイピスト学院設置認可申請について（可決）
- 名護英語学校学則の一部変更認可申請について（可決）
- 職　員　人　事
- 1965会計年度文教予算概算見積について
- 1964学年度政府立学校教員異動及び採用方針について
- 1964学年及公立学校教員の異動及び採用助言について（可決）
- 波照間小学校創立70周年記念事業寄付金募集認可申請について（可決）

小学校低・中学年における道徳指導
とくに基本的な考え方

神原小学校　新　崎　侑　子

(1)　テーマ設定までの道徳教育についての考え方

(1)　反省期に来た道徳教育の問題点

(イ)　沖縄をふくめた全日本が青少年問題を取りあげるようになつた。

○青少年の犯罪の年令の低下，質の悪化は，国家的，社会的問題として憂慮すべき傾向を示しつゝあります。沖縄防犯協会では，相つぐ青少年犯罪の凶悪化，集団化に対処するため少年法の改正を打ち出しています。

(ロ)　国民の道徳意識と行為を支える国民的指標の確立がさけばれている。

○現在の人たちは個人の尊厳は説くけれども，個人の母体である国家とか社会の尊厳はあまり語らないようです。戦後の日本人（沖縄も含めて）は個人あるを知つて，社会としての家庭や国家のあることを忘れがちになつているのではないでしようか。

このような環境のもとでは人はただ自分の欲望だけで行動するようになりましよう。

青少年の中には犯罪を犯罪とも思わない者も出て来るのも当然ではないでしようか。

(ハ)　法律を支えるのはその国の道徳である。国家社会の尊厳が個人から遊離していくのは，法律への尊重がその国に過去から流れて現存している道徳を無視したところに原因はないでしようか。とくに教育において36項目に示されているが，それらが，ばらばらにとらえられて，1つにならないこと。つまり，戦前の教育勅語的な統一された指標，具体性を失つたところ，しかもそれがわが国の道徳の裏づけのない36項目のつかみ方や指導法にあるのではないでしようか。

(ニ)　国家的には人づくり，国づくりを目標として掲げ道徳教育のための教科書問題まで持ち出されている今日，沖縄では観光資源の開発，花一ぱい運動をかかえさらに那覇市では市民憲章の制定などこれらは今後の道徳教育と関連する問題としてとらえねばならない。

○戦後日本の経済成長はすばらしいものといわれています。しかしそれを支える国家や国民の精神的基礎が薄弱なものであつては経済成長も砂上の楼閣のようなものになります。ひとたび暴力革命がおこれば国民経済はその根底から破壊されるからであります。

○今後の人間は一国の国民としてばかりでなく世界人としての教養と態度を身につけることが要求されています。国家の精神的基礎を培うための道徳教育に教科書を制定する可否は別としてもつと明確なものを持つことは必要でありましよう。

○忠君愛国の忠君が国家にわざわいをもたらし，それが嫌いであるからというので愛国まで失つたのが現状ではないでしようか。個人の尊厳意識の偏見と相俟つて，現象面や感覚的欲求に流され信義と誠実性を失つた人々の行動を反省せねばなりません。
共同の繁栄と平和のための社会連帯意識の培養は今後の道徳教育への課題ではないでしようか。

⑵ **新しい意味での道徳指導**

小学二年のころ，修身で二宮金次郎の親孝行を学習して家に帰つた私は，両親に向かつて「うちも貧乏になりたいね。」ともらしたことをおぼえています。親孝行とは貧乏という逆境にあるものでなければできないものだと子ども心に思つたからです。
二宮金次郎の親孝行の形態が孝行の典型として印象づけ，親子間に生ずる自然の情愛や心情や種々の様相を忘れ，ただ一事例をもつて代表された修身，親孝行についての子どもの発達段階に応じた学級内にも起こり得る身近かな児童の生活の中から指導していかなかつた当時の「修身」そのもののあり方に問題があつたと思われます。

同様にある先輩は〃人には親切をつくせ〃と修身の時間に下駄のはな緒を切らして困つている人に，すげてやつた親切な子どものことを学習して帰つた日に，人通りのはげしい街角にはな緒をすげるための紐をもつて立つたが親切をつくしてあげる場がなく悲しい思いをして家に帰つた子どものころを述懐していましたが，これなども親切についての場，とき，あるいは各人の立場などによるその価値などの指導にまでゆき届いていなかつたことを物語るいい例だと思われます。

ところが今日の道徳というものは人間関係について人間尊重と社会秩序の立場からいつさいの行動や行為を律するものであるので前にも述べたいくつかの徳目を身につけるというのでなく，日常生活のあらゆる面で社会的にのぞましく成長させるためのものであることを意味するものと思います。

このように考えるとき，道徳教育は単なる善人を目指すべきでなく，生きた社会に参加し適応する人間の育成を目指すべきだと思うのです。

⑶ **道徳指導と生活指導**

道徳教育の時間の特設以前に生活指導が強調されて、私もそれについての研究発表をしたのですが理論的には新しい道徳教育の考え方に反するものではなかつた。あらゆる場で絶えず，人間形成を目指して指導するという考え方であり方法であつたし，子どもの生活を大事にしたところに大きな価値があつたと思われますが，半面「心のかて」を与えて心情を高め尊いものに憧れを持たせ，人間の善意や努力によつて感動をもたせる面の指導が欠けていたと思われます。

そのような意味から道徳教育ではその欠陥をおぎない，伝記や童話やその他の文字作品を通して子どもの心を清め，そのよい意志や行為や心情を間接経験させることができ，子どもの心の中にひそんでいる徳性をよび起し，さらに大きく育てるものと考えています。

それだからといつて決してこれ迄の生活指導を等閑にするというわけでなくその上にさらに心情をゆたかにし徳性という深いものを期待するのが道徳教育であり，これまでの生活指導は道徳教育の中の一部である，と考えられこれらのものが相まつてこそ真の意味での道徳教育の成果を得ることができるものと思います。

⑷ **道徳教育と国家的，社会的事業**

（学校における道徳教育の使命）

道徳教育ほど国家的，社会的事情により異るものはないと思います。

アメリカなどでは洲によつて異つているともききますが，道徳教育の場を家庭にもち信仰生活によりこれを行なつているようで，したがつてその教育のため，土曜日には学校を休みにして教会で何時間かを過すとのことです。

それでは，わたくしどもの沖縄ではどうかと考えてみますと一部には教会に通う子どももいますがこれらは家庭生活との密接なつながりはなく，子どもの教育については，ほとんどが学校に依存する傾向にあり，家庭でなさるべきことすら教育されていないという状態だと言つても過言ではありません。特に道徳教育においては，家庭，学校，社会が一体となつて当たるべきものであるが先に述べたアメリカなどにおける共通な宗教をもたないわが国，そして沖縄では学校における道徳教育の果す役割は大きいものと思います。

そこで道徳教育により望ましい人間形成を目指して，36項目の指導内容をもつ適切妥当な年間計画を立て具体的に指導されなければならないと思います。

⑸ **36項目のもつ意義**

その個々の項目について述べることを省き，それらについての全般的な考え方を述べます。

文部省は，これについて特設された道徳の時間にのみ目指すものでなく各教科，特別教育活動，学校行事とのあらゆる子どもの生活の中で目指すべきものだと指導しています。

(ｲ) その例

○これは本年９月に社会科で「のうかの人々のくらし」という単元で教科書を参考に農家の暮しにうとい子どもたちにその指導をしていたときのことです。急にひとりの男の子が大きな発見でもしたかのように「Ａ君の夏休みに描いた絵は，本のさし絵をまねている。」といい出すと，あちこちでＡの絵についてささやきが起こり，中には嘲笑する態度の子もでてきたのでＡが泣き出したのです。

そこで早速，社会科の学習をうち切り，以前に休み時間に「雑誌の絵をまねている。」と言われたＢのことを憶えていたので，「Ｂさん，いまのことどう思う。Ａさんが泣き出したけど。」と問いかけてみると，一同はＡが泣き出したことに気づき静かになりＢの答えを待つ態度に変わつていた。

Ｂ　「ぼくもそんなことを言われたことがある。とてもいやだつた。Ａ君が泣いている理由がよくわかります。ぼくはあの時くやしくて，ひとりでなく他の人までかせいしてぼくにインチキと言つたので泣かしてやりたくなり，よし，こんど他の子がまねてかいたら，うんといじめてやろうと思つた。」

教師　「言われた人の気持は，いまBさんの言つた通りらしいですよ。」

みんな静まつている。A君相変らず泣いている。

B　「だけどね先生，ぼくはきようA君がまねをしてかいたと誰かが言つたとき、いじめる気にならなかつた。」

教師　「みなさん，Bさんがそんな気になれなかつたわけがわかりますかね。」

ささやき合つていた子どもたちは，すまなさそうな態度である。

教師　「まねであつても一しようけんめい描こうとしたAさんをいい子だと思います。いまに，まねをしなくても描けるAさんになると思います。きようあつたこと，みんなもう一度考えてみようではありませんか。」

個々の子どもに判断を求めておいて，社会科の学習を続けていつたが，このような問題が起こつたときに指導の手を打つのが特設された時間を待つて指導するより，身につく指導がなされると思います。

(ロ)　教科の特質を忘れず，また1項目1主題にとらわれず

○各教科には，それぞれの教科独自の目標があり，それによつて1時間の指導計画がなされるのであるし，必ずしも道徳に関する指導もなされるとは考えられない。いやむしろ，先に述べた問題は度々起こり得るものではなく，そのような事件を待つてあらゆる面にわたつての望ましい人間形成をなそうということは困難なことであるので，特設された道徳の時間をもち，36項目の目標をもつ内容を残りなく身につけてやるよう計画すべきで1項目1主題とせず，2,3の項目を指導するのが効果的でさらに36の項目がひとつひとつ，ばらばらなものとしてでなく指導されるべきものだと思います。

(ハ)　本校の年間計画

○わたくしの学校では，このような観点から年間計画がなされましたが，第1次案樹立の際は，学校創立，間もない忙しい時期にあつて，他校や文教局案などを参考にして立案し，主題を先に選定し，この主題により36項目中の，どれをねらうことができるかと考えたが，学校が落ちつき部員の研究や実践活動の結果，やがて第二次案作成の際は，この項目を指導するにあたつては，どの主題を選んだ方が適切であるかと考え及ぶにいたり，指導されるべき項目が主であれば，主題選定は従の形になるべきと考えたのです。

それで本校では，学校の指導目標の示すところにより，具体的には日々の児童や職員の看護番日誌から，本校の実態として指導を要する点をとらえ，それらを36項目の内容をもつ目標と照らし合わせ独自の年間計画が樹立されるべきだという考えにおよび，各学年の主題のねらいと36項目との関連を検討し第三次案の立案が進められるようになつたが，部員相互の研究により，ここまでの考えに到達することができたことは部に属する者としての，大きなよろこびでもあります。　一以下省略一

（神原小学校教諭）

道徳の時間における指導法の追求

真和志中学校
浦　本　茂　則

○体験教材の中に含まれている道徳問題の内面的追求

実践例

1, 主題　友情（カラマゾフ兄弟の少年イリューシヤ）

2, 物語りの内容は

(イ) 少年イリューシヤの家は姉と大酒のみの父と三人の貧しい家庭

(ロ) イリューシヤはコーリヤというただ1人の級友がいた。

(ハ) イリューシヤは或る日カンシヤク玉で犬の目と耳に怪我をさせて心配した。

(ニ) コーリヤは反省するまで絶交した。

(ホ) イリューシヤはけんかをして石があたり病気になつた。

(ヘ) 父は酒もやめて看病した。

(ト) コーリヤは怪我した白い犬に芸を教えてイリューシヤの病気見舞をした。

(チ) イリューシヤは涙を流してよろこんだ。

A君，コーリヤの絶交はイリューシヤを反省させるのによい。

B君，絶交はひどい，話しあえばよかつたと思う。

C君，コーリヤはつめたい人だつたと思う。

M子，反省させるために絶交はよい。

D君，イリューシヤの父が酒のみだから悪くなつたと思う。

学級の約半数23名がそれぞれ右のような意見をのべた，ほとんどの生徒が絶交の手段はよくないが，この場面においては反省させることができたのでよい方法だというのである。

一見冷酷なような絶交の手段も誠意と方法さえ誤まらないと友情の示し方としてはよいことだとつかませることができたと思う。

生徒の友情の動機はアンケートによると，物の貸し借りや，安易な同情から出発した生徒が多い，全員感想文をかいて終つた。その中には，「自分のつごうのよいときだけ友人で，不利になるとさけたがる社会人が多いと批判している」，ほとんどの生徒は「真の友情」とは苦しみ悩みのときだけでなく，悪に対しても勇気をもつてなし，最後まで助け合うことであるとかいている。

発表したD君は，真和志中校の非行児の親分である。彼の家庭は父が大酒のみで貧困であるので非行児になつたと思われる。D君は感想文の中で，「私の父も酒はのんでよい，イリューシヤの父のように。イリューシヤが病気した時は酒ものまずに神にいのるようにして，一しようけんめいかんびようした，私もそんなお父さんをもちたい，私の父が酒のみだから家に帰るのがいやです，イリユーシヤが悪くなつたのもお父さんのせいだと思う，私もコーリヤのような友だちがほしい。」………とかいてある。翌日，級の1人にそのことを話すと，喜こんで早速友だちになつた。

その日から長髪もきつて，真面目になり，2人は最後まで仲のよい友だちとして卒業していつた。その研究授業がもとで意外なほどD君の心情にうつたえたとみえて，何よりも嬉しかつた。

○時事問題の中にふくまれている道徳問題の内面的追求

週刊読売の16ニュースの中から，ひろつて問題点を探ろうとするものであつたが，タイミングをはずした指導であつたと思つている。次のその実践例を掲げる。

実践記録　　　　中学1年　金武中校在職当時

㈠「タヌキいぶり出し事件」（週刊読売から）

週刊雑誌トップ記事の見出しは次のようである。

「娘さんを祈り殺す」池田女祈とう師らが荒行4時間

祈り殺された精神異常気味の娘さん，

「女祈とう師ら調べ」

親は医師には見せないで，夜もねむらずに心配したが最後に祈とう師にお願いした。親はこの娘をなんとか恢復させたい気持で女祈とう師に頼むのである。

記事を詳細に読んできかせた後，生徒たちの話しあいは，タヌキがついているなんてその家族は馬鹿だ，医師に見せるとよかつたのに，人工衛星がとんでいる時代に，タヌキをいぶり出そうとしたことは，おかしな話しだ。というのが生徒の声であつた。

O君がその事件とはちがうが沖縄でも私の近所に，ある宗教を信仰している人が子どもの病気の際医者には見せないで，一生懸命お祈りだけして死んでしまつた事件を母からきいてそれを発表した。

生活の中では余りにも迷信が多く入りこみ迷信に対して不感症になつていることも社会の実態として見のがすことができない。

㈡ 本時のねらい（タヌキいぶり出し事件）

この事件を中心に話し合うことによつて迷信についての正しい理解とそういうものに，すがらなければならない弱い人間性と，またそれをある程度是認して世の中を考え，正しい宗教へも開眼させたい。

㈢ 指導の過程は，親の子に対する愛情という，子どもにとつてみてはなかなかわかりにくい問題もふくんでいて，またそれにせまらないと指導のねらいが達成されないという。むずかしい素材のせいもあつて難航したが次のように展開した。

4，展　開

△見出しの板書をしながら事件のあらましを辿る

△みんなが感じたこと，考えたことを話し合う，痛烈な批判もあつた。

A，なぜ医者にかけずに祈とうしたのか。

B，医者に対する正しい知識がなかつた。

C，気やすめにしたのだ。

D，医者でもだめだろう，何とかしたい気持

◎最近の迷信や昔の迷信など，邪教などをあげて，話してきかせ，なぜそんなことが現在もあるのか。

B，人々が苦しみ悩んでいるから

C，貧乏だから

A，そういう人々を救うことがなされていないから

D，正しい宗教心がないから

△この考えが正しいかどうか

親たちは夜もねむらずに心配したが最後に祈とう師にお願いしたという。親の気持は十分わかるがまちがいであつた。

おぼれる者，わらをも掴むという諺があるがそれはまちがいだ。

迷信すぎる話を信用する人が特に親たちに多いがなんとかならないものだろうか。

神様や仏教をその面でたよらずに，心の糧として信じ，楽しくすごせる世の中にしなければならないことと強く感じたようである。

○地域社会の中にある道徳問題の内面的追求

地域社会の問題は問題が身近かであるだけに，現象面だけにとらわれて，おかしな方向に，一般化される危険性があるので，私は地域社会の道徳問題を分析検討して，地域社会の道徳的特殊性や後進性をは握したり，地域社会の人々の道徳観の様々を認識して，そのあるべき方向を探ろうという学習をこれにあてたい。

このことについては沖縄のおかれている現在の立場，即ち沖縄の国際的立場という特殊性のために，どの問題をとりあげてみても，基地経済，本土復帰への悲願ということにぶつかつて，客観的に認識させるということは，私の力では荷が重すぎると考えているのでこれからの問題にしたい。

○生活意識にある道徳問題の内面的追求

生徒が日ごろ抱いているさまざまな生活意識を発掘して，そこに道徳問題を発見させて，内面的に追求させようとするものに限定する。

生活意識の発達についてはひとりひとりの生活の細かな生活意識のアヤをは握することが必要である。そのために生活作文等が有効であるが，心理調査の方法と結果の解釈の仕方が不勉強ですので，今後研究したい。

実 践 例

1，主題　むつまじい家庭

2，指導方針

中学三年ごろは青年中期へ移り変ろうとする時期である。従つて「我の自覚」の芽生えとともに反抗や離反がみられる。そして独立の要求も強いので，日常こまごました世話やうるさい干渉をする母親には特に強い反撥を覚える様になる。こうして家庭生活で母との口げんかがおこり，親子の衝突もおこるのである。

本主題は，このような時に親の立場や気持ちを理解させ意志の疎通しない点や，感情のもつれを話し合いで解決させようとするものである。

3，生徒の価値観について

「親子のあり方」についての道徳的価値の調査の結果，次のようになつている。(別紙参照) 即ち，理想的価値観と実践的価値観に大きなずれがみられることである。

4，計　画

第1次導入

① 親といさかいをしたことについての作文をかく。

② 家庭生活における心情と実践面のずれの調査

第2次展開

③ 親子間のずれと家庭生活の本質についての研究

第3次整理

④ 明るい家庭をきずくには自分達はどうすればよいか

⑤ 家庭会議についての研究

5，本時の目標

家庭生活はお互いに愛情をもとにして，成り立つており，親子のいさかいは価値基準が相異していることに気づかせ，互いに尊重していく態度が必要であることを体得させる。

6，学習課題

学習活動	指導の要点	資料	留意点
1.父母や家族の人々の愛情にふれて嬉しく思つたことについて書かした作文について読む，話し合う。	導入 1.父母や家族の愛情につつまれて生活していることを認識させる。	1.作　文	
2.父母といさかいをしたことについて反省してみる（プリント中心）	2.父母と意見の相異をしたことについて		・いさかいの文を板書
。どんなことでくいちがいがあるか 。自分だつたらどうするか	。プリント (イ)心理的（調査） (ロ)古い考え	。価値観調査	。いさかいの生じてくるのは当然である 。話し合いの重要性

3.親は子を子どもは親を互いに愛情をもちあつているのに争いがおこるのはどうしてか 4.明るく円満な家庭生活を送るにはどうすればよいか考える。 ◦相手の立場との相異を認めつつ迷惑をかけない独立の人 ◦結びに詩をよむ（教師の準備）	3.親子の価値観の相異について ◦価値基準（親子の） ◦自由な判断 ◦価値葛藤 4.子の親に対する態度について ◦価値の尺度をみきわめる ◦愛情，理解，信頼，尊敬 ◎親のことばの底にある人間的な願い ◦徒らに自己主張しないこと ◎次時予告する		◦特に価値基準の相異を自覚する ◦家族の一員として思いやりの精神が必要であること ◦生徒の価値観の実態について ◦効果を早く求めないようにすること

7，資　料

1，道徳調査　3年3組（名前はかかさない）

㈠　次の問いについて考えて下さい。

当間君の家では近ごろお父さんが，どうしたわけか，毎日考えこんでふきげんである。

こうしたことから何となく家中が暗くなつてしまいました。当間君はどうしようかと心配しています。

問Ⅰ　こんな場合いろいろな考えがあるのですが次の中で例え実行はできなくても一番良いと思われるものを一つだけえらんでその番号を○でかこんで下さい。

a　お父さんの気分を明るくするために，みんなでできるだけ朗らかにする。

b　子どもは親のことについて，とやかくいわない方がよいからお父さんをそつとしておく。

c　家の人たちの様子を見てから自分の態度をきめる。

d　自分にはわからない事だろうし，何時かお父さんのきげんもなおるだろうからそれまでそつとしておく。

e　お父さん1人だけ不気嫌にしておくのはよくないからお父さんのわけを話してくれるように云う。

問Ⅱ　ところで自分でよいと思つたとおりになかなか行えないものです。

あなたはこんな場合実際にはどのように行動しますか。1つだけえらんでその番号を次にかいて下さい。

{　　　}

2，中学3年の大城君は3人姉弟でした。

家族仲良く円満な家庭です。ある夕食のとき，中学1年の弟が「となりのおじさんは今子どもたちの家をかわるがわる，まわつて養つてもらつているんだつて気の毒ね」といいました。すると姉が「だつて子供にはみんな同じように親を養う責任があるんだからいいじやないか」といいました。
すると父は，「そうだね，ではこのお父さんや，お母さんが年をとつたら，お前たちはどうするのかね。」といいました。
何時もとちがつた空気になりました。
大城君は自分だつたらどうしたらよいかいろいろと，考えました。

問Ⅰ　こんな場合いろいろな考え方があるのですが，もしあなたが大城君だつたら次の中でたとえ実行はできなくても，一番良いと思うものを1つだけえらんでその番号に○をつけなさい。

a　世間ではたいてい長男が養つているから自分が養う。
b　3人の中で将来一番くらしの楽になつたものが面倒をみる。
c　その時になつてみなければわからない。その時の様子できめる。
d　姉さんはお嫁に行くし弟は独立するのだから，何んとかして自分が親を養つてあげる。
e　兄弟はみんな親を養う責任があるから3人でかわるがわるめんどうをみるのが良い。

問Ⅱ　ところで自分で良いと思つたとうりに中々行なえないものです。あなたがもし大城君だつたら，こんな場合実際にはどのように行動しますか。1つだけえらんでその番号を次の（　　）の中にかいて下さい。

（　　　　　）

3、調査の分析並びに考察

1、親子関係

	a	b	c	d	e	計
理想	9	5	13	20	8	55
実際	16	8	12	11	7	54

2、選択肢について，その価値観を示すと
a　前近代型　因習型
b　権威型　大勢順応型
c　自覚型
d　模式型　公式論理型　　　　e　功利打算型　妥協型　懐疑型

親子の在り方の領域では，親子の尊厳，信頼についてのその道徳的倫理を知ろうとしたものである。

理想的価値観では(d)が多く，(b)が少し少ない事に注目したい。

実際的価値ではａが多いことに注目したい。理屈はいつても実際面では，前近代的なもので，これは青年期の特長でもあるが，ものごとを知りなが，ら実行できないという点に問題があり，即ち良心（知性，心情，意思）のアンバランスと，家庭の人間関係が民主化されておらない事でもある。

３，親の扶養

	a	b	c	d	e
理想	11	8	23	6	7
実践	10	14	20	4	6

この問題は意思面でも，実践面でも(a)，(b)，(c)が高いのが特長である。

しかし意思面では，公式的に自分で責任を負うべきであると考えても，実践面では(b)が高く，その時になつてみなければわからないのである。親の扶養は深刻だけに両方(c)が最高であつても，実践面では少し減つている逆に(b)が少し増えている。

この事は親に対する心情的なものと，公式的な考えと対立して，民主的な道徳的価値観は確立されず，その場でなければわからないとの反応が多いのである。

第120回 臨時中央教育委員会

1964年2月25日（火）～1964年2月27日（木）

- 学校教育法施行規則の一部改正について（可決）
- 高等学校教育課程（基準）の類型の一部改正について（可決）
- 学校給食用製パン委託加工工場の再認可申請について（可決）
- 共和製パン所の学校給食用製パン委託加工工場認可について（可決）
- 給食用製パン加工工場の名称変更について（可決）
- 登竜学院設置認可について（可決）
- 建設業務に従事する文教局の建築関係技術職員の服装及び被服貸与規程について（可決）
- 海星学園小学校設置認可申請について（可決）
- 川原中学校廃止認可申請について（可決）
- 教育区債の償還方法の変更について（可決）
- 義務教育就学猶与について（可決）
- 1964年度公立学校第7次校舎割当について（可決）
- 1964年度公立学校へき地教員建築割当について（可決）
- 職　員　人　事（可決）
- 教育委員会法の一部改正について―協議―
- その他について

自主性を高める学級活動

久松小学校
池城恵正

1　庭園づくりを通しての学級づくり

1学期の始めに卒業記念として三年は庭園づくりをすることに話し合いで決められているので，1学期の終わりごろから着手した。

共同作業を通して協力の精神を養い，生徒間の親密の度を増し，勤労の喜びを分かち合うのがその目的である。

生徒は分業的に各自に割り当てられた仕事（池をほる者，土を運んで山をつくる者，石を運んで池のそばにおく者。）に精を出し，夏休みにはいつてからも，更に二学期になつても何回となくその作業は続けられ生徒は自分等の協力でできた庭園だという愛着を持つようになり，ときどき池のまわりに集まつて学習のことを話し合つたり，将来のことを語り合つたりしている姿を見受ける。

また，美化部の提案で庭園に芝生を植えることが決定され，これも全員の共同作業で植付けが完了している。遠からず緑の芝生が庭園一面に拡がり卒業記念にふさわしい永久に生徒達の夢を包んだ美しい庭園になることであろう。

2　学級のど自慢大会

文芸部の提案でグループ活動を活発にし，お互いの親和を図り健康で明るい楽しい学級をつくることを目的にして，のど自慢大会が催された。各グループから二人ずつ代表者がえらばれ審査員も文芸部で指名し，C子のユーモアたつぷりな名司会によつて入れかわり立ちかわり，自慢ののどが競われた。みんなの前にでて歌うのをいやがる者もなく，実に明るく楽しいふんいきに包まれ，教室内はいつになく笑いのうずで終始した。

このように学級で特別に企画して行なう娯楽的交歓活動を通して明朗性と親和感を密にし，発表力を養い，学級の協力と団結心が培われていくものと信ずる。

3　グループ対抗験伝競争

保健部の提案でグループ対抗の駅伝競争をやろうじやないかということになり，全体会議にかけて話し合つた，結果提案理由には全員賛成して万場一致で可決になり，次の要領で実施することに決定された。

日時　11月16日　土曜日　午后2時

服装　男子　トレパンシヤツ　白ズボン

　　　女子　白シヤツ　黒ズボン

コース　学校ー酒屋の北の道ー東側の道路

バトンタッチ校門前（南側）

走順　各グループの作戦とする。

賞　1位のグループには賞品を与える。

提案理由

1，男女の仲をもつと親しくし，仲良くする。

2，忍耐力を養い健康なからだをつくる。

3，グループの仲間意識を高め団結をはかる。

以上のような実施計画が発表され，それに基ずいて行なわれた訳だが，服装もちやんと決められた通りに勢揃いして，まず最初に委員長の指揮で運動場で準備体操を行ない審判の注意のあと，各グループに別れて作戦会議が行なわれたが，運動場のあちらこちらで談笑の中に秘策を練つている有様は見る者をしてほおえませるものがある。約10分間の作戦会議の後いよいよスタートである。さすがにスタートは全員男子がどのグループからも出ている。

二走者以下の各グループ員はわがグループこそ優勝を勝ちとらんものと，男子も女子も入り乱れての応援が展開されている中に，いよいよせきを切つて一斉に出発した。二走者からあとはグループによつて男子が出たり，女子が出たりして全く予断を許さぬ競争が行なわれ，後半戦にいくにつれて，応援も益々白熱化し男子も女子も仲良くバトンタツチを行ない，遂に生活グループが熱戦の末優勝を勝ちとつた。保健部の提案理由の男女の仲をもつと親しくし，仲良くする。グループの仲間意識を高め団結をはかるという初期の目的は達成されたように考えられる。簡単なスポーツを通してそのようなふんいきをつくり出すことができるのは今後の学級活動を活発にし自主的活動をやつていく上に大切な素地をつくつたのではないかと考えている。なおレクリエーション活動としても、心身の健康の保持に関する活動にしても意義深い行事だつたと考えている。

4　サイクリング

生活部から提案されたサイクリングが実施された。

提案理由

1，余暇利用をしてみんないつしよになつて楽しい時間を持つ。

2，広い野原に出て思う存分語り合う。

3，学級の団結をはかりグループの意識を高める。

日　時　　12月8日（日）午前九時学校集合　九時半出発

行先地　　浦底ダム

参　加　　全　　員

レクリエション　　各グループからひとりずつ代表を出す。

その他　　自転車のない者にはある者が交代で乗せる。

予定の時刻までは全員が集合し，自転車のペタルも軽く，鼻歌を歌つたり仲良しどうしおしやべりをしたり，今日だけは皆晴々とした表情で高校入試のことも，学習やテストのことも忘れて，嬉々として打ち興じている。愈々目的地に到着したら，みんなカゴから離れた小鳥の如く思い思いの行動をとつている。4，5名のグループで談笑に打ち興じているものあるいは楽しいコーラスをやつている女生徒，ダムの中に下りていく男生徒の一群，そのような自由時間の後は，楽しい弁当の時間，男子も女子も一緒に円座をつくつて，手作りの弁当に舌鼓を打つ，その後は愈々レクリエション今日もまたC子の名司会によつて次々に童謡，民謡，歌謡曲のさまざまが歌われる。中には飛び入りを希望する者もあらわれて愈々最高潮に達する。約一時間レクリエションで楽しみ帰校して解散したのが，午后四時。生徒達は今日一日の楽しかつたことを語り合いながら家路についた。帰宅すれば目前に迫つている高校入試の学習にとつくまなければならないことも忘れたかのように。

5　グループ別の給食当番，清掃当番

生徒の意見でグループを組織してあるのだから，給食当番，清掃当番もグループ別にした方がグループ員の親密度を増し男女の協力的精神も養われる考えでそのような方法をとつている。

給食当番の場合男女仲よくパンを運んだりミルクをくばつたりして自主的に活動している。

清掃当番も分業的に各グループが輪番制に行なつているが，清掃が終わつた後にみんな集まつて学級活動のことや高校入試のことや卒業後のことなどを楽しく語り合つている姿をよく見かけることがあり，自分はグループの仲間であるという仲間意識の盛り上がりが感じられ団結して協力すればなんでも楽しく愉快に出来るのだということを生徒各自が感じとつているのがうかがえる。

第121回 定例中央教育委員会会議

1964年3月17日（火）～1964年3月21日（土）

- 春季中学校数学認定講習会について（可決）
- 学校給食用製パン委託加工工場の認可申請について（可決）
- 幼稚園の設置認可申請について石川教育区(宮森、城前、伊波)(可決)
- 教育区債の起債許可申請について（可決）
- 義務教育就学猶予について（可決）
- 1964年度政府立学校第7次校舎建築割当について（可決）
- 1964年度公立学校第8次校舎建築割当について（可決）
- 職員人事について（可決）

明るく住みよい
まちや村をつくるために

次に那覇市民憲章を紹介しましょう。

那覇市民憲章

私たちは　那覇市民であることに誇りをもち　みんなで　明るく住みよいまちをつくるため　すすんでつぎのことを守りましょう

1　私たちは　まちを美しくしましょう
1　私たちは　公共物を大切にしましょう
1　私たちは　時間を守りましょう
1　私たちは　交通道徳を重んじましょう
1　私たちは　だれにも親切にしましょう

1964年1月1日制定

1　私たちは　まちを美しくしましょう

私たちは，だれでもきれいな環境を好みます。ところで，私たちの住んでいるまちの現状はどうでしようか，川や空地にチリをすてたり，煙草の吸いがらをところかまわずすてたり，溝がつまつていたり，どうひいき目に見てもきれいなまちとはいえません。美しいまちにするには，家庭ばかりでなく隣近所，地域の人々がお互いに協力して，常日頃から，まわりの清掃美化につとめることが大切です。これがやがて市民の間に一大美化運動として伝わり，まちが美しくなるのです。その具体的実践運動として，次のことがあげられます。

- □　清掃運動
- □　カ、ハエ、ネズミの撲滅運動
- □　緑化運動
- □　よつぱらい追放運動
- □　その他環境美化運動
- □　川を美しくする運動
- □　花いつぱい運動
- □　不良看板等の追放運動
- □　公害をなくする運動

1　私たちは　公共物を大切にしましよう

学校や公園の施設などの公共物は，お互い市民が社会生活を営む上に必要で大切な施設です。これが心ない人によつて壊されたり，傷つけられたり，汚されたりしては，市民全体の迷惑になるばかりでなく，近代都市の市民として全く恥しい行為です。公共物を壊したり，傷つけることは，それが市民全体のものである以上，自分のものを壊し傷つけることと同じことです。この項の運動としては，次のことを実践することです。

□ 学校，公園その他公共施設を大切にすること
□ 文化財の保護運動
□ 樹木の愛護運動
□ 道路愛護運動
□道路を不法占用しない運動
□ 公徳心の高揚運動

1 私たちは時間を守りましよう

「時は金なり」といわれているように，時間を守ることは社会生活上，最も大切なことの一つであることはいうまでもありません。時間の観念の度合でその社会の民度がわかるとさえいわれています。ところで沖縄では，時間の観念が薄く，〃沖縄タイム〃という言葉もある位で，決められた時間に平気で遅れるという悪い習慣があります。

私たちは，この悪習を一掃するために，つぎのことを守り実行すべきです。

□ 冠婚葬祭その他集会の時間を守る運動
□ 時間外のレコード音楽をやめる運動
□船舶の定時出入港厳守の運動
□ 新生活運動

1 私たちは 交通道徳を重んじましよう

ここ数年来，自動車の激増で，とくに都市地区においては，事故が増加の傾向を示しています。交通事故で尊い人命が失なわれたりあるいは傷ついたりするようなことがないように，歩行者も運転者もお互いみんなが交通道徳を重んずることが大切です。具体的実践運動としては，次のことがあげられます。

□ 人は左側，車は右側通行を守る運動
□ 交通信号を守る運動
□ その他交通規則を守る運動
□ 警笛などの騒音防止運動
□ 乗物内での禁煙等

1 私たちは だれにも親切にしましよう

都市という大きな集団社会では，ともすれば自分のことだけを考えて，他人はどうでもよいという傾向がありますが，これでは都市生活は全くひからびた冷いものになります。

住みよい心あたたまるまちにするためには，日常のあいさつを交したり，困つた人を助けたり，心身のまだ発育してない子どもを大切にするなど，おたがいに親切にすることが大切です。親切運動が大きくなれば暴力沙汰もまちから姿をけして明るく住みよいまちになることでしよう。親切は市民だけでなく那覇市を訪れる観光客や外国人に対しても同様なことがいえます。

□ 子どもを守る運動
□ 青少年不良化防止運動
□ あいさつ励行運動
□ たすけあい運動
□ 小さな親切運動
□ 年寄をいたわる運動
□ 暴力をなくする運動
□ 観光客や外国人に親切にする運動
□ その他サービス運動

各地の市民憲章を紹介します

紹介にあたつては一部詳述した部分を省略いたしました。

りつぱなまちづくり，楽しいすみよい村づくりのために役立つことがあれば幸いです。

京都市民憲章 昭和31年5月3日

わたくしたち京都市民は，国際文化観光都市の市民である誇りをもつて，わたくしたちの京都を美しく豊かにするために，市民の守るべき規範として，ここにこの憲章を定めます。この憲章は，わたくしたち市民が，他人に迷惑をかけないという自覚に立つて，お互いに反省し，自分の行動を規律しようとするものであります。

1，わたくしたち京都市民は，美しいまちをきずきましょう。

1，わたくしたち京都市民は清潔な環境をつくりましょう。

1，わたくしたち京都市民はよい風習をそだてましょう。

1，わたくしたち京都市民は文化財の愛護につとめましょう。

1，わたくしたち京都市民は，旅行者をあたたかくむかえましょう。

旭川市民憲章

わたくしたちは，旭川市民であることに誇りと責任を感じ，この憲章を掲げてよりよい旭川をつくることに努めましょう。

1，元気で働き楽しい家庭をつくりましょう。

1，親切をつくしあたたかい社会をつくりましょう。

1，きまりを守り明るいまちをつくりましょう。

1，自然を愛しきれいな都市をつくりましょう。

1，文化を育て，豊かな郷土をつくりましょう。

秋田市民憲章

わたしたちは，伸びゆく秋田市の市民であることに誇りと責任をもち，明るく豊かなまちをつくるために，進んでこの憲章を守りましょう。

○ 健康で働き，豊かなまちをつくりましょう。

○ あたたかく交わり，明るいまちをつくりましょう。

○ きまりを守り住みよいまちをつくりましょう。

○ 環境をととのえ，きれいなまちをつくりましょう。

○ 教養を高め，文化のまちをつくりましょう。

（昭和36年6月制定）

松山市民（憲章）のしおり

わたくしたち市民は国際観光温泉文化都市の市民であることを自覚し，わたくしたちの松山を明るく美しく豊かなまちにするために，市民の道しるべとしてのこのしおりを作ります。このしおりはわたくしたち市民が他人に迷惑をかけないために，お互いに反省し自分の行動を正しくしょうとするものであります。

1，わたくしたち松山市民は，美しいまちをきずきましょう。

1，わたくしたち松山市民は清潔なまちをつくりましょう。

1，わたくしたち松山市民は良い風習をそだてましょう。

1，わたくしたち松山市民は文化財や公共物などの愛護につとめましょう。

1，わたくしたち松山市民は旅の方をあたたかく迎えましょう。

昭和33年6月

（松山市教育委員会
社会教育課）

多治見市民憲章

わたくしたちは多治見市民としての誇りと，責任を感じ憲章と共に進みましょう。

1，めぐまれた資源を愛し郷土の発展につとめましょう。

2，美しい環境をつくり健康で住みよい都市にいたしましょう。

3，規則を守り明るい社会をつくりましょう。

4，教養を高め，文化のまちをきずきましょう。

5，お互いに助け合つてみんなの幸せを守りましょう。

愛市憲章（仙台市）　（昭和33年3月31日改正）

私たちの仙台を明かるく美しい市にするために愛市運動をつづける。

1，私たちはおたがいに親切にしましょう。

1，私たちは共同生活のきまりを守りましょう。

1，私たちは社会を清潔にしましょう。

1，私たちは公共物を大切にしましょう。

1，私たちはよいまちづくりに努めましょう。

仙台市愛市運動委員会
仙台市教育委員会

豊橋市民愛市憲章

わたくしたちが住んでいる豊橋は，ながい伝統と静かな自然につちかわれて発展してきました。この土地はおたがいの生活の根拠の地であり，市民の共通の郷土でもあります。

この豊橋をさらに豊かな明かるく美しい理想的な近代都市にするため，ここに愛市憲章をさだめました。

わたくしたち豊橋市民は

1，心をあわせ美しい町をつくりましょう。

1，よく働き豊かな町をつくりましょう。

1，愛情をもちあたたかい町をつくりましょう。

1，きまりを守り明るい町をつくりましょう。

1，教養をたかめ文化の町をつくりましょう。

昭和38年5月31日制定

鶴 岡 市 民 憲 章

私たちの鶴岡は，美しい自然と温かい民情の中に，先人の努力のあとをうけて今日にいたりました。私たちは，さらに視野を広め世界の進展とともに，大きく伸びて行こうとしております。いまここに全市民の熱意により，鶴岡市民憲章が生まれました。

私たちは，これを日常の道しるべとし，力をあわせて，文化的な，よりよいまちづくりに努めあいたいものであります。

1，おたがいに環境を整え，きれいなまちにしましょう。

1，おたがいに助けあつて明るいまちにしましょう。

1，おたがいにきまりを守り，住みよいまちにしましょう。

1，おたがいに勤めにいそしみ，豊かなまちにしましょう。

1，おたがいに郷土を愛し，生き生きとしたまちにしましょう。

昭和38年10月1日制定

大 津 市 民 憲 章

わたくしたち大津市民は

1，郷土を愛し琵琶湖の美しさをいかしましょう。

1，豊かな文化財をまもりましょう。

1，時代にふさわしい風習をそだてましょう。

1，健康で明るい生活につとめましょう。

1，あたたかい気持ちで旅の人をむかえましょう。

川 西 市 市 民 憲 章

（昭和33年1月1日公示）

前　　文

私たち川西市民は新興都市の市民であることを自覚し，お互いに愛情をもつて私たちの川西市を明るい豊かなまちにするため，市民の守らねばならない規範としてこの憲章を定めます。

本　　文

1，私たち川西市民はお互いに助けあい不しあわせな市民がないようにしましょう。

1，私たち川西市民は子どものしあわせのために努めましょう。

1，私たち川西市民は冠婚葬祭の簡素化をはじめよい風習をつくりましょう。

1，私たち川西市民は進んで清潔な衛生環境をつくりましょう。

1，私たち川西市民は公共物や自然の山川樹木を大切に愛護しましょう。

熊本市民「愛市憲章」

＝品位ある市民の誇りのために＝

1，私たち熊本市民は，清潔で住みよい街をつくりましょう。

1，私たち熊本市民は，郷土の自然や文化財を大切にいたしましょう。

1，私たち熊本市民は，時間を正しく守りましょう。
1，私たち熊本市民は，交通道徳を重んじましょう。
1，私たち熊本市民は，互いにあたたかく交わり，旅行者を親切に迎えましょう。

鹿児島市民憲章　　　　（昭和36年5月3日告示第14号）

わが鹿児島は，多くのかがやかしい歴史と，南国の美しい自然とで，すべての人々に親しまれています。わたしたちは，つねに教養をたかめ，広い視野にたつてこのめぐまれた郷土を，一層すぐれた近代都市として発展させなければなりません。これが，わたしたちの理想であり，また大きな喜びであります。わたしたちは，この使命をなしとげるために，ここに市民憲章を定め，こぞつて，つぎのことがらを守り，力強く前進していきたいと思います。

1，わたしたち　鹿児島市民は　みんな　力をあわせて美しい町をつくりましょう。
1，わたしたち　鹿児島市民は　みんな　よく働いて豊かな町をきずきましょう。
1，わたしたち　鹿児島市民は　みんな　きまりを守って明るい町にいたしましょう。
1，わたしたち　鹿児島市民は　みんな　助け合つて子どもたちの幸福を守りましょう。
1，わたしたち　鹿児島市民は　みんな　あたたかい心で旅行者をむかえましょう。

〔親子20分読書実践の作文〕

おやこどくしよ

高良小学校　2年　ぐしじゆんこ

このまえの月よう日に「こうまのゆめ」の本を，としよかんからかりて，うちへもつていきました。

ゆうごはんがすんだあとでおかあさんとおやこどくしよをしました。はじめに，わたしがよみました。ちよつとよみにくいので，「おかあさんよんで。」と，いうと，おかあさんは「これは，じぶんでよむものですよ。」といいました。わたしは，またよみつづけました。しばらくして「ちよつとやめて。」と、いつたのでやめました。「こうまはどんなゆめをみたの。」とおかあさんがきいたので，「おかあさんのおつぱいをのんでいるゆめをみておきてみたらゆめだつたよ。」とこたえました。わたしが「こんどはおかあさんよんで。」というと，おかあさんは「それではよんであげましようね。」といつてよみました。するとにいさんがでてきて，「こんどはぼくがよもう。」といつたのでわたしは「いやにいさんはじぶんのべんきようをしなさい。」といいましたがおかあさんはにこにこしながら「じゆんこ，おにいさんにもよんでもらいましようね。」といつてにいさんにもよんでもらいました。

8じはんになつたのでおわりました。わたしはおかあさんとおやこどくしよをするのがとてもすきです。それで月よう日と木よう日は本をかりにいつもとしよかんへいきます。

青少年健全育成強調月間運動

道義高揚週間　　　　4.6～4.11　文教局実施計画案

月日	行事	準備	実施方法
4月6日(月)	・行政主席のラジオ放送	・放送準備（内・秘書課）	◦時　間 ・放送局～RBC，ROK
	・行政主席の青少年関係職員に対する訓辞	・会場その他準備（内・秘書課）	◦時　間 ・場　所 ・参加者
	・広報車による街頭啓蒙	・広報車及録音テープの準備（内・青少協）	◦午前9時から午後5時まで南部地区及び那覇一帯
	・街頭パレード	・文教局，連合区，地区音楽協会にて実施企画（文・指導課）	◦実施方法は別紙案のとおり
	・「道徳」に関するパンフレットの発刊，配布	・起案（文・指導課） 発刊（内・青少協，文・指導課）	◦内容　小・中学校の道徳の内容を解説したパンフレット ◦様式　各家庭へ常掲できるようなものとする ・発送先～全琉の全世帯 ・配布～4月6日各学校をとおして行なう。
	・青少年の善行を顕彰する運動	・文教局，各市町村，各学校，各公民館，その他関係諸団体において提唱	◦文教局～文教時報に取材する。 ・市町村～青少協，社会教育主事による取材をマスコミに紹介する。 ・学　校～学級会，道徳の時間，校内放送その他全体集会において顕彰する。 ・公民館～親子ラジオ，その他集会等の機会をとらえて行なう。 ・家　庭～1日1善を推奨する。 ・関係諸団体～適宜運動の趣旨に従つて顕彰する。 ・マスコミ～各分野からの情報を取材し月間運動中顕彰欄をもうける。

	・文教時報による広報活動	・文・調広課（企画，編集，発刊）	◦青少年健全育成特集号の編集 ・内容～青少年の健全育成のために，学校における道徳教育，道徳の指導例，生活指導の具体例，よい子の生活表，生活指導の成功した実例，社会教育主事による指導例，優良図書紹介 ・送り先～各連合区，各学校，各市町村その他関係機関 ・配布～4月6日
	・学校における広報活動	・各学校において実施	◦始業式～学校長の話 ・月間運動の趣旨説明 ・新学期の心がまえ ・校訓の設定及びその趣旨説明 ・パレードへの参加 ・プラカード作成等 ・その他掲示板等の利用によつて行なう。
7日（火）	・広報車による街頭啓蒙	・広報車及録音テープ（文教局・内務局）	◦南部地区及び那覇地域一帯，広報車にて午前9時より広報活動開始午後5時まで。 文教局社会教育課主事1名参加
	・文教局長のラジオ放送	・放送準備（文教局）	◦放送局との連絡（文・調広課）その他の資料の準備（文・指導課）
	・小さな親切運動	・各市町村，各学校、各公民館、その他関係諸団体において提唱	◦青少年の善行を顕彰する運動の要領で各関係機関，団体において行なう。 ・内容 席のゆずりあい 老人のいたわり 肢体不自由児及び困窮者のたすけあい 家族，なかまのたすけあい等
	・公共物の愛護強調運動	・各市町村，各学校，各公民館、その他関係諸団体において提唱	◦市町村～市町村に関係する公共物の整備 ・趣旨についての広報活動（宣伝カー，文書，掲示そ，の他） 学　校～施設，備品の整備 ・修理，整理整頓，清掃，関係諸帳簿の整理 ・学級の環境の整美

			・道徳，学級会等の指導内容としてとりあげる。 公民館その他関係諸団体〜親子ラジオ，その他集会をとらえて広報活動を行ない，かつその整備をする。
8日（水）	・広報車による街頭啓蒙	・広報車及録音テープ（文教局・内務局）	・中部地区 実施方法前日と同じ
	・青少年健全育成シンポジユウム	・文・指導課	・時　間　午後1時より〜4時まで 場　所　那覇琉米文化会館 参加者　内務，厚生，法務，労働，警察，文教，その他関係職員及び琉大 訪問教師，社会教育主事 内容（主題）〜道義高揚のためのこんごの諸対策 メンバー　文教局長，琉大，警察，厚生，婦人代表，青少年代表，訪問教師，裁判所
	・主席及び関係局長施設めぐり	・内務局	
	・人権擁護相談	・法務局	
9日（木）	・スポーツ少年団結成についての講習会	・文・保体課	◦時　間　午後2時から5時まで 場　所　中部連合区教育委員会 北部連合区教育委員会 参加者　体育指導員
	・報広車による街頭啓蒙	・文・社教課	◦前日と同じ　中部地区一帯
	・道義高揚に関する作文，標語，ポスター作成	・各学校に於て実施	◦テーマ〜本月間運動の趣旨にそうて各学校，各学年において設定する。 ・実　施〜国語，図工，道徳，学級会等と関連させて実施する。 ・作品の処理 ・標語，ポスターは学校，部落内に掲示 ・作文は，学校学級の指導資料として活用

	・未青年者の喫煙，飲酒の禁止徹底	・警察局	する ・マスコミに紹介
10日（金）	・広報車による街頭啓蒙 ・優良児童生徒会表彰式	・文・社教課 ・内・青少協	・北部地区　　前日に同じ
11日（土）	・広報車による街頭啓蒙	・文・社教課	・前日同じ 北部地区一帯
	週間運動反省会	・内務局青少協	◦時　間　　午前9時より11時30分まで 場　所　　政府会議室 参加者　　関係局職員
	・人権擁護相談	・法務局	
	・1日1善運動	・各市町村，各学校，各公民館，その他関係諸団体にて提唱	◦青少年の善行を顕彰する運動の要項を用いて各関係機関団体で強力に推進する。
	・各職場反省会	・労働局	
	・児童，生徒代表懇談会	・連合区にて実施	◦各連合区にて中学校単位で，各学校の児童，生徒の代表を集め，道義高揚に関する懇談会を催す。

環境浄化週間 4.13〜4.18

月日	行事	準備	実施方法
4月13日(月)	・青少協会長のラジオ放送	・内務局	・午前9時から午後5時まで 南部地区及び那覇一帯 文・社教課主事1名参加
	・広報車による街頭啓蒙	・広報車及び録音テープの準備（内務，文教局）	
	・青少年関係職員の連絡会	・青少協（青少年健全育成法の立法促進）	
	・政府内美化清掃	・内務局	
	・文教時報による広報活動	・文・調広課（企画，編集，発刊）	・青少年健全育成特集号編集 ・内容〜望ましい環境，環境浄化のための成功した事例，環境浄化のためのよせがき，座談会「環境浄化のために何をなすべきか」，青少年の非行に対する策，優良図書の紹介 ・送り先〜各連合区，各学校，各市町村その他関係機関 ・配　布〜4月14日
	・教育隣組の結成と指導育成	・文・社教課，社会教育主事協会（提唱及び推進）	◦文社教課〜主事協会研修会において趣旨の伝達及び実施方法の指導 ・社協主事〜管轄地域の調査，未結成地域，単位の懇談会開催(教育隣組の必要性，組織運営の指導等) ・結成地域懇談会（組織運営上の諸問題についての研究討議） ・優良隣組の紹介及び表彰，区教育委員会
14日（火）	・広報車による街頭啓蒙	・文・社教課	◦中部地区
	・環境実態調査	・警察局	
	・清掃運動，花いっぱい運動	・厚生，経済局，文教局	◦各市町村，各学校で実施
	・文教局長のラジオ放送	・文教局	◦放送局との連絡（文・調広課）その他の資料の準備，文・指導課）

15日（水）	・広報車による街頭啓蒙 ・環境実態調査 ・スポーツ少年団結成についての講習会 ・学級ＰＴＡ，学校参観日	・文・社教課 ・警察局 ・文・保体課 ・各学校において実施	◦中部地区 ◦時　間　午後2時から5時まで 場　所　那覇連合教育委員会 南部連合教育委員会 参加者　体育指導員 ◦青少年健全強調月間運動の一環としてその趣旨を一段と高揚する。 ◦内　容 ・授業参観　　・全体集会 1.道義高揚，環境浄化の趣旨徹底 2.学校における道徳教育の全体計画ついて説明（特に地域社会の協力体勢について） 3.年度内諸計画（ＰＴＡ，学校） ・学級別懇談会 ・学級経営その他「しつけ」「訓育」等健全育成についての話し合い。
16日（木）	・広報車による街頭啓蒙 ・「道徳」の校内研修会	・文・社教課 ・各学校にて実施	◦北部地区 ◦学年別，学校内全職員が参加して協同研究を行なう ◦内　容 ・研究授業の実施 ・道徳の学校年間指導計画の検討 ・資料の収集等適宜内容を定めて実施する。
17日（金）	・広報車による街頭啓蒙 ・部落環境の浄化	・文・社教課 ・各市町村，各学校において提唱	◦北部地区 ◦各市町村～宣伝カー，親子ラジオ，文書集会等による啓発宣伝 関係職員の管内状況巡視，優良部落表彰等 ・各学校～学級ＰＴＡ，学校参観日，校外生徒会等による啓発宣伝 ・部落～親子ラジオ，掲示，回覧板，隣組常会等による啓発宣伝

			◦実施内容 ・公民館の施設充実（図書，運動用具，子どもの遊び場，その他）　・小公園整美 ・危険区域の指示，不良環境の立入禁止， ・交通事故防止対策の強化　・防犯灯の設置 ・部落懇談会の開催 ・部落内清掃，植樹，庭園美化等の推進 ・迷惑をかけない運動の推進（深夜訪問，酔つぱらい等）　・教育隣組の結成及び運営の強化
	・学校美化コンクール	・各学校において計画実施	◦実施方法 ・学校美化コンクール要項の作成（学年始め） ・学年別，学級別に整美活動を学年始めから開始する。 ・学校で適宜表彰を行なう。
	・家庭環境の整美	・各学校で提唱	◦ＰＴＡ，学校参観日等による指導 ・勉強机，腰掛等の整備 ・勉強室，花園等の整備 ・勉強時間の設定 ・学用品の整備 ・家庭内の整理整頓 ・家庭内の仕事の分担をはかる
18日（土）	・広報車による街頭啓蒙	・文・社教課	・都市地区
	・優良生徒，児童会の表彰	・内務局	
	・深夜営業の取り締まり強化	・警察局	
	・風俗営業取締法一部改正の促進座談会	・関係団体	
	・各職場での反省会	・労働局	
	・週間反省会	・内務・文教局	・時　間　午前9時半より11時半まで 場　所　文教局長室 参加者　青少協各幹事，文教局関係職員 内　容　週間実践状況反省会

よいこのくらし

城前小学校

石川教育区城前小学校が全児童にくばつて「よい子の生活指針」として指導している資料です。
日常の規律ある生活のし方を教えるとか気付かせるうえに役立つものと思います。
生活指導はたゆまない指導が大事だといわれています。また，児童が自主的に判断するとか，相互の信頼を保つことだともいわれています。
資料の価値はやはりその使い方にかかつていることは言うまでもありません。
各学校，各家庭の参考になりましたら幸いだと思います。（編集子）

くらしのめあて

わたしは城前のよい子です。

1，わたしは健康で安全なくらしをします。
2，わたしは自分のことは自分でします。
3，わたしは礼儀正しくくらします。
4，わたしは身のまわりを整理整とんし，環境の美化につとめます。
5，わたしは物やお金を大切につかいます。
6，わたしは時間を大切にし，きまりのあるくらしをします。

よいこのくらし

1，健康で安全なくらし

（学　校）

1，天気のよい日は外で遊びます。
2，食事前用便後，清掃後は必ず手を洗います。
3，はなが出たら，すぐ自分でふきます。
4，ハンカチ，はながみはいつも持つています。
5，手足や下着は常に清潔にしてよごしません。
6，つばやたんはやたらに校内にはきません。
7，おべん とうはゆつくりよくかんで，おかずはなんでものこさずにたべます。
8，食後はすぐにはげしい運動はしません。
9，気分の悪いときは，むりをしないですぐ先生にとどけます。
10，廊下やかいだんは左側を静かに歩き，走りません。
11，かいだんは静かにのぼりおりし，とんだり手すり

（家　庭）

1，早寝，早起きをし，よくねます。
2，学校へ来るまでに用便をします。
3，毎朝せんめん，はみがきをします。
4，食事はよくかみ，すききらいをいいません。
5，かみの毛はよくととのえつめはみじかくきり，常にさつぱりとします。
6，学習は左光線の明かるいところでします。

をすべつたりしません。

12, 教室やろうかではほえたりあばれたりしません。

13, 雨の日は室内で読書や静かな遊びをします。

14, ガラスやびん，くぎを見つけたら必ずひろいきめられたところへ持つて行きます。

15, はだしは不衛生で危険だからやめます。

16, 校内では他人の迷惑になるような危険な遊びはしません。

17, 暴力はぜつたいにいたしません。
（暴力とはしばる，ける，かむ，かく，たおす，押す，つねる，つばをかける，水をかける，物をなげる，かみのけをひつぱる，くびをしめるなどをいう）

18, 高い所へはのぼりません。（高い木，へい，天じよう，屋根，ひさし，てつぼう等）

19, ポケツトにはナイフ等の危険なものや不要なものは入れておきません。

20, じようだんでもナイフや先のとがつたものを人に向けたり，振りまわしたりしません。

21, 学校に登校したら下校時までは勝手に校門から外に出ません。

7，からだをせいけつにし，おふろをこのむようにします。

8，手あらいをれいこういたします。

9，びようきやけがをしないように気をつけます。

10, 外出から帰つたらうがいをします。

11, 火あそびはいたしません。

12, きけんなばしよやどうろではあそびません。

13, 女の子は1人で遠いところや，暗くなつてから遊びに出ません。

14, 夜おそくまで遊んだり，1人でえいがに行くことはしません。

15, 下ぎはいつもせいけつなものをつけます。

16, きけんなものを持つたり，きけんな遊びはいたしません。

17, 道は左側を通り，3人以上はならんで歩きません。

18, シヤツを着たまゝねないでねまきと着かえてからねます。

19, ねる前に歯をみがきます。

2，自分のことは自分でするくらし

（学　校）

1，自分の持ち物は自分でしまつします。

2，いいつけられた仕事は自分できちんとしあげます。

3，忘れ物をしないようにします。

4，自分の用事は人にさせません。

5，問題は人にたよらず自分の力でします。

6，学校の道具をこわした時はかくさずに自分で先生にとゞけます。

7，先生から言われなくても学習の用意をします。

8，係の仕事はまじめに責任をもつてします。

（家　庭）

1，時間がきたら自分で起きます。

2，自分で服をきかえます。

3，自分のねまは自分であげます。

4，用具のじゆんびをたしかめてから登校します。

5，自分のものは自分でしまつします。

6，いいつけられた仕事は他人にたよらずに仕上げます。

7，自分の用事はなるべく人にさせません。

9，服そうのみだれに気をつけ，みだれたらなおします。

8，しゆくだいは人にたよらず自分で考えます。

9，時間割にあわして準備物を自分でとのえます。

10，自分のねまは自分でひいてねます。

11，便所へ行く時は1人で行きます。

3，礼儀正しいくらし

（学　校）

㈠　服　装

1，室内ではぼうしをかぶりません。

2，ぼうしは正しくかぶり，色々なバツチやかざりはつけません。

3，いつもきちんとした服装をします。

4，小学生らしい服装をし，よけいなかざりはつけません。

㈡　言葉づかい

1，先生や年上の人に対しては，ていねいなことばをつかいます。

2，いつでも共通語で話します。

3，友達をよぶ時は「くん」，「さん」をつけ，呼びすてにしません。

4，自分のことは「ぼく，わたし」相手のことは「きみ，あなた」と呼び，「おれ，おまえ，わし」などの言葉はつかいません。

5，他人のあだなはいいません。

6，用件をつげたり答えたりする時は，おしまいまではつきりいいます。

㈢　動　作

1，先生や学校のお客様には「えしやく」をします。

2，先生には親しくても礼儀を忘れません。

3，登校して先生にあつた時は必ず「おはようございます」と朝のあいさつをし，帰りは「先生さようなら」と，帰りのあいさつをします。

4，友だちどうしも朝と帰りのあいさつは互にかわします。

（家　庭）

1，室内ではぼうしをぬぎます。

2，いつもきちんとした服装をし，乱れたらなおします。

3，ボタンのとれた服や，破れた服はきないですぐなおしてもらいます。

4，よばれたら「ハイ」とはつきりへんじをします。

5，「おはよう」「いつてまいります」「ただいま」「おさきに」「おやすみ」「いただきます」「ごちそうさま」等のあいさつをいつもします。

6，お客さまにあいさつをします。

7，食事のさほうを正しくします。

8，外で道を歩きながらものをたべません。

9，友人の家に行つた時は失礼にならないようにします。

10，たったまゝ食事をしたり，ねころんで物をたべたり，はだかで人前へ出たりするような不作法なことはしません。

11，よそでテレビを見せてもらう時はあいさつし，をゆるしをうけてから見ます。

5，先生のお話や友人の話は，よそみをしないでおしまいまでしつかりと聞きます。（学習中や朝会やそうだん，はんせいの時も）

6，体育のべんきようしているところやならんでいる列をよこぎつたりしません。

7，先生に答えたり，話をする時は机にひじをついたり，机によりかかつたり，ポケットに手を入れたりしないで正しい姿勢で話をします。

8，室内に先生や年上の人がおられる時は，へやの出入りに礼をします。

9，用事のない時は職員室や校長室に勝手にはいりません。

10，職員室へは1人ですむ用事にたくさん連れだつてはいりません。ほかの先生のお仕事のじやまにならないように静かに用件をすまします。

11，学習中はとなり者と話をしない。話合いの時は自分の意見をはつきりいいます。

12，学習中はまじめにし，勝手に席をたつたり，勝手に教室を出入りしません。

13，手をあげる時は右手を静かにあげ「はい」は一かいだけ言います。

14，学習中にえんぴつをけずつたり，他人にめいわくになるようなことはしません。

15，他の組の授業をのぞいたり，外から相手になつたり，授業中の者に話しかけたり，ろうかでさわいだりしません。

16，手洗いや便所がこむときは順じよよく一列にならんでまち，先の人を追いこしません。

17，食事は，ぎようぎよく教室でいただき「いただきます」「ごちそうさまでした」のかんしやのことばを忘れません。

18，食べ物が口の中にあるのに話をしたり，きたない話をしたりしません。

19，便所にはいる時は必ずノツクしてたしかめてから扉をひらき，すんだらふたや扉は必ずしめておきます。

20，便所以外のところでぜつたいに用便しません。

21, 教室から出る時は必ず腰掛を机の中に入れておきます。

22, 自分のことを他の人がしてくれたら「ありがとう」のお礼のことばをいいます。

4, 身のまわりを整理，整とんし環境の美化につとめるくらし

（学　校）

1, 紙くずや鉛筆のけずりくずは，自分でしまつします。

2, 紙くずを見つけたら必ずちり箱か，ちりすて場にすてます。

3, らくがきはぜつたいにしません。

4, はき物はきちんとそろえてげた箱に入れます。

5, かさ，ぼうし，かばん，学用品は，きめられたところへ整とんします。

6, 使つたものは必ずもとのところへきちんと整とんして，かえします。（運動用具，りかびひん，がつき，そうじようぐ，くわ，スコツプ等）

7, 机の中や室内のものは，いつもきちんと整とんしておきます。

8, 窓はみんな同じようにあけます。

9, 草木を大切にし，枝や葉はむやみにちぎつたり，ちらかしたりしません。

10, 便所はよごさないようにだんの上にあがつてやります。

11, 掃除をねつしんにし常に身のまわりを美しくします。

12, 下校後は学校に来てよごしたりしません。

（家　庭）

1, 家の中をちらかさない，遊んだ後はしまつをします。

2, ちらかつていたら，すぐにそうじをします。

3, はきものは，そろえてぬぎみだれていたらそろえます。

4, 自分のもち物はいつも整とんしておきます。

5, 食事の後かたずけを手つだいます。

6, おそうじはよく手つだつて家の中をいつも美しくします。

7, 机の中や本ばこは，いつもきちんと整りしておきます。

8, 家のものを使つたらき，ちんともとのところにかえしておきます。

9, ねるまえに自分のぬいだふくをきちんと整とんしておく。

5, 物やお金を大切にするくらし

（学　校）

1, 学校のものは大切にし，きずをつけたり，こわしたりしない（机，腰掛，その他の校具や，図書，運動施設など）

2, かべやてんじようにボールをあてません。

3, 学用品を大切にし，むだづかいをしません。（教科書，ノート，えんぴつ，けしごむなど）

（家　庭）

1, 物はせつやくし，大切に使います。

2, 物をこわしたり，なくしたり，人にやつたりしません。

3, 小づかいせんをむやみに使いません。

4，学用品を遊びに使いません。

5，自分の持ち物には，みんな名前をかいておきます。

6，衣服や物を所かまわずぬぎすてたり，投げたり，なくさないように気をつけます。

7，むやみに人に物をあげません。また人のものを欲しがりません。

8，まだ使えるものは，なるべく使います（ランドセル，えんぴつ，ノート，チョークなど）

9，他人のものは勝手に使いません。

10，他人のものを大切にし，借りたら必ずかえします

11，学校の道具は勝手に使わないで，先生にことわつてから使います。

12，物をひろつたり，落したりした時は，すぐ先生にとどけます。

13，水道をいたずらしません。使つたら必ずせんをしつかりしめます。

14，花だんをふみつけません。雨の日や雨のあとは運動場に出ません。

15，作品やけいじぶつ，せいせき品を大切にいたします。

16，お金を大切にし，むだづかいをしません。

17，お金を学校へ持つて来た時はすぐ先生にわたすか，きめられた箱の中に入れ，机の中やかばんの中へ入れておきません。

4，自分の持物は大切に手入れし，使えるところまで使います。

5，小づかいせんをせつやくしてちよ金をします。

6，おうちのお金をかつてに使いません。

7，食べ物やおかしを買う時は家に持つて帰つて，家の中で食べます。

6，時間を大切にするきまりあるくらし

（学　校）

1，きめられたじこくを守り，ちこくをしません。

2，用便は休み時間中にすませ，ベルがなれば，すぐ教室にはいります。

3，集合におくれないように，早目にあつまります。

4，集合したらすぐに口をとじて早くせいれつします。

5，遊びと学習のけじめをはつきりつけます。

6，下校の時こくになつたらさつさと帰り，用事のある人は先生にとどけて残ります。

7，時間をむだづかいしないで，上手に使う工夫をします。

（家　庭）

1，登校の時刻をきめて守ります。

2，遊びに出る時は，行先とかえりのじこくをつげて行きます。

3，遊びと学習やお手つだいのけじめをつけます。

4，おもしろくてもテレビを見すぎたりしません。

5，おやつの時間をきめてやたらにたべません。

6，ねる時こくを決めて守ります。

ぜひ全家庭におすすめしたい
「親子20分読書」

高良小学校

1，親子読書のねらい

イ，親と子が心の結びつきを強め，親は子を理解し，また子が親を理解する。
ロ，親子が共に知識を深め，精神生活を豊かにする。
ハ，読書することによつて読書力をつけ，根気強く物事を処理する能力を養う。

2，親子読書のやり方

毎日子供が20分間ずつ読むやり方で，3日間では一時間，一カ月間では10時間、1年間では15，16冊から24冊以上の本を読むことになります。親子20分読書はどんな家庭でも，どんな親にも，どんな子供にもできる，最も自然で楽しくためになる無理のない読書のしかたです。ですが，これをお始めになる場合は先ず次のことを良く分つていただいておく必要があります。

○ 親子共に伸びる読書であつて，ひとのためにに仕方なくやる読書でない事
○ 実際のやり方については，その家庭の事情にふさわしいように親子でいくらでも工夫してよいこと。
○ これを続けてやれば本を読む力が向上するばかりでなく，親も子もいろいろな物の考え方や感じ方を知り，親子の心のつながりを深め，家庭生活を明るく楽しいものにし，学力面でも，品性面でも数えきれぬ程のいろいろな効果があること。

以上3つのことをおわかりいたゞいた上，次に述べるような方法でやつていたゞきたいと思います。

1，読むのは子供
子供が読むのを本体にします。子供がつかれた時や，借りてきた本がむづかし過ぎて子供が読めない時や，子供がまだ文学を習つていない時などは親が代つて読んでやります。

2，読み方は音読
相手に聞こえる程度の小さな声で楽な気持ちでゆつくりと読みます。教室で立つて読むような朗読ではありません。

3，聞くのは親
親が聞くのを本体にします。父親でも母親でもかまいません。両親とも都合が悪い日には，年上の兄姉や祖父母の中で親代りの上手な人が代つて聞いてやります。

子供のそばに坐つてお茶を飲みながらでもよい，針仕事をしながらでもよい，静かに聞いてやります。感動したらうなづき，おもしろかつたら笑いながら聞くのです。

4，話合いは親子共生徒のつもりで

適当なところできつて，読後の話合いをします。本を先生にして親子共に学ぶ気持ちで意見や感想を出し合うのです。親は先生気どりにならないで，説教など絶体にしない。

子供の意見や感想を聞いてから自分の意見や感想を述べるようにします。子供の質問に答えられなくても結構です。そんな質問ができるようになつたのをむしろほめてやります。おもしろくてためになる話合いになるように工夫します。

5，20分間の過ごし方

読むのと話し合うのとで20分です。親子相談して毎日30分間できそうでしたら30分間にしてもかまいません。20分をどんなふうに過ごすかは子供の読書力や読む本の程度によつて違うのが当然です。しかし，読む時間の方を話し合う時間の方よりも少し長くするのを本体にします。つまり，読む時間の合計が12分，話し合う時間のが８分といつたふうにします。　例えば次のようにするのです。

音読　3分　　話合　2分　　音読　5分　　話合　2分
音読　4分　　話合　4分

6，読む本はその親子にふさわしいもの

その親子にふさわしいものというのは，その子がすらすら読めて，親も子も「おもしろくてためになりそうだ」ということです。ですから何年生用の本でも構いません。

５年生が２年生の本を読んでも結構です。５年生が中学生の本を読んでもよいのです。

7，親の役目

親に高い役目や，学問や，広い知識や，学校の先生のような上手な技術はいりません。次のようなことが出来れば結構です。

◬　聞く時

考えながら聞き，聞きながら考えて聞きもらさないようにする。

- 途中でよけいなことは云わない。
- 聞きながら話合いの話題になりそうなことを考えておく。

◬　話合いの時

- 教えてやろうと思わないで，子供と一諸に考えようと思う。
- 話題は子供から出すようにした方がよい。親からも出して出来るなら生きた生活問題とつながりがあるのを選ぶ。
- 無遠慮に何でも述べあえるような雰囲気をつくる。

8，毎日やるということを重くみる

毎日欠かさずやるというところに親子20分読書の良さがあります。そうした方が効果があがるのです。時間はみじかくしてもよいから毎日やるようにします。

9，親子読書をやる時刻

毎日やるには一日中のいつ頃やることにしておいた方がよいか。親子で話合つてきめます。親も子も手がすいて気持ちもおちつく時が一番よいわけです。夕飯がすんで，皆がいろいろな事を話す時などが一番よいのではないでしようか。子供がねる前の20分間もよくえらばれているようです。

10，きようだい３人以上やる場合

２人分，３人分を１人の親がつづけてやることはむりです。ですから工夫して、例えば次のようにすればよいでしよう。

○　兄弟，時刻をかえて別々に正式にやる。

○　父親，母親，その他で相手役を分担する。

○　きようだい話合いだけは一諸にして，読み方だけを年下を先に，年上の方を後にする。そして親の方が無理でしたら１人15分宛ぐらいにして計30分にする。

４，親の感想（読書カードより）

読みの力がつき内容もよくつかめるようになりました。これまでは仕事の都合で子供との話し合いの時間があまり持てなかつたが，「子の心，聞いて生かそう親心」と子供は親に反省をうながすので，これからは毎日続けてやりたいと思います。

４年生の母親

1，読むことによつて知識が豊富になり，物の考え方がしつかりしてきたように思います。

2，家族の話題が豊富になりある問題について，父親や中学の兄姉等と討論しているようです。

3，忙しすぎる母親にとつては，話しを聞かせてもらうだけでも勉強，知識の吸収になります。この調子でいけば子供に追いついていけるか早くも心配しています。

4，両親共に忙しい生活をしている私達には，子供たちとゆつくり語り合う時間がなかなか持てませんが親子20分読書はこのような難点を解決しているように思います。

5，親子20分読書が本当に生活にとけこみ，家族の話合いの中に自然に芽生えるえるようになつた。家族会議も不必要になるのではないかと思います。

6，読書の話題の中から選び出した１つの問題がかれこれ発表して，辞書，辞典類を引き出すとか，又は歌い出し，レコードの鑑賞をするとか多くの収かくがあげられますが，毎日このような時間が持てないのが段念です。

※教科学習の面から

○　自習学習の心構えが出来つつあります。

○　困難な問題にぶつかつたとき，以前でしたら，すぐ両親にたずねていまし，たが最近は辞典などをひらき，問題の解決にあたつているようで，辞典の引き方も速くなつたように思います。

※困　つ　た　点

○　読書をするようになつてから，外で遊びまわる時間が少なくなつた。

○　手伝いをいいつけられても，読書中はなかなか動かない（これは母親も悪いとは思いますが，お客等で忙しい時は手伝つてもらいたい。）

○ 夜の12時過ぎまでほとんどおきています。教科の勉強がかたづき，その後，読書しながら床につくまで………早くねむるようにとすゝめますが聞き入れません。

5年生の父親

親子20分読書が自然にこの地域に根をおろすまでは，今のように啓蒙をつづけて下さい。今は先生方が絶えず奨励して下さるので，その度にたのしく続けていこうという意欲をよびおこされ感謝して居ます。親も童心にかえり清らかな豊かな気持ちになります。

4年生の母親

読書を始めてからテレビなどをあまり見なくなり非常によろこんでいます。これからも良い本を選択して下さればつづけていく積りです。父兄としても良い知識を得て親子20分読書を続けていきたいと思います。

1年生の父親

親と子の話合いで自分はこう考えるとか，こう感ずると云えることは考えをまとめる事に大変役に立ち，親子読書でなければ考えられない有難さを感ずる。

1年生の父親

20分読書のおかげでずいぶんと話合いや話の内容が豊かになつたように思います。忙しい時などは姉がかわりに相手になつております。なれるに従つて時間をのばしていきたいと思います。

3年生の父親

※結　び

最近，青少年の不良化問題が大きくとり上げられ本校区も青少年育成モデル地区として文教局より指定された。然し青少年の不良化を真に防止するには，学校教育や社会教育のみではその目的を充分に達成することは困難である。どうしても家庭教育にその責任の一端を負うてもらわねばならないと思う。道徳，躾，不良化防止等という面で家庭教育を考える場合，日常の生活指導は勿論のこと，親子読書もこのような諸問題を解決していく一方法ではないだろうか。

この運動は極めて地味で目立たない親子間の語り合いであるが，子どもを中心にすすめていくうちに，親子が楽しく話し合う機会や，心のふれ合いが，自然に生まれ，子どもが明るく素直になり，家庭も和やかになつたという感想が多く寄せられた。

実施後日も浅く，その結果を云々する段階ではないが，この運動を実施することにより学校と家庭とのつながりが一層深まり，学校への関心も高まつてきた。

本校としては今後も継続的にこの運動を推しすすめ，主旨の徹底と良い環境づくりに努力していくつもりである。

〔親子20分読書実践の作文〕

私の20分読書

高良小学校 5年　佐久田　久美子

私が，親子読書をはじめたのは，4年の3学期ごろだつたと思います。

私は読書が，大すきなので，母といつしよに読書ができるということはとてもすばらしいことだと思いました。

母に「親子読書をしよう。」というと，「ひまなときでよければやつてもいいよ。」とおつしやいました。

私は毎週木曜日になると，本をかりてきて親子読書をします。けれど週に1回のかしだしには，私はふまんです。

5年の3学期になると，読書カードもでき，部らくには，児童文庫もできました。ですから，私は週に3回以上も本がかりられるのです。本を手にすると，うれしくてうれしくてとぶようにして，家へかえりました。

母にそのことをはなすと，うれしそうに，にこにこしながら「いまからおもうぞんぶんたくさんの本が読めるね。」とおつしやいました。

私は，はじめのうちは，童話ばかり読んでいましたが，「たまには，伝記などもかりてきたら。」とおつしやる母のすすめで，伝記や小説なども読むようになりました。

今では1枚の読書カードをぜんぶうめつくし，新しいカードでかりています。母は，「もつともつと読んでこのカードも全部うめつくしてしまおうね。」とはげまして下さいます。

私の読書のあいては，はじめのころは，母だけでしたけど，近ごろでは，あまり読書をしなかつた弟もくわわり，また，たまには父も仲間入りします。でも父も，もつともつと仲間入りしてほしいと思います。

読書の時間は今では20分だけではたりなくて30分あまりもやつてしまうことがあります。もつと時間があつたらどんなにすばらしいことでしょう。

私たちは，これからも親子そろつて20分読書をつづけてたのしいわが家にして行きたいと思います。

〔親子20分読書実践の作文〕

親子20分読書をやつて

高良小学校6年　高良　留美子

「親子20分読書」この言葉が私達の校区の1けん1けんに広まつたのは，たしか去年の夏，小禄3校の，ＰＴＡ教育視察団の方々が，本土の学校を見学して来てからのことだつたと思います。

私達には，耳にしたことのないこの「20分読書」をどのようにして実行していくかお話を聞いただけでは，だれもむずかしがつてただ聞き流していました。それに，ほとんどの家庭が親子，向い会つて自由に話し会えるお家が少ないということも原因の1つのようでした。

それで，学校で先生方が，父兄を集めて，自分の子どもと，実際に話し会つている様子を参観させたりしました。おかあさん達はそれを見て来て，方法がいくらかわかるようになりました。

私達の家でもさつそくやつて見ようと，みんなで話し会いました。最初はだれにもすぐ出来る，国語の本を読むことから始めました。母がそばで聞き，それについて話し会いをしました。1月位は教科書を中心にしての話し会いでした。それは，いきなり学校図書を利用するのは，むずかしかつたからです。学校でも本の貸し出しが初められたので，今では，学校の図書を利用しています。

現在私達の家庭で実行している親子20分読書について，書いてみます。

私達は，親子20分読書をするときは，だいたい夕食前です。母が夕食の準備をしていると，妹が来て，母に「親子20分読書をやろう。」といつて，母と私と妹と三人でします。ときどき幼稚園の末の妹もいつしよに仲ま入りすることもあります。初めに読むのは，たいてい妹です。妹がつかれると私とこうたいします。ときどき母も読んでくれます。

母は，親子20分読書をしたおかげで，私達も本を読むのがじようずになつたとほめてくださいました。また，母も勉強になつたし，私達もたいくつだつたがとても楽しくなつた。しかし，残念なことに，父は病院の仕事でいそがしいので，私達といつしよに話し会う機会がほとんどありません。私は早く家族そろつて親子20分読書が，できればいいと、思つています。

親子20分読書は，私達にたくさんの本を読ませる機会をあたえます。また，話の仕方も次第に上達し，親と子が，自由に何事も話し会いのできる機会を作つてくれます。みんないいことばかりなのにどうして，もつと前から実行しようとしなかつたのかと思います。これからは，高良小学校ばかりでなく，全沖縄の家庭にこの親子20分読書が，実施されるようになると，社会が明かるくなり，子どもを不良化からすくい出すことができるのではないでしょうか。

教　師　の　た　め　に

〔優良図書紹介〕

	品　川　不　二　郎　編
学　校　教　育　相　談	発行所　日本文化科学社
	定　価　　　　1,000円

その道の専門家として著名な筆者（東京学芸大学助教授，文学博士）が学校における教育相談の重要性とそのあり方についてわかりやすく，しかも，かなり具体的に述べたものである。人づくりの今日的要請は，青少年の健全育成，不適応児の早期発見と治療指導にその一面があると思われるが，学校教育の立場からもその積極的指導方策を検討する必要があろう。筆者はまえがきの後階で『精神衛生的観点から，学校内の全体制をあげて，このような問題児の治療指導，その防止と早期発見への努力を結集する対策として，さらに，積極的に学習効果をあげる能率的生活への指導をめざして現代教育を一歩前進せしめる方策と新しい「学校教育相談」の構想を提唱するものである』と述べている。

学校教育相談の構想，他の教育活動との関連，組織と運営，診断と治療，計画と実施，相談室の運営などの項目であるが，これからでもわかるように，単に，カウンセラーや，進路指導主事，生活指導主任など学校教育相談担当者ばかりでなく，校長，教頭はもちろんのこと，全教師に一読を進めたい。

なおこれに関連して次の図書を参考に合せ読まれることをおすすめしたい（全教師に）

「問題をもつ子の指導法」　　全3巻

編集　鈴木　清　　品川　不二郎
　　　宮城音彌
発行所　明治図書　　定価各巻450円

1巻　学業と知能

〔主要目次〕　1，学業不振の子　2，知能のひくい子　3，知能の優秀な子
4，早熟な子と晩熟な子　5，学科の好ききらいと偏りのある子
6，学習態度と習慣の悪い子　（付）標準検査の選び方と利用法

2巻　性格と行動

〔主要目次〕　1，攻撃的な子　2，内向的な子　3，退行的な子
4，非行をする子　5，神経症の子　6，その他

3巻　身体とくせ

〔主要目次〕　1，食物の癖の悪い子　2，睡眠に関するくせ　3，かむくせいじるくせのある子　4，チックのある子　けいれんのある子　5，不潔な子，けつぺきな子
6，コトバのくせの悪い子　7，動作のくせのよくない子
8，姿勢の悪い子　9，肢体不自由な子　（付）小児のための小児科学

「児童精神衛生講座」　全3巻

編集　加藤正明　松村康平

長島貞夫

発行所　明治図書　定価各巻340円

1巻　児童期における適応の問題

〔主要目次〕　1，精神衛生と適応の問題　2，不適応児　3，精神衛生の技術，

2巻　学級社会の精神衛生

〔主要目次〕　1，学級における人間関係と精神衛生　2，精神衛生と学習指導

3，道徳教育と精神衛生　4，学級における精神衛生

3巻　児童生活の精神衛生

〔主要目次〕　1，家庭の精神衛生　2，児童の遊びと教師の役割　3，マスコミユニケーションと児童文化の諸問題　4，社会関係の精神衛生

「非行中学生の対策と指導」

著者　桧山四郎

発行所　酒井書店　定価240円

〔主要目次〕　2，犯罪に陥り易い環境とグリユツクの再犯予測について

3，中学生非行のあらまし，　4，事例からみた中学生の問題行動とその形態

60，少年法による虞犯手続き，　8，学校教育と矯正教育のつながり，

1，少年法及び児童福祉法についての事例による解説

11，更生事例

「子どもを知る」　（カウンセラーへの歩み）

監修　沢田慶輔

発行所　東京心理株式会社　定価300円

〔主要目次〕　1，学校カウンセラーへの歩み　2，学校カウンセリングの問題

3，家庭や外部諸機関との協力　4，資料の利用法

「臨床教育事例事典」

監修　石山しゅう平　山下俊郎

高木四郎

発行所　新日本教育協会　定価900円

〔主要目次〕　1，パーソナリテイの問題　2，行動の問題　3，学習指導の問題

4，環境社会の問題

「全人形成をめざす学級経営」

（教室経営と集団経営）　全3巻

編集　宮田文夫

発行所　新光閣書店　定価各巻600円

1巻 低 学 年 ⎫
2巻 中 学 年 ⎬ 小学校
3巻 高 学 年 ⎭

〔主要目次〕各巻ともほとんど同一なので，低学年のもののみ掲げておく。

1，学級経営の今日的課題　2，学級経営の機能と領域　3，低学年の発達段階と学級経営　4，学級経営の実際　5，低学年学級経営の方途

「教育相談の実際」

編集　鈴木　清　　品川不二郎
発行所　日本文化科学社　　定価1000円

〔主要目次〕　1，学業　2，知能　3，言語　4，友社会性　5，神経症　6，非社会性　7，生活習慣　9，近隣，社会，環境　12，受験，進学　13，性　14，家庭　15，学校における人間関係

教師、父兄一般のために

田辺　繁子 ⎫
　　　　　 ⎬ 共著
田辺　幸子 ⎭

「家族関係と人間形成」

発行所　教育図書
定価　430円

ひと組の母（繁子＝専修大学教授）と娘（幸子＝白梅短期大学講師）が「日本人はもつと家庭を大事にしなければならない」という共通の願いをこめて，現代のわが国における家族と家庭のあり方にメスを入れたものである。

家庭の機能，家庭生活の重要性，家族形態の変遷，家族関係の法律，家庭の崩壊，婦人の労働と家庭生活，児童の福祉，婦人の保護，老人の幸福などの項目であるが，決して，その歴史や現象の客観的展望でもなければ，事例や法令などの羅列でもない。人間形成上もつともたいせつな場として家庭をとらえたうえで，家庭の中，家庭の中における人間ひとりひとりの望ましい生き方を説いたものであり，いわば，いきた機構としての実感的な家庭論である。

父の座，母の座，そして子どもの座，これらは，家庭の中でどのような有機的関係を保ち，それぞれどのような位置を占め，どのようなあり方が望ましいか。家庭というものは，大きな社会機構の中でどのような役割をになうべきか。社会の変転とともに家族関係も家庭の役割も急速にかわりつつあるといわれる折から，家庭のたいせつさ，あるいは，幸福な家庭を破壊するものについて，改めて考えさせられる。

一般の父母や全教師，社会教育関係者、青年男女，高校生に一読をすすめたい。

「しつけの基本」　　幼児の家庭教育

品　川　　孝　子著　　　　日本文化科学社　　250円

しつけは，すべて適切な時期があり，早すぎても遅すぎても失敗します。何才ではどのようなものをしつけるという基本線がはつきりしていて，はじめから終りにいたる過程も大体きまつています。幼時期は，人間形成の土台をつくる大切なときですからこのしつけの基本線をしつかりおさえ，時を逃さず効果的にしつけることが大切です。

この本は，そのしつけの基本線を子どもの気持になり，子どもの立場にたつて考え，むしろしつけられる側の子どもの気持がたのしいようにということを中心にして書かれた本です。

勉強ずきの子にするには

「一親と教師はどんな指導をしたか一」

青　木　　博著　　　　新光閣書店　　360円

子どもの「**らくがき帳**」を手がかりに，子どもの生活を導き，学習を進めていつた親と教師との記録。

著者は，広島大学教育学部付属三原小学校教諭で，実践をとおしての具体的な指導法は一読に値する。親と教師に是非一読をおすすめしたい。

なお，そのほかに家庭むきの図書としてつぎの本をおすすめします。

「よい親よくない親」

田中教育研究所　　　品　川　　孝　子著　　　　150円

よい子の成長は，すべての両親が望むことだが，そのよい成長は両親の真の愛情が求められる。

「ほめるコツ叱るコツ」

立命館大学教授　守　屋　　光　雄著　　　　220円

子どもをどうほめてよいかわからない。感情的になつてうまく叱れない親のための手引書。

「子どもの反抗期」

東京学大助教授　　田中　熊次郎著　　　　180円

扱いかねた問題も，原因がよく理解できて反抗期の正しい扱い方がよくわかる手引書

以上4冊の発行所は　　ひかりのくに昭和出版株式会社

全国図書館協議会推せん図書

（学校図書館基本図書目録＝1962年版）のなかから小，中校生向きのものを選んでみました。

著者名	書名	発行所	価格（日円）	備考
石坂洋次郎	けんちゃんとゆりこちゃん	小学館	280	小学校低学年向
今江　祥智	ぼけつとにいつぱい	理論社	320	〃　中学年向
春田　勝良	楽しい子ども会	さ，え，ら書房	280	〃　高学年向
古谷　綱武	美しい心，人間らしい生き方	牧書店	250	〃
〃	考えること，生きること	〃	230	〃
山本　有三	心に太陽を持て	新潮社	230	〃
ハートマン著 庄司浅水　訳	世界を築いた人々	さ，え，ら書房	350	〃
奥野信太郎	福沢諭吉	金子書房	280	〃
中村　　浩	牧野富太郎	〃	280	〃
三石　　巌	エジソン	〃	280	〃
坪田　譲治	日本のむかし話	あかね書房	380	〃
石森　延男	コタンの口笛	東都書房	380	〃
〃	親子牛	講学館	280	〃
相馬　御風	一茶さん	筑摩書房	200	小，中，高生向
高山　　毅	野口英世	金子書房	280	〃
滑川　道夫	少年少女のための文学への道しるべ	牧書店	200	〃
吉田甲子太郎	人類の進歩につくした人々	新潮社	300	中学生向
小川　鼎三	杉田玄白	国土社	350	〃
今江　祥智	山のむこうは青い海だつた	理論社	360	〃
近藤　　健	はだかつ子	〃	280	〃
斉藤　了一	荒野の魂	〃	280	〃
壺井　　栄	母のない子と子のない母と	光文社	240	〃
長田　新編	原爆の子：広島の少年少女のうつたえ	岩波書店	190	〃

訪問教師の役目

ふだん私どもはよい子を相手にしているためにともすると学校の雰囲気をみだす特殊児童の教育に心をくだいている訪問教師の存在を忘れがちです。以下訪問教師の役目について概略記すことにします。

1，任務および身分

訪問教師は学校児童生徒として，行動上，正常児と異るいわゆる問題児に対して，特別な指導を考えることを任務とした教諭である。普通の教師には手のまわりかねる特殊児童の保護指導を担当し，校内の教職員と連絡をとりながら，校外の児童保護施設および職員とも緊密な連絡をとつて仕事をする。

2，職務内容

このような任務を遂行するために，訪問教師は，つぎの職務を行なつている。

㈠ 問題の児童生徒に対し，直接に，特別の指導相談，保護にあたることを主要な職務とする。

1，訪問教師は，問題の児童生徒に関し，相談，保護，補導の依頼をうけまたは，自らその必要を認めた時は，学業成績，行動上の諸問題，悪癖，家庭事情，出席不良等の諸問題について特別の補導を行なう。

2，このような児童生徒の諸問題の処理については

⑴ 児童生徒の心身の現状に対する精密な調査

⑵ 環境の調査

⑶ 学校，家庭の訪問等を行ない，それに基づいて暫定的診断を下し，その処置，補導計画を関係教師とたてなければならない。

3，問題の生徒児童を補導するにあたつては，暫定的診断を下すまでの経過，および補導計画による補導の経過を明らかにする。この際，問題児童生徒に対しては，深い教育的愛情をもつてこれに接するとともに，書類の保管，その他個人的なことに関し，その対面をけがすことのないように留意する。

4，訪問教師は，その特殊な任務を自覚し，つぎの各項にかかげる教育技術を身につける必要がある。

⑴ 教育相談の技術と理論

⑵ 諸調査の方法や処理判定の技術

⑶ 非行青少年の臨床指導など心理学およびケース研究

⑷ 生活指導技術と非行防止対策についての研究

⑸ 青少年関係法規の理解

㈡ 訪問教師は，青少年対策に関するつぎの事項をつかさどる

1，担当地区内の青少年の補導対策の計画と実践に関すること。

2，諸関係機関および団体との連絡，提携に関すること。

3，全琉的な補導対策樹立のために必要な資料提供に関すること。

4，研修会に関すること。

3，訪問教師の配置および勤務

㈠　訪問教師の配置は，当分の間，つぎのとおりに置かれるようになつている。

北部連合区	2	中部連合区	6	那覇連合区	3
南部連合区	2	宮古連合区	1	八重山連合区	1

㈡　訪問教師は，連合区教育長の定める学校，または，区教育委員会に勤務する。

㈢　連合区教育長は，学校および教育区の実情によつて，随時その勤務場所を変更することができる。

㈣　訪問教師の配置増減については，予算の範囲内で文教局長が定める。

―あ　と　が　き―

。　4月6日から5月10日まで，およそ1カ月間，青少年健全育成月間運動が行なわれる。住みよい社会，美しい望ましい環境づくりのために，おとなも子どもも，みんな協力してその実現のために努力しようというのである。

。　掛声だけでなく，子どもたちに強いることでなく，むしろおとなが率先して，りつぱな教育的な町づくりが実現することを切望したい。

。　その運動に役立てようと，本号はとくに「道義高揚週間」として特集した。

。　「道義高揚をはかるために」座談会を開いてご意見を伺うことができた。ご出席くださつたみなさんにあつくお礼を申し上げます。

。　新崎，浦本，池城三先生の玉稿は紙面の都合で1部を掲載させていただきました。ご諒承ください。

。　那覇市民憲章は町づくりのりつぱな目標です。ご参考になればと本土の各地のものも添えました。各市町村の積極的な町づくり，村づくりにお役にたてばと念願いたしています。

。　城前小学校の「よいこのくらし」，高良小学校の「親子20分読書」各校各家庭でご研究ください。

。　真和志中校赤嶺毅男先生の表紙，題して「人づくり」，ご提供ありがとうございました。（登川）

一九六四年四月四日　印刷
一九六四年四月四日　発行

文教時報（第八十四号）

非売品

発行所　琉球政府文教局調査広報課

印刷所　サン印刷所

電話(2)三六七九番

文教時報

85

No. 85　　64/4

特　集………環境浄化週間

琉球政府・文教局調査広報課

もくじ

85号　特集……環境浄化週間

望ましい環境

文教局指導課長　比　嘉　信　光

青少年はいろいろな環境で絶えず成長発達し，行動し，性格を形成しています。即ち人格をつくつています。

育ちつつある青少年を囲む環境を人格形成を中心として環境との関係を考えていくと，どのような環境が望ましい環境であるかを考えてみましよう。

望ましい学校環境

学校は教育のために出来ていますから，最も望ましい教育環境でなければならないと思います。望ましい学校環境であるかどうか考える場合，次の三つの角度から考えるべきだと言われています。

(一) 単純化，秩序化された環境であること。現実社会の複雑な環境条件の中から，かなり基本的で児童，生徒に理解できるような諸要素を選択し，これをもとにしてより複雑なものえと理解を進めるように，発展的に秩序づけるようにすること。

(二)，純粋化，理解化された環境であること，現実の社会環境から不純な無価値なものを取り除き，児童，生徒の心情や習慣に対する悪影響を防ぐとともに，かれらの望ましい行動を助長するような純粋な物を選んで環境を理想化すること。

(三)，均衡化，統合化された環境であること，いつそう広く，いつそう調和された環境を用意し，児童，生徒の経験と行動の統合をはかること。

学校環境は，児童，生徒，教職員，施設や設備，教育計画，教授資料，教具や図書，視聴覚資料など，すべては，右のようなはたらきをもち，逆にそれらのものは，この三つの角度から，検討されるべきだと思います。

戦後十九年，政府，委員会，学校ＰＴＡの涙ぐましい努力にもかかわらず，望ましい状態とは言えません。しかも社会の情勢は急速に進展し，教育の理論も実践もますます進歩しつつあります。私共はたゆまない改善の歩みを続けなければならないと思います。

望ましい家庭環境

人間は生まれてから死ぬまで，年令の差はあつても，家庭生活をしている。そして家庭との結びつきは年令の低いほど，より多くより強く，年令の進むにつれて減少していくが，生涯家庭との結びつきを絶つことは出来ない。現代の常識では，人格形成は個人の内的条件と，それをとりまく環境との動きあいによるものとみなされています。したがつて人格の基が形成される乳幼児期から青年期へかけての，環境の果す役割は極めて大きいといわれています。

家庭生活は，家族の人的構成，住居，経済状態，職業，両親その他の家族の生活態度，近隣との交際などで千差万別全く異つた生活を営んでいるのであります。

異つた生活条件の中で，望ましい家庭環境を作つていくには，全家族がよりよい家庭生活をしていくという同一の目標のもとにそれぞれの役割と地位をもち，協力して，いくべきだと思います。つぎに望ましい家庭環境を挙げますと，

1，家庭の人間関係を望ましい状態にすること。

2，健康的な家庭環境を作ること。

3，望ましい生活習慣が出来るような環境にすること。

4，望ましい情緒の環境を作ること。

5，望ましい社会性が養なわれるような環境を作ること。

6，学校教育と協力していく家庭環境。

7，望ましい近隣関係を保つこと。

等でありますが，子どもと親及び家族との暖い人間的結びつきが大切であると思います。

地域社会環境

地域社会環境の青少年の人格形成への動きかけは，そこに住む人たちである。具体的には都市，農漁村，へき地，基地の自然的，文化的環境条件に生きる人々からの影響である。さらに一方に於ては，新聞，映画，ラジオ，テレビ，図書などの影響がある。

この地域社会の環境をよくすることは，並大抵ではない。しかしながらすべての人々，団体，職場グループが協力して望ましい環境作りに努力していただきたいと願う者である。

人工衛星がとび，人工太陽が輝くこれからの生性環境の中から新しい時代の子が生まれるのである。

青少年の非行防止に直接あたる 政府内の諸機関

No. 1

青少年の非行防止に対しては政府はあらゆる機能を動員して努力している。その実現は政府のみで果せるものではない。それはいうまでもなく，社会一般の関心と協力にまたねばならないということである。青少年非行防止をつとめる行政府の諸機関やその任務のおおまかな説明をしてみたい。この問題に対するみなさんのご協力をお願いして止まない。

内務局総務課

- 青少年問題協議会に関すること。

文教局指導課

- 生徒指導についての指導助言に関すること。
- 訪問教師に関すること。
- 進路指導主事に関すること。

（22頁へつづく）

—座 談 会—

「環境浄化のために何をなすべきか」

日 時　１９６４年3月１７日（午前）
場 所　開 南 小 学 校
出席者
　ＰＴＡ関係　松田　政治（壺屋小学校ＰＴＡ）
　学 校 関 係　長嶺　勝正（首里中校進路指導主事）
　　　　　　　大浜　安平（那覇連合区訪問教師）
　　　　　　　大城　　肇（中部連合区訪問教師）
　政 府 関 係　松井　隆男（児童相談所長）
　　　　　　　町田　宗綱（警察局刑事課長）
　　　　　　　新里　芳雄（厚生局公衆衛生課環境衛生係長）
　　　　　　　嶺井百合子（文教局社会教育課主事）
　　　　　　　安谷屋玄信（　〃　調査広報課長）一司会
　市役所関係　柳原　憲令（那覇市民政課社会教育係長）
　　　　　　　名嘉　喜伸（〃社会教育担当）

安谷屋課長

司会　本日はお集まりいただきまして，「環境浄化のために何をなすべきか」ということでお話合いを願います。教育環境とは学問的にはいろいろございましようが，本日はむしろ世の中の人がわかり易い環境として，真に子どもたちがすこやかにすくすく成長することができる環境，そのような環境にするために私共が早速どのようなことにつとめたらよいかについていろお話し願いたいと思います。
その面では常に苦労を重ね，とかく私どもの望ましい環境を願う気持とは逆，に不適応現象を示す非行児の善導に努力しておられます那覇連合区の大浜先生に先ずお話しいただくことにいたしたいと思います。大浜先生どうぞ，

「未成年者お断わり」
掲げながら守らぬ業者

大浜　訪問教師として，非行化した子どもたちを常々補導に当つておりますが，子どもの非行化に極めて影響すると考えられます憂慮すべき環境については最近屢々新聞紙上に報道されている通りでありますが，そういつたものは大体有害興行，不良出版物，風俗営

業，売春の問題，睡眠薬遊びといつたようなものではないかと思います。
有害興行としては，まず映画ですが，「未成年者お断わり」となつているものでも場内には中学生，高校生など入つていて，事実，映画は子どもに見せることは好ましくないものなんです。そういう場所はまた，地方から出て来てアルバイトをする。そこで勢い異性と友だち関係になつて不良行為をするということが多いわけです。
映画館の女の従業員に「もしあなたが母親なら自分の子どもにこの映画を見せますか」と尋ねましたら，とてもできないと否定していました。このように子どもに見せられないようなものでも業者はそのような不良マスコミから子どもを守るということを真剣に考えていないと思いました。

左より名嘉，棚原，大浜，町田の各氏

不良出版物も最近ようやくへつたようでありますが，それでも店頭でまだ目につきます。大体，大きな書店は問題ないのですが，中小の書店にあるのですね。
売春の問題もやはりまだ大きい見逃せない問題です。定時制高校生徒の通学時，通学途中醜態を演じているひとを考えますと強力な対策が必要だと思います。
睡眠薬遊びは法と非常に関係があると思います。折角立法されてもどうして約束が守られないのが，真剣に業者は反省すべきだと考えます。
司会　いろいろ貴重なお話をいただきました。子どもたちを悪い環境から守り温かく育成するためのご苦労に深く感謝の気持をもつものであります。このような改めるべき環境に対して厚接責任をもち，指導にあたつておられます。警察局刑事課長の町田さんへ環境浄化のための当面の問題，その御苦心なりお話いただきたいと存じます。

非行防止は予防と 早期発見が第一

町田　最近は毎月のような非行少年の問題があります。警察の統計がはつきりそのことを物語つております。いろいろの問題を，警察としては先ず各団体に協力を呼びかけ防止につとめているわけであります。とくに，問題になります二，三について申しますと，睡眠薬遊びですね，それは厚生局の主管ですが，そのまま放置できないというわけで，積極的に警察の方も取り締まる方針をたて，厚生局にもはかつて，例えば，帳簿の検閲をやるとか等考えております。
青少年の非行防止対策としては，むしろ積極的に警察の武道場を開放して武道による精神の到一，浄化をはかることや，掛声運動によつて一般の関心を集中し，協力を仰ぎ，とくに各種の団体に働きかけることなど幾つかの対策を各署長へ指示しております。

非行の傾向として注目すべきことは，非行の集団化，悪質化，低年化していることであります。自動車強盗とか，警官をうち殺すというこれまで例を見ない犯罪もあり，甚だ憂慮すべきことで，訪問教師や学校，各種団体によびかけ，非行化の早期発見と早期治療ということを強調しつゝ，これが防止にあたつているところです。
不良マスコミの問題では書籍商を集め，輸入販売を規制することなど話合つているのですが，小さい書店辺りが本土から月おくれを取り寄せている状態です。本土では条例を設けて取り締まつているわけですが，こちらはただ今いろいろ考慮中でございます。
司会　新聞に出ている非行のニュースは事実に比べますと氷山の一角でありますし，好ましくない環境に子どもたちがいる事実について伺つたわけですが，やはり，よくない環境には非行化へ誘いこむ機会や原因が多いわけであります。このような気の毒な子どもたちを悪から救い出すべく，診断，指導の面で苦労していらつしやる松井先生に，非行の動機やその環境について伺つてみたいと思います。

あたたかい家庭から非行児は出ない
相談所現在予防へ手がまわらぬ

松井　児童相談所を預つている者です。児童相談所の仕事としましては保護者のいない子，いわゆる保護者がわりに保護を必要とする子どもを行政府の責任において適当な看護措置をとる。2番めに保護者としてどうしても適正な育成が困難な子どもに，心理的治療を施してやる。非行化した子どもたちになりますと保護者自身ではやはり指導がうまくいきませんので，保護者にその子どもの育成指導の方法について援助をしていくわけであります。3番めに非行化する子どもを非行に陥ちいらないために予防措置をとる。

左より松井，新里の各氏

この3つが私ども大きな仕事でありますが相談所の現状としましては，殆んど1と2に重点がおかれて，3に手をつけていないといつたところであとます。
いろいろ取扱いますケースでは環境の問題としては，家庭環境の問題につきましては適切な指導を行なつているわけでありますが，一般的な環境の問題にまでは手が出せないわけであります。
したがいまして家庭環境の不適応児とか，家庭環境におくことができない子どもを家庭からきりはなして適切な措置をとる場合でありましても，やはり限界があるわけであります。
去年の統計では一年間に約900名ばかり取扱つたわけでありますが，家庭環境に不適応として措置しますのは氷山の一角でありまして，大部分は父兄へかえす，家庭へかえせる子は家庭へかえすことがよいわけでありますが，それが困難な子どもがありますので，そのような不適応の子どもを適当な指導機関であります施設へ預けるわけであります。

司会　いろいろお話をお伺いいたしまして，やはり教育環境としては家庭環境が先ず第一であろうかと考えます。本日は特に親の代表であり，ＰＴＡとしても，またいろいろの環境の雑居しているという事情も考え合わせ，壺屋小学校ＰＴＡの松田さんをお招きしたわけですが，環境の実態とか，家庭ではどのようにやつておられるかなどお話し願いたいと思います。

親と子の道義観のズレ
勉強してかゝろう

松田　壺屋小と神原中両校のＰＴＡの副会長をつとめております。小学校は問題はないと思いますが，中学校ではいろいろ問題が多かろうと思います。

先ず子どもたちの現状はどうかということ。それから根本的問題は何かということですが，原因の一つはおとなの道義観の混乱，ことに戦前は儒教思想が中心で国家主義が根本になつていたわけですが戦後はそれが全くなくなつた。

私は子どもが大学から小学校までおりますが，大学を卒えた子とは度々議論をしております。やはり子どもをどういう方向へ導いていくか自信を失つている。ことに戦争による混乱で戦後の風潮と申しますか，まだのこつている。また経済的にも落ちつかない。地方から那覇に相当出て来たわけですが，それぞれに苦労しておるし，給与生活者は共稼ぎなどで子どもを見る余裕もない。この辺に貧困の問題があろうかと思います。

左より長嶺，大城，松田の各氏

とにかく子どもを指導する親の私どもが道義という場合に考え方が地についていないわけです。

いま一つは，中校卒業者で高校へ入れない子が6,000名もいる。進学問題は強く子どもたちに影響しているわけです。

問題児の現状について申しますと，先ほど申したように子どもを止むなく放任し，かつまた指導する自信がないものですから，非行化のおそれが多い。問題児が近くにいますと，仲間に引き入れられるし，平気で非行をするようになる。そのよい例は，新設校などで，問題が頻発して悩まれる。教師の指導の手がまわりかねるし，子どもが落ちつかないのですね。

健全育成月間運動期間後もぜひ継続を

それからいろいろの月間行事，週間行事ですが，昨年の夏休みなど教育委員会から指示があつて夜間補導をしたわけですが，期間が終わると，それも立ち消えして元に戻るのですね。私はＰＴＡの各区域に委員を常置することがよいと考えます。平和通りの人は寄宮辺りは分らない，だからたまたまそこをパトロールしても効果はないと思います。それよりその地域の人を委員として常置する方法でやればと考えるわけです。ただここで注意したいことは健全育成月間は，月間のみで終らないようにしたいものです。学力向上対策がいつかたち消えになつてしまつた感がします。組織したものの強力な運営をはからない限り意味ないと思います。

問題児について気になりますことは問題児の転校についてです。補導がうまくいかないことで他校へうつすことは責任のなすり合いになつてはならないし，そのことで責任を逃がれることであれば芳しい方法ではないと思います。

司会　ただ今は大方は那覇を中心とした話を承わつたわけでありますが，今度は那覇にないいろいろの環境が雑居し，流行もはげしく，町づくりも短い間になされたコザに話しをうつしたいと思います。現場で指導に当たられ常々苦労しておられます訪問教師の大城先生よろしくお願いします。

マスコミ業者の自主的な反省がほしい

深夜営業子どもの健全育成を害する

大城　軍人による争い等，環境として深刻な問題を抱えていますだけに問題はいろいろ多いわけであります。

私の経験から申しますと，問題児の家庭は不安定なんです。間借りしているとかで住居がはつきりしないのが多い。1か月に2転，3転することもある。どこかへ越しているが籍は学校にそのままあつた。その後居所不明で手の施しようがないというのが多いわけです。子どもたちの環境としてやはり問題になりますのは，マスコミの影響があります。いろいろ刺激が強い。テレビですと殺し合つている場面が多い。子どもの目にどう映じているか，それは決してよくないと思います。戦後は企業の自由だと言つても多ければよい，客受けすればよいといつて子どもたちのことを考えないようでは困ると思います。

それから深夜営業はぜひ考えねばなりません。凶悪事件は殆んど午前1時，2時であります。取締まる法はぜひ必要です。野放しはよくないと思います。

就職問題も考慮すべきことでしよう。中・高校卒業者の約50％は就職しておりますし，今後この状態が続きますと，将来彼等を収容する職場に困まる時があろうと思います。私はこの場合政府として海外雄飛をさせる，子どもたちに希望をもたせることを考え，これを実現するように努めて欲しいと思います。

いろいろ非行の問題がありますが原因の一つに家庭環境がよくない。大体人間関係うまくいつてないように思われます。親の考えと子どもの考えにズレがあつて親は指導するとき子どもの心理状態をよくつかめないでトラブルをおこしている。それから基礎学力の問題も大きいと思います。小学校で力のついてない子どもが中学校へ進む，追つつけないので劣等感をもつている。学業は負担でいやになる。なまけたり，長欠したりして，学校における教師と生徒との親近感は失なわれがちになる。教師もとかくそのような状態に容易に陥るわけですね。問題がおこつてから担任教師はいよいよ手こずり，どうにもならなくなる。非行化の中によくあるケースですよ。

教育隣組は効果的
でも指導者養成の必要を訴える

それから乳児教育，幼児教育のあり方など，しつけの方向，方法など，母親教育を部落とか教育隣組などでどしどしやることですね。それには幼稚園の先生方が講師になるんです。いま申しあげました教育隣組など大部組織されてはいますが，とかく尻きれとんぼになつている。指導者がいないというのがその原因なんです。
継続してやつている教育隣組もありますがやはり悩みが多い。私は父兄が地域，地域で部落懇談会など開いて真剣に話合うことで対策の具体化をはかることを強調したいと思います。
司会　いろいろ対策にまで及んでお話いただきました。可愛い子どもたちでありましても問題行動をしていますと，なかなか指導がうまくいきません。したがいまして非行化を未然に防ぐことが何といつても得策であります。その点首里中校の長嶺先生は常々ガイダンスにカウンセリングにご苦労なされ，子どもたちの善導のために尽して下さつております。現場のそのような指導の現況からでもお話いただきましょう。

健全育成いまや実践の段階
問題児の多く出る地域と出ない地域

長嶺　こうした座談会には度々出席しておりますが，私は，むしろ現在は話の段階より実行の段階にきていると考えます。
今まで話合われたことは，これまでも幾度となく話に出てまいりました。ところがなかなか解決されないで終つているのですね。
実行されているのは消極的な不良マスコミに関係している業者の自粛をまつといつたもので，いつまでも話合いに終つては大変だと思います。私は学校では生徒に対して，教師というより，友だちであるといつた気持で遊んでやります。
子どもたちの中には共通語もうまくないのに，ヤクザことばなどうまいのがいるのですね。このような子どもたちは愉快にみんなと対等に振舞えない。だから交友範囲も狭く，特定の者に限定し，例外なく下級生を引きづつている。
大体問題の多い子どもは出る地域がはつきりしている。そのような地域は家庭的に欠陥のある家庭が多い。地域のまとまりもなく，父兄がばらばらで，子ども同志けんかするばかりか親同志もけんかをしている。だから，次々とよくない子が出て後を断たない。
先ほどから度々出ています教育隣組が組織できたら効果的だと思います。首里中校では，本年度の目標の中に，教育隣組の強化育成を取り上げております。

子どもに適した導き方
希望を与えることを忘れずに

非行児を取扱つて感じますことは，問題児の親は殆んど問題の親であるということです。親の再教育が必要です。これは一例ですが，ある職場に就職がきまりかけたことを問題児の親に話したら，就職はやめて補習学級にいれて進学させてくれと，どうしてもききいれない。子どもは裁判所で審判までうけ，親も私も呼び出されたことがあるし，子ども自身は学校嫌いでむしろ就職できると喜んでいるところですよ。

非行児の指導では何といつても希望を与えることですね。子どもは希望があれば表情が明るくなる。学校嫌いで手をやいた子が本土就職して，すつかり自信をもち，定時制まで通うという実例もあるわけです。

奇特な人もいて，問題児をとりたい，彼等は気骨があつて教えがいがあると５人も問題児を採用したことがあります。

それから個人的な考えですが，児童園に学級を置くか通学をスクールバスでさせるかした方がよいと思います。通学途中は子どもたちを誘惑するくつきような場所があるし距離も遠い，園児たちはただでさえひねくれていますから。

司会　非行防止の運動，子どもたちの望ましい環境をつくるための浄化運動は，全住民の責任において強力におし進めなければならないと思います。私どもはこの運動を通じて家庭や学校からの自主的なもりあがりを促進したいと思います。

行政府として直接環境浄化の一面を担当していらつしやる厚生局の公衆衛生課の新里係長さんにお話願いましよう。

環境の美化まず自分の手で

新里　公衆衛生課の仕事としましては，ご存知のように社会の皆さんの健康増進のための環境浄化に奉仕するということであります。人づくりの一面をになつているとも言えましよう。

那覇市内もどうやらきれいになりましたがそれは表でありまして裏側は，寄宮，久茂地川辺りで目にしますように手の行き届かない所が多いわけです。それをどうするかということですが，公衛課としましては，４月16日から１週間健康週間を設けて自分たちの住む環境をよくしようということで協力してもらうことにしております。

ちようど学校も新学期より落ちつきこの運動に協力してもらえますし，全琉的に，自分たちの住む身近な環境をきれいにしようという考えをおしすすめることにしたいと思います。

この頃の人は権利を主張し，義務を怠ると申しますか，何でも政府がやると思い違いをし，公衛課に，私の家の塵を仕末してくれとか，くみとりに来てくれと電話がかかつたりする。適当な指導を与えているわけですが自分でやれるところは自分でやる。できない所を政府や市や町村役場に依存するということですね。
自分でやるということは，例えば家の周りの溝にボーフラがわいている，各自対処出来ることですね。
いつか出勤時に久茂地川で塵を捨てようとする子どもに出遭つたことがあります。父親が捨ててこいと言いつけたらしいのです。注意しながら85＄以下の罰金をさせられることを話したら，びつくりしていました。そのような衛生思想で教育された子が更に誤つた教育を子どもに施すことが考えられます。
早く教育隣組をつくつて，隣組の子どもたちが，教えあい，協力しあつて環境をよくしていく，伝染病を防あつすること，環境を浄化するというのはみんなの協力がないとできないことなんです。
深夜営業の問題になりますと食品営業法の現行法では規制してない，やはり問題が多いわけです。

司会　平和ですこやかで豊かで高い教養と文化生活を営むことは，いまわしい戦争から生き残つた私どもとしてぜひ実現させたいことであります。そのために私どもとしては精神的革命が必要かと思います。それは戦前の国民精神総動員というようなものではなく，私どもが生き残つた意義として何をなすべきか真剣に考えるということであります。
その面で直接指導に当つておられる嶺井先生にお話願います。
先生は最近本土の視察から戻られましたが，本土を親しく視察し，青少年教育と環境についても多くの収獲を得て帰えられました。嶺井先生よろしくお願いします。

本土の健全育成ムードで緊張を覚える

嶺井主事

嶺井　昨日帰つたばかりです。鹿児島上陸より東京まで目にするポスター，立看板の中には青少年を育成しよう，よい環境をつくろうという気持がうかがえ，その考え方が日本を貫いていると痛感しました。
婦人会の研究が行なわれたわけですが，家庭教育学級を全国に8,134を設けて9,000万円を投じている。その成果について3日間議論するという熱心さでした。
本日の話合いを通じてこれまでに話題になつていますことは言い尽されていると思います。注意したいことは協議会ばかりで，その実効果をあげてないことです。もつとどうしたらよいかという方法，実践の面に努力すべきですね。長野の田原元という町で婦人学級，ＰＴＡ，育ユウ会の三者が一体となつて子どもたちを地域ぐるみで育成しようとする。これなど目に見えて効果があるわけです。

地域ぐるみの環境づくりまずおとなが模範示せ

環境浄化についてやつていることは，ＰＴＡの楽しみの会，卒業生の励ましの会等，婦人会，Ｐ Ｔ Ａなど各組織が一緒にとけこんでやつている。見ていて雰囲気が和気あいあいで，何ともいえない幸福感を感じさせる。それに近ごろは父親学級が盛んになりつつあります。
パーセンテージで失礼ですが，「あなたの家庭生活で一番障害になるのは誰か」という問に子どもは「お父さんが封建的だ」と答えたのが，68％，彼等は「学校で習つた人間関係と実際とは違う。父親も参加してほしい」といつているのです。
千葉県では県庁の中に「青少年対策協議会」がおかれておりますが，そこでは青少年の相談員を各部落におきそれが5,000名に達していました。それぞれ県と市町村双方からの辞令を受けて部落の人たちの相談をうける方法をとつておるようです。とにかく地域ぐるみで，子どもを自分の子どもとして見守るという気持ですね。標語を流してその励行，指導方針の統一，愛のパトロール等親たちは子どもの教育にあたつては緊張した気持で，生活態度も無言のうちに教えてやろうということですね。
こちらもそのような意味で教育の反省期にきていると思うのですよ。
司会　簡単な原理，簡単なことばがなかなか行なえない。幸い那覇市では市民憲章ができている。文章はいたつてわかりやすい。それをみんなが行なえば那覇市は住みよくなる。この点で那覇市民政課に社会教育担当者が置かれているということを知り感心いたしました。
棚原さんと名嘉さんに市の考えていらつしやること等お話願いましょう。

那覇市の健全育成協議会発足
市民憲章実現につとめる

棚原　那覇市でも年々増加していく青少年の非行化に対しまして，どうしたら環境が浄化できるかということを前々から考えていました。環境というのは，学校，家庭，社会の三つでしょうか，学校は限られた時間だけで，その意味では家庭が一番大切ですね。朝晩親子一緒だということは親が教育に極めて大きい役割を果す立場を示すと思います。
ところが現代の子どもたちは知識が発達し，反対に親の考えは全然進歩していない。新しい考えに切りかえるのはむつかしい，家庭では親と子がチグハグである。子どもは不満をもつことが多くなつて非行化へおちいることになるのですね。
このようなことに鑑みまして私共は教育隣組，子どもを守る会を調査し，懇談会をもつてこれらの振興をはかり，また，青少年健全育成問題協議会を設け，既に第一回の会合を開きました。同席の大浜先生にも来ていただきいろいろ御指導を願つたわけですが，これからいろいろ資料を集めて指導を強化するつもりです。
市民憲章の精神をぜひ実現したいと考えております。皆さんの御協力をお願いします。

司会　先般酒座に出たことがあります。私ども周辺ではこのような会合とか，場とかが多いようです。警察の統計では，40軒に１軒がそのような場だときいています。
映画館の数で人口を割りますと，日本の２倍の率になるとか，税金の方から酒の量を逆算しますとやはり本土より高い率になるといわれています。いろいろのが重なつている。

組織のもつ機能相互の協力でいかせ
教師の負担の軽減をぜひ

ところが学校では子どもたちの学習の状態はどうかと申しますと，学力テストの結果は平均で小学校では本土の60％，中学校で70％，高校で80％，力は本土より低いのに酒の量や映画館の数，飲や屋の数など日本より遙かに多く，消費されている。皮肉な現象であります。これをどのように考え，対処するかこれからの大きな課題だと思います。
今日，いろいろの団体がありますが，それぞれセクショナリズムで分野がちがうと関連がなく，城を築いてその空間が，ただ今話合つています問題のような面に反映してくる。われなさざれば誰がやるところの気持になつてまいりますことは私どもの共に感ずるところであります。私どもの責任はその意味で極めて大きく，また問題の解決は私どもの責任感のいかんにもかゝつていると思います。
環境浄化のためにこれから暫らくの間いかに対策したらよいかお話をいただきたいと思います。どうぞ順序不同でお願いします。
長嶺　最近学級数が問題になつておりますが，非行児と関係しているように思います。現場では教員のひとりの持時間が多すぎる，また生徒数も多い，そのために担任は生活指導で困難を感じている。時に問題児の件で警察から電話がある場合でも，授業時であると甚だ困まるわけです。補導主任も授業をもつているし，そういつた面で時間数をへらすことを強調したいと思います。
教師が生活指導にも充分時間がとれるよう，沖縄教育前進のためにぜひ改善して下さい。
司会　先生の負担を軽減して，生活指導の面までというただ今の御要望には直ちにご返事はできませんができるだけ努力します。
ＰＴＡの方もおいでですから申し上げます。那覇など一番大事なのは土地がないということです。地価がうなぎのぼりにのぼる。この問題は今度の課題であります。学級定員の問題など真剣に考えてゆきたいと思います。

恩を忘れず人を敬愛する心情を育てたい

松田　親と子の問題は根本的な問題であると思います。私の男の子ですが，生物学的には一番末の子が生活能力がつけば親はいつ死んでもいいよと言うのです。私どもが子どものころ考えもしなかつた事を平気で口にするのですね。
考えのズレが親子の間にはあるのですね。医科へ行いている長男に国家からいただく補助金はありがたく思わねばと申しますと，なに，ぼくは国家と契約しているのだよ，学校を卒業して義務を果せばそれでいい，恩なんて封建的な考え方なんだと，先輩や親に対する恩がえしとか尊敬の気なんて持ち合わせていない。親と子は対等だという考え方だから義務感がないのです。
新里さんのさき程の自分でできることは自分でやるということですね。実際は那覇辺りは出来ないことが多いのですよ。だからもつと増車するよう考えてほしいのです。
ＰＴＡについて申し上げます。ＰＴＡは本来は教育問題を研究することなんですね。便所など政府が負担することをＰＴＡにしわよせをしている。
神原中校は昨年経常費の外に8，800＄，壺屋小校でも2，800＄，幼稚園が1，200＄も負担しているのですよ。
それで理科備品，学校備品はどうかというとまだ文部省の示す基準の10%というのですね。ＰＴＡは本来はそんなものではなかつたわけです。政府や委員会で負担すべきものはもつとはつきりしていただいたらと思います。
新里　自分でできることのなかには塵をやきすてるとか塵箱を用意するとか，溝さらいなどでくふうすればやれることです。その点政府でも補助が考慮されているのです。
横井　それから花いつぱい運動もありますね。

深夜営業の阻止

住民の良織で立法へ

司会　少年法の年令引き下げ，営業法改正，青少年保護育成法等への動きが最近もりあがつてきております。その動きに対してある人は，「もう一辺阻止するための陳情をするさ」といつているのですよ。業者が多くて沖縄ではおそくまでやらねば破産するというのです。真剣に考えて対処せねばならない問題だと思いました。
町田　食品衛生法に属する業者は次第にふえ風俗営業法では業者が次第にへつている。食品の方は深夜営業に対して規制されてないからです。
それはそのまま放置できないというので，昨年も一昨年も議会へ出したわけですが流れた。今度も出してございます。流れたのは，業者の圧力，陳情といつたものが原因なんですね。今度も通過しなければ，これは甚だ困まることと思い心配している所であります。
少年問題は18才にひき下げるとか，12才に下げるとか法務局と研究している所であります。関係当局１部の方では反対されていましても，統計や事実からおして，このままではいけない。改めるべきだという信念をもつています。
不良マスコミにしましても立法することが要請されておりますし，このことも必要だと痛感します。
深夜営業など放置できないことでありまして，犯罪と結びつくことは，やはり酒でありまして，酒を深夜は売らない。沖縄の現状としては必要であります。
横井　この法が議会を通過するためには論議しても効果はないと思います。各団体に呼びかけてその協力を期待するようにしたらいかがですか。

町田　その点についてはいろいろやつております。これは婦人団体と結びつくことですから立法陳情するよう呼びかけています。

司会　なかなか複雑な問題ですね。婦人会員の中でも利害相反する状態で，われわれに全員が協力願えるとは予想できないのですね。

松田　桜坂は私共の校区になつておりまして，父兄の中に業者がたくさんおります。役員会でうつかり話出せないわけです。これを政府できちつとしますとよいと思います。
壺屋小校の西側の20間ばかりは飲み屋が接近して来ております。

上も下も心のタガをしめよう

子どもの非行化を口にするおとなからまず

町田　その点の規制は風俗営業ならちやんとあるのです。学校から100m以内は警察局の方で許可しない。ところが飲食店ですと食品営業法に属してその規制がない。厚生局の監督下にあるのですから。

長嶺　風俗と食品の相違は，種類，業者等どう変わるのですか。

町田　風俗営業は女給に接待させて歌舞音曲もやつてよろしいということです。厚生局とも話合つて学校，病院の近くでは，飲食店も許可しないようにつとめていますが。

嶺井　沖縄は上も下も全体としてタガがはずれている感じですよ。行政府でも，立法院でも票がへることを気にしないで，きちつと引き締めねばいけないと思います。そのままにしていたら，そのうち子どもが不良化したら幾ら財産をゆずつてもつまらないですよ。
道がきれいになつても，家がよくなつても子どもにゆずるのですからこの際，この機会に全住民運動にして，主席の積極的な気持の通りやつてゆくべきだと思います。
立法院で通さねば，なぜか問うべきですよ。勇気をもつてきくべきですよ。

新里　食品衛生法でもぜひというので，コザで学校の近くに飲み屋ができたことなどのへい害防止をきつかけに，当課では案を提出したのですが，局長会議でそれは風俗営業に任すべきだということで，食品営業法にマツタがかかつたわけです。
旅館業は施設のみに重点がおかれていますが，本土では風俗営業に準じて規制があります。これは近く改正されると思います。

司会　長時間ありがとうございました。いろいろ有意義なお話をいただきました。お集まりいただきましたみなさんは，それぞれ環境浄化のために重要なポストにおつきであり，しかもその道のベテラン揃いでありまして，本日は率直にお話いただき，かつまた今後の住みよい社会，美しい豊かな感情を育てる町や村づくりにいろいろと示唆に富んだお話をいただきました。みなさんの貴重なお話が，沖縄の将来を心配していただく多くのみなさんに呼びかけとなり警告となつて，やがて趣旨達成のために役立つことと信じます。みなさんの今後の御活躍をご期待申し上げて，本日の座談会を閉じたいと思います。

（文責・登川）

※※※※※※ 環境を浄化するためにひとこと ※※※※※※※

島袋　　哲

教育的に望ましい環境設定の一つに学校経営の体制即ち校長の性格規定の問題がある。明治教育体制では教育そのものが行政であると考えられていたので校長はまさしく教育行政機関であつたのである。しかし戦後の民主教育体制では教育と教育行政は外見上区別され校長は教育者として考えられるようになつた。しかし沖縄の現状では教育財政が確立せず，教育条件が整わないことから校長は学校予算の獲得、教育委員会その他の団体との対外交渉等に追われ，その結果管理者という新しい形の役人に仕立て上げられてしまつた感力する。沖縄の学校教育法に「校長は校務及び児童の教育を掌り，所属職員を監督する」と規定されている限り，飽くまでも各自の学校の経営者，教育者であるという二面性を忘れてはならない。校長は主観的，識見的立場から独自個有の領域である学校経営を確認し，責任ある学校教育の指導の分野に充分なる研究を行うべきである。それを基調として教育的に望ましい環境も設定されるのである。　　　　（琉大助教授）

喜友名　朝　亀

素質×環境＝教育効果だといわれ，環境は教育のすべてであるが，せまい意味に考えても環境作りは教育の営みのあらゆるものに優先する。木々は緑に茂り四季おりおりの花が咲き，小鳥はさえずる豊かな学園―環境のあらゆるものが生徒の学習の対象として生かされる配慮の下に整備されたら，学校生徒はどんなに楽しいものだろう。以下コザ中校三ケ年の環境作りを箇条書に略記してみたい。

1，生活指導上バラ線で垣を作つて無数の校門をなくし年次計画でブロツク塀にした。（40％完成）

2，校地内到る所岩盤有りで安全教育情操教育上「ガン」になつているので生徒を動員，父兄の労力奉仕更に34弗の大金をかけて岩盤を除去した。

3，空間地を最高度に活用して，植樹を継続。学習園の美化に努力。花が咲くようになつた。

4，施設の充実強化に努力（給水施設，体育用具室）した。

以上はごく基本的な環境作りで，これからというところ。　　（コザ中学校長）

宮　城　ハ　ル

環境というと一人でうみ出せるものではなく，しかも教育的に望ましい環境とは，その

※※※※※※ 環境を浄化するためにひとこと ※※※※※※

一家の家族はもち論，その地域の人々が同じ心持ちになるということが大切であります。そのためには教育隣組などのよい組織づくりが第一の条件になるのではないでしようか。
なお，その教育隣組の各員がお互いによく知り合うだけでなく進んでは家庭的な雰囲気までもふれ合える親しい間がらまで努力し合うことが第二の条件になると思います。範囲は都市と農村とで適当に考えられると思いますが，とにかく仲よし隣組にするためには子供を通じて父兄が進んで仲よくなる親と子の常会や，学校との話し合い，地域における施設との連けいなどいろいろ考えられています。
私の校区は学校完全給食でその給食費積立の絶えない毎月貯金まわりも，隣組をつなぐ大きな力となります。方法は各地域でいろいろですが，温かい心と心のつながりこそ望ましい環境づくりの基礎となるものと信じています。　　（名護町主婦）

徳　元　八　一

(1)，家庭の人々特に両親が子供の人格を尊重し，愛情をこめてその成長を見守ることだ。夕食後の一時を憩いの時と決めて一家の和合をはかること。
(2)，周囲のおとな達は日常の言動を慎み子供達に悪影響を及ぼさぬ様にすることは少なくとも「大人は我々と敵だ」とけなされない様にすること。
(3)，子供達は自ら進んで部落生徒会を組織し，上級生がリーダーとなつて，家庭学習，遊び場調整に，拝所道路等の清掃に協力しおとなより「よい子供だ」と重宝がられる様に努めること。
(4)，部落ＰＴＡの末端組織である教育隣組を結成し（模合組織にするもよし）月一回の集合を持ちＰＴＡの役員や学校の先生に頼んで指導してもらい，時にはおとなも子供も一緒にピクニツクを開催すること。
(5)，学校の先生は毎日の授業の準備等に忙しいが家庭と手をつなぐ意味で部落ＰＴＡや教育隣組の徹底運営の強化に智慧と力を貸してもらいたい。
(6)，政府はその責任に於て保育所，幼稚園を設置し，子供の遊び場，道路の設置に充分に補助金を出してもらいたい。　　（沖縄ＰＴＡ連合会長）

仲　田　豊　順

▲主旨学習の目的が児童生徒を中心とし，児童生徒の生活に即してなさるべきであるから教育的に望ましい環境づくりは児童生徒中心に児童生徒の生活に即して構成されなけれ

ばいけない。

▲それを実現させる組織及計画

1，学校を中心とした各種の機関を組織する。

イ，学校，ＰＴＡ，並びに地域社会との環境美化諮問委員会

ロ，校内美化委員会…体育，理科，技家教員を含めて科学的専門技術を活用

ハ，生徒美化委員会

ニ，その他

2，他団体との連絡提携

学校最寄りの農研指導所，営林所，工務局出張所の助言指導をうける。

3，教育計画立案，実施

イ，年間計画を立て，努力目標を定め教科外活動のカリキユラムの中に入れて実施させる。

（那覇高等学校長）

当銘睦三

ある会合で「世の父親たちは子供の家庭教育に無関心である」との意見に対し，「関心はあるが時間がない」という反論が出た。

果してそうであろうか。高価な花を庭一面に植えながら草ぼうぼう荒れほうだいにしている人はよく「どうもいそがしくてねえ，草をとる暇もないよ」と言訳をする。ほんとうに花卉を愛する人ではないと思うがどうだろうか。忙しくて家庭での子供のことは一さい母親任せにしているという父親達は今一度胸に手をあてて反省してみる必要があろう。良い父であると自認しながら，子供に対し，妻に対して時々頭をもたげてくる亭主関白という封建性の残滓に気がつくであろう。内にあつては「お前のしつけが悪いんだ」と妻を責め，外に向つては「いそがしくてね」と逃げる父親達の言動をいまだに払拭しきれない亭主関白の一面である。家庭環境の浄化（ここでは人間関係）もまず我々父親の心の片すみに巣喰うこの亭主関白の除去からといえそうだ。（社会教育課主事）

小浜安祥

現今の沖縄をみると，環境に対する教育的配慮が欠けているように思われる。一時，不良マスコミ（不良映画及び雑誌等）の追放が呼ばれたが，その後どうなつたのか，あいかわらず店頭には不良雑誌がはんらんしている。非行化が性と結びつく場合は非常に多い。アメリカに於いても，一部の人々は性文化の病的なはんらんは亡国的な傾向を持ち，人間

性を混乱させるものといつている。店頭にはんらんしている性を誇張する雑誌，写真等は性教育に真正な役割をしているとは思われない。性は人間を衝動的にすると共に，いい知れぬ快感を与えるものである。しかしその快感は人間として追求すべき目的に動きかけないのである。人間形成に重要な時期にある青少年が「青春を楽しく」等といつて性をもち出す考えはどこにその根源があるのか。現代の性文化がつくりあげた悪い考え方である。

従つて，我々は不良マスコミに対しては不買同盟なりの永続的な団結を必要とする。それは判断力のある（？）成人自らの行動でなければならず，又それに対する自覚を絶えず持ち続けなければならない。人つくりを道徳的人間と解するならば，まず成人をつくりかえることに主眼が置かれなければならないだろう。教育者（社会的意味）であるべき成人が自ら悪い性文化の形成に一役をかつているとはどういうことか。反省すべきである。

教育的に望しい環境をつくるには，はんらんする性文化，性的環境に対して充分配慮し第一に不良成人をそのようなものからしめ出すことである。第二に，そのよなマスコミを根絶させるにある。

（琉大教育学部，研究生）

教育姿勢の勢揃い

立 津 龍 二

この頃の非行児多発の傾向でかなり多くの学校が在学児のこの面の対策に神経過敏になつている様である。非行児対策で特に都市地区のマンモス化した中学等で気を付けるべき事は数十人にも及ぶ教師が各々の教育観に応じて生徒に対する姿勢多種多様になることである。例えば体罰も辞さないスパルタ式或は形成に強制は不要だとし，或は教科の専門制を隠れみのとして知識の切売りだけに専念し，十代の不可解（？）な心理に自ら混乱し気力を失い等々，この様な状態は徒に生徒を迷わせ，正しい意味での権威を畏敬する躾の面で失うものが多い。ましてこの混乱の中でさえ問題児を見下す数十人の教師の目の色だけは完全に一致して冷いとすればこの生徒は当然の結果として学校から離反する。最近の学力向上の要請によつて強力にそれが実行されればいよいよこれ等の生徒は学園に於ける精神的浮浪児となろう。最早や学校で彼等がはたすべき役割は存在しなくなるのであるから，非行児対策学力向上の二題以前の問題として教師の教育的姿勢の勢揃いの問題があると思う。

（那覇市大道３６８番地）

宮 城 鷹 夫

子供がオトナに対してもつ有力な武器は，反社会的な行動であろう。粗暴，反抗，盗み，無言…。どれもこれも，頭痛のタネである。ＰＴＡ，教育隣組と，大人だけの組織で

※※※※※※※ 環境を浄化するためにひとこと ※※※※※※

いくら気張つてみたところで，子供たちは傍観者でしかないとしたら，いや従属者でしかなかつたら，大人のムダ骨というもの。

現実に足をふまえて，子供の身になつて考えていくひとりひとりの自覚が重なつた組織がなければウソである。いくら理路整然としているようにみえても，お説教は単なる大人の自己満足にしかすぎないことを，世の親たちは肝に銘じておくべき。

反目し合わない社会，お互いがそれぞれのよさを認め合う社会，そうしたヒユーマニズムの上に立つ人間観をつくることが，教育の終局の目的であつてほしい。

子供の立場で物ごとを判断し，教えていくことが，教育にのぞましい環境づくりの第一歩と，私は信じている。　　　　　　（沖縄タイムス企画局次長）

宮　里　信　栄

為政の責任者は，この問題について多くの意見と資料をもつておられることと思うが，立法化すべきもの，金のかかるもの，精神を結集すべきものにえりわけ，強力に断行する以外に道はないと思う。

私は次の点をつよく言いたい。

△深夜営業の停止　　　　△殺人傷害最罰主義
△不良文化財の追放　　　△大人の生活行動の自粛。
△共同でたのしめる施設　△父親学級の開設
△みんなが仕事につける対策（若い者に希望を与える）
△学級定員を引下げ個人指導の徹底
△もうかつたら，貧しい人々によろこんで寄附する運動展開……等々。

（中部連合区・教育長）

子どものために
考える母親に接して

山　元　芙　美　子

婦人の学習活動では，だいたい1年次を「承り学習」といつて講演などを聞くのが主体となつている。2年次が書く学習（メモする），3年次になると話す学習と考える学習に進み，4年次が調査，つまり地域の実態を調べその問題点をは握し，5年次に入ると学習したものを実践にもつていくというわけだが，最近の婦人たちは話し合う機会が多くなつた。

同時に自分のまわりの事をいろいろと考えるようになつた。するとどうしても1人の力では解決できないような問題，特に子どものことになると悩みや疑問が生じてくる。そして1人でくよくよする。最初は大勢の母親たちの前で自分の悩みを訴える勇気はない。

ところがそれが1年たち2年たちすると，皆が他人の悩みも自分の悩みとして考えるようになつてくる。そこでみんなの力によつて解決がなされるようになる。このように母親たちの真剣な話し合い学習で効果をあげつつある。 2，3の例を上げたいと思う。

×　　　　×　　　　×

南部のある母親学級のグループ学習で子どもたちの遊びの問題がだされた。ビー玉遊び，メンコ遊び，剣戟ごつこ，西部劇ごつこ等あまり好ましくない遊びが多いと，どの母親もこぼされた。そしていろいろ意見が交わされていくうちにある母親が，「わたしたちおとなは，あれもいけない，これもいけないと禁止することだけ言い合つているが，このような遊びをすべて取り上げてしまつたらどうなるでしよう？」と疑問を持ち出した。

するとまたある母親は「子どもの考えや意見も聞かずにここで論議するのはどうかと思う。」という意見に，「それでは子どもたちの意見を聞いてみようではないか。」ということで，親子の話し合いを持つた結果，遊び場の整備，スポーツ用具の購入，また漫画だけ読んでいるのを偉人伝や科学読物等に切り替えるよう，じつくり話し合いができた。

ところがその資金捻出に困つた。次の学習でその問題をとりあげて，部落所有の荒地を借り受け，共同作業でキビ作りをして2か年目には相当の収入を得て，子どもたちに健全な遊びと，りつぱな文庫を与え，月1回ずつ親子クラブの会合をもち，教育環境づくりに努力した。グループ学習を実践にうつしたよい例である。

またこの婦人会長の体験を紹介しよう。

7人兄弟の末つ子が小学校にあがるようになつてホツとしたのもつかの間，上の子たちはみんな成績もよく勉強もよくするが，この末つ子だけは勉強もしないし，もちろん成績も芳しくない。母親はやつきになつて勉強させようとするが，すきをみては外にとび出してしまう。そして叱れば叱るほどひねくれて言うことをきかなくなるので，母親は寝てもさめてもこのことばかりを悩み続けていた。

ところがある雨の降る午後，子どもも雨で遊びに行けなく，家ですることもなくションボリしている。母親も畑に行けず服の繕いをしていると，子どもが何げなく歌い出した歌にさそわれて，母親も一緒にくちずさんだ。そして次から次へと母子２人で歌つているうちに２人の心がとけあつた。

そこでお母さんは「今日は２人で歌つて楽しかつたね。坊やがもつと勉強してくれると，お母さんとつてもうれしいんだけどなあ。」と言つたところ，子どもは「だつてぼく机がないんだもの」といつたので，母親は「机は３つもあるじやないの」といつた。すると「だつてあれぼくのじやないよ。兄さん姉さんたちのだろう。ぼくが何か置くと怒るよ。」という訴えに，はつとした母親は「ごめんね，お金がでたら立派な机を買つてあげようね。」とわびたら「母さんぼくそうめん箱でもいいよ。ぼくだけのだつたら」子どもに教えられた母親は雨の中を早速店で空箱を買つてきて，しかも２人で包装紙できれいにはりつけ，一定の場所をあてがつたところ，子どもは大喜びで，「ぼくの勉強机だぞ，誰もさわるな」といつて，机の前に図画や工作などをはりつけてそれ以来喜んで勉強するようになつたとのことである。そこで考えさせられることは，子どもたちから奪うことではなく，子どもたちが何を欲しているかをよく理解して必要なものを整えてあげることが大事であることを知つた。お母さんたちが集つて話し合いますと，いろいろいい智恵がでてきますと喜んでおられた。

× × ×

ある母親と女教師の集りで，「子どもに自分のことは自分でする習慣をつけるにはどうすればよいか」といいテーマで討議をしたところ，母親たちの意見は大変活潑であつた。もちろん女教師側はひかえめにしてなるべく母親たちに発言させようとの意図もあつたのでしよう。年令や身心の発達状況に応じて手伝いをさせるとか，自分のことは自分でできるように大人たちは注意をはらつてやるという母親，子どもがたとえ失敗しても決して叱つたり叩いたりしてはいけない。

或いは試行錯誤や反復練習を強調する母親，それよりもまずおとなが模範を示さなければならない。そのためには家庭における生活設計を子どもたちも一緒になつて家族会議によつて民主的に行なつている実例など２時間も話し合われた。そろそろ終りに近づいた頃，あるお母さんが次のような悩みを訴えた。

その母親には数人の子どもがいるが，顔が違うように性格や動作もそれぞれ異つている。中に１人だけ他の子どもとずいぶん性格がかわつているのがいて，他の子どもたちは言いつけても注意してもなかなか自分のこともやらないが，この小学校に行つている女の子は全然せわがやけないどころか，何でもさらさらとやつてしまつて時間が余ると困つている。ところが余つた時間は人のために手伝つてやる。

そのあまり自意識がすぎて，恩恵や報酬を考えたりする。また毎月の小遣いでも決して無駄使いはしないで，買いたいものも我慢して一生懸命お金を貯めている。そして自分は将来女社長になるんだと大きな夢をもつている。だから兄弟たちが小使いが不足してこの子から借りても，期限がくると早速催促してなかなかまつたも聞かないという程のかわり者であるらしい。両親ともこの自主性のかちすぎた，何でも手際よくやる，しかも知恵の優れたこの子の将来について非常に頭を痛めているという。そこで話し合いは更に深くほり下げられて，結局子どもたちの基礎的なしつけは，将来社会に出て人に迷惑をかけないような人間になるため，しかも社会の発展に役立つ人間をつくることにあるから，人道愛を忘れた教育，しつけでは何にもならない。ということをどの母親たちも真剣に考えた。

勤労精神や社会奉仕の精神，人と協力できる子どもに母親たちもつともつと手をとりあつて行こうということを誓いあつた。そしてそのためにより以上に，母親たちの学習活動の必要性が強く話しあわれたことは沖縄の将来のためにも喜ばしいことである。

（社会教育課主事）

青少年の非行防止に直接あたる政府内の諸機関

（2 頁よりつづく）　　No.2

文教局教育研究課

- 教育相談に関すること。

文教局社会教育課

- 政府立以外の社会教育機関，施設，団体等に対する育成指導に関すること。
- 青少年及び成人の社会教育（職業技術教育を含む）及び福祉に関すること。

厚生局民生課

- 社会福祉事業の総合的企画及び監督に関すること。
- 生活困窮者その他保護を要する者に対して必要な保護を行うこと。
- 身体障害者の保護，更生事業の実施及びその助長に関すること。
- 要保護児童の保護に関すること。
- 母子福祉及び児童福祉に関すること。
- 福祉事務所及び児童相談所に関すること。
- 社会福祉事業施設及び社会福祉事業団体の助長及び指導監督に関すること。

福 祉 事 務 所

- 児童の福祉について必要な実情をは握し，そのすべての相談に応じ調査を行ない，また個別的集団的な指導を行なう。
- 児童相談所で取り扱う医学的，心理学的および精神衛生上等の判定指導以外の比較的軽易なケースについて指導と措置を行なう。
- 児童相談所でとる措置に対して協力する。

（39頁へつづく）

教育隣組は
子ども会を育てよう
社会教育課　当銘睦三

出張で時たま晩遅く帰宅すると子供達はもう寝についています。妻がなれつこになつた遅い夕食を用意する間何来なく子供達の寝顔をみることがあります。その時私は仕事の疲れも忘れて子供達の将来を想います。学校でも家庭でも勉強／勉強／とおいたてられているこの子供達，一体神様はこの子供達の将来にどんな生活を準備なさつて居られるのだろうか。学校では先生の温かい指導のもとで，家庭では両親の膝下で何不安なく育つているこの子供達だが学校を卒え，親達の手許を離れて一人の社会人として世の中に出た場合，果してこの難しい世の中を力強いたしかな足どりで進んでいけるだろうか。こんなことを考えると何だか今の学校教育や家庭でこの子供達に対し叱た激励？（いうところの学力向上のために）していることに何か大事なものがかけているような気がしてきます。

毎日のように持つてくるテストの点数や，期末毎に渡る通知表の５，４，３にこの子達の将来がかかつているように思われて一喜一憂している私達だがそれでよいのだろうか。

勿論テストも50点よりは100点がよいだろうし，通知表も５というたのもしい数字がズラツと並んだ方がよいにきまつています。然しその100点や５の中にたくましい生命力，この眼でたしかめ，この胸で感じ，この頭で思考し判断する主体的な生命力がひそんでいるかどうか，どんな困難な事態に直面しても新しい解決の方法を生み出していく創造的な能力，みんなで協力しあつて楽しい生活を創りあげていく協調性等がこの100点や５と並行して培われているかどうか。今の学校教育課程はむろんこの点も充分に意図されて編成されているでしようが，学力向上という社会の大きな流れに含まれてこのことがおろそかにされているのではないかと気になります。家庭ではなおさらだと思われます。100点や５の底をしつかりと支えていなければならない。この大事な能力や態度を，私は教育隣組でも充分に育てていかねばならないと思います。親や教師がひつぱつて達成する学力向上でなしに、子供自らがかちとる学力向上，大人の指示や命令によつて与えられる楽しい生活でなしに，自分達の手で創りあげていく幸せな生活，このような場が教育隣組だと思います。

ではこのよな教育隣組の活動をたしかなものにするためにどんな配慮が必要か，私の考えていることを列記してみます。

(1) 教育隣組を永続的なものにするために必ず子供会をつくらせ自主的な活動をさせます。

(2) 子供会には必ずその相談相手になる指導者をおきます。（組長さん以外の方がよい）

(3) 指導者は子供会全員を指導掌握するというより先づ幹部さん達（上級生）をしつかり掌握すべきです。この場合指導者と子供会の上級生との人間関係を特に重視し，いつでもおじさん！おばさん！と親しまれ，何でもいえる間柄になることです。

(4) まづ子供会に事業（奉仕活動，読書会，レクリエーション等）を計画実施させ，その事業をすすめていく過程が自主性，発表力等を培うように配慮すべきだと思います。

(5) 親子常会等を定期的にもつて，絶えず親達と子供会との連繋を密にします。

(6) 子供会の活動が軌道に乗つたら，他地域の子供会との交歓等を計画実施し，常に広い視野をもつて活動出来るよう指導します。

(7) 教育隣組の子供会は会員が同年会ではないので，興味，関心，協力性等に差があります。したがつて会運営には相当困難が予想されますが，上級生が「下級生をいたわる，指導する」という温い責任感を持つように指導することによつてこの困難は解決出来ると思います。

以上思いつくまま書きならべてみましたが，実際にはまだいろいろな困難点があると思います。この困難点も「子供達がすきだ」「立派な子供達にしよう」という指導者の愛情と熱意さえあれば自ら解決の道はひらけていくと思います。みんなで楽しい子供会を育てましょう。

（文教局社会教育主事）

教育隣組の成功した例　　東風平村

富盛部落の教育環境

知念善栄

東風平村では，戦前，原山勝負差分式と称し，年間における産業，教育，納税，衛生，風紀の各項目について，各部落の成績を審査してその褒賞を実施してきたが，戦後は村総合共進会と改称し，毎年12月に褒賞式を行つている。富盛部落でも，村の審査項目に準じて，勧業10点，納税10点，衛生10点，風紀5点，集会10点として，各隣保班の総合審査を行い，年末の公民館総会で，その成績を褒賞している。この努力は，戦前の向上会時代から継続されてきていることであり，特に，定時励行，共通語励行は本村でも高く評価されているが，年二回の総会では，中央の知名士講演を日程にもち，時代の進展に伴う教養，啓蒙につとめている。住民のこのような向上心は，毎年の村総合共進会における学事成績に，戦前戦後を通じて断然優位を占め，今年の全国学力テストの結果を分析しても，3年生28名の成績は，理科の他は，全琉平均を上廻つている。

更に最近5ケ年の高校進学率をみても，

年度	63	62	61	60	59
在籍	30	30	19	27	19
志望	26	26	14	21	14
合格	19	26	14	21	13

左表のような優秀な成績を示し，父兄も，高校は普通教育だと考えている。この事は，青年会員の資質に大きく影響し，青年会活動も優良青年会として文教局長の表彰をうけている。公民館には，青年文庫の一室があり，図書冊数928冊を保有し，図書部員が毎月交代で夜10時まで貸出を行い，去年4月から今年の2月までの貸出冊数638冊で，その対象も，青年会員が主であるが，学生，生徒，成人，婦人の利用者も増しつつあり，特に昨年末の本土援助による図書贈呈は住民を深く感激させている。又，青年会は会財源の獲得と生産増額のため，月曜日に食前作業を実施し，盆，正月等季節的に夜警団を結成して防犯に努め，部落の治安に万全を期している。婦人会も，全琉社会教育総合研修大会で，優良婦人会として表彰され，成人を凌ぐ，積極性と実践力をもち，毎月16日を婦人集会日ときめ，教養の向上に努め，特に児童生徒の校外生活については，この集会時を利用して，その反省がなされ，他の部落にみられるような学習巡視はしなくても，自ら学習する子弟になつている。

更に部落内には，八ケ所の小売店があるが，夜10時以降は，酒の販売は止める申し合せをよく実行し，青少年の環境づくりが造成されている。　（文教局社会教育主事）

教育となりぐみ
「ふたば会」のあゆみ

那覇市高良小学校区　赤嶺貞義

私たちの「ふたば会」は1961年8月にでき，やがて3年になります。長さ50米ほどの道の両側に17世帯がならんでいます。字の人も他の字の人も一しよです。芽を出したばかりの「ふたば」をみんなで育てようとつけた名です。こども会は，幼稚園から高校生までいて，50人あまりですが，会長は中学2年の春美ちやんです。こども常会は月一回です。

遊びのことや勉強のこと，それがすんだらレクリエーションです。なぞなぞ，笛，20のとびらなど，全員が一芸づつよろこんでやります。勉強の時間は，夕方6時に拍子木でしらせますが，学年によつて適当に自分で考えることにしています。クリスマスやお正月または進級のとき子どもパーティーをします。お茶やお菓子もでます。男子も女子もへだてなく一緒に何でもします。ラジオ体操は2年間ずつと続けましたが今は中断しています。

冬は朝が早すぎて無理ですから春をまつて再開することにしています。大人の常会も月一回します。子どもの生活を見つめて，「大人たちは何をしてやればよいか」を話し合います。こどもの学習やしつけ，それに健康のことや遠足のことなど，時期時期の話題が出ます。これまでに，大里公園や，名城ビーチに行きました。各家から必らず大人がついて，安全にはとくに責任をもつようにしています。お菓子は共同購入，弁当はおにぎり，仕事は手分け，経費はかからないように申し合わせています。

ふたば会の会費は，いつもは世帯月十仙で常会の茶菓代，のこりは積み立てます。

会長は輪番で，2カ月交替です。今月でちようど一周して，また私の番になります。会長になると，常会を月一回ひらきます。常会の計画には私も相談にのりますし，準備やあと片付けはみんなが協力しますから会長になつてもさほど心配はありません。

こどもたちはみんな仲よしで，心の手をつないでいて，不良化の心配など全くありませんし面白いことに高校受験の5人がパスで毎年全員合格の好調ぶりはとなり組活動の効果といえるかもしれません。今ではみんながとなりぐみでほこりをもち，よろこんで協力し，いざというとき，子どものために力を合わせて何でもやれるという体制ができたものと喜んでいます。無理をしないで，地味にコツコツといつまでも続く会にしてこどものしあわせを育てようとみんなで話し合つています。これがささやかな私たちの「ふたば会」なのです。

私たちの隣組の子ども会

読谷村座喜味区

松　田　敬　子

子どもたちをよりよく育てるために私たちの部落も62年の6月に20組の教育隣組が結成されました。そしてささやかながら，いろいろな経過をたどつて2年間活動を続けてきました。

この教育隣組の結成の起因は，もともと字の婦人会の自主的な活動としてとり上げられたのでありますが，今では子を持つ親たちにとつて，子供たちの問題を話し合つたり，自分たちの研修の場として大へん有益なものとして考えられるようになりました。各隣組はそれぞれ5世帯から12世帯ぐらいで組織され，4組か5組で一つの班を成して思い思いに急がずに活動しています。勿論班や組にはリーダーとも言うべき係がおりますが，月1回（毎月20日）定例の隣組連絡協議会をひらいて，月々の活動状況を話し合い，反省しあい，その中から，選択して自分たちの班や組で実行するように努めています。この連絡協議会には部落出身の殆どの教師も出席して，子供の健全な育て方について意見を交換しお互に研修しています。子どもの問題になるとなすべきことがあまりに多く急ぐにも急がれない事などがたくさんありますが，お互の結びつきによつてどうにかその活動も続けられ軌道に乗つた感じがします。最近では教育隣組の中の子供会も静かに活動するようになつて来ました。子どもあつての教育隣組の活動であるから，子どもの自発性や活動意欲を高めるためには是非とも子供会を組織してあげなければならないと思いました。それは去年の5月5日の子供の日に各班や組でいろいろな行事をもつて親子が仲よく遊んだことや話し合つたことが動機になり，又夏休み中の生活指導の「朝のラジオ体操の会」や「奉仕活動による公民館等の朝の清掃」が今まで児童会や生徒でなされていたものが教育隣組で行われるようになつたために，自然に子供会を育てなければならないようになりました。そして8月から12月までには部落内に教育隣組の数だけの子供会が組織され，親も子供も大へん喜んでおり，家庭における話題も多くなつています。

子供会は小学校の児童だけで組織されているところもあれば，中学生も一緒になつて活動しているところもあり，自由でありますが，小中学校一緒になつて活動しているところが，全般的にうまくいつているようです。

子供たちのやることですから，大人にとつておかしく思われることもあれば，又大人顔負けの活動もあります。人間もみんな個性がかわるように，子供会の活動もさまざまであります。ある子供会は今まで土曜日の晩はテレビを見る時間であつたのを子供会の集会にかえてレクリエションをしたり，家庭学習の結果を上級生や生徒組長などが調べてやつたりしていますが，その評価の言葉もいじらしく，「よろしい」「大へんよろしい」「もう少しやりましよう」などと書いてあります。レクリエイションの司会や，ナゾナゾ，手品あそびなど大人顔負けのようです。また公道の清掃やかんたんな道路の補修を毎週日曜日に雨天の日を除いて1時間程実行しているところもあります。

このような善意のある活動をどう育てていくかは私たちの今後の課題であると思つています。しかしこのような活動も決して子供まかせにすることは出来ないように思われます。又子供たちの活動もこれからでありますので，時には楽しく，そしてきびしく，変化を持たして育てていきたいと思います。

社会教育主事の全般的指導事例　読谷区

宮城元信

(1) 公民館

(イ) 公民館との結びつきを緊密に保ち，互に情報を交換する立場から，毎月三回村の主催する定例区長会へ出席して御協力を依頼する。

(ロ) 公民館長研修会年二回実施

◉ 村内の全公民館の運営状況及施設，設備，遊び場を視察，各公民館で二十分程度説明を聞き，相手の優れている点を吸収するようつとめた。

◉ 各校区から二館づつ推薦して，四回にわけ，予算計上のしかた，よりよき集会の持ち方，教育隣組の育成，青年会，婦人会と公民館長との連繋等について研修，特に注目すべき点は，各公民館共，金額に差こそあれ，教育隣組や奨学会等に区予算として計上，青少年の育成に力を入れておる。

(2) 婦人会

(イ) 村婦人会役員会定例日を毎月二日に設定，各区年間計画を樹立，これを従つて，青少年体位の向上，教育隣組の育成，非行防止，婦人教養，育児等について相互学習並に講演会等を開催して研修している。

(ロ) 特別貴重講演（品川孝子（反抗期の導き方は，録音テープで各区全会員に聞いてもらつた。）講演はとくに本誌の末尾に掲載しました……編集子

(3) **青　年　学　級**

(イ) 青年学級設置の際，村長，読青協，三者一体となつて，各区青年会と懇談会を開き，青年学級についての内容説明及村政について懇談した。

(ロ) 青年学級数　　2 学 級

A 学 級　　技術と一般教養　50 名　　　B 学 級　　英語と外三教科　23 名

(ハ) 講師，　読高校4，　読中5，　古中2，　嘉中2，　嘉自練1　　読共進1，　国短1

(4) **モデル指定教育隣組**

(イ) 各校区から一区をモデルとして指定し，4月中旬，校区単位で活動状況を発表する。

(ロ) 毎月5日に村一円とした指定教育隣組の組長，公民館長，小中校教頭の定例会を開催し，研究懇談会を開催している。

(ハ) 努力目標の討議の結果を，部落連絡協議会で伝達，問題事項を村定例会へもちより検討している。

(ニ) モデル指定教育は，各校ＰＴＡ推薦によつて，教育委員会で次の通り決定された。

1，渡慶次校区　渡慶次区　14 組　　　3，喜名校区　座喜味区　2班3組

2，読谷校区　波平区　24 組　　　4，古堅校区　楚辺区　17 組

(5) **村当局，嘉手納署，学校，ＰＴＡ，協力して実施している**

(イ) 非行防止懇談会を開催

各区公民館長，各小中学校校長，教頭，読青協長，村婦人会長，議長ＰＴＡ会長，防犯協会評議員，教育委員長等の出席の上，嘉手納署の事例発表，両中校の現状について各教頭から発表，その対策として村長から明るい村づくりの為提案され次の項目が満場一致で可決

1，非行防止校内パレード　　　3，連絡網の設定

2，夜間外出の絶対禁止　　　4，友人宅での宿泊禁止

1月25日，校内パレード実施，児童生徒は，各公民館に集め，担任からパレードの主旨説明，村ぐるみで，非行防止がもりあがり，現在ではあらゆる面で効果をあげつつある。

(ロ) 隔月街頭補導の実施

(ハ) 教育映写会と懇談会

三者共催で各公民館，移動映写，懇談会，5月，8月，11月，3月において実施（新人工呼吸法，新垣交法の説明会をおりこみ）　　（社 会 教 育 主 事）

子どもを指導する おとなのみなさんへ

中部連合区訪問教師　兼　城　　和

訪問教師は毎日正常でない行動をする問題児の更生のためにあけくれる。問題の多くは日ごろからのしつけを身につけさせることや，絶えざるおとなの熱意で容易に防げることである。問題児の周辺，家庭や友だち関係等には問題がやはり胚胎している。子どもが自然に問題児になつたなんてつゆほども考えられない。

いまの状態では，児童福祉法も飾りつけられたお題目に過ぎない感がしてならない。

青少年健全育成月間が設けられたことは喜ばしいことである。この機会に，子どもの健全なる成長はおとなの責任であり，子どもの非行化をつくりだしている大半の責もまたおとなが負うべきであることを強く訴えたい。

私の担当区域は具志川，勝連，与那城３村である。第１表は，取扱つた非行児の月別学年別の人数である。これは同一人が重ねて補導されることもあるから延数である。1963年１月から12月までの１年間の取扱いであるが件数にすると，グループになつていることもあつて人数よりもかなりへることは言うまでもない。

小学校１年生から全学年に及んでいるが小学校６年生から激増していること，男女問わず年間を通じて毎月問題児が補導されていることに注目したい。

右らんの「左のうち新」というのは取扱つた問題児の中で補導歴がなく初めて補導された人数を再掲したことを示す。年間３村で99人，取扱つた総数の30％にあたる。この中には集団暴行といつた偶発的で１時的なのもある。新学期４月に最も人数が多いのがめだつ。

第２表は１月から６月までに取扱つた非行児の非行の実態である。どのような非行が多いか一つの傾向を見るのに役立つと思う。怠学については父兄は勿論，学校側も不断の注意を要する。家出，傷害，脅迫にかなり人数が多いことに注意したい。

第３表は非行の直接的原因を示したものである。取扱つた147人中88人が家庭に主原因があると言うこと，また原因として交友関係が圧倒的に多いことに注目したい。

次に「訪問教師補導月報」の中から，一部を抜すいしてみよう。類似したケースが多いが複雑な内容で様々である。ただ確信をもつて言えることはおとなのみんなが心してゆけば救えることがその殆んどであることを。

訪問教師の記録

第１表　取扱つた非行児の数　　　　1963年

月	性	小1	2	3	4	5	6	計	中1	2	3	計	左のうち新
1	男	1			2	2		5	2	10	3	15	5
	女				1			1	2	2		4	2
2	男	1	1					2		9	2	11	4
	女					1		1	1	3	1	5	—
3	男	1	2			2	1	6	1	3	3	7	2
	女	1		1		1		3	1	2	1	4	—
4	男		1	1			3	5	13	9	5	27	25
	女				1		2	3		3	2	5	—
5	男			3			2	5	2	2	2	6	7
	女							—	1	3	1	5	—
6	男			3			1	4	3	2	13	18	18
	女					1	1	2	1	1		2	—
7	男			1		2	1	4	1	2	4	7	2
	女			1			1	2	1	2	2	5	1
8	男			2		1	3	6	1	3	2	6	2
	女			1	2	1	1	5	2	3	6	11	2
9	男		1	1		2		4	4	3	3	10	5
	女		1	1	1	1	1	5	3	6	3	12	5
10	男			2	1	1	2	6	5	2	4	11	7
	女						1	1	2	3	2	7	2
11	男			1			1	2	4	19	4	27	1
	女						1	1	1	3	2	6	—
12	男		1	1			1	3	3	2	2	7	—
	女				1	1	1	3	3	1	1	5	—
計		4	7	19	9	16	24	79	57	98	68	223	90

第２表

非　行　の　実　態　　1963年　　1～6月

怠学	44	映画館立入	1	恐喝	1
飲酒	1	ゴルフ場部隊立入	4	窃盗	6
家出放浪	31	出席不良	4	生活指導	8
盛場出入	14	傷害	22		
不健全アルバイト	1	脅迫	10		

第3表

非 行 の 直 接 的 原 因　　　1963年1～6月

家族に原因があるもの	放　任	15	悪友に原因がある	54
	甘　い	1	小遣いほしさ	3
	厳　格	9	映画ダンス出版物による	1
	不　和	13	精神障害	1
	貧　困	2		
	父母なし	38		
	家族素行不良	8		
	家業不良	2		

休暇明けの新学期は家出や行方不明の生徒が多く出て手こずつた。

(1) 中1年のH子は生後8日目から養母（血縁関係なし）にあずけられ，母親がバーで働いてその養育費を負担していた。ところが去年の12月から母親の仕送りが絶えた。H子は以前から芝居好きで養母とよく見ていたが，この頃から役者と仲よくなり，家庭から品物をもち出しては役者に与えるようになつた。養母はたまらずH子を口きたなくなつたことからH子は家出した。

M署に捜査願いが出て，1か月振りに金武から連れ帰えされた。現在なお養母のもとにいるが，仲はうまくいかず不安定，養母の努力がみのるか気になるところ。

(2) G君はひとり息子，甘やかして育てられ意気地なし，早熟で同年の友だちを相手にせず，他地区の中学の女の子と交際し，デート等と言つておとななみ。家庭はバー経営，金はある上に小遣いは自由で制限なし，中学3年になつてから，学校をさぼり金遣いが荒くなつたので親はあわてだした。一時に子どもの行動を監督し，金遣いをきりつめたので，盗みをするようになつた。施設おくりをされたが，父母の誠意と指導がG君の将来を左右するかぎになろう。

(3) 中学生の集団暴行事件であるが，暴力を振つた主謀者のM君も，やられたT君もともに小学校時代からの非行児である。

M君が道路にとめてあつた車の中からとつたたばこを草むらにかくし，他の非行児に強制的に売りつけ，自らも喫煙していたのを，T君が他人にもらしたという理由から，M君は15人の中学1，2年生を動員して，T君を袋だたきにしたのである。集団暴行に加わつたほとんどはM君の暴力に無理にしたがわされていたものである。

盗癖のF子

(13才—6年女児)

訪問教師　嘉数芳子

1，問題の経過

イ　学校訪問の際，担任教師の依頼による。

A　担任より学校に於ける学習態度，学校生活，行動面につき書類によつて説明をきく。

B　家庭事情について委しくきく。

ロ　以上によつて次のことがわかる。

。学習面では大してわるくなく，努力すれば向上する。

。性格はおとなしい。

。発育は普通

。服装は割合いにさつぱりしている。

。諸会費は順調に納付している。

。学級内で他人の物を盗る。

時たまであるがこれが問題である。

2，補導経過

イ　本児面接，　　第一回　　於学校　　水曜日

A　面接室にはいるなり，訪問教師を一目見て，一歩後ずさりしてたぢろいだようだつたが自分も「ああ」これはどこかで見たことのある子だな，と思つたがなかなか思い出せない。

B　最初から問題の核心にふれることをしないで，よもやま話をしてかたくなになつている気分をほぐす。

C　次第にうちとけてきた，本児の話すところによると家庭環境は次のとおりである。

。父，姉中二年，妹小三年，本児と四人家族

。母，本児小学校二年の頃病死

。父は他家にやとわれ親子四人で，そこの小屋に住んでいたが後に土地を借りて小屋を建て，鶏や豚を飼育して生計をたてるようになつた。

。ところが地価の値上りで地主が土地を売却したため，そこをたちのかねばならなくなり，せつかくの仕事も放棄しなければならなくなつた。

。それ以後転転と借家住いをしこの頃ようやく現在の場所におちついた。

。現在父は某所のガードをして生計をたてている。

D　家庭では中学二年の姉が母親がわりに家事一切を見て自分も学校を続けている。姉妹三人とも学校は休まない。（以上のようにいろいろと話がすすんでいくうちに「ははあ」あのうちの子だな，とやつと思いだせた。）

E　それでなおもはなし合つた。Kは訪問教師，F子は本児

K　「F子さんはこの先生のうちはよく知つているでしよらね。」

F子「はい，あの川のはたでしよう。きれいな花が咲いていたね。」

（62年，63年の三月頃緋桃がすばらしく満開しているのを見たらしい。）

K　「そうよ，あのうちよ以前は隣組見たいだつたでしよう。それにあなたのおばあさんとはお友だちなのよ，だから妹をつれて遊びにいらつしやいね」

F子「いついくね」

K　「ふだんはおつとめがあるからね，土曜日の午後か日曜日にはいいよ。」

F子「はい」

（以上で第一回面接打切り。）

ロ　父との面接

父とは学校に於て本児と面接した翌日面接す。

父「昨日先生といろいろおはなしをしたことをF子からききました。」と言葉はいたつて少ない。

K「実はF子さんのことで御相談に上りました。」と学校に於いての状態を話し，指導に対するこちらの方針をつたえ，親としての協力体制をととのえるように話す。父は顔見知りの間柄であるので特に恐縮して申訳ないよろしく，としきりにたのむ。

本児面接，　第二回　日曜日　私宅

F子「先生こんにちは」

K　「ああ，いらつしやい，よくこれたわね，一人で来たの。」

F子「いいえ姉さんと二人よ。」

K　「そう，それはよかつた，よかつた，さあおあがりなさい。C子姉さんはいつていらしやい。」

（二人で座敷に上る。）

C子「先生，お父さんが二人でいきなさいといいましたからきました。よろしく。」と頭をさげる。　（やはり姉さんだけあるな，と，感心した。）

K　「別にF子さんは悪いことはないのよ，ただ少し行くみちをまちがえていることがあつたのよ，この前学校でF子さんと二人でいろいろお話をしてから翌日はお家にいつて，お父さんにたのんできたんです。何も心配なことはありませんよ。」

C子「ああそうですか，私はお父さんが二人で訪問教師のあの先生のうちまでいつておいでといつたので，F子がきつと悪いことをしたのだなと，ガタガタして

きました。」

K 「いいえ，いいえ悪いことはしませんよ，C子姉さんごらんなさいよF子さんの目はあんなにかがやいているでしよう。あのように目の輝いている人は決して悪いことはしませんよ，安心してね，そして三人仲よくしてね。」

（二人顔を見合わせ，うれしそうにほほえみ合う。）

ニ 本児面接　第三回　於学校　火曜日

イ 担任のはなし

「F子はこの頃大へんよくなりました。二三回の面接補導であんなにも変るのですね。この分では本学年中にはたしかに大丈夫です。」

（担任の先生はとても熱心な方）

ホ 本児とのはなし

K 「担任の先生はF子さんが近頃大へんよい子になつたといつてよろこんでおられましたよ，一生けんめいよい子になるようにがんばりましようね。」

F子「はい，先生又あそびにいつてもいいですか。」

K 「はいはい，晩方はいつもうちにおりますからね，土曜，日曜でなくてもいいのですよ。それでは又あいましよう。今日はこれでおしまいにしましようね。」

それから，たびたび私宅に遊びにきたので家族ともなじみになり，うちとけて話したり，ゲームをしたりしてよろこんでいる。時には夕食を共にすることもある。F子が私宅に遊びに来たのは三月中旬までに八回である。学校ではたつたの三回である。おばあさんは道であつても「よろしくねがいます。」と誠意をしめしてくれる。本児の補導には校長，担任，家庭，訪問教師が全く一体となつて地道な指導をしている。

だんだんと顔色も冴え，眼光もすみ明朗になつて来た。補導をはじめて以来四ケ月目の今日ではもう大丈夫という安心感がわく。

3 補導所感

イ 本児の場合は問題が余り大きくはないし，本人と面接の場合も問題の核心にふれることを極力さけた。深いりすると結果は逆に悪くなるように思われたからである。ごくあつさりとあそびやゲームのうちに補導するようにつとめた。

ロ 学校教育では時と場合によつては特定の宗教を指示しない限りにおいては神様のお話によつて魂をきよめることがよいのじやないかと思う。

良心について，或は正しい道しるべについて神様の御教えを仰ぐこと，御力をいただくことをつよくうえつけることはよいことだと思う。

ハ 本児の補導には特に母のない子として，母の霊は常に神様とともにF子等のしあわせを守つてくれていることをつよく話してあげた。

ニ 補導児は自分の家族と教師が知り合いであつたり，多少なり関係があることによつて，補導効果が大へんよいように思う。子どもを導くためには友達だとか，親類だと云うのもいいかと考える。　（那覇連合区）

欠席がちなA君

（小学校4年―男子満10才）

訪問教師　長嶺哲雄

1　問題の経過

1，学級担任K先生からの連絡（問題行為）

イ，欠席がちで，学校に出てきても欠課や早退が多い。

ロ，学習中ときどき大声をはりあげて学習雰囲気を乱す。

ハ，女生徒をきたながり，教室から追い出す。

ニ，反抗的で先生にもくつてかかる。

ホ，家の金品を持ち出し，他の子に見せびらかす。または，あたえたりして遊ぶ。

ヘ，学校の近くの店舗から雑誌や学用品を盗む。

ト，無分別で腕力が強いうえ乱暴で2，3人の強い男生徒を除いては級友からこわがられている。

以上学級担任の先生から問題の概要をきき，去る9月から指導を始めた。

2，訪　問

イ，学校訪問……7回
担任との面接……7回
A君との面接……3回

ロ，家庭訪問……16回
母親との面接……8回（11回たずねたが3回は留守で会えなかつた。）
父親との面接……5回
A君との面接……6回

2，家庭環境

1　小学校4年の2学期までの家庭

父（35才）母（34才）A君の生後1ケ年で離婚それ以来小学校4年の2学期まで母親のもとで養育される。母の仕事は軍作業で金銭的には相当裕福で瓦ぶきの家とラジオ，テレビを備えている。A君の欲しいのはなんでも買い与えているにもかかわらず母親の留守の間に家の金品を持ち出したり，近所の店から物を盗んだりして近所からの苦情は絶えない。A君の悪事が発覚すると母親はまるでそれに対する自分の怒りをぶちまけるかのように叱責やこごとをならべ，革のバンドでぶつたり，脚に薪をはさんでさらに薪の上に座らせたりひどい折檻をやつている。A君はその都度父親のところで難をのがれる。2，3日して母親が連れ戻す。母親は11月頃から外人と同棲している。

2　現在の家庭環境

父，継母，継弟２，継妹１，A君の６人家族である。

3，問題行動の原因

1，家の金品を持ち出して他の子どもたちに見せびらかしたり与えたりすることは母親の愛情に対する欲求不満であり，物を媒介して自分を愛してもらおうという態度であろう。学級でみなの関心を集めようという態度は級友たちがA君の存在を無視しているからではないか。

2，家の物を黙つて持ち出す悪癖はやがて欲しければ人の物でも平気でかすめ取るようになるのではないか。

3，家での母親の折檻は逆にA君にうそをつかせるように仕向けたようなもので，悪るさをしても正直にあやまらずうまく周囲の者をだますようにしている。

4，母親が外人を家に招いて接待する態度やみだらなまねはA君にとつて女の人はきたないものと極度に思いこませているようである。学級担任（女性）もきたない人の仲間でそこから反抗的な態度をとる。

4，指　導

1，学級担任に対して

イ，愛情にうえているA君を級友が暖かく迎えてもらう。

ロ，A君に適当な学級の役割を与え，仕事に対する責任を持たせ，自分でも人並にできるのだという成功感と誇りを持たし，A君の精神的昂揚をはかり級友にA君の存在を認めさせる。

ハ，家との連絡を密にして母親のしつけ方や考え方を改めてもらう。

ニ，A君の長所を見つけそこから指導の手がかりをつかむ。

ホ，先入観を抜きにしてA君の行動を観察する。

2，母親に対して

イ，A君の諸テスト（検査）や面接の結果を話し，A君が母親と外人との接触を嫌つていることを説得させて，父親のもとから通学させるようすすめた。８ケ月後母親が外人と同棲した頃，母親は彼を父親のもとから通学させるように決心した。

ロ，父親は日雇い仕事のうえ，子沢山で貧しいながら子供の教育には熱心な方である。継母も暖かい人柄で，お湯を沸かしてA君の垢を洗い流してやろうとする心遣いは実母にはみじんも見られない愛情の注ぎ方である。物資的には困つていても家族の者が暖かく寄り合い助け合つて暮らしている様子を見てきつと更生してくれると継母を激励してやつた。父方の生活にすつかり慣れたのだろうか。３学期から欠席も少なくなり女生徒いぢめもなくなつたとの学級担任からの連絡をうけた。まだ欠席がち（12月＝９日，１月＝４日）ではあるが家庭環境が一変したためか，しつけや学習をするのにふさわしくなつたとのことである。

この事例で特に親子関係や家庭環境が子どもの行動に非行としていかにあらわれるか，非行児や問題児は子供そのもの（人格）でなく，子供をとりまく家庭環境や人間関係か非行を生み出しているということを痛感する。　　　　（那覇連合区）

家出癖のH君

(14才ー男児)

訪問教師　大浜安平

1，経　過

小学校1年のときは順調に出校していたが，小学校2年のときに6年生の不良児と交際しだして盗み，家出の連続で，警察少年係，児童相談所などの世話になりどうし。

小学校3年のとき某私設に入園したが悪友に誘われて逃走。2回目のとき係職員になぐられたことで本人も実母も不満に思い退園。

小学校6年のとき政府立施設に入園させたが思わしくないので退園。3学期に某小学校に入学，卒業した。

現在中学2年に在籍しているが出校しても授業がおもしろくないし，不良グループとの関係が固くなる一方で非行回数も多くなり，悪さもひどくなるばかり。

出身小学校長の紹介で那覇区教育相談室を訪れた。

2，家庭事情

実母は20才のとき長女を生んだが夫を失い，長女が4才のとき外人と結婚しH君を生み，H君が3才の時，父親は米国へ帰国，6才のとき継父を迎え，6才下の妹を頭に5名の義弟妹がいる。

3，診　断

(一) クレペリン精神作業検査

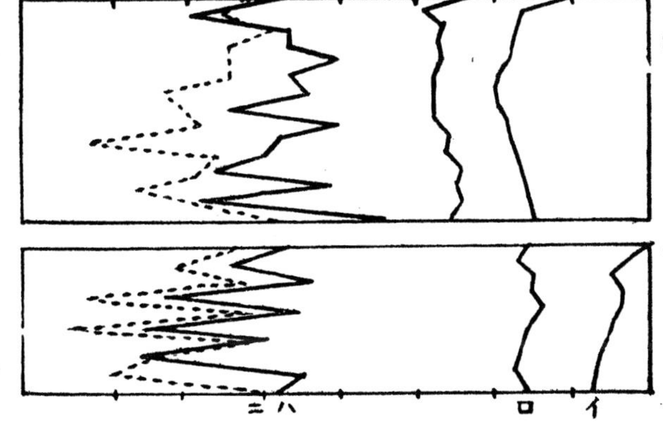

第1回（5月の第1回面接時）第2回（9月に実施）とも大きな動揺が多く，精神の緊張，弛緩が不規則（異常型）である。

このタイプは，お天気屋で気分が変り易く高跳的な夢を追う空想家，見栄坊でわがまま表裏があり，ウソをいう。落ちついて学習が出来ないから学業も不振である。

(二) ロールシヤツハテスト

ヒステリー症で情緒が未成熟のため衝動的で，情緒の統制が悪く欲求の直接的な満足に突進する傾向にある。知能は普通であるが，愛情欲求による適応障害が認められる。

(三) 色彩象徴性格検査

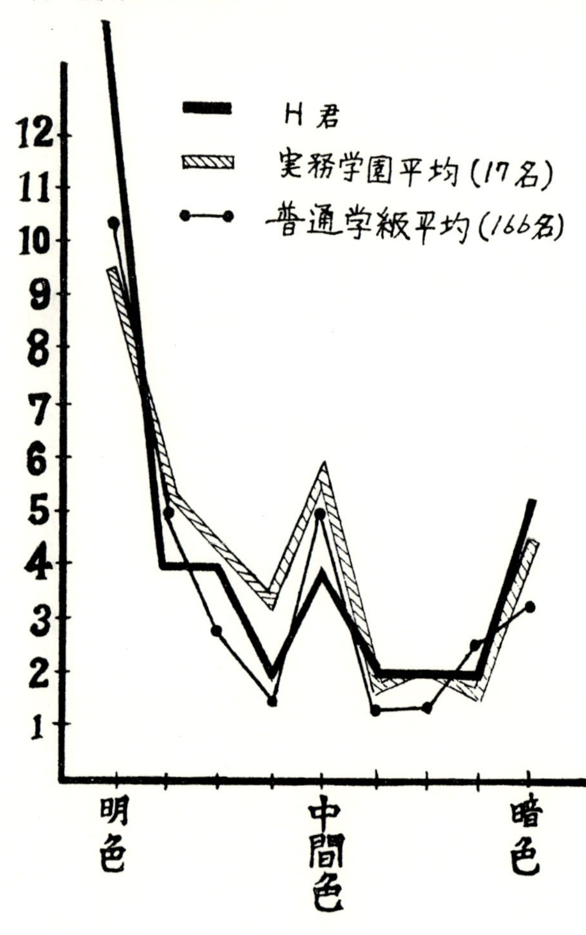

一般に非行児は，暗色の出現率が高いが，H君は明暗の対立が目だつ。このタイプは，神経質，ヒステリー性性格であり，反応時間も早く，感受性の強い子である。

人生と運命に対する態度，過去への態度（反省），自己自身への態度（劣等感），家庭に関する問題などに異常が認められた。

4，指　導

(一) 初回（5月）の面接で経過を知り，母に対しては親子関係診断検査を実施し，本人とは，学校のようす，友人関係などについて話し合つた。

(二) 第2回面接を一週間後に実施，クレペリン精神作業を行い，母親に対して親子関係診断検査の結果（干渉型，不安型）について注意した。また，クレペリンの結果について次のように考えられるので合せて注意した。

母親が見栄坊で口やかまし屋で，能力以上の期待をかけすぎる。そのため本人は，母のハツパが荷重負担で，物事をじつくり考えないし，作業もせかついて順調にできない。

(三) 6月は私が上京したため面接が出来なかつたが，7月になつて家庭訪問をし，家族的な態度で本人の趣味などについて話し合う。

(四) 1週間後にロールシヤツハ検査を実施。学力が小学校1年程度なので出校が困難であること。不良交友が完全に絶たれていないし夏休みも近いので，家から出ないで養鶏に専念しておくことを話し合つた。

(五) 精神的に落ちついたかどうかを調べるため，第2回のクレペリン検査を実施したが質的変化は認められない。

出校して問題を起すより，本人の適職を見つけ，勤労精神を養つた方がよいと考え，そのように話し合う。

(六) 11月から12月にかけて職場探しをし，某自動車修理工場に本人と共に求職相談をし，翌日から出勤する約束をした。

2，3日して，出勤していないことを知り理由を尋ねると，月20＄の給料ではバカらしいからいやだという（母親の話）

(七) 最近は非行を全然しないで，その点はよくなつたが，就職の件で難航しているが就職するまでは指導する必要がある。

5，感　想

学業不適応児の中学生は指導が困難である。無理に出校させると学校，学友に迷惑をかけるからである。また，彼らの勤労意欲は皆無であるから，そのまま社会に出ることは非常に危険である。

非行児の数は少ないが，しかし彼らの犯す被害は想像以上のものであるから，非行児をなくすることは，それだけ社会の経済力を高めることにもなる。

そういうことを考える時，沖縄の資本家や政府は非行児対策を真剣に考え，もつと力を注ぐべきだと思う。　　（那覇連合区）

青少年の非行防止に直接あたる政府内の諸機関　（22頁よりつづく） No.3

中央児童相談所

- 緊急保護を必要とする児童のために適切な保護の措置をとる。たとえば，棄子，迷子，家出児，急に保護者を失つた児童などを適切な児童福祉施設に収容し，あるいは，里親に委託して保護する。
- 保護者のもとでは，なんとしても適正に育成していくことが困難と思われる児童（精神薄弱児，身体障害児，非行癖児等）について適正な育成方法を保護者と考え，その実行を援助していくこと。そのためには，養護施設，ろうあ児童施設，し体不自由児施設，教護院等それぞれ専門の児童福祉施設を有効に活用する。
- 広い意味での児童の問題行為について，初期の段階において保護者に協力しながら直接に児童相談所の手で問題を解決し，治療する。

沖縄実務学園

- 児童福祉法の規定に基づく教護院であつて，不良行為をなし，又はなすおそれのある児童を入院させて，これを教護することを目的とした施設である。

（46頁へつづく）

青少年非行化の問題について

教育研究課　徳山清長

一、はじめに

青少年の非行は近年とくに著しくなりその数の増加以外に，その年令も低下して小学生にまでおよんでいる。この年令低下に加えて，犯罪や非行も，凶悪粗暴化し，かつまた集団化の傾向をしめしつつあることは大きな社会問題である。

- 。どうしてこのような非行や反社会的なことをしでかす子どもたちがでてくるのであろうか ―
- 。どうしてまた，その数が毎年増えつつあるのであろうか ―

この際，家庭も，社会も，学校も，この問題を真剣に考え青少年の健全育成のため，社会環境の浄化につとめるべき時ではなかろうか，

二、非行少年の実態（新少年法施行以降の警察局資料より）

〔資料1〕　非行少年のすう勢

		1961年	1962年	1963年
非行少年	犯罪少年	789	1,085	1,520
	触法少年	675	680	929
	ぐ犯少年	1,242	1,624	2,430
	行政犯違反少年	44	83	145
	計	2,750	3,472	5,024
	指数	100	126	180
成人犯罪者		3,589	3,763	4,515
指数		100	104	123

〃本資料の示さするもの〃

。1961年を基点として，少年非行の増加が成人犯罪者のそれよりも約60％も上昇し，低年令代の傾向があるということ。

。犯罪少年が約２倍に増加したこと。

。ぐ犯少年つまり罪をおかすおそれのあるもの，いわゆる不良行為少年が約２倍に増加したこと………であるがこのぐ犯少年について，不良行為の内容を警察局の資料でみると構成比率の上では，飲酒，盛り場はいかい，喫煙，家出，怠学，不良団加盟，不良交友の順となり，1961年を基点として，不良行為の内容の増加率をみると，喫煙，凶器所持，婦女いたずら，けんか，怠学，飲酒，不良交友，不純異性交遊，物品持出しの順になつている。

このような行為内容が増加の傾向にあるということは憂慮すべき問題ではなかろうか。

〔資料2〕　1963年刑法犯少年（触法少年をふくむ）

年　令	9才未満	9才	10	11	12	13	14	15	16	17	18	19才	計
人　員	30	42	99	143	211	404	230	317	233	181	239	320	2,449
層　別	小　学　生　層					中学生層							
%	21.4%					38.8%			39.8%				100%

〔資料3〕　1963年非行少年職業別調（犯罪　触法，ぐ犯少年をふくむ）

	不（未）就学	学　校　関　係				有職少年	無職少年	計
		小学校	中学校	高　校	大　学			
人　員	301	756	1,903	336	4	866	713	4,879
%	6.2%	15.5%	39.1%	6.9%	0.08%	17.8%	14.5%	

〃 **上記資料の示さするもの** 〃

◦非行の低年令化ということで，つまり義務教育課程の児童生徒が60％以上をしめているということであるが………

とくに，中学生層の非行化は，これら少年たちにとつて義務教育の最終の課程であり，やがては高校進学，あるいは勤労少年として社会に巣だつていくいわば基礎的段階ともいうべき重大な時期であることに留意し，その補導にはとくに慎重を期する必要があろう。

〔資料4〕　1963年度刑法犯少年の集団犯の状況

犯別／罪種別	件数計	単独犯		共　犯		備　考
		件　数	%	件　数	%	
凶悪犯	95	57	60.0	38	40.0	殺人，強盗，放火，強姦など
粗暴犯	264	181	68.5	183	31.5	暴行，傷害，脅迫，恐喝など
盗　犯	2,200	1,354	62.0	846	38.0	ぬすみ
その他	209	175	84.0	34	16.0	詐欺，横領，偽造，とばく，わいせつなど，その他
計	2,768	1,764	64.0	1,004	36.0	
本　土	287,068	211,586	73.7	75,482	26.3	

〃 **資料の示さするもの** 〃

∘罪種別にみて，盗犯が犯罪件数の約80％をしめているということ。

∘共犯が本土よりも約10％も上廻つており，犯罪の集団化が本土よりも強いということ。

………であるが，犯罪行為が，グループによつて，言葉をかえていえば，組織化へつながる可能性からとくに注目すべき問題であり，善良な少年たちが，これらにまきこまれる危険性もないとはいえないであろう。

三、非 行 の 原 因

これらの犯罪や，ぐ犯，いわゆる不良行為少年は，何が原因，動機でこのような行為をしでかしたのでしようか。これらの原因や一動機は決して単一のものではなく，いくつかの遠因または要素が複合して，このような不幸な結果を招いたものと思われる。

警察局の資料でその原因，動機をみると家庭的原因，でき心，小使銭ほしさ，悪友に誘惑されて，性癖（つまり性格的欠陥），遊興費ほしさ………の順に頻度が高い。

この家庭的原因をさらに分析すると，家庭の放任が87％で，家庭の厳格，家庭の不和，その他の原因等で13％をしめている。子どもの非行や反社会的行動，非社会的行動，神経症をはじめ，家業不振など多くの問題行動の原因は家庭環境とくに親子関係にあるといわれている。ある心理学者は「問題行動の70％までは親子関係に問題がある」といつているが子どもの人間形成がいかに家庭の影響力をうけるかを再認すべきではなかろうか。

四、親子関係と人間形成

青少年の非行と関連して，社会環境の浄化ということがよく口にされる。たしかに社会環境浄化は，子どもたちの育つ場にふさわしいものでなければならない。

だが，子どもたちの成長は同一社会環境下にあつても，それぞれ異なつた成長をし，決して同一の性格，行動を示すものではない。

………このことは子どもの人間形成には両親を中心とする家庭の影響力が強く作用しているということを意味するものである。

例 え ば

よい環境条件下にあつても，父母が子どもを放任し，無視の態度をとつている家庭の子どもは素直に育つはずがない。または，その逆もいえることであろう。

このように考えてみると親の言動が子どもの人間形成にかなりの比重をもつているということがいえよう。この意味において〃親の態度〃が子どもにどううつり，どういう問題をおこさせるか…………参考までに資料を提示しよう。

子どものよりよき成長のために
反省する必要はありませんか

類型 ＼ 事項		親の態度	子どもに起こる問題
拒否的態度	消極的拒否型	子どもに対して無視，放任，無関心，不信用，悪感情，不一致感などの態度	注目牽引，乱暴，攻撃，心身の発達遅延，非行，神経症的傾向 その他多くの異常行動の一種類，あるいは数種類を起すようになる。
	積極的拒否型	子どもに対して体罰，虐待，屈辱，威嚇，過酷な要求，保護養育の責任の放棄などの態度	
支配的態度	厳格型	子どもへの愛情はあつても常に厳格，頑固，強制などの態度をとり，命令，禁止，批判でたえず子どもを監督している親のタイプ	意欲消失，希望消失，冷淡，無感動で生活を自主的に運営する能力に欠ける。性的不適応，現実面からの逃避，たえず劣等感，不適応感を抱きやすい。
	期待型	親の野心を子どもに強要する態度（素質，能力，適性，希望の無視）	
保護的態度	干渉型	世話やきすぎる親の態度	心身の発達遅延，依頼心が強く，忍耐力に欠ける。責任を転嫁しようとする。 社会的成熟におくれ，ひつこみ思案で孤独になりやすい。外界に対する恐怖，神経症的傾向におちいる場合もある。
	不安型	子どもの日常生活，学業，健康交友関係，将来の進路などに心配や不安をいだき過度の援助や保護をあたえるタイプ。	
服従的態度	溺愛型	かわいがりすぎる。必要以上にかばつてやる。	情緒的な発達が妨げられ，幼児的な特徴をあらわすことがある。少しの要求不満に対しても（泣く，わめくあばれる）などの態度，自己統制の欠如，自己中心的となり協調性なく，自立性創造性に欠け，抑制力に欠ける。
	盲従型	一切の権力を子どもにもたせ子どもの要求にこたえてやるタイプ。	
矛盾不一致的態度	矛盾型	子どものある行動に対し，ある時は叱り，ある時は見逃し，または奨励するような一貫性がない。	日常の行動のうちに少しの規則性も見出すことができず，たえず緊張を余儀なくされる。情緒的に不安におちいる。反社会的傾向にはしりやすい。
	不一致型	両親の態度が一致せず，子どもが両親から異つた取り扱いをうける。	二つの権威，二つの命令系統の間にはさまれ，非常に不安になる。反抗心，反社会的な傾向（非行をおかす子どもの中にはこの種のものが多い。）

五，非行化の早期発見

不良化傾向の行動的徴候としてつぎのようなことがあげられるが，これらは子どもの日常の行動観察に細心の注意をはらえば容易にとらえられることであろう。

- ことばづかいや態度が変つて，生意気になる。
- 服装が派手になる。
- 外出が多くなる。
- ウソを平気でつくようになる。
- 金づかいがあらくなる。
- 勉強や仕事を怠けるようになる。
- 持ちものに疑わしいものがある。（所持品がかわつてくる）
- 夕食時にも空腹を感じない。
- 手紙や電話に敏感になる。
- へんな友達が訪れる。
- 喫煙，飲酒を覚える。
- なお学級における学習態度にもおちつきがなく，注意散漫である。
- 根気がなく，あきつぽく，粗雑になる。
- 無口で陰気で時としてふくれる。
- 欠席，欠課，遅刻，早退が多くなる。

このような不良的行動徴候や問題徴候が目立つときには，まず，家庭においても学校においても特別な指導的注意をはらわなければならないであろう。

なお，心理テストの実施とその資料による総合的診断によつて，非行化の早期発見を容易にすることができ，それに利用されるテストとして，知能検査，学力検査，向性検査，性行検査，精神健康度診断検査，不安傾向診断検査，問題行動診断検査などがある。

さらに交友関係の調査などもおこなつてより望ましい関係に方向づけることも非行を未然に防止するのに役立つのではなかろうか。（早期発見以前の問題として）

六，指 導 と 対 策

このような不良的行動をとる子どもは，そのままにしておけば，より大きな問題をおこすようになるし，それがやがては集団化し組織化されていく可能性もないとはいえない。

とくに非行の低年令化は，幼少時の親の養育態度，つまり，家庭のしつけのまずさ，家庭教育の手ぬかりから，芽を出したものと思われる。問題をおこしてからさわぐのではおそすぎるので，問題をおこす前に，それをおこさない指導がより重要ではなかろうか。

以下家庭，学校，地域社会のそれぞれの立場から指導と対策について考えてみよう。

A 家 庭 に お い て は

- 子どもの一番力になるのは親であり家族であるという自信と信念をもつて，子どもを温く見守るということ。

。子をもつ親の愛情にはかわりはないが愛情過多になつたり，溺愛におちいつてはいけないということ。

。愛情の行きすぎから厳格にはしることもあるが厳格すぎてはむしろ逆効果になることに留意すべきこと。

。子どもに対して期待過剰になつてはいけないということ。つまり子どもの素質，能力適性，希望を無視して，親の野心を子どもに強要してはいけない。（子どもを充分理解することが子どもの成長に寄与する基盤になる。）

。子どもを甘やかしすぎて，子どものいうなりに要求をうけいれることはむしろ子どもの成長にマイナスになる。つまり，けじめある生活態度に方向づけていかなければならないということ。

。けじめある生活態度は，まず両親の一貫した養育態度を基調としなければならない。家庭生活が乱れ，両親の態度が不統一の場合，子どもはよりどころを見失つてしまうことになる。

。統計の上でもあらわれているように，子どもに対して，放任，無視の態度は厳に慎しまなければならないということ。要は家庭が常に円満で，子どもを中心とした明るいふんいきの場を構成するということになりはしないだろうか。このふんいきが子どもを非行から守る唯一のみちでもあろう。

B，学校においては

。学級づくりをとおして，望ましい人間関係を醸成する。

。生活指導計画を一層強化し，あわせて道徳指導の強化をはかる。

なお教育相談室を設置して，特に問題をもつ子どもの補導を強化する。

。日常の行動観察に細心の注意をはらう。

。家庭環境に関する資料をととのえ，とくに生育史については詳しく調査をしておくこと。

。家庭環境調査ならびに心理テストの実施と，資料による総合的診断をなし，問題の早期発見につとめること。

。全職員が常に協力的，有機的であること。（生活指導主任や担任まかせでは効果があがらない)

。関係機関との連絡を密にすること。

。地域社会の協力体制と援助を確立すること。（家庭との連絡を密接にし，地域と結びついた校外指導組織を強化する。）

。学校内外（とくに卒業生）の不良グループには常に目をくばり，善良な子どもたちがまきこまれないようにする。

。被害をうけた場合は早目に受持の先生にとどけでるようにしむける。（届出をしなかつた子どもが，腹いせに非行をおかした例もある。）

。児童生徒会等を一層強化し，非行問題について，児童生徒自身の自覚をうながすこと……などが非行化対策につながるであろう。

C，地域社会においては

- 。学校と密接な連けいをとり，校外生活指導の徹底に協力する。（P・T・A会への皆出席運動ならびに父親の積極的参加）
- 。教育隣組の組織を強化し，子どもの養育問題について話しあう機会をもつ。（教育懇談会など）
- 。自分の子どもさえよければという考え方でなしに，みんなの子どもが将来のにない手であるという気持で，お互いに見守つていく。（とくに問題をもつ子どもは周囲の人々から冷笑され，敬遠，追放されがちであるが，むしろ温い気持で善導に協力することが必要である。）
- 。子どもの健全娯楽施設を考えてやる。（子どもの遊び場，その他レクレーションなど）
- 。不良マスコミ対策に全面的に協力し，地域社会の環境浄化に努力することが大切である。

七，むすび

このような現状に対する方策としては，教育，社会福祉，警察，その他の関係行政機関の組織的な活動が必要であることは，いうまでもないが，それも家庭や地域社会全体の協力が得られなければ実効をあげることは困難である。

要は，＝次代をになう青少年を義務教育の課程に正しく守り育てること＝に学校も家庭も地域社会も全面的に協力しあうことが，青少年の健全育成と非行防止に寄与するみちではなかろうか。

青少年の非行防止に直接あたる政府内の諸機関　（39頁よりつづく）

石嶺児童園

- 。乳児（満1才に満たない者）を除いて，保護者のない児童，虐待されている児童，その他環境上養護を要する児童を入所させて，これを養護すること。

児童福祉司・社会福祉主事

- 。児童福祉司は児童相談所所属の専門のケース・ワーカー（個別指導員）であつて，児童の保護その他福祉に関するすべての事項について相談に応じ，専門的技術をもつて必要な援助，指導，助言等を与えて福祉の増進につとめている。
- 。社会福祉主事は，社会福祉事業法によつて設置され，主として福祉事務所において，生活保護法，身体障害者福祉法の第一線業務にあたつている。

社会福祉審議会児童福祉専門分科会

- 。行政主席の諮問機関で，児童福祉に関する調査審議，諮問に対する意見具申を行なう。

（57頁へつづく）

ー父兄の方々に読んできかせたいー

反抗期における子どもの心理と取り扱い

田中教育研究所所員
品　川　孝　子

子供は成長するために三つの反抗期を迎える

子どものしつけについて考えます場合に２つの大事な面があると思います。

１つは家庭の中の親子の心の交流がどういうふうであらねばならないかということ，親子の心の交流がうまくいかないと，問題児と呼ばれる子どもができてしまいます。統計的に見ても，親子の関係で問題をおこしたのが，80パーセントを越しています。

他の１つは，子供のしつけは，発達の段階に応じて行うということであります。この発達段階に応じて行うしつけの中にも，その時期というのが一番大切なのです。

しつけの時期とは，ある年令であることをしつけるということでございまして，もしそれを怠れば次の発達の段階に来た時，それがつまづきとなります。だからしつけは，ピリッと計画的に一定の年令で果さなければならない。そういうしつけるところの課題を果していくというのが，おとなの大事な責任です。その点，アメリカでは，なかなかよく研究されています。その研究書を見ても発達課題という言葉がよく使われています。

発達課題とは発達に応じた課題があるということで，年令に応じた課題を学校の教師はもちろんのこと母親もぜひ知つていなければならないわけです。子どもが問題を起した場合，しつけがどうもうまくいかなかつた場合，今申し上げた２つの面に問題があるのではないかと，われわれは考えなければならないと思います。重ねて申しますと，１つは当然果たすべき課題が過去に果たされてなかつたのではないだろうかということです。

子ども達の発達段階の中で一番親が苦労する時，または子供の側から見まして，最も大事だと思う時期とは，いつたいいつだろうか，ということですが，これは普通，反抗期と呼ばれている時期です。アメリカのケゼル博士の調査によつてもそれが確められています。その調査によれば，たくさん子どもを育てた母親に「あなたが長い年月，子どもを育てた間に一番苦労なされたのは何才頃でしたか」との質問に対し，① ２才～３，４才 ②中学生とこの二つの解答が得られています。

つまりこの二つが反抗期なのです。反抗期の子どもをお持ちのお母さんは例外なく，子どもの問題で手をやいていらつしやると思います。ところが専門家から見ればこの二つの時期は，子どの成長が最もめざましい時期なのです。だからその時期の取扱いを慎重に，誤まりなくやつていただきたいと思います。

今二つと申しましたが，しかしこの二つの間に小学校３，４年生という大事な時期があります。この時代のことをギヤング時代といいます。この時代も著るしい発達をする点反抗期とよく似ているので，私は反抗期と呼んでいます。

反抗期は成長期

学者によつては多少意見が違うようです。２つだけしか考えないという人もおれば，反抗期そのものを認めない人もいます。というのは，子どもがその時期になつて反抗するというのは，子どもの一面で，反抗するだけとは限らない。もつとも多くの子どもは，その頃になりますと，とつぴな行動をすることがありますが，それを「反抗期」という一言で呼んでしまいますと他の子どもの特別な行動に対しまして注意を払わなくなる恐れがある。だから「反抗期」と呼ばないで「成長期」と呼んだらいいという学者もおります。

まあ，そういう意見も１理あると思いますが，しかし反抗期というのは大変一般の方に使われ慣れた言葉なので，今更変えて呼んでみても，どうもぴつたりしません。だからそのまま反抗期と呼んでいただいて結構かと思われます。そのかわり反抗期というものの内容を正確に御理解いただきたい。ただ反抗する時なんだという一方的な解釈をしていただくというのは，危険だという感じがします。

またお母様方には，反抗期というのは勝手に起つてくるものだと思つていらつしやる方がおりまして反抗したら，もう反抗期なんだとおつしやる。

「先生，うちの息子は反抗期らしいんです。ずーっとそうなんです」とお母さんがおっしやる「おいくつですか」と聞くと「今２３才ですが，考えてみるとこの方ずつーと反抗期なのです」と，こういう長期方の反抗期はありません。反抗期というのは必ず成長している途中にあるので，成長が止まつてしまつた成人の場合には反抗期とはいわないわけであります。また一面一定の期間を過ぎてしまいますと一辺にケロツとなおつてしまうという特徴を持つています。

誰かが「長いはしかと思えばいいんでしようね。」なんておつしやる。そう思ってもいいほどにこれはどうにもならない時期があると同時に，自然とおさまる面もあります。これに比べて問題行動としての原因のある反抗というのは，そんな簡単なことでは，おさまりません。その変り又時期を待たなくても，うまい具合いにその原因を取り除くことが出来れば，いつでもピタリとおさまります。そういう点では反抗期の反抗と一般の子どもの問題行動としての反抗とは大変違います。

三つの反抗期というのは，どれもよく成長するという共通した要素を持つています。子どもの成長というのは，同じ成長率で伸びているのではなく，急激に伸びて来る時，それ程でもない時，また逆戻りしているかと思われるような時と，それぞれ成長には非常に波があります。

子どもが反抗期を迎えたら

それでもいろんな角度から検討してみますと，全体的に伸びていることがわかります。

それで大変急激に伸びてくるという時に，おとなの方もそれに応じた取扱い方をして下さればいいのですが，去年みたいな調子で大きくなるだろうとか，おとといしも，去年もあんな調子だつたから，今年もまたこの位なんて見当している。その見当がしばしば，はずれたというのが反抗期です。この反抗期に子どもは，非常に強い，独立心，つまり自分で何でもしてみないと承知しないということと，〃自分が，自分が〃という自意識が特に伸びます。

よく言われます，子供の独立心とおとなの保護の手というのは，ちようど，反対の関係にあります。子どもの成長率が30％だとしたら，おとなの保護の手は70％必要となります。こういうふうにバランスがとれていなければならないが，急激に子どもの成長が高まることによつて乱れます。その時おとなの方はすぐ手を引けばいいのですが，ぼやぼやしているのでおとなと子どもの衝突が起ります。

ですから独立したい子供と依存させたいおとなとの衝突だということで抱き合う反抗期のことを依存と独立のアンバランスと呼んでいるのですから，おとなの方が心得ていて，そこでさつさと手を引いてやればそれほどひどい衝突は起らないのです。

こういうことを知つていて下さるお母さん，お父さんは非常に理解のある方たちです。それでもいくら理屈でわかつていても，いざとなるとなかなか思うようにいかないというのも不思議なことだと思います。

子どもの反抗期は　身近な親が気付かない

たとえば，自分の子どもが反抗期になつたかどうかということに気がつかないお母様方もたくさんいます。

中学生ですと，まず第二次性徴の発達が見られたら反抗期と思いなさい。青年期になつたと思いなさいといわれています。第二次性徴というのは，女の子ですと乳腺の発達とかメンスが始るとか，男の子ですと声変わりがするとか，ひげが生えてくるというような男性と女性の二次的な性の差なのです。

ところが，この二次的性徴は，1番親しい人が最も知りにくいという面がございます。と申しますのも，私の所へ相談に参りますお母さん方のほとんどが，息子の声変わりさえもわからないのです。いつも一緒にくらしているとわからないものですね。かえつて隣のおばさん等の方が「アーラお隣の息子さん声変わりしたらしいのよ」と噂話をしていらつしやる。本物のお母さんの方は「なんだか変な声をだしているね。この頃は」なんて言うのです。ですから反抗期なのか。そうでないのかということを一番知つていてもらわなければならない親が案外気付かないことが多いのです。その点人間関係というのは非常におもしろいと思います。

最初の反抗期の特徴

で，この三つの期間に非常に強い独立心が高まつてくる面ではまつたく同じです。それでもそれぞれ年令が違うように何が成長するかという面では違います。第一次反抗期はだいたい2才～4，5才と小学校の 3，4年生の時期で，第二次反抗期が中学生の時期だといわれています。この第一次反抗期2～4，5才までの子どもはいつたいどういう点で独立したがつているかと申ますと身体的な独立だといわれています。

体の自由がほしいのです。ちようど2～4，5才までの子どもというのは，運動機能の基礎ができてまいりますので，目がさめている限りは暴れています。おとなのように，余力を残してなんていうコントロールがきかないので，ギリギリいつぱい暴れて，寝むくなるとすぐに寝てしまいます。

アメリカのある人が子どもの動作そのものを真似てみた人がおりますが，二，三時間でくたびれちやつてとてもおいつけなかつたとのことです。それくらいこの時期というのはエネルギッシュですから，おとなから見るとたまらなくなります。

あんなに暴れて疲れるわ。ケガするだろう。それがお母さんになると，着物がよごれるだろう。もうちよつとがめつく考えたら着物やたたみがすり切れるし，被害甚大ということになる。そこで常に「おとなしくなさい。おとなしいのがお利口さんよ」なんていう。

ところが発育の面から見てこの時期というのは，運動機能がうんと伸びなくちやいけないし，また鍛えなければならないのですからあまり「お行儀よくきちんと座つていらつしやい」なんてことはいうべきではない。十分あばれさせていただきたいのです。もちろんお行儀だつて教えて下さつて構いません。でもそのために静かにさせるということは間違つています。

もし反抗期がこなければ

沖縄のお母様方はどうか知れませんが，内地のお母さんの間で「お宅のぼちやんはおとなしくていいお子さんですね」という言葉がよく使われます。これを外国人が聞くとへんな感じがすると思います。と申しますのは，おとなしいというのは，子どもの場合はあまりいいことを意味していません。専門的にみますとだいたいおとなしいというのはどこかに欠陥があります。たとえば精神薄弱とか身体虚弱，それに意志薄弱と，どこかまずい，この三つのタイプというのは反抗期がないのです。

反抗期のない子というのは，今申しましたように知恵の発達が遅れて，自意識が高まらない。それから身体虚弱でファイトのない子，それからもうひとつは意志薄弱でおとなしい子なのです。先生やお母さん方に「おとなしくていい子」なんていわれるのは，たいしたことはないのです。かえつて「あの子では大変てこずりました。きかん坊で」というような子どもが，たいてい社会へ出た時，何か役に立つてくれます。というのはそれだけ意欲もあるし，ファイトもあり，またエネルギーもあつて「何くそ」というところがあるのです。

ですからおとなしい，いい子なんて反抗期もあつたかないか全々苦労もなくて御飯だけ食べさせたら大きくなりましたというような子は，一生すねをかじられる恐れがあります。ですから若いお母様に申上げますが「御苦労におあいなさるでしようけど，それもいずれは大変な楽しみに変わる」ということです。

あるお母さんが子どものことで隣の奥さんとけんかして大変恥かしい思いをしましたなんておつしやる。子どもというのはよくけんかするのが普通なのですから，いちいち子どものけんかでかつかつとしないことです。子どもというのはけんかしながら成長するのです。そういう訳で，この時期の子どもは，ものすごく暴れます。それを十分暴れさせて下されば問題はないのですが，ついついおとなの方が止めたがります。

第一反抗期の
子どもの扱い方

あと１つの第一次反抗期の特徴として，〃自分が〃〃自分が〃という強い自意識が高まつてきます。小さいくせに自己主張をします。ところが言葉がそれほど達者でないのでたいていおとなに「こうしなさい」と言われると「いやー」というような調子です。それで始終「いや，いや」といいますから「いやいや時代」なんて世間では呼んでいます。またこの時の子どもを持つていらつしやるお母さんというのはこれまた比較的若い。若いお母さんというのはお母さん自身も自意識が大変強い。それで始終小さい子どもと大きいお母さんがけんかしているというのがこの時期にあります。

これがおじいちやんおばあちやんですと「あゝそうかい」といつて子どもの言う通りさせて下さるので衝突は少ない。そのかわり，子どもの方も「あゝそうかい」といつて意地が通るで，ここで鍛えられるチヤンスがないんですね，それで非常に我ままつ子になつてしまつたり，ある意味では非常に意志の弱い子になつたりします。それでつい人生をそういうふうにあまくなめちやう，そこに問題があると思われます。だから孫とおじいちやん，おばあちやんの関係というものは表面的にはスムーズにいきますが若いお母さんですとそうはいまません。

ある知り合いの家を尋ねた時，玄関の戸を開けたら中からものすごい子どものなき声が聞えるのです。びつくりしまして飛び込んで行つて「どうしたの」と言つたら，お母さんが「当然しなくてはならないものをしないといつて泣いているんですよ」という。その子まだ２才８ケ月の女の子ですから税金を払う年でもないのですから「なんですかそれは」と聞きますとお母さんがいうに「今迄，まつ黒けになつて遊んでいるものだから，きれいに体を洗いましよう，お風呂へ入りなさい」というと「いや」「それじやお風呂の方はあきらめたから手を洗つてお夕飯を食べなさい」「いや」「じやお夕飯もお風呂もあきらめたからねちやいなさい」「いや」なんてテラスでひつくり返つて泣いているの」とおつしやる。

その格好はまるで山奥からぬけでて来た熊の子みたい。それから私は側まで行つて「こんにちわ」と言いましたらチラットと見ます。みましたら「おばちやんはあなたにいゝお土産を持つてきて上げたのよ」といつてビニイルでふくらませた大きな熊さんを見せた。

そしたら泣きながら時々みている。

私は「この熊さんをお風呂に入れて上げようと思うのよ」それでも「あなたもお入んなさい」とは言わない。なにしろ我が強いものですからそういつちやまずい。お風呂のふたを取つてお湯をかきまわしていたら彼女はちやんと来ている。

で，私が，熊さんをお湯の中に入れて「気持がいいの，そうです熊さんは気持がいゝのです」と言いましたら「私も入ろうかしら」と言つたのでとうとう私が入れる破目になりました。お風呂を出て私は熊さんの空気を半分ぬきました。「どうしたのかしら，熊さんお腹がすいたのね」「私もお腹がすいたの」そこで御飯を食べさせてやりましたら，その途中から，寝むたそうです。でパジヤマをやつとのことできせて寝かせることができました。

その後で，若いお母さんに「何も難かしいことじやないですが，二時間も泣かせることないじやないですか，所要時間たつた45分でしたよ」といゝましたらお母さんもさるもので「それは，当然でしようよ，あなたは専門家ですもの，私は素人です」そういわれてしまうとごもつともですけど，別に私は専門家としての技術を使つたわけでもないのです。

たつた１つの原則を守つたというだけです。それは，いつも命令しないということ，いつも子どもに選ばせてやることです。

反抗期の子どもをじようずに取り扱うには，彼等に自主的に選択させるということです。たとえばこの２才８ケ月の子どもですとせいぜい三つがわかれば最高ですので，「お風呂が沸いていますよ，御飯もできているのよ，眠むかつたら眠てもいいのよ，さあーどれにしましようかねあなたは」といつたらだいたい子どもはその中のこれといいます。ところがお母さんはどうするかというとたつた１つしか命令しない。まるでお母さん自身反抗期のようになんでも気分で判断して，がんとゆずらない。こういうお母さんのことを小児的性格の人と呼びます。

で，この時期の子ども達は，小児的性格の傾向があつて，自己中心なので，扱いにくいといえば扱いにくいのですが，心理構造が単純ですから，そのこつを心得ていればいたつて簡単です。

そういゝますと皆さんは「この時期の子どもは何でも自分で好なものを選ばせて，お母さんはそれで結構というような顔をしていなければならないのですか」なんておつしやる。そうとは限りませんもし万事そうだとしたら野放ずな子どもができてしまいます。

何といつて泣いたつて，またどんなにわめいたつてどうにもならないことがあるということを経験させてやらなければなりません。なぜかといえば，人間の道徳教育は３才から始めるといわれています。３才になりますと，物ごとがわかるようになりますので，その時に世の中には許されないことがあるということと，ごく基礎的な公衆道徳を教えます。こういうのをきちつと教え，もしそれが守られなかつた場合叱かつてよいのです。

たゞ最初から叱かるのではなくて，何べんも教えてよくわかつているのに，なおかつ守らなかつた時，そういう時は泣いたから許してあげるという必要はありません。人生はそうあまくないということをここで教えたい。そうしませんとずうずうしい子ができます。

第二反抗期の特徴

次にギャング時代ですが，この時代の子どもは感情的に独立します。つまり今まで子どもはお母さんと自分は１つのものなんだという感情，この同一化現象がこゝで解消されます。そして今度は友達と１体だという感情を持つてきます。そこでギャングの仲間ができます。これが固く結束します。だからこの年令の子どもに「きみ，きのうは何したの」と聞くと「僕達ね」といつも言います。

複数になるわけです。そしてお互いにかばいあつてお母さん達なんかどうでもいゝということになります。その理由の１つは子どもに批判力が伸びたことによります。それが大変伸びてくると自分の書いたものとか作つたものにむけられます。ちようど２年生の２学期頃，子ども達は自分の書いた字が気にいらないといつてゴシゴシ消して書きなおしている。それを学者は「ケシゴム時代」と呼んでいます。

ところがこの批判力が３学期になりますと他人にむけられます。そして大変つげ口が多くなります。他の年令のつげ口と異なりその数は大変多いので，それにいちいち応じているとノイローゼになつちやいますのでその場で適当に扱つて下さつて結構です。

そして３年生になると同時にガタツとかげ口の数は減ります。上級生になるとつげ口も内容を問題にしてきますのでその時おとなの方でとりあわないと子どもの批判力が鋭くおとなの方へ向けられます。

そうすると「うちのお母さん偉い人かと思つたがとんでもないね，お父さんもいゝ人だとは思つたけどいゝだけだつたよ」ということになります。おとなの方は威張つたつてだめです。ところがそういうふうに見抜かれたと感づくお母さんは少ない。親というものはそういう点では純感ですね，いつまでたつても子どもの上に絶対の威力をもつて君臨していると思つている。とんでもない考えです。いつまでも君臨し続けられるものではありません。

私 の 失 敗 談

私もその点失敗したことがございます。私のラジオ放送を聞いたよそのお子さんが家の子どもに「あなたのママの放送聞いたけどなんてステキなママじやないの，あんなに子どものことをよく解かるママがいたらほんとにいゝと思うわ」と言われたそうです。「それであなたはどういつたの」と子どもに聞きますと「ママね，あたしついほんとの感想をいつちやつたの，あれだつて放送ようの話なのよ，普段用は別にあるのよ，普段用だつたらどこのママも変らないわよ，嘘だと思つたら見にいらつしやいよ」（笑声）　と答えたそうです。そしたらその子はうれしそうな顔して「それでは家のママだつてまんざらでもないわね」といつて帰つたそうです。（笑声）

私は何をけしからん子がと思いまして「ママはそんなに言つてることとお家でやつてることと違うの」と言つたら「私だつてママの話を聞いたことがあるんだけれども，言つてることの十分の一しかしてないわよ，ママはこういうふうにやりたいという話をするんであつて，こうやつていますよという話をするのじやないのでしよう」といゝます。

私が，皆様に申し上げていることは，私が失敗したようなことを，どうぞ皆さんが失敗なさらないようにと思つて申し上げていることが多いのですが，子どもが聞くと，ママはいつもこうしたいといゝながら実は私達にいくらもしてくれないじやないかと感じるのですね。

男の子の特徴

こういうようなことがわかつてくるのが小学校の真中頃ですから偉そうに威張つても全々だめです。よく欠点を知つてますので余計ばかにされるだけです。だから子ども達はお母さんの側へは寄りつかなくなつてきます。お母さんよりも一番大事なお友達の方へ行つてしまいます。そしてギヤングの仲間が出来上ります。女の子にはあまりそういう傾向はみられません。そして男の子の場合は仲間が固く結束します。こういう時期から男の子は女の子と違つておつき合い第一というところがあります。そして非常に友情に厚くどんな犠牲を払つてでもお友達のためにというところがあります。

秋になると東京の住宅街で柿とか栗をならしているお家があります。必ずギヤングの仲間がねらつてとります。まずその中のひとりが「あそこの家においしそうな柿がなつていたよ」というと「よしとろう」と意見がまとまつて，どろぼうが出来上がつちやう。だからギヤングという名がつけられます。ギヤングというのはそういうところからきたようです。

もしひとりがつかまつて運悪く叱られた場合，皆でかばつてやります。「この子だけが柿を盗つたのじやないのよ，この子だけが悪いのじやないから叱るなら僕達を叱つてくれ」なんて友情の厚いところを示します。この時の子ども達の結びつきを通していろいろな人とつき合う知識とか技術というものを身につけます。だからこのギヤングの仲間に十分もまれるということが大切です。

もしこのギヤング時代に勉強ばかりしてますと，大きくなつて面白味のない人間に育ちます。確かに子ども達にとつて勉強するということも大事なことですが，長い人生を見た場合，どつちかといゝますと遊ばせた方が大きなプラスになるだろうと思います。

第二の反抗期に
友だちをつくつてやろう

勉強は生きている限り続くのですから，いつでもやろうと思えばできます。ところがお友達揃つて遊ぶなんてことは，いつでもというわけにはいきません。それで恐いのは，このギヤングの時期にお友達をつくらないと青年期になつてもお友達はできず，孤立してしまいます。

こういつた孤立した青年期の子どもというのが困難に会つた時に話相手がなくて自殺してしまうことがあるのです。

話し相手になれる親友をつくれるような下準備がギアングの時代に養われます。そういう意味で子ども達が，お母さんの元を巣立ち，友達の中で感情的に自立するということに意義があるということです。ある学者は子どもが親元を放れてお友達の中へ入つて行つたときは「あゝこれで子どもも社会人の雨戸を開いて出ていつた」とお赤飯でもたいて喜びなさいと言つています。

第三の反抗期の特徴とその扱い方

次に中学生の反抗期となると，どういう面が独立するかと言いますと全面的に独立します。ただこの連中が独立するのに気がつかないのが親の方です。「まだ，あんなのが独立するはずがないでしよう」と思つている。実際またそうです。

人間の子どもが独立するというのはそんなに早くはありません。これは文化の低い原始民族ですと，うんと小さいのが，ちやんと１家の主になつています。けれども文化のレベルが高くなると，子ども達の独立性というのは遅くなつてきます。というのは準備に要する時間が長くかかるからです。高い文化を吸収して始めて１人前になるのですから，子どもを独立させることを急いではいけません。

もう１つ，中学生の反抗期の子どもは，ギヤング時代と違つていろいろな手を使います。１人の子どもである時はお母さんに食つてかかつてやりこめちやうし，またある時は黙つてしらん顔して口もききません。そして言うときといえばそれこそ憎つたらしい口を聞いて悩まします。そんな訳で取扱うおとなの方もいろんなことを心得ていないと失敗します。

ところが，あまり反抗されないように，おっかなびつくりなさるというのも考えものだと思います。と申しますのも，反抗することによつて，意識を高め，独立心を呼びさまし，おおいにファイトを燃やして，人生に対しこれから闘つていく力をそこで養うのです。

ですから反抗したら柳と風とうち流して，なんて接していたら子どもは非常に弱くなります。それよりも，こちらも〃何くそ〃という顔をしてそれに抵抗してやつて下さい。そうすると子どもはかんかんになつて怒ります。それを何度もくりかえしておりますと負けてなるものかという気持が子どもに植えつけられます。

まあそういう点では，反抗期がなければいいとか，じようずに取り扱つてなるべく沈めてなんていうのは考え違いじやないかと思います。適当に相手をして下さつておおいにファイトを燃やさせていただきたいと思います。

なぜ反抗するか

では，どういう時に腹が立ち反抗したくなるかと調べて見ましたら次の三つの解答が得られました。

1，1つはお母さんがおとなと認めてくれず赤ん坊扱いにした時

2，才能を認めない時

3，お母さんがあんまりうるさい時

こう申しますと皆さんは「中学生というのは，1人前にはなりたいし，おとな扱いはされたいし，またうるさいのは嫌うし，知能も高いのだから，そいじゃ放つておいて好き勝手にさせましよう」とおつしやいます。

確かにそう思つて下さらなければならないこともあります。よく言われますが，下宿願望というのが，中学生にはあります。それは自由を求めているのです。彼らは，それぐらいおとなの圧力を感じています。そして一方では，その癪にさわるお父さん，お母さんをことごとくからかつてわざつと困まらすような態度を取ることもあります。こういう茶目気な所もあります。それでかわいらしいと言えばかわいらしいところもあるのです。

子どもの肌に
じかに手をふれる愛情

もう一つ中学生で忘れちやいけないことは，あまえん坊の淋しがりやということです。ですから誰もいなくてお母さんがひとりで台所でニンジンでも切つていると，誰かが「お母さん」なんていつて背中に顔なんか伏せている。小さい子かしらと振り返つて見たら，ニキビ面の長男だつた。そのとたん「ああ，おまえかい。どうしたの、そんな大きいの，てれくさいですよ」なんていう。それはよくありません。やつぱりこういう時はアメリカ人のように「あっ，おまえだつたの，久しぶりだね」なんて抱いて，それこそなでたり，さすつたりして下さるといいのです。体に触れるというのは，ほんとうにいい愛情の証拠なのです。いくら口で「おまえ達がいてお母さんは，とつてもたのしいの」といくらいつてもだめです。何もいわなくてもそこに子どもがいたときソツとなでてやるというのが非常にいいのです。

このお母さんから独立したい気持とあまえたい気持の両極端の二つの面で独立したい気持を持つているのが中学生です。これが第二反抗期の生体なのです。

青少年の非行防止に直接あたる政府内の諸機関

(46頁よりつづく)

法務局矯正保護課

。保護処分及び観護措置の執行に関すること。

。退院及び仮退院に関すること。

。保護観察に関すること。

。保護司及び更生保護事務に関すること。

。民間における犯罪予防活動の助長に関すること。

沖 縄 刑 務 所

。管理部保安課,教育課において,少年受刑者の警備及び保安に関すること。少年受刑者の教科教育に関することを行なう。

琉球保護観察所

。犯罪者予防更生法の目的を達成するために設置された法務局所管の機関で,保護観察と更生保護及び犯罪予防活動の助長や社会環境の改善に努めるところである。

。保護観察は,あやまちを犯した者や犯すおそれのある少年たちに対し,自立更生の意志を持つよう,また再びあやまちを繰返させないように指導監督,補導援護を行うとともに必要あるときは,衣,食,住,医療や就職等についてあつ旋して健全な社会人となるように援助をする。

〔保 護 司〕

。社会奉仕の精神をもつて,犯罪をした者の改善及び更生を助けるとともに,犯罪予防のため世論の啓発に努め,もつて社会の浄化をはかり,個人及び公共の福祉に寄与することを使命とする無給の公務員である。

(行政主席から依嘱される)

琉 球 少 年 院

。少年院は,家庭裁判所から保護処分として送致された者を収容し,これに矯正教育を授ける施設である。

。少年院の矯正教育は,在院者を社会生活に適応させるため,その自覚を訴え紀律ある生活のもとに,教科並びに職業の補導,適当な訓練及び医療を授けるものとする。

琉球少年鑑別所

。少年鑑別所は,少年法の定めるところにより家庭裁判所から観護措置決定又は観護令状などにより送られた非行少年で満14～20才未満の少年を収容保護し,心理学,医学,教育学 .社会学その他の専門知識に基いて少年の資質を鑑別し,家庭裁判所の行う調査及び保護処分の執行に資することを主な目的とする施設である。

更生保護委員会

法務局の外局で,次の事務を行う。

。仮退院及び退院を許すこと。

。仮出獄の許可及び取消しに関すること。

。保護観察所の事務の監督に関すること。

警察本部刑事課

。犯罪の予防に関すること。

。青少年の犯罪防止。

。質屋および古物商の取締り。

各 地 区 警 察 署

。治安の維持。

。犯罪の予防および鎮圧。

。犯罪の捜査および被疑者の逮捕。

。各署の捜査課少年係では・少年犯罪の検挙に関すること。

。少年補導その他少年防犯に関すること。

―あ と が き―

。青少年健全育成強調月間運動第２週めの環境浄化週間を特集した文教時報第８５号を刊行した。

。家庭，学校，社会と子どもをとりまく環境で，教育上どれをとつても重要でないものはない。ところが子どもをほんとうに愛するおとなは，ひとしく今日の教育環境の持つ不純な面を憂えているにちがいない。しかもその原因の最たるものが，われわれおとな故である皮肉な事実をにがにがしく感じている。

。美しく住みよい環境をつくろう。といつた念願でこの特集号を学校はもち論，学校を通じて父兄のみなさんにもおとどけします。

。教育隣組の効果が高く評価されています。特に成功した中から２，３そのようすを報告していただきました。まだ結成されていない地域はぜひこの際，また既設の地域は，よりよい活動をとお願いしたい。

。教育隣組の組織や活動にはやはり学校の積極的指導が最も効果があるようです。

。特集号をＰＴＡ会，母親学級，教育隣組，父親学級，地域懇談会その他子どもの教育を語る集まりにはぜひご利用下さい。

。とくに品川孝子先生のご講演は放送するとか読んで聞かせるお母さんむきの適当なお話だと思います。

。座談会に御出席の上いろいろ貴重なお話をしてくださつたみなさん，また日頃の苦労を書き綴つてくださつた訪問教師のみなさん厚くお礼を申し上げます。

（登　川）

一九六四年四月十一日　印刷
一九六四年四月十一日　発行

文教時報（第八十五号）

非売品

発行所　琉球政府文教局調査広報課

印刷所　サン印刷所

電話（2）三六七九番

文教時報

86

No. 86

64／5

特 集
学力向上のための局長対談
教育委員会法一部改正を協議

琉球政府・文教局・調査広報課

もくじ

No.86　特集━┬学力向上のために局長対談
　　　　　　└教育委員会法一部改正を協議

学力向上のために
文教局長と対談

（答える人）……………………………………………………阿波根　朝　次

（聞く人）　全般的問題……………………………………徳　山　清　長

社　会　科……………………………………徳　山　清　長

国　語　科……………………………………黒　島　信　彦

算数（数学）科……………………………………喜久里　　勇

理　　　科……………………………………松　田　正　精

英　語　科……………………………………上　原　敏　夫

―はじめに―

学力向上に関する問題は，私ども教育にたずさわる者の瞬時も忘れてはならない問題である。このことがマスコミにとりあげられ，文教行政当局はもち論，学校現場でも真剣に考慮れつゝあることに意を強くするものである。

ただこと学力の問題はその不振を指摘して現象のみにとらわれて強調することは，真の教育目的から考えてむしろ大きな損失を伴うことなしとしない。

と言うことは学力を向上させるには，いろいろな面で手を加え，改め，実践することがあるということである。

ここではそのうちの一つ，学力向上に関して教科学習の面で，どのようなことに配慮し，かつ，つとめればよいかについて，関係主事と文教局長との対談の模様を公開することにした。ことわることまでもなく学力は社会，国語，数学，理科に限定されるべきものではない。したがつて学力向上のためと銘打つて話合つた５教科は単に時間的配慮とか，当課の事務の都合であることを十分理解して受けとつていただきたい。

以下の話合いは主として現場教師それも現にその教科を担当しておいでの先生方を対象としその日頃の実践に対して些か努力点を強調することによつて教科指導がより充実し，学力向上を期待したいという意味で話合われたことがらで，ひろく現職の先生方，また，学校経営の掌にあたる校長，教頭の諸先生方にご覧いただき，適切なご指導をお願いするものである。

―全般的問題―

徳山　最近学力向上対策の一環として，10分間テストとか，月末テスト（期末テストは別として）とか，市販のテストが各学校で（本土を含めて）実施されているようですが，そのことについてつまりテストの効果とか，限界ないしは弊害と思われる点について，お話し願いたいんですが，

局　長

テストの効果と限界と弊害について

テストの目的といえば，テストによつて児童生徒の学力の実態（学校，学級，個人）を知り，学校当局或は児童生徒の努力の効果がどの程度実を結んだかを知り，学習の到達度を目標に照らして，とらえるということであり，また，どこに欠陥があつたかを明らかにして，今後の実践の指針とするのが主目的ではないでしようか。

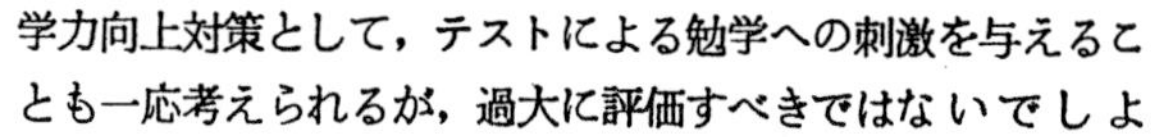
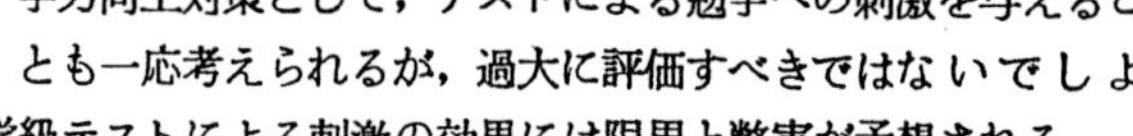
学力向上対策として，テストによる勉学への刺激を与えることも一応考えられるが，過大に評価すべきではないでしよう。全体テスト，あるいは学級テストによる刺激の効果には限界と弊害が予想される。
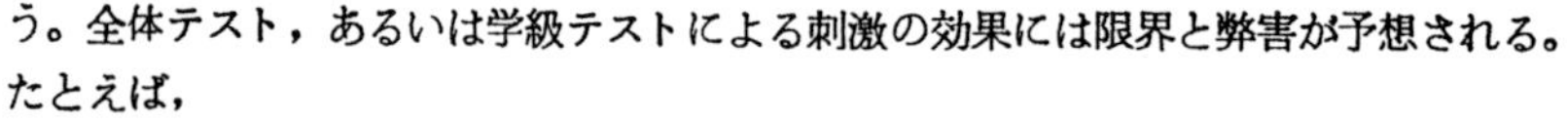
たとえば，

1，中以下の児童，生徒はダメだとあきらめて努力をしないとか，

2，努力しても上位になれないと劣等感をおこさせるとか，

3，ペーパーテストによつて測定される学力は記憶的な分野に偏り，問題解決的学力が十分には測定されないおそれもあるといつたことですが，もつともペーパーテストにおいても応用的な問題でテストが行なわれるときには，考える力（問題解決的学力といつてもよかろう）がついていなければ優秀な成績をあげ得ないことも見落してはならないと思います。

テストの効果については限界があり，弊害もあり，また，家庭学習の強化による学力向上は主としてドリル的学力（予習，復習を中心に）が中心になるだろうことを考えるとき，家庭学習の強化ももちろん，必要だが，これによる効果も過大に評価してはならないと思います。

だから学力向上の対策は根本的には学習指導法の改善に重点を向けるべきでしよう。

徳山　では学習指導法の改善について考えなければならない。ごく基本的な問題について，お願いします。

学習指導法の改善について

局長　学習指導法の改善については，およそ次のようなことが考えられます。

1，まず教科の本質に立つて，当該教科の学力の内容をなすものをはあくして，そこから学習指導法改善の具体的対策をたて，それを実践していく，その中には「考える力」を養うような指導法が当然考えられるわけです。

なお，この問題については，指導主事，校長，教頭等，指導行政に関係する者が，各教科について，具体的対策を豊富に持つていて現場実践者に適切な指導助言を与える必要がありますし，また各学校では各教科における年間の具体的な努力目標を立てる必要があります。

2，つぎに学習を興味あるものにすることです。（それには実験，実習，視聴覚教育，日常生活との結びつき，わかりやすい説明法のくふう，授業に変化をもたせることなどが学習興味につながる問題ではないでしようか？）

3，ドリル的事項については家庭との連絡を強化し，また興味化して，教師の非管理下においても，この単調な作業が行なわれやすいようにくふうすることも必要じやないでしようか，（例えば，級別テスト，級別練習問題集，努力目標の指示，リズム化など）

4，能力別指導法のくふう（プロクラミングー部教科の能力別編成，図書館利用，宅習問題の与え方のくふう，複式カリキユラムの研究等）

徳山　たしかに能力別指導法のくふうということ。つまり，単式の複式化ということが考えられなければならないと思います。このことは，知能検査と標準学力検査の結果をみてもはつきりいえることで，割に知能の高い子どもが，それ相応に学力がついておらず，知能の低い子どもが背のびさせられているようなことが相関図をとおしてもはつきりいえます。

このことは指導内容が50名の子どもに一斉教授がなされているために，まねいた結果だと思われます。

では，先生がおつしやる教科の本質にたつた「具体的対策云々の具体的対策とはどういうことか……1，2の例をあげて話していただきたいのですが。

局長　具対的対策とは，やる意志があれば，明日からでも着手できる程度に掘り下げたものと言う意味です。

―社　会　科―

社会科についてはどういう問題があるか

徳山氏

徳山　全国学力調査の結果からみて，学習がかなり平板的に取りあつかわれており，関係づけて思考するという面が結果的にうといように思われます。一つまり，歳史的事実を学習する場合は，たえず「いつ」か……の時間的流れに立つて考えさせ，その相互関係をよく理解させることが大事じやないでしようか。

そのためには年表を充分活用することが必要になつてくると思いますが。

年表をどう活用するか

局長　歴史的分野における年表の活用のしかたなんだが，歴史学習における年表の意義を明確にする必要があります。

つまり，

1，歴史学習において史実が混乱することなく，時間的系列の中に位置づけられるということで，そのためには，年表の活用ということが，より大事じやなかろうか。そこで歴史学習がより正確に行なわれると思うんです。

2，つぎに，問題解決学習の形で学習が進められる時，史実と史実がかなりな時間的巾で前後するために，時間的系列に混乱をきたして理解が混乱することがしばしばであるので，この混乱を年表の利用によつて防ぐことができましよう。

3，なお，日本史と，世界史との時間的関係が年表の利用によつて，はあくしやすくなるのではないでしようか。

徳山　そこで年表の効果的利用のしかたということが考えられなければならないと思いますが。

局長　そのことについてまず考えられることは，

1，年表は常に利用しなければ効果がない。ただ年表を常掲しただけでは時代観念が向上することは期待できないということです。

2，少なくとも，年表をとおして，一世紀に三つ四つの史実程度は基礎的知識として記憶させたいもので，これは数学における公式に準ずるものと思います。

3，そこで，学習中，史実は必ず年表上に位置づけることが大切です。

4，世界史と日本史との時間的関連づけにも利用するわけです。

5，また他教科において，歴史的事項を説く場合（美術史，音楽史，体育史等）は必ず年表上に位置づけて時代的背景を想起させた上で歴史的叙述を行なう。

6，小学校6年で歴史をまとめて学習する以前に行事表，誕生表を作る時すでに年表の予備学習が始まつていることに留意してほしいと思います。

7，なお，伝記を読むことは，人物が時代の大きな特色を表わし，時代の景観をはあくする要件でもあるので，基準図書をしめして読むことを奨励し，年表上にその人物を位置づけて読むように指導します。

8，視聴覚教材と年表を結びつけて，年表における各時代の時代景観を与えるようにつとめるとか，

9，巻末付録の年表を学習中にできるだけ利用させるよう心掛けるとか，

10，自作年表は学習の進むにつれて，学習事項を記入して行く指導も行ないたいものであります。

徳山　つまり，事象を正しく，時間的流れのうえに位置づけ，その相互関係を理解するためには，年表の活用ということが，歴史学習には是非必要となるわけですね。つぎに，地

理的分野についても，地図帳の活用ということが一応考えられると思うんですが，地理学習の面から一つお話願います。

読図力を高めるにはどうすればよいか

局長　そのためにはまず，読図力の内容を一応考えてみる必要があります。
つまり

- 記号がわかる。
- 二点間の方向と距離がわかる。
- 地形がわかる（色および等高線で）。
- 地図上で特定の地域または，地名を早くさがしだせる…といつたような指導。

つぎは，

二つの地理的事象の間の因果関係につき疑問を起し，地図をみてその疑問に自ら解釈を加える能力を養うということ。

たとえば

- 緯度，海流，地形と気候との関係
- 産業，交通，都市等が特定の地に発達し，または発達しない理由について考慮させることなど

徳山……ということはただ単に「○○地方は○○で有名です」式の平板的指導でなしに，「なぜ」…かという問題意識をたえず喚起して，地理的にも，歴史的にも具体化して，考察することが必要だということですね。では読図力を高める方法として考えられることは

局長

- まず地図を読ませる以外に地図を読む力を高める方法はないと思います。
- 授業中生徒所持の地図帳にたえず生徒の目を向けさせ，記号を読み，因果関係について，疑問を起させ解釈させるように努力することですね。
- 黒板の掛地図は生徒の席からは充分には読めないと思います。その利用は大体の着眼点を提示することにとどめ，自分の地図帳で調べさせるようにします。
- 都市，鉱山，学校，鉄道，神社，寺院，名勝，温泉，油田，河川，海流，土地の高低（山脈，平野）経度，緯度，縮尺，方位等について，生徒がどの程度記号を読めるかを実態調査して正答率を調査することも必要だろうし，またこの調査を数回こころみることによつて進歩の程度や実態を明確にはあくすることも必要でしよう。
- 記号の早見競争を行ない，特定の地名，地域を早くさがしださせるような練習も，地理学習に興味をもたせることになりはしないだろうか。
- 地図を描かせる（学習した大体の内容を）
- 立体模型を利用して，色分けまたは等高線による地形の表現を理解させる。

  たとえば

  等高線図から立体的景観を想像させる。等高線図から立体模型を作らせるなど
- 日本の県名，主要鉄道名，河川，山脈，県庁所在地や世界の主要国，主要河川，山

脈，海流，首府の所在地等を地図上で記憶させるなど……

- 時事問題について，地図上で説明する。また，関係写真を学級の常掲地図と関連して掲示する。なお時事問題の起つている地域を自分の地図帳で調べさせる……といつたことも必要ではないでしょうか。
- 南極，北極等の周囲の地域については南極および北極を中心とした地図または，地球儀を用いて，平面地図からくる誤解をさけることなども，指導上留意すべきことでしよう。

徳山　全国学力調査の出題傾向は，どの教科においても，分野，領域別にみて，大体同一形式で出題されています。このことは，問題作成の方針や問題作成委員のメンバーをかえてみても，できあがつた問題は大体同一傾向になるということは，どの教科においても基本になるものは，やはり基本であるということを裏付けているからでしよう。これまでの地理的分野における共通的な欠陥をひろいあげますと。

※　読図力がついてない。

例えば

記号や方位の理解が不十分であるとか等高線から地形の特色をはあくする力が欠けているなど

※　地名，都市名等が地図上にはつきり位置づけられて記憶されていない。

※　諸地域の特色を総合的に理解していない。

例えば

自然条件，気候条件，地域の産業の特色，ならびに交通貿易，都市の発達などの社会的条件について総合的に考察する力が欠けている。

※　気候図，分布図，統計図表ならびに資料等を関連づけて考察する力が欠けている。

※　その他地理的用語の理解が不充分……といつたことがあげられると思いますが，とかく地図帳の活用（白地図利用をふくめて）が十分なされていないことに起因していると思われます……

これらのつまづきを除去するためには，地図にしたしませることが先決ではないでしようか。

―国　語　科―

黒島氏

黒島　全国学力調査の結果にも現われているとおり，沖縄の児童，生徒は，一般に国語力が低いようですが，国語の力を高めるにはどうすればよいか，お話していただきたいと思います。

話の順序として，まず読解力を高める方法について話してもらいたいと思います。

読解力を高めるにはどうすればよいか

局長　国語の授業そのものについては，常識的な理解では具体的な対策はなかなか思いつかないので，周辺的な問題だけ

についてとりあげてみましよう。まず考えられることは，

◉課外の読書量をふやすことです。うすつぺらな国語の教科書だけで国語の力，とくに読解力は，十分に期待することは困難なことで，教科書による精読指導と並行して教科書以外の読み物をできるだけ多く与えるような配慮が必要だと思います。

黒島 そうですね。教科書は，学習指導上一つの資料としての手引書なんだから教科書を指導したからといつて読解力が十分につくわけでもなく，また，学習指導要領にある〃読み物に親しむ態度を養う〃には，まず，教科書以外の読み物をできるだけ多く与えるように努力することが必要だと思います。

では，そうするには，具体的にどういうことが考えられるでしようか。

局長 ◉まず，学校としてなすべきことは，学校図書を充実させること。そしてこれを有効に利用できるように指導することが考えられるでしよう。

◉つぎに，学校で購入した図書以外に，生徒が個人で買つて読み終つた雑誌や，その他の読み物を学校に寄贈させることによつて，読み物を豊富にそろえることにもなりはしないでしようか。

◉生徒が寄贈した読み物の中で余分の本や，学校で読み終つた不要な本は，連合区内で交換し合つたり，また，読み物の少い地域に送つて利用させることもよい方法ではないかと思います。

黒島 たしかに学校図書を充実させ，その利用についての指導をするのは学校として当然なすべきことだと思います。しかし現状では，学校図書だけでは十分とはいえないので，生徒個人の読み物を交換して仲よく読み合つたり，また，読み物の少い地域へ送つたりすることによつて，みんながお互いに国語の力を高めることができ，さらに，このような小さな親切をとおしてよりよい人間関係がつくられる。まさに，一石二鳥の効果をあげることにもなると思います。

局長 つぎに，校内掲示物ー学級掲示物をふくむーの効率化をはかるということですが………掲示板や，教室の壁を利用して新聞や，その他の資料を掲示して児童生徒に読ませるくふうも必要なことで，その場合，重要なところは，朱線を引いて注意をひくようにします。………ということは，注意を集中して「読む」「みる」というだけでなく，「要点をとらえる」訓練にも通ずることになりはしないでしようか。

黒島 問題は，掲示教育のあり方といいましようか。ー〃ただ掲示すれば〃すむという安易なものではないと思います。掲示される素材の必要性，重要性に目をむけ，その効果を十分に発揮させるための計画掲示がなされなければならないと思います。ただいま先生がおつしやつたように重要なところは，朱線を引いて児童生徒の注意をひくようにするとか，さらに，それについて話し合いをすることも必要だと思います。その他にも読解力を高める具体的な方法としていろいろ考えられると思いますが話題をかえて，子どもの発表力を高めるにはどうすればよいかについてお願いします………とくに，沖縄の子どもたちは，発表力が低いとよく言われますので………

発表力を高めるには
まず機会を多くつくること

局長　一つは，生徒がもつとも興味をもつて読んだ新聞記事を毎日一つづつ要点を記録しておいてＨＲで発表させる。

二つには，校内作文コンクールをやつて入選作品を学校放送で朗読させる。

三つには，卒業生で郷里を離れて就職している者に定期的に慰問文を出させるなど………

そのほかにも発表の機会をできるだけ多くつくつてやることが必要で，これらのことは，やろうという意志一教師側の計画も一さえあればすぐできることではないでしようか。

黒島　とかく，発表の力をつけてやるにはまず，数多く発表の機会を与えてやることが第一でしようね。

これまでの話は，主として読解力と発表力についてでしたが，他の分野について何かありましたらお話願います。

局長　「聞き方」の指導としては，全校朝会における校長の話や，伝達事項の要点をノートに記入させることも一つの方法として考えてみる。

それから最近の子どもは，戦前にくらべて漢字数は制限され，字画も簡単になつてやさしくなつているけれども漢字の力が弱いように思われるが，その力を高める方法として当用漢字の級別テストを実施したらどうでしよう。また，辞引競争も，辞書に親しませる一方策ではないでしようか。

黒島　どうもありがとうございました。

局長　私が今まで話したことは，国語の教師として当然知つていることで，それを確認してもらう意味で話をしました。

そして，さらにこれを実行してもらつて少しでも国語の力を高めてもらいたい気持から話したわけです。

また，これは，校長もその点について理解してもらいたいという考えから話したつもりです。

—算数（数学）科—

喜久里　全国学力調査の算数（数学）科の学力水準（平均点）が本土とかなりの落差がみられるが，調査結果を領域別にみた場合，〃形式算〃と〃文章題〃にかなりの落差があることがいえます。これらの技能を高めるための具体的な方法についてお話を願いたいと思います。

形式算の技能を高めるには
どうすればよいか

局長　(イ)　まず家庭におけるドリルを強化すること。

1　それには１年生から６年生までの教材を整数，

分数，小数ごとに加減乗除に分けて教科書の出現の順序に縦に配列し，これを横線で十等分する。

2　低学年教材から高学年教材へと十級九級……………二級一級と格付けする。

3　各級別の練習問題を作る。

4　各種ごとに当該級中の計算形式別に問題を作り級別テストを行なう。

5　合格者には級認定証（免許状）を与える。

6　各人は，次の目標級の練習問題につき家庭でドリルを行わせる。

7　家庭と次の目標級を連絡してドリルの促進を行わせる。

喜久里　先生のお話しの内容は，そろばんの級認定とにたところがありますが，たしかにこの方法では，子ども各自が自分のペースで進んでいけるし，また級認定証を与えることによつて成就感をあじわい，次の上級免許状を獲得するんだというファイトをもやしてくるでしようね。

家庭におけるドリル強化も重要なことと思います。計算原理を学校の限られた時間だけの教授ではどうしても理解の十分な定着は期待できないし，また限られた時間だけではドリルまではとても手がまわりかねると思います。その意味で家庭学習で可能なものは家庭に協力を求めるのも必要でしようね。

この場合家庭学習のさせ方が問題になつてくると思いますが，このことについてお伺いしたいと思います。この問題は算数（数学）科の問題だけでなく他の教科にも関係すると思いますが，

じようずな家庭学習のさせ方
根気よく励ます親の態度

局長　何といつてもお勉強の習慣をつけることが大事であると思います。習慣というものは小さいときに形成しておかないと大きくなつてからは，なかなか培いにくいものであります。そのためには，

まず子どもに規則正しい生活をさせる子どもと共に親自体も生活を整えることが大事でしようね。

子どもに勉強の習慣をつけるには親自身もそれにふさわしい生活をすることが肝要でしよう

寝ていて人をおこすな，の言葉どおりまずは親が率先して望ましい態度を示すことが大事でしよう。

次に勉強のしやすい環境を備えてやることですね，その他に子どもの勉強する意欲を高める〃ことに留意することです。

そのためには，〃ほめ方〃〃しかり方〃をじようずにすることも必要でしようし，他人と比較しないことも大事でしよう。

〃お兄さんをみなさい〃とか〃弟をみなさい〃〃友だちに負けるな〃といつた……他人と比較することは，意欲を阻害するばかりでなく，劣等感を植えつけることにもなりかね

ない。

喜久里　〃近ごろの子どもは勉強しない〃というようなことを父兄の間からよくききますがこれは子どもの側のみに責任があるのではなく，親自体も大きく反省する必要があると思いますね，顔をみる度に勉強やれやれいつているのが実状ではないでしようか，なぜ子どもが勉強しないかを十分反省して勉強しやすいムード作りを今一度考えてみるべきでしようね。

話がよこみちにそれましたが……次は沖縄の子ども達が最も抵抗を感じている文章題をとく能力を高めることについてお伺いしたいと思います。

文章題を解く能力を高めるには
まず基礎学力の充実を

局長　文章題をとくには次のことが十分できなければ解けないでしよう。

イ，まず文章がよめる（仮名，漢字）ということです。

- 仮名書き文を適当に区切つて読む能力がついているか
- 文章題をだまつて与えただけでは解けないが一度読んでやつたらとけたというならば，読むことにつまづいているといえます。漢字に仮名をふつたら，とけたというならば，漢字につまづいているといえます。あるいは仮名も読めない子どももいるでしよう。後者に対してはもつとも基礎的なものから指導し，前者に対しては文章題によくでる熟語をあつめて短文を作らせたり，意味を教えたり書き取り練習させたらどうでしようか

ロ，さらに国語的に理解ができるということ

- 主語述語関係のは握，指示代名詞のしめすもの等の理解
- AよりはBが10cm高いというとき高いのはだれかを，〃が〃〃は〃の助詞から判断させる指導。
- 〃その〃〃この〃が何を受けるかを判断するには，指示語から逆にたどつて名詞および名詞句を検討していくような態度を培うということです。
- 〃AはBの何分か〃，〃AのCに対する比〃〃Cに対するAの比〃，〃AはBよりCだけ高い〃〃BよりCだけAが高い〃等………これらの命題の中の，が，は，の，に，よりもだけ　等の助詞および，主語，述語等よりA，B，C間の関係をはあくさせるような指導が必要でしよう。

ハ，次に数学的関係がよみとれることです。

文章題における数学的関係は基本的には，$A+B=C$，$A-B=C$，$A\times B=C$，$A\div B=C$のような三数間の加減乗除なること，従つて文章題の数学的関係は二つの分つた数と一つの求める数との間の加減乗除の関係を発見させることであるといえましよう，その方法として，問題類型による方法，線分図，面積図，構造図等を画いて考察させる。…………問題類型によるは握のし方には，たとえば

買物は，単価，個数，総額の三つの数量が関与し，単価×個数＝総額の関係式より，

三数のうち，何と何が既知で，何が求める数かを知つて立式へ進んでいく。

動くものの問題として，速度，時間，距離の問題でも上記と同じ方法で立式へ進むことができましよう。

・線分図法とは，三数関係を線分で表わして数学的関係をはあくしようとするものです。

・面積図法とは上記の線分の代りに面積図を利用することです。

・構造図法とは三数関係を特異な形式的図法であらわして三数の間の数学的関係をは握しようとするものです。おのおの長短があるからいづれの方法をとるかは，問題により，子どもの発達段階，興味等によつてことなつてくるでしよう。

ニ，それから立式ができることです。

立式の能力を高めるためには，加減乗除の式から，この式で表現し得る文章題を作る練習（式→作問）をやらせるとか，また文章をよみ立式ができたらこの式から逆に元の文章題が再現できるかを，試みさせるのも，立式の当否を検討するための有効な方法かと思われます。

ホ，次に計算ができることです。

計算技能を高めることについては前に話したとおりです。

へ，次に答の単位がわかることです。

答の単位を誤らぬようにするためには(ハ)の数学的関係は握の段階で，〃求める数〃の単位を検討しておくことが必要であろうと思います。

ト，おしまいに検算ができることですね。

このことについては，ふだんの指導の際でも見落されがちですが，検算することは，単に答の正否を確めるだけでなく，自分自身の行動に責任をもつということも関連するし，答のだしつぱなしに終らず，是非検算するという態度も培いたいものです。

喜久里　従来どちらかといいますと，〃文章題に大きな抵抗があるんだとか〃〃ニガ手だとか〃いうことをよく耳にしますが，子どもが抵抗を持つと同時にわれわれ自体の指導法にも問題があつたでしようね。………1歩1歩段階をふまえて指導し，いづれの段階にツマヅキがあるかを診断し，そこから出発して指導しない限り，文章題に対する抵抗はますます大きくなるばかりでしようね。

文章題指導の一方法として与那原小学校の新里先生の研究や，山田小中学校の研究は，たしかに一つの示唆を与えていると思います。このような地道な研究がもつと現場にあつてしかるべきだと思います。

―理　科―

松田　たびたび全国学力調査の結果が引用されますが，調査報告書でみると，つぎのようなことが指摘されています。

1，全般的に実験や観察による理解や判断を要する問題のできがわるい。

2，実験，観察の指導法の改善が必要である。

3，管易実験器具の製作利用と，その具体的指導法の研究が必要である。

4，実験の方法あるいは，結果と原理，法則との関連をみる問題の正答率が低い。

5，理解の程度を実験結果と関連させてみる問題のできが悪い。

松田氏

……といつたことなどがとりあげられていますがこれらの問題を具体的にどう解決するかについてお願いします。

実験観察をできるだけ多く取り入れるにはどうすればよいか

局長　学習意欲を支配するものは興味でしよう，したがつて，実験観察をできるだけ多くとり入れることによつて，理科学習を一層充実したものにすることができるんじやないでしようか，

そのためには

1，まず準備実験を必ず前日に行ない，教室における実験の進行がスムーズにかつ能率的に行なわれるようにすることです。（実験時間の節約の点から）

2，次にカリキユラムの検討が必要です。それによつてとり扱うべき教材（A教材）と時間の余裕がなければとりあつかわんでもよいような教材（B教材）にふるいわけることです。

3，各単元で概略次のようなカリキユラムを作るようにすすめたい。

	A 教 材	B 教 材	備考及び留意点
副 単 元			

学習指導はA教材を中心に進めながら，時間の関係をみてB教材にもふれていきます。この間必要な実験観察をとり入れ，そのための所要時間の生み出しは，B教材の取扱いを加減することによつて行ないます。

なお

4，実験すべき事項を単元ごとに検討して，次のような表を作つて，時間の節約をはかるとともに，主要事項をおとさないように留意することも考えてほしいですね。

単元	教師実験（T） 生徒実験（P）	重要度 ◎ ○	実験観察の別 （E）（O）	実験観察の 内容
（例） 水	T	○	O	連通管
	P	◎	E	ろ過
	TP	◎	E	表面張力
	P	◎	E	アルキメデスの原理
	P	○	E	溶解度
	T	◎	E	蒸留水のつくり方

松田　つぎに理科の学習指導を効果的，能率的に進めるための留意事項についてお伺いしたい。

板書ならびに図表等の取り扱いについて

局長　イ，限られた時間内で複雑な図表を板書することは時間の浪費であります。この時間を節約することによつて実験，観察の時間が生み出せるからです。

ロ，それから教科書との連繋上できるだけ教科書の図表を拡大して一枚掛図等を作製することです。

ハ，複雑な図表は要点をつかんで平易化し細部は教科書で見せる。この際掛図は着眼点を示すのに用いることにします。

ニ，最後列からも図や文字が読めるように作図し，事前に線の太さや図や文字の大きさを実験検討してかゝります。

たとえば，

葉の断面の板書に6分かゝつたが，これをまえもつて一枚掛図等に準備しておけば，この6分をさらに実験の時間にあてられよう。膨脹係数，バイメタルの実験所要時間が各々2分余りであつたとの実験報告があります。このことは数多い実験観察を効果的に進める重要なことでしよう。

松田　ただ今のお話から指導要領に示された実験，観察の内容が多すぎて，時間が足りないと言う現場の声があるが毎日の教壇実践に対する反省の対象として再検討が必要だということですね。
それから実験等の準備や校内環境等についてお願いします。

実験器具の運搬片付けなど合理的に進められているか

局長　公開授業等で計画通りの授業が進められず整理の段階で時間切れとなり肝心なまとめが不充分であることが多いですね。このために生徒を参加させて行う準備や片付け等の組織と訓練が必要になります。

松田　なお理科環境の問題について，

局長　観察の為の設営（校舎内，校庭）及び自然観察についての地域調査を進め「地域の理科的環境素材」をカリキユラムの中に充分おりこんで指導計画が進められるような研究が必要でしよう。

松田　科学的思考力を伸ばすための指導について一つ，本主題については中央の教研集会で設定した統一テーマとして，1961年度より3ケ年も継続研究が進められ，新しい理科の学習指導に現場もかなり深い関心をもつようになりました。
これから実験，観察の教材取り扱いを中心にして，科学的思考を伸ばすにはどのようにすればよいかについてお話しをお願いしたい。

局長 (イ) 実験をやつてただ面白かつたと言うだけでは遊ぎに過ぎないでしよう。
実験をしたというためには実験の中から何事かを知り得たのでなければなりません，気付いた事をノートにとめるとか発表させるようにとか，またそのねらいについても充分考える時間を与える指導が大切です。

(ロ) 科学者が自然を研究し，発明家が発明するにあたつてとる態度や方法が科学的態度，科学的方法でこれを会得させることを理科教育は目指さねばならぬと思います。
それは仮説ー検証ー仮説ー検証の試行錯誤の過程をふむのが通例でしよう。

(ハ) 最も確率の高い仮説を立て合理的方法で検討するのには科学的知識が必要です。

(ニ) 仮説は帰納推理，演えき推理，類推，直観によつて立てられるでしようが，仮説が仮説に終つて検証を行なわないまゝに真実を主張すると独断になります。仮説の当否はさらに実験，観察によつて検証されなければならないでしよう。この点の指導を忘れてはならないと思います。

(ホ) 実験，観察させるにあたつては，その目的，ねらいを意識して行なわせる事が大切です。盲目的に実験指導書の順序を追うて目的も分らないまゝに機械的に作業が行なわれたのでは遊ぎに終るおそれがありますので，机間巡視の間に生徒が目的を意識しているかを確め，また気がついたことを言わせるように努力すべきでしよう。

(ヘ) 仮説ー検証はただ一回の試行で成功するとは限りません。生徒が立てた仮説が間違つていると分つていても，その検証の方法をくふうさせてその間違いに気付かせてさらに新しい仮説を立てさせた上で検証させながら結論に導くように指導することが必要です。

(ト) いづれの方法によるにしても仮説を立てたらそれを実証して見ようとの意欲をおこし，実証の方法をくふうし実行させるよう努めることが必要でしよう。

(チ) 以上の目的を達するには教室学習では不十分で小学校中学年以上中学校のクラブ活動においてこれを深め行事において生活化することが必要ではないでしようか。

松田 実験，観察を通じて科学的思考を伸ばすために，仮説をたてるのには，小学校中学年以上でないと無理だと思いますが，子どもの発達段階に即して，導入段階では疑問や欲求をもたせ，「おやへんでないかやつてみよう」「問題をまとめるとどうなるか」など教師のはたらきかけにより研究問題に対してその方向が統一されるように取り扱う必要があると思います。

実験，観察の展開では，条件吟味をきびしくおこない。気づかせること。考えさせること。教えることなどの三つのことをはつきりつかんで，。比較観察。考察。数量的観察。分析的観察。分析的判断。整理。事実から推論と，目的に応じたまとめ方や，図や表のつくり方を再検討して，学習の効果をあげるようにしたいものだと思います。

どうもありがとうございました。

—英　語　科—

上原 中学校一学年で英語の表現能力を向上させるのにいろいろなくふう（たとえば視聴覚教材など）をすることも重要だと思いますが，その他にもつと直接的な興味をもたる方法はないものでしようか，

上原氏

局長 外国語で自己表現でき，同時に相手の話も理解できるということは，たとえ最初どんな些細な程度であつても興味をもたせることは容易に想像できます。そこで Volunteer Teacher の協力を得やすい地域の学校ではその協力を積極的に求める，それによつて少なくとも次のことが結果として表われてくるでしよう。

(1) 外国語としての英語を身近かなものとして親近感をもつ。

(2) 日常のごく基本的な会語を **native speaker** とかわすことによつて，成功感を味い表現能力への自信を深める。

上原 例年の学力調査の結果からすると発音，アクセント及び語句の意味などの基本的な知識と語形変化，作文及び文型の運用などの応用的知識との落差が大きいようです。換言すると，基本的な知識が十分に習得されていないので応用能力がきわだつて貧弱になつているわけです。そこで応用力をつけるにはやはり導入段階で徹低的な指導が必要だと思います。中学一年で口頭練習だけに重点をおきすぎると応用力がなかなか身につかないと思うのですがどんなものですか。

局長　それには，何としても，オーラル，アプローチによる授業の展開を通じて得られる長短に深い洞察力をもつことが必要です。

(1)　まず，英語の表現能力の最も基本的な文型をどの程度まで徹底して口頭練習を通して身につけさせるか。換言すると習慣化するまで反復練習をするのには時間的な制約がある。この制約を考慮に入れて基礎的知識を習得させるように意識的にくふうをこらす。quizを単調に流れない程度に実施するのもその方法の一つです。

(2)　応用力を培うのには何といつても副読本を教師がどう選択し配列し，提示するかが重要になつてきます。学年の英語の読解能力の発達段階に応じた教材があるから，あとは生徒が興味をもつて読もうという意欲をもつようにしむければよいわけです。

(3)　学級日誌をごく日常的な平易な英文で記載するような習慣をつけさせることもその一助になります。もちろんその場合日誌に関するエピソードをその都度紹介することを教師は忘れてはならないことです。

(4)　要約していえば基礎的知識と応用力を同時に向上させていくためにはどうしても教師の側に事前に慎重な教材の選択と学習指導のプログラムの作成が用意されていることが必要です。この場合教材選択と指導のプログラムの作成の規準をなすのはいうまでもなく学習指導要領です。

上原　英語能力とは通常話す，聞く，読む，書くの四領域に分けて考えられているのですが，たいていの学校では読むこと書くことの領域ではさほどでなくとも，話すこと聞くことの領域でいろいろと隘路が多い，その打開策について

局長　まず外国語（英語）教育に対する教え方または態度をはつきりさせることです。外国文学その他読み物を通して生活空間（経験）が拡大されそれだけ視野が広くなります。それだけでなく直接その native speaker とコミユニケイションを通し相互の意志が交換でき，必要以上な緊張とか，誤解をさけることができます。

(1)　改めてこういうことを認識すれば，「話すこと」「聞くこと」の能力をのばす方法がいろいろ考えられます。まず最初に community resources へ積極的に目をむけてみることです。「話すこと」「聞くこと」の能力をのばすということをcommunity resourcesと結びつけて考える限り現在の沖縄は条件が整つていると思います。

(2)　Community Resourcesがなかなか思うように活用されていないのはこの用語があまり一般化されていないこともその理由のひとつになつていると考えます。それを簡単にいえば英語学習に役立つもので地域にあるすべてを意味するといえます。

(3)　Ryukyu - America Community Relation ship Committee はそのよき例であります。

問題はこれらのResourcesをどう現場の学習指導に生かすかであります。

—シンポジユーム—

青少年健全育成の対策を語る

・講　師	阿波根	朝次	(文教局長)
	赤嶺	利夫	(琉大助 教授)
	東江	清一	(警察局刑事課)
	幸地	努	(沖縄中央児童相談所)
・司　会	松田	州弘	(文教局指導課)
・あいさつ	比嘉	信光	(文教局指導課長)

比嘉課長　青少年健全育成月間強調運動の行事として，ここに青少年健全育成のシンポジユームを開くことができましたことを深く感謝申し上げます。講師の先生には文教局長阿波根朝次先生，琉球大学助教授赤嶺利男先生，警察局刑事課警部補青少年係東江清一先生，厚生局沖縄中央児童相談所指導課長幸地努先生にお願いしてあります。会員のみな様は，内務，厚生，労働，法務，警察，文教その他関係職員及び琉大，訪問教師，社会教育主事の方々であります。

比嘉課長

議題は「道義高揚のための今後の対策ということで行なわれますが，私ども元来それぞれの場で道義高揚をやつてきたのでありますが，ややもすると関係機関，諸団体の間には協力する体勢が欠けるうらみがあつたと思います。この週間におきまして参加者及び諸先生とともに考え，道義高揚をしていきたいと思います。これをもちましてご挨拶にかえたいと思います。

松田　これから予定のスケジユールで会をすゝめたいと思います。指導課長の方から話がありましたように本日の会の趣旨はご4名の先生方を一応お迎えして青少年を中心として更に社会一般の幼児に至るまで道義高揚をどのようにしていけばよいかということが中心テーマであります。なお道義高揚については青少年の健全育成という大きな立場から考えていくべき双方には表裏関係をなす問題であります。これからご4名の講師の先生に道義高揚についてお話しいただきますが，それは青少年健全育成という広い意味でお聞きとりいただくこともあろうかと思います。それぞれの立場から20分程度でお願いしたいと思います。

お話しの中には対策や考え方の基本的な態度いろいろあろうかと思いますが，本日はお話しをおききすることよりお話しを出発点として質疑応答の時間をもつて，それぞれの立場からお話しをいただき，その結果として全体を通しまして青少年健全育成，道義高揚の対策がたてられるということにしたいと思います。皆さんのご協力をお願いします。

松田主事

それではご４名の先生方お席の順によろしくお願いします。

阿波根　限られました20分間の時間を利用して些かこの問題についてお話します。道義高揚の今後の対策ということですが言葉をかえて言えばこれを学校教育という面から考えますと生活指導及び道徳の拡充徹底ということと，同義語になろうかと思いますのでそういう見地から些か意見を述べてみたいと思います。

学校における道徳教育の内容
家庭の周知を学校ではかるべき

道徳教育の効果は教師の人格的影響力と指導力にまつことが大きいと思います。教師としての使命感の強調が中教審のこの問題に対する答申においてなされておりますが，私も同感であります。その意味で生活指導，道徳教育に対する先生方のいろいろの研究が必要であろうかと考えます。それとともに道徳がいかなる内容を，いかに指導されているかを父兄に周知させることが今まで余りなされていないのではないかという感じがします。

これは昭和25年頃でた道徳の指導書にもまた中教審から出ました答申によりましても道徳教育の充実のために家庭社会の協力の強化ということがうたわれておりますが，現在における道徳教育のむつかしさは新旧の世代のズレが大きいということが非常に大きな問題ではないかと思います。敗戦によつて古い価値観が崩壊して親が子どもの教育に対して自信を失つている。子どもの家庭教育に対して新しいしつけのし方，道徳教育の考え方を周知徹底させて自信回復させることが必要ではあるまいかと思うのであります。このことがこれまで余りなされていなかつたと考えるわけであります。学校だけ一生懸命やりましても父兄の理解がゆき届かないから学校への協力が期待できない。そこでいろいろの機関を通じまして，ＰＴＡの集まり，成人学級，婦人学級等を通してＰＲするということであります。

学校生活を楽しくさせる指導法の改善
カウンセリング専門家の養成が必要

それから学校環境の美化，整頓もやはり大切なことだと思います。さらに学習指導法の改善も道徳教育，生活指導の徹底に大きな役割を果たすわけであります。子どもたちが学校で勉強に興味がなければ道徳や生活指導にいかに努力しても充分効果があがらないのではないだろうか。その意味で子どもたちが楽しく学習できるように，学習指導法の改善は道徳教育，生活指導の周辺的な問題として力をいれるべきことだと考えます。

あるいはカウンセリングに関する研究が中，高校だけでなく小学校においても必要ではないだろうか。中校生の問題行動児はその90％は小学校在学中において何等かの問題行動をおこしている。それが問題にされなかつたのは，余り小さいために見すごされているのですね。例えば親が子どもの前で教員の悪口をいう，あるいは共稼ぎのため子どもに昼食の弁当代といつて現金をわたす。このようなことから子どもの買喰いが悪癖化する。これが中，高校へすゝむ傾はおとなの通う盛り場へも出入するということになる。つまり子どもの問題行動の種を小さい頃家庭でまいていたというのですね。小学校時代でもしたがいましてカウンセリングが必要で，このことは校長，教頭先生方が学校経営の上から極めて欠くことができない大事な問題だと考えます。そのためにたとえば琉大では心理学部を独立させてカウンセリングの専門家養成ということを考えてもよい時期だと思います。

教育隣組て島ぐるみムードづくり
組織の提携がまず必要

次に学力向上ということであります。それは学校の努力だけではある程度達せられますが，おとなの世界で子どもの教育に好ましくない環境が多い今日，道徳教育は決して学校のみでは果せられる問題ではないと考えます。その意味で道徳教育の充実強化は町ぐるみ村ぐるみ運動としてムードをつくるということですね。しかも，そのムードの上に何をなすべきかということから，ムードを末端まで組織づけて浸透させることを考えることです。その場合現在できている教育隣組が4,500あるようです。そのような教育隣組と学校との結びつきを考える。その結びつきの上で考える場合に教育隣組と学校との中間にもう一つの連絡組織を考えてみたらと思います。教育隣組で出てくるいろいろの問題を話合つた結果をまとめて，それを学校と連絡し，要すれば社会学級などをもつて校長先生，その他関係職員，必要であれば警察の職員の集まりをもつて問題を検討する。そこで校区の教育隣組で取上げる課題テーマを設定することも考えるというやり方をしてみたら，そのようなやり方をとりますと，月々の話合いで課題テーマを設けて，それを各教育隣組へながしてそれぞれ研究し合うと一つの学校管下が一体となつて教育問題にとつ組むことができると考えます。

教育隣組実践の成功例

そのような方法ですと，先生方が常に教育隣組へ出ていかなくとも教育活動は強化されますし，町ぐるみ村ぐるみ運動も役立ちます。青少年健全育成モデル地区を指定していますが，これはそのような町ぐるみになつて関心を高め，それによつて学校の仕事もしやすいように，またおとなの世界の浄化にも役立つようにと考えたものです。去年，与那原町の話しですが幹部が1か月間で各部落をまわつたら人がよく集まつたというのです。従来いろいろの集会での一般の参加は芳しくなかつたのですが，ことこのことについては親の関心が，あるきつかけで高まり，集会の人数も著しく多くなつてよかつたというのです。

町内の街頭での悪さが，この趣旨徹底を説明し廻つている間に激減したというのです。モデル地区の本格的な運動が展開されたらきつと期待は大きかろうと思います。

もう一つ，この週間の中でとりあげている目標として，1日1善運動が提唱されております。これは子どもたちが，何か1日1つは善いことをしよう。また友だちの善い行ないを見つけようということなんですね。善いことは必らずしも大きいことでなく小さな親切をとより多くの子どもたちの生活の中に期待しているわけです。

例えば校門に紙くずが落ちているので拾つたとか，おかあさんのお手伝いをしたとか，便所の戸があいていたのでしめたとかいつた小さな善行ですね。こういうのは何か一つはやるということをすゝめるわけです。

マスコミの功罪
業者の教育的影響に対する配慮が必要

米の中に二割も麦が入りますと，麦が多いように見えます。ちようど新聞に子どもの非行が善行よりも多くとりあげられますと多くの子どもがそのような行為をしているような印象を一般に与えます。ところが自分も一日一つは善いことをしている。また友だちも善いことをしているではないかということを自覚させることが必要ではないかと思います。小田原でこういう例がございます。子どもたちの間によくない遊びが流行したので，新聞でそのような遊びがはやつて困まると報道したところ，逆に一層急激に流行したというのです。

そのような新聞報道の僅かの例を多くの子どもたちが見て，本当は自分たちは良いことをしているが，多くの人が悪いことをしているという誤解をもちはしないだろうか，そのようなことから一日一善運動が提唱されることは当を得ていると考えます。

そのようなことによつて一般の世論をたかめる。また町ぐるみ運動が積極的になりますと，学校の仕事もやりやすくなると考えます。道徳に対する建設的な話し合いは，主体的に母親学級とか地域的な下部組織で論議し，実践につとめるのですね。一応話しを終りたいと思います。

松田　ひき続いて琉大の赤嶺先生からお話しを伺うことにします。

赤嶺　文教局長から具体的なお話を伺い感銘いたしました。さて私ですが，私は具体的な提案を何一つ用意してないのです。私は特に道義の高揚の中心テーマから離れがちになりそうだと警戒しているところであります。

赤嶺氏

人づくりに対する関心の高まり
基本態度や考え方を正したい

道義の高揚を本日話すということで琉大の先生方に散々ひやかされました。それで青少年健全育成ということでテーマをかえて感想程度でお話したいと存じます。琉球政府が青少年健全育成の運動をすすめていますことは住民一般が大いに関心をもつべきことだと思います。しかし，新春早々大田主席が人づくりについてステートメントを発表されてから4カ月間新聞紙上をにぎわせているところであります。これは大田主席の人づくり論に対する反対があつたというより大田主席の提案した人づくり論によつて住民一般の関心が高められたと解すべきだろうと考えます。

青少年の健全育成ということも道義の高揚ということも，また青少年の非行防止ということも極めて重要なことで，かつ必要なことだと思うのでありますが，それらについての基本的な考え方というのは必ずしも意見の一致をみているとは言えない状態であります。

何も人づくりそのものに対して反対しているのではなく，むしろ現在までに寄せられましたいろいろな意見や批判というものは人づくりの考え方が基本的にはそう簡単にきまらないという重要なことを指摘していると思います。この人づくりという言葉は漠然として極めて包括的な抽象的なものでありますから聞く人によつて，或は言う人によつて様々な解釈がなされていると考えます。

例えば産業や経済発展の必要から考えます人づくりというのは，現在の産業の必要を満足させるに足る技能，技術をもつ，いわゆる使える人，ソーシヤルユテイルテー産業的経済的，社会的有効性有用性というのを強調する。したがつて産業と学校の提携，産学提携を主軸とした人づくり運動を期期するものでありましよう。或は今の若い者はあいさつができない，礼儀をわきまえないと言う批判をよく聞くのでありますが，それは人づくりに対する考え方，方向性を示していると思います。

プライウツドの争議事件をみますと昔ののとかなり違う，昔は労使が一つになつて一つののれんを守るということがあつたのですが，今の労使関係は，むしろ労使対立をしている。そこで労使仲よくする様につとめようということから，人づくりの対象となるように考えられます。

また，非行をおかさない，犯罪をおかさない人をつくるということも人づくりでしようし，或は学力をつける，高校，大学と進学させ，りつぱ適職につかせて親を安心させることも，やはり人づくりだろうと考えます。或は宗教団体，神への帰依をはかることも人づくりになりましよう。

教育における理想的人間像
戦後における日本の反省

新聞紙上をにぎわした人づくり論争もこのようにいろいろ考えられますが，何を目標として人づくりをするか，人づくりの目標としての理想的人間像，理想的社会ということの論争であつたと思います。

何も人づくりというのは現在の沖縄だけでなく，これはギリシヤ時代，ソクラテス，プラトンの時代から，あるいは東洋でも修身配天下という考え方もあるわけであります。

約7，8年前にリーゼータロー（米国籍をもつハンガリー人の教育学者）いう人が日高第四郎氏と一緒に日本の大学の教授，助教授，講師，副手，助手といつたいわゆるインテリーを数百名を対象にして「戦後の教育に対する批判」という調査を行ないました。

そこで日本の教育はよかつた点，悪かつた点ともにナショナリズムの観点から評価されている。戦前の教育をナショナリズムの観点からウルトラだつたから悪かつた，ナショナリステイクだつたから良かつたといつたナショナリズムの字句で評価する傾向が強いといつて指摘しています。

明治維新から敗戦までいわゆる戦前の教育の悪かつた点を天皇神格化としたこと，軍国主義，封建的社会秩序，排他的民族主義，自己否定の倫理にもとづいたところの滅死奉公をあげておりますが，その反面国民主義が欠除している。あるいは公民性が稀薄になつている。或は極端な個人主義を助言していることが，日本のインテリーたちによつて批判されています。

この戦前，戦後に対する教育批判がナショナリズムの例えばウルトラ或はアンテイナショナリズムだからといつたナショナリズムの次元を中心として行なわれていることが極めて日本人らしい批判のし方と思われます。

日本の近代教育のはじまりは明治時代でありまして，日本の国民教育はナショナリズムを基調として制度的には欧米にならつた近代化を行ないながら意識的にはあるいは精神内容的には民族主義，復古主義を基調として，即ち反近代化の動きであつたとも考えられます。

戦後の教育改革の特色
人間尊重の精神に基づく教育観の確立

敗戦後の教育改革というのは単に6，3，3制，或は新制大学の新設といつた制度上，形式上の変化にめざましいものがありますが，それ以上の意義をもつものがそういつた形式，制度の裏付けとなるところの憲法の精神であります。あるいは教育基本法にもられた精神であろうかとおもいます。

これらの憲法，教育基本法にもられた新しい日本の教育観というのは根本的に人間尊重の精神であり，人間尊色の精神に基づく社会共同体の倫理であり，道徳の基調として，憲法及び基本法に示されていると思います。

即ち戦後の教育の基本線はナショナリズムではなく個性を尊重し個人の社会的責任，個人の知性を根本とする民主主義の精神であるとも言えます。

もしも私たちが戦後の風潮を嘆くあまり戦前の教育への郷愁にかられるようなことがあつてはならないと考えます。戦前のものにしようとするならこれこそ近視眼的な薄はかな見方であると言う外はないと思います。

教育勅語に代わるべきものをぜひという声も聞かれます。教育勅語は古い時代のものですが的確な徳目を実に整然と簡けつに述べていたではないかと言い教育勅語論争がくりかえされてきたのであります。

この教育勅語というものは一つ一つの徳目の妥当性の問題ではないと考えます。むしろ，天皇とか，国家とかがある公権力といつた特定の道徳を強制しようといつた事態が論争の基本になつていると思います。

教育勅語への批判
国民道徳に対する公権介入は好ましくない

最高裁判所長官の田中耕太郎氏も社会通念あるいは淳風美俗などというのを国家が定めようとするのは非常に危いことだ，したがつて最高裁判所における判決の内容もこうすることが淳風美俗であると定義づけることはできるだけさけようと話しておられます。

少なくとも民主主義を標ぼうする国家社会においては国民の道徳や良心の問題に公権力を介入させることを避けることは重大な問題だと思います。

道徳や良心というものは，個人及び個人の有機的連合としての社会に生まれるものであり，法律や規則というものはこのような道徳や良心にしたがつてその反映として制定されるべきものであろうと思います。

世界中の倫理学者たちが昔から道徳の実態をとらえようと懸命な努力をつづけています。これが道徳であると人間の行動を明確に簡けつに規定してゆくことは極めて困難であります。

もしもだれかが政府とか或はその他の権力者がこれが道徳だと決定しますと，私共の道徳性の根源でありますところの良心とは無関係なつまりいつわりの道義性が生まれざるを得ないと思います。と申しますとあたかも道義の確立とかに対して極めて批判的で悲観的な見方をしている言つている。お前はアナキストではないだろうかと感ぜられるかも知れません。事実は決してそうではありません。

私は道徳を強制することは道徳ではないと思います。むしろ道徳的でありたいと欲する気持が先行すべきだと考えます。国民に教育の機会を提供し，道徳を育てる機会を準備することは国家政府の職務であります。

強制による行動でなしに
やらずにおれない良心の育成を

アブラハム・リンカーンはやさしい心の持主として有名でありますが，或る友だちと一緒に散歩にでかけました。ところが溝に一匹の豚がおちこんでいるのを見つけました。リンーカーンは服のまゝ溝にとびこんで豚を救い出しました。

これを見て友人が豚一匹のために自分を犠牲にする男だなとなかば皮肉な，なかば賞賛の言葉を浴びせました。ところが，リンカーンは答えて言うには，私は豚のためにやつたのじやない，あんなのを見ていたら胸糞が悪くなつたからやつたんだと言つたというのです。

つまり，そうすることが正しいと理性で

判断してやつたのじやなく，そうしなければ気持がおさまらないといつたもので，私たちの行動はたえず何らかの動機によつておこります。この動機も場合によつては高度の道徳性をもつたいわゆる，自発的道徳性として，生理的苦痛，社会的不名誉，あるいは地位のそう失，財産を失なう．こういつた，社会的個人的条件が刺激となつて行動の動機として働くのでありますが，動機それ自体は目標ではない，何等かの理由があつて恐怖を感じ，その恐怖が何等かの活動を刺激するところの動機となるわけです。

動機があつて，その動機を満たすところの目標を創造するのが願望であつて，希望であるわけです。その場のその行動の道徳性をきめるのも動機といつてよいでしょう。

リンカーンが苦しんでいる豚をみていやな気持になつたのは豚の状態を見たということが刺激となる。救い出す行動になつてあらわれたと言つてよいと思います。

ここで考えられますことは私達の道徳的行動の動機を良心，いわゆるカンセンスとします。私達はそれぞれ独特の個人的な良心をもつています。

良心は極めて漠然とした状態で個人に存在し，問題に遭遇するとそのつど動機の役割を果し，より具体的な意志を形成するために働きます。良心というのは罪の意識あるいは善悪の判断を内包しています。自分の行動，あるいは他人の行動をも道徳的に評価判断する役割を果します。良心があるから私たちは恥しいと思つたり，困まつたなと思つたり，不愉快になつたりするのです。

ひとりひとりの良心
予測的道義心の高揚につとめよう

良心の非常に強い人はえてして潔ぺき性になつたり，ノイローゼ傾向をもちがちです。反対に，良心の発達のにぶい人は人に迷惑をかけがちです。外国人はよく私の良心がそれをゆるさないという言葉を好んで使います。

良心は行動の前に働くものと行動後に働くものとがあります。将来を予測しての良心とやつてから反省する反省的良心とがあります。私達の生活を考えてみますとどうしても予測的道義心をより発達させることでなければならないと考えます。

時間の関係で結論に入りたいと思います。現在の私達の社会では早く良心を発達させる方法を考えなければならない。そうするためには，いろいろな社会の矛盾とか価値の葛藤とかを頭にいれながら絶えず，自発性の原理，個人の自発性を尊重してかからなければならない。

それは島ぐるみ運動でもしかりと思います。更に私はこの良心の存在が一人一人にとつてリーダーシップの種になる。今の社会で必要なのはすぐれたしかも小さな一人一人のリーダシップではないかということで話を結びかつたのですが，時間でございますので，ここで話を終りたいと思います。

松田　それでは次に警察局刑事課の青少年係主任として第一線で活躍しておられます。東江氏のお話を伺うことにいたします。

東江　本日道義高揚というむつかしい問題の研究会に現場として参加させていただきました。がらでもないと思いますが職務上，非行少年問題について些か述べさせていただきます。

非行少年の状況は質量ともに甚だしく年々悪化している実情であります。これを統計から要約しまして青少年非行化の実態を認識していただきたいと思います。

東江氏

青少年の非行は激増の傾向
比率では本土の2倍

新少年法が施行されたその年，1961年の全琉の非行少年は2,750人となつていましたが62年には3,472人，昨63年には5,024人となつて増加しています。これを指数にしてみますと，61年を100として，62年126，63年180という驚異的上昇率になつております。犯罪統計上からみますと異常であるとみています。

統計から普通横ばいの状態は15%前後の増減に止まるとみておりますが，増加率25%から50%は型破りで，琉球の青少年の非行は正に危険期ではないかと解しております。

少年非行の増悪化はひとり琉球のみの問題ではないようですが，世界共通の現象のようですが琉球の場合他に比較にならない悪化の現象であり他と同一視するわけにはいかないと思います。

本土と比較してみますと，本土における19才の1000人当りの刑法犯少年は15.5人ですが琉球は24.6人であります。特に琉球の19才の男子少年の場合は1000人あたり43人という数字を示しており，これには深く考えなければならないと思います。

昨年の犯罪人口には19才を山として年令の低下によつて大方減少しておりますが，この傾向は本土，全琉とともに同ようでありますが，各年令とも，はるかに本土より高いことは注目すべきことです。

さらに，この犯罪人口を学校種別に鹿児島と比較しますと，鹿児島の場合小学校生で1,000人に対して犯罪少年，触法少年は僅か1.6人となつていますが，琉球は4人となつております。中学生は鹿児島の場合5.7人となつていますが，琉球の場合9.8人となつてはやり高くなつております。小，中ともに鹿児島の2倍の数となつているわけです。

次に，少年犯罪の質の悪化を実例から拾つてみますと，ある少年が強盗を働きその末は被害者を傷つけたのですが，被害者の身体から血がほとばしるのに快感を覚えて，同様な犯罪を次々重ねていつたというのです。非行少年が，公園でアベックを襲い集団で男の面前で交互に暴行を加えていつたというのです。

また，盗みに入つた少年が，その家のジユウタンに所かまわず糞や尿をしてさらにガソリンをまきちらしていつたというのです。私どもの常識では考えられない行為を行なつているのであります。

このような犯罪に加わる無軌道ぶりは道義も何もあつたものではないと思わしめるものがあります。

少年犯罪の原因をつきとめよう 非行予防に抜本策をたてよう

琉球の少年犯罪はこのように極度の悪化を呈しております。このような深刻な事態は何によつて起つたか，根本的問題から考えなければ形式に止まつて効果は少ないのではないかと思います。

非行少年の非行化は部落環境によつて左右されると，よく言われております。この問題の根本になつております。非行化の人間形成につきまして学者は，パーソナリテイを軸として現在の環境が問題になると言つております。また素質は幼い時につくられるといわれています。素質と環境は非行に表われているという観点から現在の少年たちは沖縄戦，終戦という混乱期にあつて，幼児期に最もよくない時期をすごしてきたことに問題があろうかと思います。あの頃は社会のあらゆる面におきまして真空状態でありまして，いわばその日その日を生きぬくことが精一杯で人間社会の秩序，公徳心は失なわれ，わが子を育てることさえやつとでありました。

他人の物を盗むことを戦果といい，それをうらやむ考えさえ多かつた世相でありました，このようなものは一朝一夕で消え去るものではなく，今なおある意味ではせん在し，なおかつこの風潮に人権に関する観念が個人あつての社会といつた個人中心といつた考え方で自由，権利の行使のために，他を犠牲にする事情が現代の社会に氾乱しているのではないでしようか。

少年たちはこのような時期にこのような社会に生まれ，成長し，社会の風潮は意識の底にうえつけられたのではないでしようか，

戦果というのも特定の個人の所有物ではなく公の物を対象とする，という観念から生じていると考えます。戦果に対する罪悪感というのは，公有物を盗むことに対する罪悪感の欠除となつて表われていると思います。

要するに戦果という観念が公衆道徳を低下させた一因となつているのではないかと私は思います。

先にも申し上げましたように少年たちの行為は環境のもたらすものであるといわれておりまして，このような風潮の中では，公徳心は軽視され朱に交われば赤くなるといつて非行少年の要因はここにあるのではないかと思います。

法律を知つて規範を知らぬ 非行の悪質化に注目しよう

昨年市内で自分の勉強している学校を襲い，監視人をバールでなぐりつけた事件がありましたが，その事件の少年を例にとつてみますと，この少年は幼少の頃，父をな

へして，母の手で育てられたのでありますが，この母が風俗営業で働いているため，少年は特飲街に連日出入する酔客や暴行を何度も見て成長してきたわけであります。この少年が母校を襲つて暴行を何のためらいもなくやつてのけたのは，このような環境がもたらしたものと考えます。

また現在の非行少年には法規を知つて，法を知らないという言葉があります。言い換えますと法律はよく知つているが道義規範を弁えていないということであります。

非行少年が警察へ補導された場合，係官に対し私がした盗みはいくらあんたが調べたところで罰はされないから早々と事件を送つてくれということを屢々耳にすることがあります。

このような考え方，即ち法律を知つて規範を知らないことが再び犯罪を行なわしめているようであります。

これに関連しまして，私ども青少年の教育を担当する者が特に注意を払わなければならないことは，暴犯者の問題であると思います。

昨年刑法犯少年は2,449人のうち再犯者がかなりあることで，2回めが249人，3回めが156人，4回めが87人，5～12回めは455人となつています。この計947人でその再犯者はいずれも関係機関の厚生指導をうけている者であります。

関係担当者はこのような事情から再犯者に対して薬のつけ方を考えるべきではないかと思うものであります。

少年の再犯者は社会性，遵法精神の欠除でありまして，その面を主体とした薬のつけ方，厚生方法を考えねばならないと思います。法規を知つて道義を知らないというのはひとり少年だけでなく現代の成人社会でも余りにも多く見せられていることであります。

これを風俗営業やおでん屋で例にとつてみますと，風俗営業は時間的制限がありますが，おでん屋はそれがないため，風俗営業者は法をくぐり抜ける道として風俗営業を廃業しておでん屋にきりかえ，夜どおしやつております。

おとなの世界でも法をくぐつて他人の迷惑などおかまいなくもうけることに気をつかい道義の頽廃を思わしめることが，おとなの間にも少なくないのであります。

非行化防止は道義の高揚で
他人に迷惑をかけない住民運動をおこそう

この他人に迷惑をかけないという住民運動をおこすことが必要ではないかと私は考えます。最近睡眠薬遊びがはやつています。睡眠薬遊びは酒やコーラーの中にまぜて飲み，その陶すい気分を味う金のかゝらない遊びでありますが，これが補導線上に現われましたのは昨年末頃からであります。

これについて，本土から帰つてきた一少年がコーラー等にまぜて使用し，そこで異性交遊をなした事例がありまして，それから流行したとみています。

ある学校では校内で使用し，幾人かがフラフラの状態で校門から出ていつた例があるというのです。さらに高校試験から開放された中校生や集団でこれを使用し不純異性交遊をしていた例があります。

睡眠薬は常用しますと中毒症状をおこし，健康を害するといわれていますが，各種の犯罪がそこから容易に発生し，少年達が犯罪を平気でおかすことになるわけであります。

警察の調査結果から睡眠薬の使用は喫茶店が最も多いようであります。業者は営業の妨害にならない限り客つまり，少年の行為に何等関与しないという無責任な態度があるのであります。これら業者からの協力は全くないのであります。

業者は，いま少し道義的に営業を行なうべきであると思うのであります。

結論を申し上げますと，少年非行化は道義の低下がその原因であります。道義の高揚が根本的に必要である。そのために成人社会におけるわれわれ自身の行為，身近かな問題から自省してかゝることが大切かと考えます。

松田　ひき続き幸地さんのお話を伺うことにします。

幸地　児童相談所の幸地であります。道義については，いろいろの考え方があります。例えば，川へ平気で塵を捨てるとか，公共の建物を大事にしないとか，他人に迷惑をかけるとか，盗みとか，暴力とか，或は親が生んだ子を全くかえりみない。

幸地氏

このようなことを道義の頽廃とよんでいるのではないかと思います。

私はこの道義とは何かと考えたわけであります。私の浅い知識で道義について，考えついたことは，人間が社会生活をしていく上に好ましい生活態度ということではないかと思います。

最近よくききます。道義の頽廃とか，道義が地におちたというのは，この場合の生活態度の欠除をさすものと解するわけです。

望ましい生活態度を身につけるために 情緒生活に注意したい

そこで青少年がりつぱな，生活態度が身についていないということを考えながら，りつぱな生活態度を身につけるにはどのようなことが大事かということを考えてみたいと思います。

最近感じていますことを中心に，また私は子どもの教育相談に応ずることが仕事でありますのでその辺から，日頃情緒の低下ということ考えていますことを申し述べてみたいと思います。

情緒の生活の第一番めに乳幼児の情緒についてです。とかく日本人は子どものしつけについて，幼い頃は甘やかし，成長するにつれて厳しく，成人して嫁をとることにさえ,干渉するということが多いようです。

逆に欧米では，子どもの頃うんとしめて成長すると次第にその子の自発性を重んずるやり方をする。この場合の厳しいというのはりつぱな愛情と技術による取り扱いということであります。子どもの頃基礎的なものを，しつかり根をつけておけば成人してもまず心配ないというのが私の持論であります。この場合申し上げるまでもないことですが最近よくいわれます。3才とか，いや2才とか私どもの基本的なしつけができていると騒がれていますが，どちらかと言うと肝じんなことが忘れられている様に思います。技術的面に走り，しつける人としつけられる人について注意がそらされていると思います。これを子どもの側から言いますと，情緒的な面であります。

乳幼児期の子どもの行動はそのすべてが情緒によつて支配されていることであります。もう一つは自己中心的であるということであります

乳幼児期の頃の子どもといいますのは，社会生活の態度とか，道義といつたものを身につけさせるためには，この自己中心性から子どもがぬけ出し他人の立場，社会の立場を充分理解しそれを実践するということでなければならないのじやないかと思います。

問題児は例外なく情緒不安定
乳幼児期の指導の欠陥が主なる原因

相談所へまいります子どもの多くが，そのような自己中心性から完全にぬけでていないとか，情緒が極めて不安定だという傾向があります。この事について鑑別所にも問い合わせてみましたが，同じような特色とのことです。また一般に知能が低いということを述べているようです。

自己中心性から，情緒によつて行動が支配されるということから，社会人としての好ましい生活態度を身につけているということはしつけの大きな役割じやないかと思います。

乳幼児期の子どもは情緒が生活を大きく支配していますから，この情緒を離れてはしつけは考えられないことであります。

しつけの方法や技術では好ましい生活態度をとつた時，子供にとつてそれが快感を感じさせるということで，また反対に子どもが好ましくない態度をとつた時は不快を感ずることが大切じやないかと思います。ほめるとか，しかつたりするのはいい方法ですが，ほめたり，しかつたりすることの効果というのは，ほめたり，ほめられたりする双方の人間関係じやないかと思います。度合いとか，相手によつてその効果はちがつてまいります。乳幼児の場合，最もほめられたり，受けいれられたりする時に快感を感ずることは愛する者から受けた場合であろうと思います。反対に叱られたりする場合には不快感は減少するものと思います。

しからば一体乳幼児が一番愛情を感じているのは誰かといいますと，それは母であり，次に父であり，家族の順であろうと思います。

したがいましてしつけの最も効果の大きいのは子どもの情緒が安定した時でありますから，幼い頃母を失つた場合，それに代わる愛情が得られない子どもは極めて不幸な子であろうと考えます。

つまり，しつけや，生活の態度などを身につける支柱を失つたものとして不幸であろうと思うのであります。このような子にやはりそのための教育を施さないと将来や

はり，問題がおきるのではないかと思います。また，親はいても，放任されたり，他人に預けられたりして，親との間に必要な情緒関係が結ばれていないときは基本的な生活態度を身につけさせる上に障害になろうかと考えます。

幼い時にしつかりしたしつけを
幼児期の母の就職は好ましくない

現在婦人の職場進出が盛んになり，やゝもすると子どもとの心理的な関係がうすれる心配があります。

その代わりとして保育所に預けていますが，それでは不充分だと思います。とくに，乳児の場合，自分がなぜ，保育所に預けられるかわからず，ただ感ずることは不快感だけです。

その意味から乳児の場合，社会的生活様式とか態度を身につける上からは大きな支柱を失つことになろうかと思います。

イギリスでは沖縄とは逆に保育所が次第にへり，できるだけ子どもは親の手から離さないとし，アメリカでも白亜館会議で家庭こそは文明の所産のうちではもつとも美しいものとして，その実行に努力しているようであります。

ソ連の方でもいろいろ考えているようす。例えば乳児をもつお母さんは1日2時間の授乳時間を労働時間からのぞかれるといつたことや，生後1カ年間は母親は無給休暇があり，子どもが親の手から離れる頃母親は復職できるようになつているというのです。

このように多くの学者やいろいろの国では子どもの情緒生活というのが，社会的な生活態度，生活様式をうけつけるのに大切なことであると考えられているのですが，沖縄の場合，保育所をふやせということとは比例して，子どもの情緒に対する注意配慮が必要かと思います。

相談所で取扱います子どもは，幼い頃満足な情緒生活を送つていないのが殆んどであります。子どものことについてイギリスの政府のとつています例が，児童福祉白書にでていますのを読んでみます。

「あらゆる形の社会で，家族こそはその構成の結びつける愛情の力で子どもの成長と身体の健康を保証する一番自然な形である。家族はその愛情関係を通じて社会規範にのつとつた生活のし方や生活態度を次の世代に伝える最も有効な力となる。極く幼い子どもといえども単に模倣によつて学ぶものではない。本当の学び方は子どもが愛する人から賞められたり否定されたりすることによつて，自分の行動に自ら制約を課す結果となるのである。早期のしつけは全く個人的な愛情と積極的な養護とに依存することであつて，家族関係の全然ない人物によつてはとうてい与えられるものではない，国家といえども母の代替者を提供することは全く不可能である」

と書かれています。

非行児は善悪の判断があるのか
情緒不安定によってそこなわれる

次に子どもが次第に大きくなつての情緒生活で相談所に見えます子どもは，殆んど満足な情緒生活をしていないため不安定である。彼等は一体善悪の判断はあるのかということですが，彼等は知つていながらやつているのが実情なのです。

一体それをやらなければならないきつかけは何かと申しますと，情緒の不安定なんですね。それは，幼い時の原因も大きかろうと思いますが，いま一つ現実の問題として，おとなの社会全体が情緒的に不安定なムードを形式している。おとな自身がいらいらしてたえず刺激を求めて歩いているといつた状態です。

良心がないわけではないのですが，その度合いが極めて低いのですね。この程度のことなら何ともないだろうという社会の風潮が，そのままうつっているというのですね。責任の所在がはつきりしない態度，彼等がやつているから，ぼくもやるといつた形ですね。知能の低い子が非行児に多いということからですね。精薄児は御承知のように被暗示性が強いのです。精薄児はただでさえ被暗示性が強いのに社会は好ましくないムードにつつまれるということは甚だ残念なことですね。

情緒生活は子どもの規律を規定する。これは私どももおとなとして心掛けることが多く，精神衛生上，社会の好もしいムートづくりとして，あるいは情緒の安定をはかつて家庭生活への配慮を日頃からつとめたいものであります。

△おことわり△

このあと赤嶺先生の補説と活潑な質疑が行なわれたのですが，編集の都合でかつあいします。講師の先生並びに読者のみなさんにその点深くおわびいたします。　　　　（編集子）

第122回臨時中央教育委員会

1964年3月28日（土）　～　1964年4月5日（日）

- 職員人事について（可決）
- 中学校技術家庭科認定講習の実施について（可決）
- 学校給食用製パン委託加工工場認可について（可決）
- 教育区債の起債許可申請について（保留）
- 教育委員会法の一部改正について（協議）

　意見聴取
  - 沖縄市町村長会長
  - 沖縄教育委員協会長
  - 沖縄教育長協会長
  - 沖縄教職員会長
  - 沖縄小学校長協会長
  - 沖縄中学校長協会長
- 1965年度文教予算について（協議）

<中央教育委員会会議のもよう>

1965年度文教局出才予算を審議

大巾増額を要請

—資料は40頁以下に掲載—

石原委員長　予算の第二次内示がありますので，予算について議事をすすめます。庶務課長の方から説明して下さい。

渡ケ次課長　では，私の方から説明申し上げます。第二次の予算内示の一覧表はお手元にさしあげてあります。去つた金曜日（3月13日）内示を受けて引き続き第二次の復活要求をしておりまして，増加しつゝあるものもあります。

第二次の復活要求は文書ではやりませんで，個々に主計課長，計画局長などと話し合いでやつておりますが，今日も局長会が終りましたら，局長を通じて復活の要求をする予定であります。

運営費の内示も受けておりますが，整理ができ次第説明いたします。お手元にあげてありますのは事業費の分であります。

文教局の事業費は第一次内示で総額13,715,574＄で第二次内示で復活しました額が909,510＄で減になつて査定されたものが△印のところであります。その合計は25,240＄になつておりまして，差し引き第二次の内示額は14,599,844＄です。その外に他局に組まれるものとして，土地購入費，土地賃借料がありまして，まだ確定的な額はわかつていませんが20万＄以上が内務局管財課に組まれるものがあります。

その他に交付税繰入れ額，ここでは後ほど申し上げますが，財政調整補助金が第一次内示では13万5千＄でありましたが，第二次内示には2万5千＄減の11万＄になつております。これは財政調整補助金と交付税が一本化された場合，交付税への繰込み方を見こしての減と思われます。

教員定数の問題は，第一次内示のままになつておりますが，復活は，こちらの要求通りはいかないにしても，見通しは明るいものと思います。

内訳についてはプリントによつて説明申し上げます。

—説明省略—

委員長　ご質疑を願います。

新垣委員　財源との関連ですが，第三次内示というのはないわけですか。

渡ケ次課長　ありません。

新垣委員　今度で意見を添えて主席に送付するということになりますね。

渡ケ次課長　これは，第二次内示でありまして，今復活要求を続けておりますが，復活の目途のついている額が相当な額になりますが，文教局予算の数字が固まるのは，後2，3日かかると思います。

新垣委員　では，これは第二次内示のすべてではないということですか

渡ケ次　第二次は一応これだけということであります。

新　垣　後は何になるのか，中教委は全然分らんで主席に送付されるのか。

渡ケ次　最終的な数字はまだ固まつておりません。中教委には，数字が固まつて，事業費と運営費を一緒にした予算書を作つてからさし上げます。

委員長　まだ増額が期待できるという意味ですね。

渡ケ次　そうでございます。

新　垣　われわれは，知らんでもよいということになりますか。

渡ケ次　数字が固まつてから，中央教育委員会にかけることになります。

砂川委員　あとで，主席から送つてくることになる。その時にわれわれは分ることになる。

新　垣　最後ではないわけですね。もう一回ある。その時意見を添えるという余裕があるわけですね。

渡ケ次　そうです。

新　垣　それは今会期でできますか。

渡ケ次　今会期には間にあいません。

新　垣　今会期に間に合わないとすると立法院に送つてからわれわれの意見を出そうとしても，もうそれからは，どうにもならないということになりはしないか，それとの関連はどうか。

大　城　最終的な予算内示があつてからわれわれが意見書を添えて出す場合，手続きはどうすればよいか，条文はどうなつているか。

渡ケ次　委員会法の第119条になります。

砂　川　結局，内示額は主席の案となつてゆき，われわれは，それでは不満だという意見書を添えることになり両方ゆくことになる。

新　垣　それは分るが，それが間に合うかということである。

委員長　まだ増額折衝の余地があると考えてよいではないか。なお，それでも不満なら意見書を添えることになる。

渡ケ次　最終段階になつて，不満があれば意見書をつけるということになります。

大　城　主席は教育予算の才出見積を減額しようとするときは，あらかじめ，中央教育委員会の意見を求めなければならないとあるが，主席が意見を求めてきた場合お互いは減額まかりならぬとして変更可能か。

渡ケ次　意見書をつけて予算書を送るわけです。

委員長　要するに今の段階では，大城委員がいわれている段階でなしに，その前の段階，調整の段階でしかない。

新　垣　それは，今回ではできない。次回に出した場合どの程度の効果があるかという問題だ。

渡ケ次　立法院に対する意見表示ということになります。

国　　吉　それだから，立法院にいつてから，毎年増額されている。校地買収費などはそのよい例である。

新　　垣　わかりました。その段階にきたとき，そのようにします。それでは，この第二次内示で，まだ増額について希望の持てる項目と持てない項目と区分のができませんか，できましたら説明してほしい。

金城次長　それではかいつまんでお答えします。第二内示を受けて検討した結果今の委員会法，給食会法にうたわれているものが，今の内示額ではやつてゆけないというものを説明します。

学校給食費の中で法令で施設補助をしなければならないようになつているが〇回答になつている。

新　　垣　要求額はいくらか。

次　　長　金額も申し上げますか。

新　　垣　その方がよい。最終段階に入りつゝあるので具体的に知らしてもらいたい。

委 員 長　時間の関係で金額は後で調べてからにしては，

＜賛　成＞

渡ケ次

- 産業教育振興費の実習船運営費の中のドック入りの際の食糧費は666＄増になつているが，さらに8,559＄要求しています。産業教育費の中の新設高校の備品費は178,011＄内示されていますが，7,227＄さらに要求しています。修繕費に8,149＄要求したい。
- 学校給食施設補助金は590＄増になつているが，さらに，8,510＄の復活要求をしたい。
- 学校安全会補助は第二次内示で1,000＄内示されているが，さらに1,500＄要求している。
- 社会体育振興費は9,163＄増になつているが総合競技場建設費として20,185＄要求している。地方体育振興費（施設補助）は720＄の内示を受けているが，8,220＄要求している。
- 教育測定調査費（委員手当補助）小学校1,217＄の内示を受けているがさらに，同額の2,334＄の復活要求をしている。
- 広報普及費は8,796＄の内示があるが，268＄の復活要求をしている。
- 教育財政調査費（各種調査費）1,836＄の内示に対して1,080＄の復活要求をしてる。
- 教育関係職員研究費（教育指導員招致費の対応費）は3,390＄の内示をうけているが，さらに900＄復活要求している。
- 幼稚園振興費〇回答ですが22,707＄復活要求しています。
- 校舎建築費，施設費は政府立学校建築ならびに同施設費として836,532＄の内示に対してさらに175,000＄要求しています。

∘施設費に伴う職員旅費は，7,634＄の内示ですが，さらに2,200＄要求
∘東恩納文庫は，○内示ですが，4,363＄要求しています。
∘ＰＴＡ指導者講習会466＄の内示ですが，882＄の復活を要求しています。
∘社会教育主事設置補助は56,160＄の内示だが，さらに5,810＄復活要求。
∘図書館費は，14,567＄の内示をうけてさらに3,500＄の復活を要求しています。
これは新しい中央図書館の備品費であります。
∘講師招へいの雑費は本局費でありますが，夏季講習の講師36名，指導員24名，その他文部省職員や技術援助による講師に対する雑費ですが，○内示を受けています。それで，3,850＄の復活を要求しております。

先のプリントの中にも，復活折衝の結果復活されたもので，表われいないのもあります。

新　　垣　学校建築費が必要額を満しきれないのではないかという心配がある。要求額がこの通りでは困まることになるのではないか，アメリカの援助額が64年度は25万＄減になり，65年度は68万＄しかないということになると32万＄減ということになり，合計57万＄が減になつている。その対策はどうするか。

浜比嘉課長　学校建設費の大体の状況を申し上げます現年度の当初予算は2,073,424＄でアメリカ資金が25万＄減るとした場合1,823,424＄になる。第二次内示までに1,837,297＄で現会計年度の当初と比較すると236,127＄減になるが，現会計年度の実行予算は1,823,424＄で13,873＄の増ということになつています。

庶務課長から話があつたように補正減を予想しまして，第二次の内示のときに75教室不足に対して178,600＄の増を，合計277,600＄二次の内示で増加になつています。

さらに高校の施設費に175,000＄，公立学校61,827＄必要だから二次で要求中です。

新　　垣　これだけの復活要求額が通れば，４月の学級数を充たすことができるというわけですね。

浜比嘉課長　そうです。

新　　垣　先に話したアメリカ援助68万＄については根拠がありますね。

浜　比　嘉　アメリカ資金は初め68万＄の予定だつたが80万＄に増えました。

新　　垣　当初予算で80万＄アメリカ援助として予算に組めるわけですね。

浜　比　嘉　そうです。

新　　垣　最も大事な教員定員増の問題は数字でなく，希望が持てるということであり，また交付税の問題もある程度希望が持てるということであつたが，前に新年度予算において重要政策にしわよせがなければという前提があつたが，教科書の費用が出ているが，それとの関連における局の対策はどうか。

委　員　長　調整補助金は減額されているが，教員定員や交付税の問題は，なぜ数字的に出てないか。

大　　城　調整補助金の減額理由，教科書無償は額が出ているのに重大な学級定員の引

き下げなどの問題は数字的に出ていないが，

次　　長　学級定員の問題は小学校の減に伴う問題とのかめ合わせで4月までの数は確保されているのであるが7月以下の増の問題については，ただ今折衝中であります。

その他教員の増についても同様に折衝を進めてあります。昨年7月で得た教員定数の予算としては，ある程度目途はついております。7月以降来年7月までの教員定員はただ今折衝中であります。

財政調整補助金の問題については，ただ今教育委員会法の一部を改正する案を調整中でありますが，その法案との関連があり，これが立法化されると交付税の中に繰り入れられることになりますので今は一応費目存置の形であります。減額の理由についてははつきりしたことはわかりません。

大　　城　費目存置であれば〇でもよいではないか。

新　　垣　この予算書を見るとすでに教科書無償は絶体的なものとして打ち出されている。ところが中教委においては他の重要政策にしわよせがなければという前提に立つている。1体これが，どこに反映されているが，

教科書問題における中教委の意志が反映されていないことを危惧するものである。調整補助金は法の改正でできる。

教員定数は見通しが明るいというようなことで，教科書問題があやふやにされている。考えようによつては教科書無償は絶対だとし，教員定員の問題や調整補助金は予算がなければ減るかも知れないという受け取り方になるそうなると教科書無償費も費用存置で1＄位にして，他の重要政策が実現されなければ〇にして他に廻すという考え方が必要。

調整補助金については，法の改正は進めてはいるが，予算は現在の法によつてたてるべきである。

地方財政を救うために法の改正を計つたのであるが，第一次内示よりも，なお減じているのは解釈ができない。この2点については中教委として検討を要する。法を改正してマイナスになるならば法改正は考えなければいかない。

次　　長　教科書の問題については，他の教育費にしわよせがないということで予算化するということはお話しの通であります。われわれとしてはその線で努力しきた。

交付税については現在の教育税＋市町村補助金プラス調整補助金の合計額より前進するように努力しています。教育税を市町村税に繰り入れる場合現在の水準よりも下廻るようなことがあつてはいかないと考えております。

新　　垣　法改正を前提として予算化がすゝめられている。160万＄という教育税であるが，市町村税に繰り入れると市町村議会に移つて委員会では手の届かないのであるが，考えようによつては大きな冒険である。

160万＄以上の負担は無理だとして，われわれはその冒険をおかしている。160万＄プラス15万5千＄以上なることが責任もてるが，160万＄プラス15万5千＄は絶体条件である。

次　　長　そのように努力しています。

新　　垣　ただ努力するというだけでは問題にならない。最低これだけは確保できるという絶体条件がなければならない。

大　　城　他の内務局の予算に計上されるということであれば，115,000＄も0にして，その分を他の教育費に廻してもよいのではないか。

委 員 長　地方教育財政の改善を大きく期待しての法改正であるから最低限度現在よりは絶体後退はないというはつきりした目途がなければならない。

交付税における基準財政需要額の算定，単位費用の設定においてもわれわれの手が届かない。それで文教局，内務局，計画局の3局で，現在よりも悪くはならないという確約がなければ法の改正には取り組めない。

次　　長　市町村交付税の中に含めるべき単位費用の設定は中央教育委員会の意見を聞いて算定することを改正法にうたつた。もう一つは教育税の金額を下らぬ程度の額を市町村税の中に組み入れるよう市町村税の税率を引き上げる市町村税法の改正を交渉中です。

新　　垣　法改正をすれば，財政的な裏付けはでてくるというのですか。

次　　長　交付税の額が相当な額になり，市町村税の中に現在の教育税を下らない額を教育費に廻せるような措置（税率の改正）がなされるなら前進であります。

大　　城　法改正をして財政的な裏付けがあるならば調整補助金は0にしてもよい。また，その方が安心である。第二次内示はその方を他の教育費に向けるよう交渉すべきであつた。

佐 久 本　あの法を通すということがあればそうなる。あれが通らなければどうなる。

次　　長　教育税負担の地ならしをすることもねらいの一つである。

委 員 長　予算措置としては、法改正をするにしても現在よりは後退しないという保証はしておいて法の改正ができれば、その金額を交付税に廻すというような措置を講じて法改正にかゝらなければならない。万一法の改正がなされなければ，前進どころがマイナスになるということではいけない。

砂　　川　大城委員が言うように法が改正させるまでは調整補助金は0にしておいて，立法院で法改正がなされるとき，交付税の中に繰り入れるような方法でやつた方がよい。

新　　垣　われわれが最も安心できるものは法が通るものとして調整補助金に111万＄を組んでおいて，法が通れば交付税に廻すというようにした方がよいと思う。

大　　城　提案と同時に内務局の方で予算化しなければいかない。われわれが今いくら論議したところで法が通れば0にしかならない。

新　　垣　財源はあるという安心感を持たせるために110万＄は組んでおいて改正したら交付税の中に繰り入れるようにしたらその誠意がわかる。

委 員 長　教員定数の改善を認めるという前提に立つているのであるが，定員を改善して教育の前進を計るということで，はつきりしない。

次　　長　ただ今の学級定員については，いろいろ問題はあるわけです。一学級の基準が56名以下の場合，一学年の生徒が57名の小規模学校の場合は29名と28名の2学級になりますが，那覇市のような大規模学校の場合は，56名づつの学級になり，定員を一人減じただけで，大規模学校の場合は余り影響がない。都市地区の大規模学校の改善を考えております。

委員長　つまり全般的な改善でなく，部分的な改善を考えているわけですね。

次　　長　そうです。さ来年から中学校の生徒数も減じるのでそれとのかみ合いにおいて，また現在の教室事情なども勘案して規模別に基準を漸進的に改善していかなければ今年大きな改善をしたら，また来年は新卒が取れないとか，教員を整理しなければいかないという事態がくるので，急激な改善は望ましくない。

砂　　川　先程新垣委員から話があつたが，教科書無償については，今までの委員会の態度からしてさらに復活要求するのが，このように沢山あるので，考え方の問題ではあるが，中学校の無償の分は削つて，復活要求をしている分に廻してさらに余裕があれば教科書無償に廻してもよいが，今われわれは，教科書無償費を0にして復活要求に全力を注ぐことが得策ではないかと考え，筋を通した方がよい。

大　　城　内示は内示として向うの権限があるから第二次の内示を受けたのだから，われわれは，いまの問題点について意志表示をする必要がある。

委員長　今は第二次の内示であるが，第三次が期待できるので増額されるのを増額する努力をして，最終的になつた場合，法第19条によつて意見を添えるということにならないか，今の段階では，そこまではいかないのではないか。

大　　城　政府の内示というのは，政府自体の問題である。

第二次内示は普通最終内示と見てよいので委員会はその意志表示をはつきりやる必要がある。

砂　　川　増額要求をする場合，計画局は金がないといつているはずだから，それでは教科書無償を削つて今要求しているものへ廻せというように態度をはつきりさせたい。

新　　垣　中教委の意志は，はつきりさせる必要がある。

石　　垣　今までに何を増すべきか，お互い決めてあるか。

新　　垣　見積書は出してある。

石　　垣　見積書は出してあるが意志表示はしていない。予算内示は，総体的に昨年よりは増している。前進しているということであればもうお互いの負けではないか，その中で特に教科書より優先するものが何々あると決めてから、お互いはかゝらなければいかない。

新　　垣　だからいまはそれを決めようといつている。

石　　垣　今先渡ケ次課長から説明があつた復活要求をしているものが、あるいはすべきものが，それ以前にあるかということだ。

砂　　川　それらは復活要求はしているが，復活するという保証は何もない。

石　　垣　委員会としては重点は沢山あげられるとも，重点るしぼつて，これこれについては増額してもらいたい。これが増額できなければ，教科書無償費は削つてもよいという ことを意志表示したらどうか。

大　　　城　削るのでなく教科書無償費を要求項目に廻してもらうよう折衝するということである。

砂　　　川　それをはつきりさせておいた方がよい。

国　　　吉　先程課長の話の中でも重要な問題がもたれていると思う。教員定数において180人増の7,360人を確保するという重要な問題がふれられていないそれが重要な問題ではないか。

大　　　城　それは先に説明があつた，交渉中という説明だつた。

次　　　長　今折衝中であります。

委　員　長　教員定数の改善，校舎建築の問題，財政調整補助金の３点にしぼつて主席に折衝したらどうか。

大　　　城　勧奨退職の問題はどうするか。

委　員　長　勧奨退職の問題は教員定数の改善に含めて説明した方がよいではないか。

「賛成」の声。折衝委員は「全員でやつた方がよい」それでは土曜日21日に全員でやりたいが全員「賛成」では21日土曜日に全員で主席のところへ折衝にいくことにします。

新　　　垣　内示を見た場合各項目にわたつて増額を要求しているが，その項目の中には条件によつては前代未聞ではあるが，ただ一つは削つてよいのがある。いまわれわれが話し合つた４点について充分要求がいれられなかつた場合は削つてよいという意志表示をはつきりさせることが必要である。

委　員　長　では，そういうことにして土曜日に主席と交渉したいと思います。

（幸地新松委員欠席）

（1965年度予算審議の関係資料は40頁より42頁に掲載した。合わせてごらんいただきたい。）

〔資料1〕

1965年度文教局才出予算見積の経過

<琉大・文化財は別掲>

中央教育委員会見積承認額	$ 25,905,840
行政主席から意見を求めた額	16,334,866
4月末までに内示をうけた総額	17,670,096
琉　大	1,126,825
文化財	36,406

〔資料2〕

計主第 239号
1964年3月21日

文教局長殿

行政主席

1965年度一般会計予算概算見積について
1964年2月17日付文庶第111号で送付のあつた、標記のことについては、別添のとおり調整したので、教育委員会法第119条の規定により、中央教育委員会の意見を徴してもらいたい。

〔資料3〕

1965年度文教局才出予算見積について
行政主席よりの意見聴取に関する回答

中央教育委員会は「1965年度文教局才出予算見積」について行政主席から意見を求められたのに対し左記のとおり議決する。

記

文教局長は「1965年度文教局才出予算見積について，中央教育委員会の承認を得て，文庶第111号（1964年2月17日付）をもつて行政主席に送付した。

これに対し，計主第239号（1964年3月21日付）によつて行政主席から中央教育委員会に対し意見を求めてきた文教局才出予算総額及びその後の内示額では，教育諸法規に定める程度に琉球教育の運営をはかることは不充分であると思料するので，さらに左記事項にご留意の上文教局予算を調整せられたい。

なお，地方教育財政の強化については特別のご配慮を賜りたい。

記

さきに送付した「1965年度文教局才出予算見積」は，琉球の教育水準を本土のそれに近づけるために必要な予算見積であり，その中には

1 校地，校舎の確保
2 地方教育財政の強化
3 学校基準の引き下げと教員定数の確保
4 学校教育（施設，備品，教員の資質等）の近代化
5 産業，科学技術教育の拡充
6 高校生徒の急増対策
7 青少年の健全育成

等の緊急重要な教育事業が含まれております。

1964年4月21日

中央教育委員会

教育委員会法第119条に基く行政主席の調整額(第一次)

部　項	1965年度 予算案額			1964年度	比較増△減額
	運営費	事業費	計	予算額	
文教局	2,545,670	13,789,196	16,334,866	15,548,128	786,738
文教本局費	198,524	10,271	208,795	195,555	13,240
学校給食費	0	99,084	99,084	79,676	19,408
教員養成費	0	22,080	22,080	23,781	△ 1,701
建物修繕費	0	36,254	36,254	32,488	3,766
実験学校指導費	0	1,967	1,967	1,768	99
各種奨励費	0	21,359	21,359	25,593	△ 4,234
科学教育振興費	0	216,129	216,129	191,483	24,646
私立学校補助	0	1,500	1,500	1,500	0
学校安全会補助	0	2,500	2,500	1,000	1,500

部　　項	1965年度	予算案額		1964年度	比較増△減額
	運営費	事業費	計	予算額	
教員候補者選考試験費	0	2,422	2,422	2,685	△ 263
中央教育委員会費	12,244	0	12,299	12,326	△ 27
教育測定調査費	0	33,297	33,297	31,492	1,805
琉球歴史資料編集費	0	35,823	35,822	11,100	24,722
教育関係職員等研修費	0	28,329	28,329	21,321	7,008
政府立高等学校費	2,145,088	0	2,145,088	2,020,565	124,520
政府立特殊学校費	115,377	0	115,377	106,160	9217
政府立中学校費	41,914	0	46,914	43,716	3118
産業教育振興費	0	426,281	426,281	524,906	△ 98,625
社会教育振興費	0	24,081	24,081	19,206	4,175
公民館振興費	0	21,016	21,016	21,174	△ 158
青年学級振興費	0	3,681	3,681	3,790	△ 109
社会教育主事設置補助	57,591	57,591	57,591	52,489	5,102
子供博物館補助	0	575	575	1,000	△ 425
博物館費	1,902	0	11,902	11,284	618
図書館費	5,566	0	15,566	13,600	1,966
社会体振興費	0	83,893	83,893	81,378	2,515
中央図書館建設費	0	9,720	9,720	25,000	△ 15,280
博物館建設費	0	0	0	161,000	△ 161,000
英語教育普及費	0	80,000	80,000	100,150	20,150
学校建設費	0	1,938,297	1,938,297	2,073,424	△ 135,127
学校教育補助	0	9,983,480	9,983,480	9,194,867	788,613
教育行政補助	0	133,857	133,857	159,822	△ 25,965
教育財政調整補助	0	110,000	110,000	155,000	△ 45,000
育英事業費	0	175,835	175,835	147,046	28,789
学校教育放送費	0	141,911	141,911	0	141,911
沖縄教育センター建設費	0	84,864	84,864	0	84,864
学校図書館充実費	0	3,100	3,100	0	3,100

中央教育委員会会議のもよう

二 教育委員会法の一部改正 中教委慎重に協議

1964年3月23日

石原委員長 教育委員会法の一部改正について協議いたします。局長の方から説明お願いします。

阿波根局長 議案としてでなく，協議題としてお願いします。私どもが立案した案によつて協議していただきたいということであります。（試案は49頁以下に掲載）

この法を立案した基本的な問題を私から説明申し上げまして，なお細かい点につきましてはこの法を立案してきました渡ケ次課長に説明させることにします。

第一に教育財政のアンバランスを是正するということが，先ずねらいであります。教育税を市町村税と一本化するけれども，それと同時に地方交付税の内に教育交付税を繰り入れてもらうことでありますが，一本化をすることだけ立法されて交付税法が，そのままでは困まるので，交付税法の改正をここで打出してあります。

第二に教科用図書の無償配布については教育委員会法 136条1項の4号によつて実施していますが，それでは弱いので1項を設けて法的に裏付けて実施したい。

第三には教育長，次長の任期が4年で，再任禁止になつているが，優秀な教育長は再任もさせたい。そのためには，中央教育委員会が任免権を握らなければ実施にこのましくないことがおこる。

第四に校長及び教頭の任命について，文教局長や教育長で選考委員会を設けて，これに諮つて中央教育委員会が任命するということであります。人事をスムーズに行なうことが大切であるが広い視野に立つた人事の適正配置，へき地の人事刷新が非常に必要なことであります。奄美大島の人事がスムーズに行つているというのは県に人事権があるからであります。

地域モンロー主義はもう検討されるべき段階にきていると思います。現在の委員会制度では人事の問題が，うまく行かないことは知てついても，これに触れることはタブーなものとして取り上げなかつたが，それでは何時まで立つても解決はしない。今回は勇気をふるつて取り上げることにしました。

本土の専門家も人事権が現在のような地域モンロー主義にある間は決して進展はしないと強調しています。中央集権の臭いがするという事もあるが文教局長や教育長が全琉的な視野に立つて配置計画をなし民主的に選ばれた中央教育委員会が任命するということであれば，民主的なやり方だと思います。以上基本的な問題について申し上げましたが，細かい条文については渡慶次課長の方から説明させます。

渡慶次課長委員会法の一部改正についての案を読みながら問題について説明を加える。

委員長 質疑に移ります。

伊礼委員 質疑に移る前に局長にお伺いしたい。

先に主席と会つたときの話しの中に地方教育委員会は法人格を持ち，人事権，財政権を有しているが，財政的には政府におんぶされている実情である。矛盾するのではないか検討してみようという話があつた。これは小委員会において大城委員や佐久本委員がたびたび矛盾点を指摘したのであるが趣旨においては同一のものであつたと解する。局長はこの案を立法するに当つて主席と改正点について話し合つたか，どうか伺いたい。

局　　長 教育税を市町村税と一本化して，地方交付税の中に教育に関する経費も繰り入れて交付するという基本的な問題については話し合つております。

いまのお話しは，政府財政にたよつている矛盾ということでありましたが，私の聞いた範囲では教育委員会内に冗費はないが，教育税がどのように使われているか。自主的に検討する必要はないかという意味のことだつたと思いますが，

佐久本委員 これにはいる前にお聞きしたい。21日に三者会談が行なわれていますね。計画局，内務局，文教局の三局ですが，その結果はどうなつていますか，結論が得られましるがたか。

局　　長 結論はまだ得ていません。教育税をどのように市町村税の中に組み入れ，交付税の率は現在の12.5％を18％に引き上げるなどの話しは出たが結論はまだ出ていません。

宮　　城 いまの話ですと関係局の調整いかんでは，この案が修正されるということが考えられるわけですね。

局　　長 これは，まだ議案として出しているわけではありません。協議題でありますので修正されることがあります。

砂　　川 45条から51条までの改正については今の話しからすると話し合われていないというように受取られるが，この法改正の分についてはどうなつていますか。

局　　長 47条の市町村長は，市町村教育費の見積を減額した場合区委員会の送付に係る市町村負担教育費の原案を才入才出予算に添付するとともに市町村の議会が市町村負担教育費の額を修正する場合における。必要な財源についても明記しなければならない。とあいるが，地方課の方では，必要な財源があつて修正するのであるから，特に明記するとうことは必要がないからこの条文は削れといつている。

われわれとしては削つたらまずいということで，まだ調整がついていません。49条市町村長は，市町村負担教育費予算額に相当する金額を，7月，10月，1月，4月の4回に分けて教育委員会に交付しなければいかないとあるが，7月は予算が成立してまだ間もない月であるので，交付するということは無理があるという理由で調整がまだついていません。

委員長 局長や伊礼委員の説明から，または主席の話し合いの中から感じますことは，財政補填制度の樹立の必要性については大きくとりあげて

① 各教育区間の財政の不均衡の是正

② 総括的に不足しているので，その補填をする。

という２点が考えられるが局長は，アンバランスについては説明があつたが，総括において不足しているからその補填をするのだという説明がなかつた。

主席の反問の中にも地方教育区が主体であつた，政府は補助する立場だということになつた。不均衡の是正に法改正の趣旨がある。

局長は不均衡を是正されば足りると考えているか，総括の上には不足はない。むだを省けば足りるのだとの見解であるが，主席ともこの問題について話し合つたことがあるか最も基本的な問題であるのでお伺いしたい。

局　　長 今後は基準財政需要額の設定の仕方と交付税の源資繰り込み率の問題だと思います。今の交付税においては１％で26万＄位になる。３％繰込めば78万＄になり，４％では104万＄になる。教育費は約5.5％の繰込みを予想しているので，142万＄になるわけです。

この交付税の源資繰り込み率は，１度きまると動かしにくいので最初の決定が大切であります。

税収の自然増や％の引き上げで，これが増額していくわけですが，いま仮りに100万＄繰り込んだとすれば地方の方は，それだけ余裕がでて来るのでアンバランスを是正しながら，地方の財政をそれだけ豊かにすることになる。即ち総体的な補填になると思います。

委 員 長 問題は各教育区間の著しい不均衡は是正できようが，全般として不足しているという認識が足りないのではないか，地方教育財政が全般的に不足しているという認識が主席には足らないのではないか。不均衡を是正し，無駄を省けば，足りるのだという考え方のようであるが，それではわれわれが意図しているところとは大分違うのではないかと考える。

大　　城 これは教育財政だけの問題ではないと思う。教育財政を含めた地方財政全般についての問題をいつていると考える。お互いは教育費の獲得だけを考えているが市町村財政全体を考えなければいかない。その意味で中央税を地方に移譲するということが強く主張されている。中央と地方の税の配分をどうするかという問題である。

交付税の率の12.5％を18％にするといつてお互いが決めてもどうにもならないのではないか。

委 員 長 税制全般を通じてのわれわれの改正は考えていなかつた。

大　　城 そうではない。少なくとも改正を予想しての案でなければいかない。

委 員 長 部分的な改正はもち論予想いているが，全搬的改正は考えていなかつた。それであのような質問もしたのである。

砂　　川 主席は総体的に引き上げるなどは考えていない。日本の委員会制度への改正を考えていると思う。

伊　　礼 そのように感じた。単なる冗費の節約とかの問題ではない。

局　　長　基準財政需要額をいくら認めてもらうかが問題である。これが認定される基準財政収入額はいくらだから，その補塡はいくらだというように補塡額がきまつてくる。

委員長　額を認めるという意味ではない。それは政府財源との関連においてきまるのであるが，案は総額において不足であるから不衡均を是正しながら不足を補塡してゆくという認識が必要である。その認識が足らなければ啓蒙することが先ではないか。

大　　城　財政需要をみるということは当然補塡するという考えである。われわれはこの立場に立たないと法改正の意味がない。それを検討すとるいうことがおかしい。法にきめれば当然不足は補塡することになる。その場合額は政府財政との関連もでて来ることであるが，考え方ははつきりしなければいかない。

渡ケ次　基準財政需要額を設定することが問題になりますが，単位費用が認められれば，必然的に財政需要額が認められることになります。一本化した場合教育税に見合う分として市町村税の中から教育費に出してもらい，不足額は交付税として補塡していくということになります。

例えば2,637,000＄の基準財政需要に対して教育税が，1,628,000＄であるから989,000＄は交付税への繰り入れ額とするというような計算になります。他法改正で単位費用を認めてもらうようしてあるが，これが認められると需要額は認められたことになります。

新　　垣　主客顚倒という言葉がある。今の委員会制度は財政的に困難があるので，政府が補助できるように法の改正を検討しなさいという意味だつたと私は受け取つた。そこから委員会内の冗費もあれば検討の必要があるということだつたのではないかと思う。

現在の委員会法をアメリカがおしつけた時，こまぎれ財政では必らず行き詰まりがくるということはみな予想しておつたが，アメリカが強行するからには行き詰まりがきた場合財政的に援助してくれるだろうという頼みがあつたからのんだようなもので今となつては何も援助はなく困まつている状態である。

しかし改正するにしても何時改正できるか分らない。制度そのものはあるのだから改正するまでは保護してゆくという方向に政府の施策がなされなければならない。

佐久本　地方分権の欠陥を委員会制度はもつている。根本的な問題を改正していくということでなければならない。

新　　垣　それはわかるが，いま火のついたものをどうするかという問題である。われわれは昨年あんなに無理して15万5千＄の調整補助金を取つたが，火のついた教育区の財政をなんとか救おうとした。改正もよいが，いま火のついたものは消してから，かからなければいかない。そのための一部改正である。

佐久本　委員会制度における法人格と教育税との関係，あるいは行政委員会になつた場合の性格などについて充分研究をすべきである。行政委員会になつた場合は一本化して教育税はなくてもよいが法人格を持つたならば教育税は残した方がよいと考える。

新　　垣　根本的に改正しなければいかないといとことは分かるが，いまわれわれは何を目標にして一部改正をするかという考え方は明確にしておかないと困まる。貴方のようであれば主席がその問題点をついた場合「あゝそうですか，私もそう考えておりました研究します」といつて引き下がるより仕方がない。それでは現在の問題解決にはならない。

いま火のついている財政の問題を改正していくのだということであれば市町村長も納得すると考える。それからわれわれが小委員会を持つことにおいて問題を不明確にしたことがあると思う。

それは調整補助金として昨年15万５千＄獲得出来たのであるから調整補助金の既成事実として立法院で認められたことになる。立法化されたのも同然であるので今度も補助金として強く押してゆけばよかつた。

それを来年度は委員会法を改正しますという言質をとられたのでもう補助金としての予算は取れないという報告を受けたので委員会としても考えなければいかないということで取組んだが，委員会がその問題をは握しないで，委員会法の改正に取組んだことは問題をあいまいにしたものと考える。

昨年は15万５千＄であつたが，今度20万＄，30万＄と増すことが出来たのだと市町村長の中には言うものがある。そうだとするとわれわれは最初からその腹づもりで２年でも３年でもかかつて，根本的な問題と取組んで法改正をすることが妥当だつたと考える。最初の取組み方がまずかつた。

次　　長　局長が立法院で言明されたのは１，２カ年は充分に検討してから法の改正については考えたいということであつた。

砂　　川　調整補助金であれば15万５千＄は取れるが改正法案によれば沢山取れるということである。

委員長　小委員会においては財政的な問題だけを検討したのであるが，当局の示した案の中に委員会法の根本に触れる重要な問題がもられているので，その取り扱いについて話し合いましよう。

大　　城　他法改正をしても，自治法との関連が大きいと思うので地方課の職員の意見や市町村などにつながる重要な問題であるから市町村長やその他団体と話し合いをする必要があると思う。

委員長　おつしやるとおりですが，何日にいたしますか。

大　　垣　次の委員会の日程で

石　　垣　先島の場合は呼ぶわけにはいかないから帰つて部落や団体などにも説明して反響を聞きたい。局長にお願いするのは，その要点を聞かしてもらいたい。

局　　長　要点について説明

1．地方教育財政のアンバランスを是正するために教育税を市町村税に繰り入れるようにすると同時に交付税の中に教育に関する費用も含めて交付するようにする。
2．教育長の任期を４年と限らず優秀な人は再任もできるようにする。そのためには任命権は中教委がにぎるようにする。

3. 校長，教頭の人事については，文教局長，教育長で選考委員会を作つて全琉的な視野から人事配置計画を立て，中教委が任命するようにする。

4. 教科書無償配布を法的に裏付けるようにする。

5. 教育区における社会教育主事は学校現場としか交流はできない。そのためには現場教師と待遇も同一にしなければならない。

委員長 大城委員からご意見の関係機関諸団体との意見の調整も必要と思いますが，どこどこが考えられますか。

大　城 内務局，計画局，教育委員会，連合教育委員会，市町村長会などが考えられる。

委員長 内務局，計画局とは意見を聞くだけでなく話し合いの機会を持つ必要がでてくるのではないか。

砂　川 内務，計画とは調整が必要だから調整段階でできるのではないか。

局　長 教育関係者としての関心は基準財政需要額の設定がいくらになるかということであるが，内務局としては市町村税にいくら喰い込むかということが関心のあるところであります。計画局としては交付税の源資繰り込みがいくらになるかということが一番関心があるわけです。

大　城 交付税の率が12.5%というがおよそ300万$が内示されている。教育関係のものをいくらプラスするかを聞かなければいかないのではないか。

砂　川 だから，それを調整しようとしているわけでしよう。

渡ケ次 明日からそれを質そうしているわけです。

局　長 三者の意見が一致した場合，基準財政需要額が問題になつて，それから交付税への繰り込み率が算定出来るわけです。

大　城 12.5%プラス5.5%となる説明ですが，たとえ5.5%決まつても態容補正などが考えられていない。これでは実際問題としてへき地，町などにいくらいくか疑問である。

渡ケ次 態容補正については，どの態容補正を使用するか規則できめるわけです。これから話し合いできめるわけです。

局　長 態容補正については教育関係は別に考えたい。

委員長 教育長協会，教育委員会，教職員会，ＰＴＡ連合会などはどうか。

新　垣 ＰＴＡよりは市町村長会が優先する。

委員長 では市町村長会，教育長協会，教育委員協会，教職員会の4団体から意見をきくことにいたしましよう。

「全員賛成」

渡ケ次 内務局と調整する場合の問題点についてお話し申しあげます。

47条の後段に市町村の議会が市町村負担教育費の額を修正する場合における必要な財源についても明記しなければならないとあるが，内務局の方では財源があるから修正するのだから必要はない。これは削りなさいといつている。しかし財源の目途のない修正は困まるので文教局としては，そのまま残すことにしております。

49条の後の方ですが，相当する金額を7月，10月，1月，4月の4回に分けて教育委員会に交付しなければならない。とあるが内務局の方では，それは困まる何時でもやつてよいようにせよといつている。しかし委員会としては予算執行の立場から目途をつけるためには是非必要であるからそのままにしたい。

55条は前の案では区委員会は毎会計年度開始以前に市町村議会の承認を得なければならない。とあつたがこれでは政府の補助金などの目途がつかないときには，承認が受けられない。

実際問題としては補助金があるたびに議会の承認を受けることになるのがわれわれとしては教育委員会は教育区の予算も定めなければいかないとしたのであるが，内務局では前の案を強く主張している。

10条の法人の問題は根本的な問題であつていまのところは解決策はない。しかしそのままにしていこうという考え方に立つている。

委員長 それでは，次までに個人研究をしておいて貰うことにします。

教育委員会法の一部を改正する立法(協議のための試案)

教育委員会法（1958年立法第2号）の1部を次のように改正する。

第2条第1項中「教育区」を「市町村教育区（以下「教育区」という。）に改め，同条第2項中「教育区教育委員会」を「市町村教育区教育委員会」に改める。

第7条 を次のように改める。

第7条 地方教育区に要する経費は，当該市町村及び教育区の負担とする。

第9条を次のように改める。

第9条 削　　除

第10条（見出しを含む。）を次のように改める。

（住民の意義及び権利義務）

第10条 市町村と教育区は，同一の区域とし，市町村の住民は，教育区の住民とする。

2 住民は，この立法の定めるところにより，その属する教育区の財産及び営造物を供用する権利を有し，法令の定めるところによりその負担を分任する義務を負う。

第11条第4項を削る。

第32条の見出し中「制度」を「制限」に改める。

第45条から第51条までを次のように改める。

第45条 区委員会は，毎会計年度才入才出予算を作成するに当つて，政府補助金及び教育区の財源をもつて支弁するものを除き市町村が負担する教育費（以下「市町村負担教育費」という。）の見積に関する書類を作成し，これを年度開始前30日までに市町村長に送付しなければならない。

2 前項の市町村負担教育費の見積を提出するときは，区委員会の才入才出予算見積，財産表，市町村負担教育費の説明その他財政状態の説明資料を提出しなければならない。

第46条　市町村長は，毎会計年度才入才出予算を調整するに当つて区委員会の送付に係る市町村負担教育費の見積を減額しようとするときはあらかじめ区委員会の意見を求めなければならない。

第47条　市町村長は，市町村負担教育費の見積を減額した場合においては，区委員会の送付に係る市町村負担教育費の見積原案を才入才出予算に添付するとともに市町村の議会が市町村負担教育費の額を修正する場合における必要な財源についても明記しなければならない。

第48条　市町村負担教育費に係る既定予算を追加し，更正し，又は暫定予算を作成する場合においては，前3条の例による。

第49条　市町村の議会において市町村負担教育費の予算を議決したときは，市町村長は，市町村負担教育費の予算額に相当する金額を7月，10月，1月，4月の4回に分けて教育委員会に交付しなければならない。

（教育区債）

第50条　教育区は，市町村の議会の承認を得て，教育区債を起すことができる。

2　教育区が，教育区債を起し，又は起債の方法，利息定率及び償還の方法を変更しようとするときは，中央委員会の許可を受けなければならない。

3　教育区債は，次の各号に掲げる事業の財源としてのみこれを起債することができる。

一　教育区の行なう建築に要する経費の財源とする場合

二　学校設備に要する経費の財源とする場合

三　校地を買収するために要する経費の財源とする場合

（1時借入金）

第51条　区委員会は，予算内の支出をするため，市町村の議会の承認を得て1時の借入をすることができる。

2　前項に規定する借入金は，その会計年度内の収入をもつて償還しなければならない。

第2編第2章第4節第4款の款名を次のように改める。

第4款　予算，出納及び決算

第55条から第59条までを次のように改める。

（予算及び会計年度）

第55条　区委員会は，毎会計年度開始前に市町村負担教育費及び政府の教育補助金を含む教育区の予算を調整し，市町村議会の承認を経なければならない。

2　区委員会は，毎会計年度の予算を決定したときは，30日以内に予算書を文教局長に提出するものとする。

追加，更正，暫定予算についても同様とする。

3　教育区の会計年度は，政府の会計年度による。

（追加更正予算，暫定予算）

第56条　区委員会は，既定予算の追加又は更正をすることができる　。

2　区委員会は，必要に応じて，一会計年度中の一定期間内にかかる暫定予算を編成することができる。

3　前項の暫定予算は，当該年度の予算が成立したときは，その効力を失うものとし，その暫定予算に基づく支出又は債務の負担があるときは，その支出又は債務の負担は，これを当該会計年度の予算に基づく支出又は債務の負担とみなす。

（継続費）

第57条　教育区の経費をもつて支払する事件で，数年を期してその経費を支出すべきものは，市町村の議会の承認を経てその年期間各年度の支出額を定め，継続費とすることができる。

（予備費）

第58条　区委員会は，予算外の支出又は予算超過の支出にあてるため，予備費を設けなければならない。

2　特別会計には，予備費を設けないことができる。

（特別会計）

第59条　区委員会は，市町村の議会にはかつて特別会計を設けることができる。

第60条から第62条までを削り，第63条を第60条とし，第64条を第61条とし，第65条を第62条とし，同条第2項及び第3項を次のように改める。

2　区委員会は，出納閉鎖後6月以内に決算を市町村長及び文教局長に報告するとともにこれを告示しなければならない。

第2編第2章第4節第5款の款名を次のように改める。

第5款　補　　　則

第63条から第65条の4までを次のように加える。

第63条　行政主席は，市町村交付税法（1957年立法第38号。以下「交付税法」という。）の運用に当つて，地方教育区の教育費に係る測定単位及び単位費用を設定し又は変更しようとする場合は，中央委員会に対し資料及び意見を求めるものとする。

（市町村負担教育費の予算）

第64条　市町村長は，市町村交付税を含む市町村の収入を財源として，当該区委員会の見積に基づく市町村負担教育費を才入才出予算に計上しなければならない。

（市町村議会の招集）

第65条　区委員会は，この立法の定めるところにより，市町村の議会に附議すべき案件がある場合には市町村長に対し，議会の招集を要請することができる。

2　前項の要請がある場合は，市町村長は10日以内に議会を招集し，区委員会の要請に係る案件を議会に提出しなければならない。

（行政主席及び中央委員会の措置要求）

第65条の二　中央委員会は，地方教育委員会の教育に関する事務の管理及び執行が法令の規定に違反していると認めるとき，又は著しく適正を欠き，かつ，教育本来の目的達成を阻害しているものがあると認めるときは，当該地方教育委員会に対し，その是正又は改善のための必要な措置を講ずべきことを求めることができる。

2　行政主席は，この立法及び他の法令の定めるところにより，市町村が行なうべき教育に関する事務に関し，著しく適正を欠ぐものがあると認めるときは，市町村長に対し，その是正又は改善のための必要な措置を講べずきことを求めることができる。

（予算執行に関する市町村長の調整）

第65条の三　市町村負担教育費に関する予算の執行については，市町村自治法（1953年立法第1号）第171条の3の規定を準用する。

第65条の四　区委員会は，規則その他の規程の制定又は改正が市町村の負担を伴うことになるものであるときは，あらかじめ市町村の議会に諮つてこれを定めるものとする。

第2編第2章第4節第6款の款名を削る。

第71条を次のように改める。

第71条　削　　　除

第83条に次の1項を加える。

5　前項の教育長及び教育次長の選考については，中央委員会が行なうものとする。

第84条を次のように改める。

第84条　教育長及び教育次長の任期は，それぞれ4年とし，再任することができる。

第99条第1項中「前30日以内に行なう。」を「の30日以前に行なつてはならない。」に改める。

第136条及び第136条の2を削り，次の4条を加える。

（政府が全額を負担する経費）

第136条　次に掲げる経費は，全額政府の負担とする。

1　公立の義務教育諸学校の教育職員（補充教育を含む。以下「教育職員」という。）の給料

2　前号の教育職員の給料以外の給与で中央委員会規則で定めるもの

3　義務教育諸学校の校舎建築に要する経費

4　義務教育諸学校の教科用図書の無償供給に要する経費

5　中央委員の選挙に要する経費

2　前項の教育職員の定数は，予算の範囲内において中央委員会規則で定める

3　第1項の教育職員の給与については，一般職の職員の給与に関する立法（1954年立法第53号）及びこれに基づく人事委員会規則の規定を準用する。

（政府補助金の対象）

第136条の2　政府は，地方教育区に対し，次の各号に掲げる経費について，その全部又

は１部を補助することができる。

1　校舎の維持及び修繕に要する経費

2　義務教育諸学校の設備，備品の充実に要する経費

3　連合区委員会の教育長，教育次長及び事務局職員並びに区委員会の社会教育主事の給与

4　その他地方教育区の教育に要する経費

2　前項の補助金の交付に関し，必要な事項は，中央委員会規則で定める。

（校長，教頭の任命権）

第136条の三　第25条第１項第３号の規定にかかわらず第136条の規定により，給与の全額を政府が負担する職員（以下「政府負担教職員」という。）のうち，校長及び教頭の任免については，選考協議会（文教局長及び地方委員会の教育長をもつて組織する校長及び教頭の任免に関する選考協議会をいう。以下同じ。）に諮つて中央委員会が行なうものとする。

2　前項の選考協議会に関し必要な事項は，中央委員会規則で定める。

（教育長，校長，教頭の身分取扱等）

第136条の四　教育長，（教育次長を含む。）校長，教頭の任免その他身分取扱いに関する事項については，この立法に定めるものを除き，教育区公務員法及び教育公務員特例法の定めるところによる。

第139条を次のように改める。

第139条　削　　除

附　　則

1　この立法は，公布の日から施行し，1964年７月１日から適用する。ただし，第83条，第84条，第99条及び第136条から第136条の４までを除く他の条項（附則を含む）の規定は，1965年７月１日から施行する。

2　市町村交付税法（1957年立法第38号）の１部を次のように改正する。

第１条中「市町村」を市町村（教育委員会法（1958年立法第２号）第２条に規定する地方教育区を含む。以下同じ。）に改める。第６条中「100分の12・５」を「100分の18」に改める。

第14条第１項の表に次のように加える。

「6	教育費			
1	小学校費	学校数	１学校につき	$1,415.70
		児童数	１人につき	2.45
		学級数	１学級につき	122.15
2	中学校費	学校数	１学校につき	1,484.20
		生徒数	１人につき	3.30
		学級数	１学級につき	165.13
3	その他の教育費	人口	１人につき	.82」

第14条第２項の表に次のように加える。

「6	小学校の学校数	最近の学校基本調査の結果による当該教育区立小学校数	校
7	小学校の児童数	最近の学校基本調査の結果による当該教育区立の小学校に在学する学令児童の数	人
8	小学校の学級数	最近の学校基本調査の結果による当該教育区立小学校の学級数	学級
9	中学校の学校数	最近の学校基本調査の結果による当該教育区立中学校の数	校
10	中学校の生徒数	最近の学校基本調査の結果による当該教育区立中学校に在学する学令生徒の数	人
11	中学校の学級数	最近の学校基本調査の結果による当該教育区立中学校の学級数	学級」

3　市町村交付税特別会計法（1957年立法第39号）の１部を次のように改正する。

第４条中「100分の12.5」を「100分の18」に改める。

4　市町村財政法（1953年立法第２号）の１部を次のように改正する。

第10条の次に次の１条を加える。

第10条の２　教育区（教育委員会法（1958年立法第２号）第２条に規定する教育区をいう。）が住民のために行なう教育に要する経費については教育委員会法の定めるところにより，政府及び市町村がその全部又は１部を負担する。

5　市町村税法（1954年立法第64号）の１を次のように改正する。

第53条第１項中「25セント」を「42セント」に，「２ドル50セント」を４ドル20セント」に改め，同条第２項中「50セント」を「83セント」に「５ドル」を「８ドル30セント」に改める。

第55条第１項中「100分の0.5」を「100分の0.83」に「100分１」を「100分の1.66」に改め，同条第３項中「100分の10」を「100分の16.6」に「100分の20」を「100分の33.2」に改める。

第73条中「100分の0.5」を「100分の0.83」に，「100分の１」を「100分の 1.66」に改める。

第106条第１項第１号中「100分の２」を「100分の3.32〕に，同条同項第２号中〔100分の４〕を「100分の6.64」に，「100分の６」を「100分の9.96」に，「100分の８」を「100分の13.28」に改め，同条第５項第１号中「100分４」を「100分の6.64」に「100分の６」を「100分の9.96」に改め，同条同項第２号中「100分の２」を「100分の3.32」に改め，同条同項 第３号中「100分の３」を「100分の4.98」に，「100分の４」を「100分の6.64」に改める。

第153条の２第１項中「100分の１」を「100分の1.66」に改める。

岡山教育を語る

平良第一小学校長　砂　川　恵　保

校長実務研修の研修方式は，１カ月間の研修期間を前半後半に分けて，それぞれ別の学校に勤務研修するという方法であつた。これは文教局の意図によるものでありますが，確かに効果的な方法だと思つた。つまり半月間も同一校に勤務すれば，大体その学校の様子がわかりますし，また，そこを拠点として近傍の学校をみることによつて，その地域の教育事情をおしはかることが出来たように思つたからであります。

私の場合，前半は岡山市に近い赤磐郡の高陽小学校にあつて岡山県南部の教育事情を，後半は津山市の南小学校に配置されて県北部の事情を調査研修したわけであるが県教委市教委教育事務所などの関係当局のご配慮や配置校の校長，職員の心づくしによつていろいろと研修の便宜が与えられたことは誠に仕合わせでした。岡山県の教育は実に教育尊重の精神が強大な経済力を背景として展開されていて，県民全体が名実ともに教育県としての誇りをもつているように感じられた。

豊かな教育施設

施設設備の面で，本土と沖縄の間には大きな落差があることは誰も認めているが，同時に，この落差は年を追うて埋められるであろうとの漠然とした期待も私たち沖縄の教師はもつている。しかし岡山県の場合むしろこの落差はだんだん大きくなるのではなかろうかとの不安さえ感じさせられた。というのは豊かな経済力をもつて教育優先の施策が強力になされているからである。

津山市南小学校の鼓笛隊の練習

現岡山県知事は　①子どもに夢をもたす②女子教育を盛んにする　③老人を大事にする。ことを県政の方針にしているそうだが，これは現知事だけでなく岡山県の歴代の為政者の伝統的な政治姿勢らしい。

ところで，2億円の巨費を投じて昨年10月に着工し本年３月に竣工した〃岡山児童会館〃は正しく「児童に夢をもたす」という県政の方針を具現した誇るべき施設である。

この児童会館は児童宿舎と児童科学館それに児童遊園地とから出来ているが，児童宿舎は住宅に対する子どもらのイメージを表現したものであり，児童科学館は子どもらに現在の科学の水準を示してそれの原理を理解させるとともに発明発見へ意欲を助長することを意図したものである。

この児童科学館には巨大なプロネタリウムが併置されているが子どもらがこのドームの中に入つて，何を感じ何を思うかはおとなの想像を絶するものがあるではなかろうか。

それにしても，このような児童会館が沖縄にあればどんなにか沖縄の子どもらが仕合わせになるだろうかということをつくづくと考えさせられた。

岡山にはこの外海洋研究所や美術館，博物館などがありますがこれらは本土の大都市にはどこにもあるわけですからとりたてていう必要もなかろう。学校の施設の面ではどの学校にも特別教室やその準備室があることはいうまでもないが，特にうらやましく思つたことは大規模の体育館兼講堂のあることやプールのあることでした。

津山市南小学校の体育館

これらの体育施設の充実には昨年この地で国体が催されたことも大きな拍車になつたようだが，体育館を最も必要とする沖縄で，全部の学校がこんな大規模な体育館をもつのは果していつの日だろうかとさびしい思いがした。

そういえば設備の面でもそうであつてたとえば理科設備の県平均が80％で中には120％の学校もある。他の教科の設備もおして知るべしである。このように岡山の学校をみると先ず施設設備に圧倒されてしまうがこれはいうまでもなく教育財政の規模にかかわることで，1961年度の岡山県の教育費は80億円でこれは総予算の30.2％に当りまた市町村の教育費は平均して総予算の34％に当るとのことである。

校舎校地の管理

校舎は殆んどが木造校舎であるが，新築校舎は鉄筋コンクリート造で1961年５月現在で６％程度でしたでしようか。ところで校舎建築は半額は国庫助成で半額は市町村負担となつているところから設計も市町村独自のもので，ですから次々と新しい設計が出てきて近代建築の美を誇る程の豪華なものである。

便所も水洗に変わりつつあるので校舎間たとえば階段のおどり場わきあたりに造ら

れているところもある。

津山市南小学校の教師，教師は全員白の作業衣を着ている

なおこれは共通的かどうかはわからないが低学年用校舎は別棟にして平屋造りにし，教室の窓の高さをぐつと低くしてあるがこれは心理学上の配慮からとのことである。

このような校舎の建築の点でも，また沖縄との比較をせざるを得なくなるわけだが数年前に評された「沖縄の学校は校舎はりっぱだが内容は貧弱だ」との言葉は近き将来「沖縄の学校は校舎も粗末で内容も貧弱だ」という評価に変わるのではないかとさびしい気にさせられた。

しかし校舎建築の面では沖縄と本土とは大いに事情が違うわけで，本土の場合は増改築の分を思い切つた設計のもとに丹念に造ればいいわけであるが，沖縄の場合は質よりも量の突貫工事をせざるを得なかつたわけですから，質の点で大きな差のあることも止むを得ないことである。校舎の管理面でとりたてゝ述べたいことは廊下の活用の面ですが，廊下は単なる通路ではなくして，展覧会場を思わせるような視覚教材の展示掲示が多い。たとえば天体電球によつて星座や天体運行を示すコーナーがあつたり理科標本のコーナーその他絵，書，作文等の掲示がされていて廊下が十分に利用されている。

校地は一般に狭い。そのために運動場にスタンドがあるといつた学校はみられなかつたそのかわり，運動場の周囲は植物園になつている学校が多い。「校舎を緑の中に埋める」といつた考えで出来るだけ木を植えるようにしていることは沖縄も同じことだが，立木一覧表を掲示して植付年月日，毎年の伸長を子ども等に知らせていることは愛林思想の涵養上も効果的だと思つた。こちらでは花いつぱい運動が以前から展開されていて，どこの学校でも空閑地といつたら運動場と通路くらいで，所せましと花が植えられている。

学習指導と職員研修

一学級の児童数を5カ年計画で45人にすることを文部省は考えているようだが，岡山県では既にそれが実現していて，私の配属された学校など，どの学級も40名以下でした。授業をみていてこの児童数の少ないということが1時間1時間の授業効果にどれ程の影響があるかということを今更のように強く感じさせられた。ひとりびとりの子が精いつぱいの学習をしているようにみえるからである。もち論，このような子ども等の学習態度のよさは，いろいろの要因の重なりによつてできていることではあるが，この一学級の在籍の少いことも要因の重なりの中で大きな比重を占めている。

授業における〃挙手〃の是非についてはどこでもよく問題にされることだが，ある研究会の席上で，もしも日本全国の学校が挙手させない授業をするなら日本の教育水準はたちどころに１，２年分は伸長するだろうと述べて挙手をさせない学習指導を強調している方がいたが，たしかに深く考えてみるべき問題である。在籍数の少ない学級で挙手させずにどしどし指名して答えさせるという方法をとれば教師の指導の滲透力は大きくなり授業からの脱落が防げることになる。

沖縄の学校が学習指導における視聴覚的方法の面でずいぶんおくれていることは，教育財政その他の理由で止むを得ないとも思うがしかし学習指導の効果が，そのためにどれだけ差がつくかということだけはお互い沖縄の教師は念頭からはなしてはいけないことだとつくづく考えさせられた。

あらゆる教科の指導にラジオ，テレビが利用されているからである。このような聴視覚教具によつての学習はその教科の学習効果を高めるだけでなく子どもらの〃話す〃　〃聞く〃の態度や技能の大きな学習になつていることは言うまでもないが１年生や２年生などの低学年の授業をみていて子どもらの話のきき方や発表の態度や技能などから，その感を一層深くさせられたのである。社会科や道徳などの学習指導の効果を高めるために，副読本がつくられているがこれは県教委や市教委が中心になつて現場教師に委嘱してつくつているようである。そういえば，ここの教師たちは何かひとつの自己課題をもつているようだ，それが直接学習指導とつながつていくかどうかは別としてとにかく何かひとつの研究課題というものを持つている。たとえば植物の中で〃しだ〃だけについて研究しているとか〃上古史〃に趣味をもつて研究するとか〃演劇〃研究とかあるいは〃人形づくり〃といつたように，個性的な課題をもつている。校内研修のもち方や機会は沖縄と大体同じですが，同好会組織はもちろん希望者だけで組織されていて，したがつて欲的な研修活動がなされているようだが，合宿研修もしばしば行われるようで，たまには観光もかねて温泉旅館などで研修を行なうといつた沖縄では望めない，うらやましい研修活動がなされている。

保　健　管　理

紙数の都合で詳しくは述べられませんが子どもを大事にするということが学校経営のいろいろの面でうかがえるわけですが，殊に保健管理の面では神経質過ぎるのではないかと思うくらいである。たとえば

①給食準備室に蝿一匹でも飛んできようものなら，それこそ大さわぎです。ですから調理室には炊婦以外は立入禁止で，もしどうしても入れねばならないときは履物や手足を消毒してからということになる。

②身体検査票の外に特に歯牙検査票があるが，これは虫歯の処置を幼い頃に十分にやるかどうかは健康上大きな問題であるという考え方からそのような措置がなされて

机と腰掛

いると思うが，そのために毎週二回歯科医が学校にやつてきて，抜歯その他の治療を無料で行なつている。

③児童全員分の雨傘が学校で用意されているので，登校後雨が降つても濡れずに帰宅出来るようになつている。

生活指導面，教育行政，ＰＴＡ活動，教育組合のことなど述べたいけれども紙数の都合で割愛する。

第五回全琉小中学校長研究協議会

1　目　　的

(1)学校経営の合理化をはかり，児童生徒の学力向上の実践体制を強化する。

(2)各教科，領域についての指導要領の趣旨を理解し，指導方法の改善を強化するための学校長の指導力をたかめる。

(3)沖縄公立小中学校長会の強化と会員相互の親睦をはかる。

2　主　　催

琉球政府文教局　　沖縄公立中学校長会　　沖縄公立小学校長会

3　会　　期

１９６４年５月２７日(水)－５月２９日(金)の３日間

4　会　　場

全体会場　　南部会館；　各分科会場　（省略）

授業研究会場　　（松島中学校，　神原小学校）

5　参加者

全琉小中学校長　　文教局職員　　各連合区事務局職員　　その他関係機関職員

6　研究協議内容

(1)全体会　○文教局の重点施策の説明

○文教局の各課の重点目標

○講　演　会

○沖縄公立小中校長会総会　　その他研究懇談

○学校長（連合区一人）の研究発表

(2)分科会　○道徳，特別教育活動および各教科の指導方法について

○授業研究の実際

7　研究組織

(1)分科会の編成とその方針

(イ)　学校規模を考慮しない

(ロ)　各連合区とも小学校・併置校および中学校・併置校に類別し，各分科会にまたがるようにする。

(ハ)　分科会の所属決定については，各連合区毎に調整してきめる。

(ニ)　各分科会の研究内容は二教科とする。

(ホ)　編成の基準は次のとおりとする。　　　　（以下省略）

―あとがき―

※望ましい人格形成とともに学力を身につけることは学校教育の究極の目的である本土との学力差が云々されて以来，教育関係者はもとより，多くの人がこのことに腐心し，かつ努力してきた。

※本号は当局の主として学力調査の実施と分析に当たり，学力向上等の指導具現に努める教育研究課の主事と局長との対談を冒頭に掲げた。学力向上等の，手近かでしかも，極めて効果的な方法は，教育現場の先生方が，改めて学力が身につく学習指導の改善といつた点で，反省し，精進していただくことであろう。

※局長の談話は編集の都合で簡潔に過ぎた面もあるが，とりあげた５教科の重要な問題には一応触れていると考える。教員の指導的立場にたつ校長，教頭のご活用をあえて希望したい。

※本号発行寸前に行政府の65年度予算案ができあがつた。これから立法院議会で審議されるが，文教局の65年度予算は特に，教科書無償をはじめ話題の多かつたものである。その予算を中教委で審議したもようを一部紹介することにした。なるべく発言のまま掲載するように努めた。

※教育委員会法の一部改正は研究から協議そして近く決論を生むまでに至つた。

予算と法改正の委員会会議には，それぞれ資料を添付しておいた。

※本号と次号の表紙を神原小学校の富永信子先生にかいていただいた。原図のもつ妙味ある色調がでるかどうか気になる。幸い寄せられた先生のことばを紹介して印刷の足らざるをおぎなおう。

表紙によせて …………　作者のことば

健康な初夏

清く正しく美しく

そして強く生きよう

― 神原小学校教諭 ―

富　永　信　子

※青少年健全育成のシンポジュームにおいては貴重な多くの意見が得られた。主旨を達成するため主管課はそれらの意見の善処につとめている。シンポジュームのもようを刻明に，全部紹介する予定を果せずに一部にとどめたことを関係各位に深謝します。

（登　川）

一九六四年五月十五日　印刷
一九六四年五月十五日　発行

文教時報（第八十六号）

非売品

発行所　琉球政府文教局調査広報課

印刷所　サン印刷所

電話（2）三六七九番

文教時報

87

No. 87
64／6

特　集……1965年度文教局才出予算説明

琉球政府・文教局・調査広報課

もくじ

No. 87　特集……1965年度文教局才出予算説明

表紙　神原小　富永信子　教諭

1965年度文教局才出予算案の説明

―はじめに―

立法院ではいま1965年度の才入才出予算の審議を行なつている。学力や人づくりなどが盛んに論議されたこと等で，教育の重要さが一層認識され，その必要を強調する傾向にあることは喜ばしいことである。

人をつくることは100年の計だとよく言われる。教育が瞬時もゆるがせにできず，長い目で見，遠い将来にまで見極める重要な仕事である所以である。

それだけに政府予算中に占める文教予算は最大であることは当然のことである。以下に示す通り，行政府が立法院へ送付した65年度の才出予算案で文教局は32.46%にのぼつている。今会期中に立法議会は65年度予算を審議し可決することであるが，行政府の送付したこれらの参考案がどのようになつていくか，極めて関心事である。

65年度の予算案の編成にあたつてどのような編成方針で，どのような事業計画をもち，予算案の内訳はどうなつているかについて，概括的にであるが以下に紹介することにしたい。

(一) 教育財政の需要

教育財政需要額を決定する重要なる要因は教育の対象となる児童生徒数と妥当な教育水準を維持するに必要な児童生徒一人当りの教育費であります。

児童生徒数の現状と将来の予定及び生徒一人当り数育費を年次別に日琉比較しますと，およそ次のとおりであります。

児童生徒数の現在と将来

小・中学校

学校＼学年度	1964	1965	1966	1967	1968	1969	1970
小学校	155,018	151,991	147,265	143,667	139,810	143,276	143,886
中学校	81,612	83,966	82,197	80,765	78,624	75,320	72,077
計	236,630	235,957	229,462	224,432	218,434	217,596	215,963

高等学校

課程＼学年度	1964	1965	1966	1967	1968	1969	1970
全日制	26,824	32,194	34,324	36,805	37,932	37,990	38,044
定時制	3,919	4,536	4,994	4,997	4,941	4,900	4,854
計	30,743	36,730	39,318	41,802	42,873	42,890	42,898

a　実　額　（単位　弗）　　児童生徒一人当り公教育費の年次別推移（日琉比較）

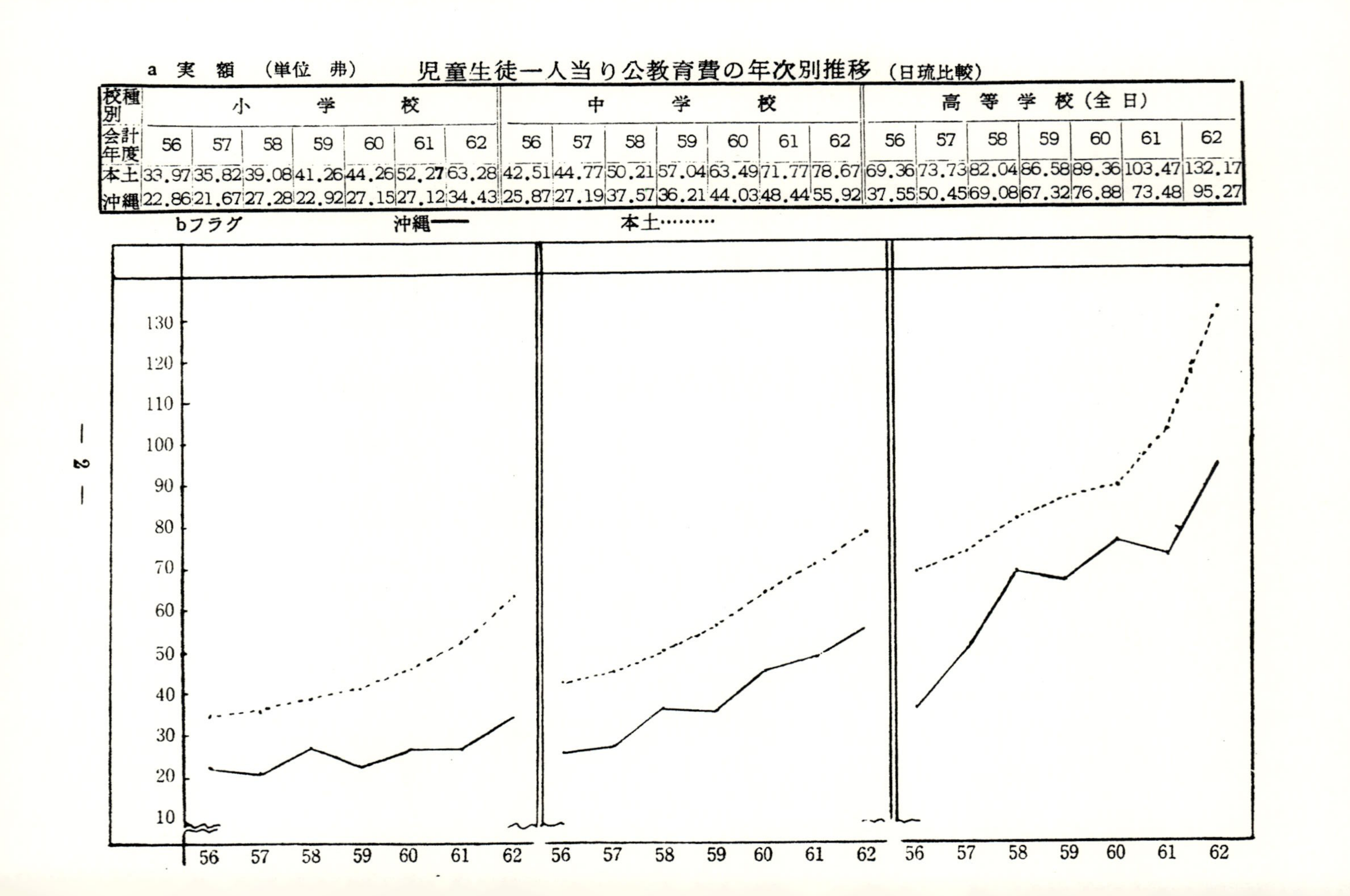

校種別	小学校						
会計年度	56	57	58	59	60	61	62
本土	33.97	35.82	39.08	41.26	44.26	52.27	63.28
沖縄	22.86	21.67	27.28	22.92	27.15	27.12	34.43

校種別	中学校						
会計年度	56	57	58	59	60	61	62
本土	42.51	44.77	50.21	57.04	63.49	71.77	78.67
沖縄	25.87	27.19	37.57	36.21	44.03	48.44	55.92

校種別	高等学校（全日）						
会計年度	56	57	58	59	60	61	62
本土	69.36	73.73	82.04	86.58	89.36	103.47	132.17
沖縄	37.55	50.45	69.08	67.32	76.88	73.48	95.27

bフラグ　　沖縄――　　本土………

小学校の児童数は上表に示すように，すでにピークをこしましたが，中学校においては次学年度にピークを迎えようとする現状でありますし，さらに高等学校においては生徒数の増加が続く状態になつているのであるます。このような中高校生徒数の増加は必然的に，それに伴う教員数，校舎，備品その他の教育費を要求する結果となつて表われているのであります。なお，児童生徒一人当り公教育費の年次別日琉比較表にもありますように，生徒一人当り公教育費が年を追うて上昇していますので，世界各国とともに，科学文化の急速なる発達に伴い，教育水準に一層の向上が要請されている結果とみるべきものであります。

このように生徒数の増加と教育費に対する時代の要請と世論の期待を政府財政の許す限りにおいて実現すべく，予算編成に当つて努力したのであります。このために教育の一般的な適正妥当な規模と内容を想定し，日本本土の教育水準とその教育費を一応の参考として，琉球における適正額の算定につとめ，教育委員会法第5章の手続きを経て，文教関係予算案を送付したのであります。

（二） 文教局才出予算総額と概観

(1) 総　　額

1965年度琉球政府一般会計才出予算案の総額は　　56,180,000弗
上記の額のうち文教局才出予算案の総額は　　18,237,202弗
であります。

したがつて，新年度の文教局才出予算総額は琉球政府一般会計才出予算総額の32.46%に当ります。また新年度の文教局予算案の総額は，当初の前年度予算16,640,998弗に比べて1,596,204弗の増で，約9.59%の増，補正後の16,315,062弗に比べて1,922,140弗の増で約11.78%の増であります。

(2) 概　　観

総額18,237,202弗に上る文教局才出予算案を事項別にみると，およそ次のようになつております。

事項	予算額	比率
総額	18,237,202 $	100.0%
文教局	17,045,794	93.5
琉球大学	1,156,825	6.3
文化財保護委員会	34,583	0.2

琉球大学補助，文化財保護関係を除いた文教局才出予算額は17,045,794弗でありまして，その事項別内訳は次のとおりであります。

事 項 別 内 訳

事 項	予 算 額	比 率
文教局才出予算額	17,045,794 $	100
A 消 費 的 支 出	13,779,119	80.8
1 教職員の給与	11,840,146	69.5
2 その他の消費的支出	1,938,973	11.3
B 資本的支出	3,266,675	19.2
1 学校建設費	2,077,702	12.2
2 その他の資本的支出	1,188,973	7.0

上表に見られますように，消費的支出としての教職員給与が69.5%，資本的支出としての校舎建築費が12.2%，合せて予算額の82%を占めているのでありまして，義務経費としての二つの予算額が必然的に他の教育活動費を圧縮する結果として表われているのであります。琉球大学1,156,825弗， 文化財保護費34,583弗を除く文教局才出予算17,045,794弗を教育分野別にみると次のとおりであります。

教 育 分 野	予 算 額	比 率
文教局才出予算額	17,045,794 $	100%
学校教育費	16,028,097	94.1
小学校費	6,817,438	40.1
中学校費	5,276,344	31.0
高等学校費	3,732,566	21.9
特殊学校費	201,849	1.2
社会教育費	245,893	1.4
教育行政費	546,186	3.2
育英事業費	121,617	0.7
そ の 他	106,000	0.6

(三) 重要経費一覧表

GRI ………琉球政府自己資金
USA ………米国援助金
GOJ ………日本政府援助金

事項	1965年度				1964年度				比較増減
	合計	GRI	USA	GOJ	合計	GRI	USA	GOJ	
学校給食費	101,431	101,431			79,676	79,676			21,755
教員養成費	22,080	22,080			23,781	23,781			△ 1,701
科学教育振興費	217,429	67,429	150,000		191,819	41,819	150,000		25,610
学校教育放送費	141,581	16,581	125,000						141,581
学校図書館充実費	3,100	3,100							3,100
学校備品充実費	150,000		150,000						150,000
琉球歴史資料編集費	22,510	22,510			7,739	7,739			14,771
教育関係職員等研修費	23,908	23,908			16,529	16,529			7,379
政府立高等学校費	2,294,294	2,294,294			2,020,568	2,020,568			273,726

事項	1965年度				1964年度				比較増減
	合計	GRI	USA	GOJ	合計	GRI	USA	GOJ	
政府立特殊学校費	123,622	123,622			106,160	106,160			17,462
産業教育振興費	467,352	397,352	50,000	20,000	516,694	283,805	210,000	22,889	△49,342
社会教育振興費	22,853	20,850		2,403	18,319	15,916		2,403	4,534
青年学級振興費	3,591	3,591			3,704	3,704			△ 113
社会教育主事設置補助	61,687	61,687			52,489	52,489			9,198
総合競技場建設費	74,428	74,428			62,500	62,500			11,928
オリンピツク関係経費	1,344	1,344							1,344
学校建設費	2,077,702	1,277,702	800,000		2,061,550	1,061,550	1,000,000		16,152
学校教育補助	10,195,932	9,018,910	1,000,000	177,022	9,194,867	8,095,253	1,000,000	99,614	1,001,065

事項	1965年度				1964年度				比較増減
	合計	GRI	USA	GOJ	合計	GRI	USA	GOJ	
教育区財政調整補助	160,000	160,000			155,000	155,000			5,000
育英事業費	177,172	87,083		90,089	147,046	76,990		70,056	30,126
琉球大学補助	1,156,825	1,156,825			1,086,215	1,086,215			70,610
文化財保護費	19,495	19,495			14,203	14,203			5,256

文教局予算要求の経過

教育委員法第5章第118条に基いて文教局が1965会計年度予算編成に手がけたのは昨年の11月であつた。そして今年5月に入つてようやく政府一般会計才出予算の参考案として立法院に送付することができた。その間，幾多の曲折を辿り，各事業予算も当初の計画から相当に変動したものもあつたが，次にかかげる「1965年度文教局予算要求明細書」は，その一端を物語るものである。しかしながら，最終決定額の内容は，文教局1965年度重点施策を遂行するのに必要な額として充分ではないにしても，これを計上することができた。

総額18,237,000弗にのぼる文教予算が執行される1965年度の教育効果を期待するとともに，この案が現に立法院で審議されている現況にかんがみ，関係者各位が関心をもつて見守つて下さらんことを願うものである。

(四) 重要経費の説明

学校給食費　101,431弗

1. 学校給食審議会

学校給食用製パン委託加工工場の衛生管理と，給食パンの品質向上，食事内容改善のために，文教局，厚生局，教育長，給食関係者，PTA役員12名を任命及び委嘱し，年3回開催するため104ドルを計上している。

2. 学校給食補助金

準要保護者の児童生徒の給食費補助として，パン給食（小校0.95，中校1.15）完全給食（5セント）の二分の一額を9,726人を対象に13,061ドルを計上している。完全給食を奨励するための設備補助1校平均408ドルの5校分2,041ドルを計上した。

3. 学校給食会補助金

給食用物資を適正円滑に供給し，給食の普及充実を図るため，輸送費，保管料荷役料，燻蒸料の物資経理76,496ドル，維持運営のための業務経理9,616ドル計86,112ドルを支出し，運営を充実強化していきたい。

教員養成費　22,080弗

事業の内訳はつぎのとおりであります。

へき地配置の教員の計画養成　3,480弗

高等学校理工系教員の計画養成　18,600弗　計　22,080弗

高等学校生徒急増に伴う教員の需給は緊急の問題でありますが，就中，工業，数学関係の教員養成は急務中の急務でありますので，琉球大学並びに工業教員養成所に在学している理，工，数学関係の学生で，卒業後教員志望者に対して奨励制度を設けて，教員の確保をはかるための経費であります。

科学教育振興費　217,429弗

科学教育を振興する具体的方策としては，指導者の資質の向上を早急に高めるとともに，理科備品の充実をはかることが必要であり，本年度においても理科教育振興法の趣旨に則り，小，中，高等学校における理科備品の保有量を飛躍的に拡充するとともに，指導者の指導力の強化をはかるための理科教育センター研修用備品の充実を前年に引き続き強化するために217,429弗を計上した。

学校教育放送　141,581弗

視聴覚教具の購入と学校教育放送のための経費である。教育の近代化が唱えられ

る現在，特に沖縄の現状から視聴覚教具の整備と活用は，指導効果をあげる上になくてはならない措置である。更に教育放送は，各国では以前から実施，効果をあげていることで，放送により学校現場に学習材を提供し，教壇における学習指導生活指導を側面から推進するものである。

学校図書充実費　　3,100弗

政府立，および公立の小中高校の学校図書館用図書の購入費である。

学校図書館が学校教育において欠くことのできない基礎的な設備であることから是非その充実を図らねばならないので，1964年度まではその予算がなかつたが，1965年度3,100弗計上された。小学校児童1人あたり5冊，中学校生徒1人あたり6冊を目標に充実を図る計画である。

1965年度は，政府立が100冊（単価平均1弗）公立学校が3,000冊を購入する計画である。

学校備品充実費　　150,000弗

USA援助による机，腰掛購入費である。現在学校で使用中の机，腰掛は，用材や製作がズサンなものが多く，児童生徒の学習意欲や，学習ふんいきにもマイナスになつている。それを除く一助として30,000脚を購入し，全琉の学校に配付する計画である。

琉球歴史資料編集費　　22,510弗

戦後の琉球歴史資料の編集及び沖縄県政時代の歴史編集の事業は継続事業として新年度もこれを推進するように努めたい。特に県史編集の事業は，資料の収集が順調に進み，編集方針の大綱も決定し，これから本格的編集作業に取りかかる段階に来ているので事務担当職員の強化を図つて事業遂行の円滑化を期したい。

教育関係職員等研修費　　23,908弗

教育関係職員の研修のための経費である。教育関係職員の指導力は直接被教育者である児童，生徒の学力に大きく影響するものであり従つて教育関係職員の研修を強化することは重要な施策である。校長，教頭の学校管理の研修，教員の指導技術研修，青少年健全育成のための指導研修，その他教育関係職員の資質の向上を図ることにより学校教育の充実をはかりたい。

政府立高等学校費　　2,294,294弗

政府立高等学校29校を運営するために必要な経費であります。前年より，333,631弗の増加となつていますがこの主なものは現在教職員昇給による給料及び期末手当の増加，生徒急増による諸経費の増加並びに新設校の備品等の増であります。

その内訳は	人件費	2,126,710弗
	物件費	100,420弗

その他の運営費　　　　67,164弗

計

となつているのであります。

政府立特殊学校費　　　　123,622弗

既設の特殊学校と，1964年度予算によつて新設される二つの養護学校（肢体不自由児養護学校と精神薄弱児養護学校）の運営に要する経費を見積つた。

産業教育振興費　　　　185,011弗

農林関係6校，工業関係4校，水産関係2校，商業関係16校，家庭関係18校の高等学校の産業教育の振興を図るために必要な経費であります。前年度より11,077弗増額になつていますが，その内訳は工業高校の機械科増設に伴う備品費工業化学科設置のための備品費，既設の高校の産業教育を充実させるための経費の増額である。

社会教育振興費　　　　22,853弗

1. 新年度の社会教育の重点として青少年の健全育成を考えて居ります。その施策として青少年健全育成モデル地区の設定（787）職業技術講習（2,817）測量技術員養成（2,796）の諸経費を計上してあります。
2. 社会教育の振興をはかるには先ず指導者の養成，研修が急務であり，そのために青年，婦人，PTA，新生活，視聴覚，社会教育主事等にも参加研修すると共に，これらの指導者を推進者として研究指定も行う予定であります。（各種研究奨励費と本土援助による国内研究活動費）
3. なお成人教育振興のための各教育区に講師手当補助金（6,225）を交付し，社会教育の当面する問題解決と総合成果の発表を機会として社会教育総合研修大会開催も予定しています。

青年学級振興費　　　　3,591弗

義務教育終了，教育の機会に恵まれない勤労青少年に対し後期中等教育を施すために設置されたものであり，各教育区では中学校の技術教室または企業体単位に学級を設置して特に職業教育を行つています。
この経費は青年学級指導者の養成と学級運営の研究指定及び各教育区で設置する一般学級52学級職場学級の運営費の一部を補助するものであります。

社会教育主事設置補助費　　61,687弗

社会教育主事は地方における社会教育の推進者であります。この経費は全琉60教育区のうち36教育区に対して社会教育主事設置補助として交付されるものであります。人員は38人（各区1人，但し糸満2人（町村合併により）羽地の青少年野

外教育センター1人）を予定しています。この経費の主事の給与補助金（給料，期末手当，へき地手当）59,898弗，研修のための旅費補助金619弗，退職給与補助金1,170弗を計上してあります。尚9,198弗の増額は昇給による増額と現年度より1名増設（羽地の野外センターに配置予定）によるものであります。

社会体育振興費　83,833弗

1. **総合競技場建設費**として74,428弗を計上しておりまして．1964年度より11,928弗の増となつています。
本年度において，陸上競技場は，第一種公認として建設いたし，庭球競技場は4面のコートをつくり，来る11月下旬には，このコートにおいて日本東西対抗軟式庭球大会が開催できるようにする予定であります。
2. **オリンピツク関係諸事業費**として1,344弗計上してあります。
これは東京オリンピック聖火が9月6日から4日間にわたり沖縄においてリレーされますのでこれに要する経費であります。

学校建設費　$2,077,702（USA$800,000）

政府立及び公立小、中校の校舎施設の建築に要する経費（$2,161,280)と附帯費（$16,422）が計上してありますが，これは高等学校，中学校の生徒の急増に伴なつてその不足教室を解消するように努めると共に給水，照明，体育，その他教育に必要な施設費が計上されているのであります。

政府立諸学校におきましては1,046,532弗で高校急増に対する教室の新築，普通高校，商業高校の新設，産業技術学校の新設も計画しております。うち実習，体育，給水，照明，灌用水，校地造成等の施設費として44,500弗を計上してあります。

公立小中校では1,014,748弗のうち小学校200,202弗で普通教室，特別教室，管理室，保健室，給食室，便所，木造校舎の改築と改装費等が計上されています。

中学校751,728弗で急増に伴なう普通教室の新築，特別教教，管理室，技術家庭科教室，保健室，体育室，給食室，便所，木造校舎の改築等が計上されています

その他，62,800弗で中学校寄宿舎，へき地教員住宅，給水施設，基礎補強，砕岩工事等が計画されしております。

学校教育補助　10,195,932弗

イ，給料補助は前年度の6,915,465弗に対し，7,585,862弗で670,397弗の増を見積つた。その主な理由は前年度より教員定数の増加をはかつたことと，4.5%のベースアップを見込んだためである。

ロ，退職手当補助は，前年度の86,845弗に対し，176,217弗で89,372弗の増を

見積つた。その内訳は，普通退職に67,925弗，勧奨退職に 108,292弗とし勧奨の年令を予算の範囲で引下げるためである。

ハ，学校運営補助金のうち教科書費については小学校の前期、後期用と、1965学年度の中学校の前期用のもので，総額535,941弗であるが，その三分の一の 177,022弗 は日本政府の援助によるもので， 琉球政政府の実質的負 担は468,919弗となる。

ニ，備品補助は，公立の小・中学校の教科備品を充実するための経費で，65年度は56,000弗計上されている。 この額は教科備品基準総額7,223,968弗に対して0.77%にあたるもので，今後の増額が期待される。

ホ，学校統合補助については，教育効果と財政の効率化をはかるために小規模学校を統合すことに対して積極的に財政的援助をしようとするものである。

ヘ，幼稚園振興補助金については，幼児教育の重要性にかんがみて，幼稚園教育を振興しようとするもので，教員給料に対する20%の補助と研修のための補助を見積つた。

ト，**保健衛生補助費**　　　　　12,046弗

1. 学校保健の向上のために医療費， 校医手当， 検便等に要する経費として12,046弗が計上されている。
2. 医療費は，学校保健法第18条に規定された補助金で要保護，準要保護児童生徒中，学校病に罹患した者に対し，治療費として，その一部を政府で補助していくために設けられたものである。
3. 学校保健法第16条に各学校に学校医をおくように規定されているが，地方教育区では財政貧困なため校医手当を捻出することが，困難な状態であるので，政府でその半額を補助し，学校の保健管理の強化を図りたい。
4. 検便は，健康診断の１項目であつて，必ず実施しなければならないが，予算の関係上実施困難な学校が非常に多いので，政府でその一部を補助し学校保健管理を強化したい。

教育区財政調整補助　　　　　160,000弗

地方の教育を管理する教育委員会は、市町村と同じ地方公共団体でありながら地方交付税によつて財源を保障する制度がないのであります。地方の教育に要する経費のうち，特定なものについては政府が全額またはその一部を補助しておりその補助額も年々増加をしてきているのでありますが、教育税からの支出にかかる地方教育区の一般需要に対しては政府の保障がなかつたため，必然的に教育税の増収によつて需要を満たさざるを得なくなり，従つて貧弱教育区においてはこ

れが住民の負担力を上廻るような状態になりつつあつたのであります。政府としてはこの問題を解決するために，根本的には教育財政における財政平衡制度を確立するような法的措置を講ずるよう準備をすすめるとともにさしあたつて教育区財政調整補助金制度を1964会計年度より新設して，その不均衡是正に努めてきたのでありますが，65会計年度においては他の財政需要との関係で160,000弗を計上した次第であります。

育英事業費　177,172弗（うち、G.O.J　90,089弗）

優秀な学徒で経済的な理由によつて修学困難なものに対して，学資を貸与または給与し，その他育英上必要な事業を行つて，有用な人材を養成するに必要な経費であります。

1965年度におきましては，国費の学部学生323名，インターン学生12名，大学院学生36名，合計371名を予定し，本土政府約82%，琉球育英会約18%で，その経費で負担する予定になつております。また、高校特別奨学生538名に対しては、総額55,555ドルが本土政府の援助によつて貸与されることになり，同じく，本土政府援助によつて沖縄内大学の大学特別奨学生151名に対して34,533ドルが貸与されるようになつたことは喜ばしいことであります。その他にこの予算には，琉球育英会の事務費，学生寮費，自費学生奨学費，学生補導費等が含まれております。

琉球大学補助　1,156,825弗

琉球大学補助の内容は次のとおりであります。

運営費	952,579.00弗
人件費	778,985.00
その他運営費	173,594.00
施設整備費	290,200.00
農学ビル建設費	84,000.00
理系ビル建設費	78,200.00
設備備品費	90,000.00
不動産買収費	30,000.00
補償費	5,000.00
小施設費	3,000.00
予備費	3,000.00
計	1,245,779.00
自己収入	83,954.00

政府補助	1,156,825.00弗
前年度剰余金	5,000.00
計	1,245,779.00

左のような経費になつておりますが、琉球大学の政府立大学への移行を前提として、前年度に引続き、教育環境の整備、施設設備の充実、理系ビルの新築、農学ビルの増築き重点に計上しました。更に運営費におきましては、教員の資質の向上をはかるため教授の研究助成費を増額しました。また、助手制度を確立するため、今度から助手を採用すべく予算を計上いたしました。

文化財保護費　　19,495弗

施設費	「特別史跡円覚寺跡」の復旧工事費である。工事は委員会直営の下に63年度より開始され65年度は年度は年次計画3年目に入ることになり、円覚寺の左右掖門復旧工事を予定している。文化財保護第44条に基づく事業)
有形文化財補助金	特別重要文化財、特別史跡「中城々跡」「今帰仁城跡」重要文化財「知念城跡」の城壁修復工事としてそれぞれ管理者に補助金を交付して実施する予定。中城々跡、今帰仁城跡は継続事業としてそれぞれ61年度、62年度より始められた工事であるが、知念城跡は65年度のみで終了することになつている。（文化財保護法第27条に基づく事業）
無形文化財補助金	演劇として組踊1件民俗芸能4件に交付し、衰亡を防止し、保護助長をはかる。（文化財保護法第37条に基づく事業）
文化財管理補助金	建造物、史跡名勝天然記念物の管理者に対する補助金（文化財保護法第27条、第41条に基づく事業）

琉球政府一般会計才出予算
各部局別比較表

部局	1964年当予算		1965年度立法参考案		対前年度比	備考
	予算額	比率	予算額	比率		
	$	%	$	%	%	
立法院	347,984	0.67	337,173	0.60	−3.21	
裁判所	625,518	1.20	681,800	1.21	9.00	
内務局	5,072,675	9.7	6,354,515	11,31	25.27	
計画局	2,284,984	4.40	2,581,344	4.59	12.97	
法務局	1,482,832	2.85	1,845,660	3.29	25.47	
経済局	8,843,811	17.01	7,363,800	13.11	−20.10	
建運局	6,045,595	11.63	7,238,961	12.89	19.74	
厚生局	6,976,659	13.42	7,604,679	13.54	9.00	
労働局	632,419	1.22	642,668	1.14	1.62	
文教局	**16,640,998**	**32.01**	**18,237,202**	**32.46**	**9.59**	**$1,596,204の増**
警察局	2,334,471	4.49	2,477,832	4.41	6.14	
検察庁	306,743	0.59	316,751	0.56	3.26	
人事委員会	43,434	0.08	46,021	0.08	5.96	
会計検査院	50,747	0.10	52,393	0.09	3.24	
宮古地方庁	72,080	0.14	74,943	0.13	3.97	
八重山地方庁	69,773	0.13	74,258	0.13	6.43	
予備費	150,000	0.29	250,000	0.44	66.67	
合計	**51,980,723**	**100.00**	**56,180,000**	**100.00**	**8.08**	

1965年度文教局
支出予算見積

1965年度の文教局の才出予算の編成にあたつては次のような基本的方針にしたがつた。まず重点方針をあげ、その達成のために払われるべき具体的な面について箇条書きにし、その右

1、文教施設（校舎等）及び設備備品の充実

重点方針	具体的方針
1. 文教施設（校舎等）及び設備備品の充実	◎ 校舎建築の推進 ◎ 普通高校及び商業高校の新設 ◎ 産業技術学校の新設 ◎ 小学校普通教室の改装 ◎ 養護学校の運営 ◎ 中央図書館の内部設備の充実 ◎ 博物館の継続建設 ◎ 文教施設用地の確保 ◎ 設備・備品の充実 ◎ 学校教育放送開設

の 編 成 方 針

側にそれらが予算上にどのような形で、表われているか、数字をあげて示すことにする。

1965 年度関連予算		
学校建設費	$ 22,077,702 (内$800,000 U iA)	
	$ 255,150 (学校建設費に含まれている)	
	$ 340,000 (〃 〃)	
	$ 27,000 (〃 〃)	
政府立特殊学校費	$ 123,622の一部	
中央図書館建設費	$ 9,720	
博物館建設費	$ 5,000	
内務局予算の中		$ 202,766
学校備品充実費		$ 150,000 (USA)
学校図書館充実費		3,100
学校運営補助金の備品補助		$ 56,000
政府立高校費の備品費		100,420
〃 中学校費の 〃		9,500
〃特殊学校費の 〃		10,504
(理科、産業へき地備品を除く)		
学校教育放送		141,581
	計	329,524

重点方針	具体的方針
2. 教職員定数の確保と資質の向上	◎ 学級規模の改善と教職員の確保 ◎ 教職員の資質の向上 ◎ 各種研究団体の助成
3. 地方教育区の財政強化と指導援助の拡充	◎ 地方教育財政の強化と教育税の検討 ◎ 地方教育区行政職員等の資質の向上
4. 教育の機会均等	◎ へき地教育の振興 ◎ 特殊教育の振興 ◎ 要保護及準要保護児童生徒の就学奨励 ◎ 学校統合の促進とこれに基く就学奨励 ◎ 幼稚園教育の育成
5. 高等学校及び中学校生徒の急増対策	◎ 教職員の確保 ◎ 教員養成の拡充 ◎ 施設・備品の充実 ◎ 高等学校の新営
6. 産業科学技術教育の振興	◎ 理科教育の振興 ◎ 産業教育の振興

1965年度関連予算

教育関係職員等研修費　$　23,908

各種奨励費　$　23,759

教育区財政調整補助金　$　160,000

教育関係職員等研修費の中の教育長研修費　$　204

教育委員　〃　$　582

会計係事務職員　〃　$　269　計　$　1,055

学校教育補助の中のへき地教育振興補助　$　110,306

開拓地学校運営　〃　1,768

複式手当　〃　2,532　計　$　114,606

政府立特殊学校費　$　123,622

準要保護児童生徒への給食費補助　$　13,061

要保護生徒（中学校）への教科書補助　$　1,426　計　$　14,487

学校教育補助の学校統合補助　$　39,292

学校教育補助の中の幼稚園振興補助　$　6,834

政府立高校一般職の職員定数　1,711人

教員養成費　$　22,080（うち高等学校配置奨学生　110人）

政府立高等学校費の備品費　$　100,420

外に前掲の学校備品充実費 $ 150,000の一部及び理科・産業教育備品（別掲）

政府立高等学校費より

科学教育振興費　$　217,429（内135,000　USA）

産業教育振興費　$　467,352（内50,000　USA　20,000　GOJ）

重点方針	具体的方針
	◎ 産業技術学校の新営 ◎ 商業高等学校の新営
7. 学力向上と生活指導の強化	◎ 教育指導者の養成と指導力の強化 ◎ 学力向上対策 ◎ 生活指導の強化 ◎ 教育測定調査の拡充
8. 育英事業の拡充	◎ 特別奨学制度の拡充
9. 保健体育の振興	◎ 学校体育指導及び学校保健の強化 ◎ 学校給食の励奨 ◎ 社会体育の振興 ◎ 指導者の資質向上と体育団体の育成 ◎ 奥武山陸上競技場落成体育大会 ◎ オリンピック関係諸行事の推進
10. 社会体育の振興と青少年の健全育成	◎ 青少年の健全育成 ◎ 青年学級の振興(特に中学校技術教室の利用) ◎ 社会教育主事の活動促進 ◎ 社会教育における職業技術教育の振興

1965 年度関連予算
前掲、教育関係職員等研修費　$　23,908 教育関係職員等研修費の中の学校診断費　$　2,526 教育測定調査費の中の学力向上対策費　$　2,164 教育関係職員等研修費の中の青少年健全育成研修費　$　739 教育測定調査費　$　19,476
◎　特別奨学資金　$90,089 (GOJ)
教育関係職員等研修費の中の学校保健体育関係の研修費 学校教育補助の中の保健衛生補助　$　12,046 学校給食費　$　15,319　　学校給食会補助　$　86,112 社会体育振興費　$　83,833 社会体育振興費の中の研修費選手団の招へい•派けん費,体育指導員設置補助 社会体育振興費の中のオリンピック関係事業費　$　1,344
青少年健全育成モデル地区費　$　787 青年健全育成研修費　$　739 青年学級振興費　$　3,591 社会教育主事設置補助　$　61,687 社会教育振興費の中の職業技術講習費　$　2,817 測量技術員養成講座費　$　2,796

重　点　方　針	具　体　的　方　針
	◎ 社会教育指導者の養成 ◎ 青年、婦人指導者の国内研究指導の助成 ◎ 図書館、博物館その他社会教育施設の運営強化

1965年度関連予算

社会教育振興費のうち

青年指導者養成講習費　$　1,473

婦　人　〃　〃　$　1,301

PTA　〃　〃　$　426　計　$　3,200

社会教育振興費のうち

青年婦人の国内研究活動費　$　2,403 (GOJ)

博物館費　$　12,279

図書館費　$　17,281

1965年度文教局予算要求明細書

1965会計年度・事業費のみ　　（単位弗）

項	事業名	1964年度予算額	1965年度概算要求額	第一次内示額	復活要求額	第二次内示額	最終査定額	備考
文教本局	全琉教育作品展	447	700	514	0	514	333	印刷費181内務へ
	教科用図書目録編集	762	1,043	756	0	756	606	〃　150　〃
	広報普及	3,173	5,190	8,796	387	8,796	263	〃　8,528 〃
	各種試験検定	123	316	205	0	205	205	
	計	4.505	7,249	10,271	387	10,271	1,412	印刷費8,859内務へ
学校給食	学校給食事業	19,131	23,093	12,688	9,238	13,278	15,319	
	学校給食会補助	60,545	181,026	85,806	68,824	85,806	86,112	
	学校給食10周年記念事業	0	646	0	286	0	0	
	計	79,676	204,765	98,494	78,348	99,084	101,431	
教員養成	教員養成	21,000	38,717	22,080	1,920	22,080	22,080	
	数学教員養成	2,781	0	0	0	0	0	
	計	23,781	38,717	22,080	1,920	22,080	22,080	
建物修繕	建物修繕	32,488	40,922	36,254	0	36,254	41,154	

項	事業名	1964年度予算額	1965年度概算要求額	第一次内示額	復活要求額	第二次内示額	最終査定額	備考
実験学校指導	実験学校指導	1,768	3,481	1,967	0	1,967	1,397	印刷費570内務へ
各種奨励	実験学校、研究学校、研究奨励	2,820	4,220	2,940	0	2,940	2,940	
	農業クラブ活動奨励	754	1,695	730	180	730	730	
	家庭クラブ活動奨励	650	1,538	534	266	534	534	
	各種教育研究奨励	1,908	7,770	908	2,110	908	908	
	職業及び科学技術奨励	600	800	0	600	450	450	
	各種教育コンクール競技会活動奨励	487	3,486	718	198	718	718	
	教育研究大会奨励	6,000	6,000	4,600	1,400	4,600	6,000	
	体育奨励	7,652	11,550	6,020	3,360	7,020	7,020	
	社会教育奨励	2,722	3,770	1,418	562	1,418	2,418	
	教育長協会	800	1,000	600	0	600	600	
	小中学校長協会	1,000	2,000	1,000	0	1,000	1,200	
	高等学校長協会	200	343	200	0	200		
	学校保健大会	0	0	0	300	241	241	
	高等学校教頭会	0	255	0	200	0	0	
	高等学校定時制主事会	0	310	0	200	0	0	
	健康優良学校表彰	0	342	0	342	0	0	
	教育委員協会	0	1,000	0	0	0	0	

項	事業名	1964年度予算額	1965年度概算要求額	第一次内示額	復活要求額	第二次内示額	最終査定額	備考
各種奨励	スポーツ少年団育成	0	0	288	0	0	0	
	計	25,593	46,079	19,668	10,006	21,359	23,759	
△科学教育振興	科学教育振興	191,483	266,803	216,129	7,451	216,129	217,429	印刷費200内務へ〔USA135,000〕
私立学校補助	私立学校補助	1,500	2,000	1,500	500	1,500	0	(科学振興費へ移替え)
学校安全会補助	学校安全会補助	1,000	8,065	1,000	5,411	2,500	0	
教員候補者選考試験	教員候補者選考試験	2,685	3,991	2,323	1,165	2,422	1,217	印刷費650内務(常勤手当555移替え)
△学校教育放送	学校教育放送	0	146,350	141,911	0	141,911	141,581	印刷費330内務へ「USA125,000〕
学校図書館充実	学校図書館充実	0	99,016	0	50,000	3,100	3,100	
沖縄教育センター建設	沖縄教育センター建設	0	150,000	0	150,000	84,864	0	
教育測定調査	社会教育課程構成	342	6,009	324	0	324	1,247	印刷費2,000内務へ
	教育課程構成	3,240		3,478	0	3,478		(常勤手当555移替え)
	学校基本調査	1,195	1,764	1,231	180	1,231	204	
	教育財政調査	1,496	3,506	1,836	1,080	1,836	202	

項	事業名	1964年度予算額	1965年度概算要求額	第一次内示額	復活要求額	第二次内示額	最終査定額	備考
教育測定調査	全国小学校学力調査	6,991	5,924	4,185	1,280	4,785		印刷費650内務へ
	全国中学校学力調査	7,650	10,460	7,252	2,427	8,402	11,971	(常勤手当566移替え)
	全国高等学校学力調査	367	0	0	0	0		
	各種心理検査	2,095	2,519	0	1,948	979	739	印刷費240内務へ
	各種教育調査	925	1,083	854	0	854	434	印刷費420内務へ
	学校保健体育調査	679	1,085	647	225	647	453	印刷費194内務へ
	高校入学者選抜	5,097	9,032	5,805	2,554	7,027	1,267	印刷費5,760内務へ
	学校設備調査	1,415	0	0	0	0	0	
	人材養成計画	0	2,970	0	2,359	1,330	795	印刷費535内務へ
	学力向上対策	0	0	0	6,184	2,404	2,164	印刷費420内務へ
	教育研究資料充実	0	925	0	560	0	0	
	能研テスト実施	0	161	0	0	0	0	
	父兄負担教育費調査	0	729	0	600	0	0	
	計	31,492	46,194	25,612	19,397	33,297	19,476	印刷費11,554内務へ(常勤手当2,267移替え)
琉球歴史資料編集	琉球歴史資料編集	967	1,537	1,092	0	1,092	252	印刷費840内務へ
	沖縄県史編集	10,133	47,564	34,730	4,082	34,730	22,258	印刷費9,000内務へ(常勤手当3,472移替え)
	計	11,100	49,101	35,822	4,082	35,822	22,510	印刷費9,840内務へ(常勤手当3,472移替え)

項	事業名	1964年度予算額	1965年度概算要求額	第一次内示額	復活要求額	第二次内示額	最終査定額	備考
教育関係職員等研修	教育指導員招致	3,531	40,692	3,390	900	3,390	4,050	印刷費240内務へ
	夏季認定講習会	3,458	26,918	3,648	0	3,648	3,068	（常勤手当580移替え）
	冬季研修会	558	684	480	0	480	480	
	学校経営研修会	575	1,287	681	0	681	441	印刷費240内務へ
	教育課程講習会	1,278	1,831	1,024	0	1,024	1,024	
	教科指導技術研修	1,069	2,175	1,543	0	1,543	1,354	印刷費351内務へ
	青少年健全育成	1,140	3,769	1,699	0	1,699	739	印刷費760内務へ
	指導主事研修	1,204	1,553	904	539	904	904	
	中高校英語教員合宿訓練	7[illegible]0	7,333	1,600	0	1,600	1,520	印刷費80内務へ
	中学校数学教員講習会	432	1,345	619	0	619	539	印刷費80内務へ
	学校診断	263	5,642	3,196	0	3,196	2,526	印刷費670内務へ
	学校安全研修会	159	469	165	114	165		印刷費200内務へ
	学校保健研修会	159	469	165	114	165	419	
	学校体育実技研修会	565	469	289	0	289		
	養護教諭研修会	40	74	44	0	44	44	
	学校給食研修	147	411	127	29	127	127	
	教育長研修	128	388	204	0	204	204	
	教育委員研修会	383	2,247	862	0	862	582	印刷費280内務へ

項	事業名	1964年度予算額	1965年度概算要求額	第一次内示額	復活要求額	第二次内示額	最終査定額	備考
教育関係職員等研修	教育関係法令研修	150	882	208	0	208	208	
	へき地教員研修	307	913	282	97	282	252	印刷費30内務へ
	教育相談研修	249	520	205	122	205	125	印刷費80内務へ
	特殊教育研修	558	1,856	680	0	680	640	印刷費40内務へ
	職業教育技術研修及び訓練	2,180	5,249	2,372	0	2,372	2,212	印刷費160内務へ
	高等学校長研修	480	651	582	0	582	582	
	高等学校教頭研修	312	426	391	0	391	391	
	留日派遣研究教員	715	30,744	400	415	400	0	印刷費400内務へ
	高等学校新採用教員訓練	135	446	180	0	180	150	印刷費30内務へ
	地方の教育現場との話合い	0	1,211	1,058	0	1,058	1,058	(教科指導技術研修へ移替え)
	高校社会科指導	0	718	0	204	162	0	
	文部省主催各種研修会講習会	0	10,261	0	0	0	0	
	高等学校定時制主事研修会	0	188	0	181	0	0	
	高等学校教員研修	0	11,575	0	0	0	0	
	小学校家庭技術訓練講習会	0	308	0	308	0	0	
	中学校英語教員主任研修	0	119	0	0	0	0	
	学校管理実務研修	0	2,201	0	0	0	0	
	学校長等の海外教育事情視察	0	4,650	0	0	0	0	
	計	21,321	161,299	27,267	3,285	27,429	23,908	印刷費3,841内務へ (常勤手当580移替え)
産業教育振興	産業教育振興	150,945	678,035	141,696	421,114	185,011	185,011	
	実習船運営	142,392	261,744	160,219	70,473	163,835	154,906	(常勤手当8,929移替え)
	中学校職業備品購入	206,723	200,000	50,000	45,600	50,000	100,000	〔USA50,000〕
	水産高等学校専攻科設置	22,889	26,394	24,311	0	24,311	24,311	〔GOJ20,000〕
	農業近代化	1,957	54,548	0	35,090	3,124	3,124	
	産業技術学校	0	164,810	0	114,838	0	0	
	計	524,906	1,385,531	376,226	687,115	426,281	467,352	(常勤手当8,929移替え) 〔USA50,000〕 〔GOJ20,000〕
社会教育振興	青年指導者養成講習	1,569	2,485	1,536	0	1,536	1,473	印刷費63内務へ
	婦人指導者養成講習	1,378	2,349	1,364	0	1,364	1,301	印刷費63内務へ
	PTA指導者養成講習	457	542	466	1,783	466	426	印刷費40内務へ
	レクレーション普及	509	509	504	0	504	454	印刷費50内務へ
	視聴覚教育	1,567	3,690	1,876	0	1,876	1,876	

項	事業名	1964年度 予算額	1965年度 概算要求額	第一次 内示額	復活 要求額	第二次 内示額	最終 査定額	備考
社会教育振興	社会教育主事講習	321	308	26	0	26	26	
	図書館司書研修	62	72	50	0	50	30	印刷費20内務へ
	社会学級振興	5,847	17,068	6,491	5,782	6,858	6,808	印刷費50内務へ
	職業技術講習	260	1,164	2,853	0	2,853	2,817	印刷費36内務へ
	新生活運動	2,153	3,132	2,192	309	2,192	1,403	印刷費225内務へ（常勤手当564移替え）
	社会教育総会研修	240	990	284	496	354	253	
	測量技術養成講座	2,780	3,058	2,792	60	2,812	2,796	8印刷費16内務へ
	青年婦人国内研究活動	2,403	2,403	2,370	0	2,370	2,403	〔GOJ2,403〕
	各種学校指導調査	0	83	0	83	0	0	
	青少年健全育成モデル地区	360	800	240	1,112	820	787	
	婦人教育海外活動調査	0	1,569	0	0	0	0	印刷費664内務へ
	計	19,906	40,222	23,044	9,625	24,081	22,853	〔GOJ2,403〕（常勤手当564移替え）
公民館振興	公民館振興	21,174	25,150	21,016	3,494	21,016	21,016	
	公民館図書充実	0	65,898	0	0	0	0	
	計	21,174	91,048	21,016	3,494	21,016	21,016	
青年学級振興	青年学級振興	3,790	5,765	3,681	1,960	3,681	3,591	印刷費90内務へ
社教主事設置補助	社会教育主事設置補助	52,489	62,832	55,410	9,603	57,591	61,687	
子供博物館補助	子供博物館補助	1,000	1,000	575	425	575	575	
社会教育振興	社会体育研修会	311	564	233	0	233	259	印刷費60内務へ
	スポーツ大会運営	895	2,235	1,526	0	1,526	1,526	
	スポーツ団体派遣招へい	10,877	4,578	4,410	0	4,410	4,324	
	スポーツ技術向上訓練	960	1,840	840	0	840	840	
	総合競技場建設	62,500	107,110	65,265	29,398	74,428	74,428	
	体育祭	362	568	392	0	392	392	
	スポーツ用品購入	1,033	1,403	0	0	0	0	
	地方体育振興	4,440	8,940	720	8,220	720	720	
	オリンピック関係諸行事	0	2,941	500	1,762	1,344	1,344	
	スポーツ研究指定	0	500	0	0	0	0	
	奥武山陸上競技記念カーニバル	0	14,011	0	0	0	0	
	計	81,378	144,690	73,886	39,380	83,893	83,833	印刷費60内務へ

項	事業名	1964年度予算額	1965年度概算要求額	第一次内示額	復活要求額	第二次内示額	最終査定額	備考
中央図書館建設	図書館建設	25,000	82,175	9,720	55,071	9,720	9,720	
博物館建設	博物館建設	161,000	0	0	4,200	0	5,000	
△英語教育普及	英語教育普及	100,150	80,000	80,000	0	80,000	100,000	〔USA80,000〕
△学校建設	学校建設	2,073,424	3,276,339	1,529,665	1,039,090	1,938,297	2,077,720	(USA800,000〕
△学校教育補助	給料補助	6,915,465	7,533,845	7,144,364	312,476	7,305,862	7,585,862	〔USA1,000,000〕
	期末手当補助	1,453,349	1,569,972	1,537,120	57,910	1,556,039	1,556,039	
	単位手当補助	1,800	2,410	900	900	900	900	
	退職給与補助	86,845	1,267,900	68,217	820,245	176,217	176,217	
	公務災害補助	2,636	5,088	4,070	714	4,784	4,784	
	複式手当補助	3,012	3,120	2,532	0	2,532	2,532	
	開拓地学校運営補助	1,841	2,326	1,768	0	1,768	1,768	
○	学校運営補助	617,900	934,489	514,550	440,223	679,002	750,570	〔GOJ177,022〕
	へき地教育振興補助	111,906	123,975	106,256	8,760	106,256	110,306	
	実習生徒受入補助	113	210	120	0	120	120	
	備品補助	0	275,000	150,000	0	150,000	0	学校備品充実費へ移替え
	準要保護生徒学用品教科書費補助	0	69,872	0	0	0	0	
	給料特別調整補助	0	63,759	0	63,759	0	0	
	特別学級担任教員給料調整補助	0	3,147	0	0	0	0	
	学校事務職員超過勤務手当補助	0	4,264	0	3,982	0	0	
	幼稚園教育育成補助	0	150,054	0	86,459	0	6,834	
	計	9,194,867	12,009,431	9,529,897	1,795,428	9,983,480	10,195,932	
教育行政補助	地方教育行政補助	159,822	182,424	126,717	30,428	133,857	142,451	
交付税特別会計繰入	交付税(教育費分)特別会計繰入	155,000	1,117,000	135,000	854,000	110,000	160,000	

	項	事業名	1964年度予算額	1965年度概算要求額	第一次内示額	復活要求額	第二次内示額	最終査定額	備考
○	育英事業	育英事業	147,046	489,402	164,196	23,499	175,835	177,172	〔GOJ90,089〕
	琉球大学補助	琉球大学補助	1,085,215	1,962,279	925,937	352,070	1,089,825	1,156,825	
	文化財保護	文化財保存調査研究等	15,681	75,008	20,306	8,175	20,831	19,459	印刷費1,412内務へ
	少年健全育成センター建設	青少年健全育成センター建設運営	0	24,996	0	24,996	0	0	
△	学校備品充実費	学校備品充実						150,000	〔USA150,000〕
	教育人事委員会	教育人事委員会	0	0	0	25,898	0		
		計	14,251,240	22,304,174	13,715,574	5,296,409	14,898,952	15,475,622	印刷費38,070内務へ〔USA2,340,000〕〔GOJ289,514〕

（注）　1　欄外○印は日政援助関係事業、△印は米援助関係事業

2　備考欄は費目の移替え及び米援、日援期待額を示す。

文教局予算要求明細表

1965会計年度運営費　（単位弗）

項	事業名	1964年度予算額	1965年度概算要求額	内示額	最終査定額	備考
文教本局	文教本局一般事務	191,050	447,570	198,524	236,117	
中央教育委員会	中央教育委員会運営	12,326	22,644	12,299	12,299	
政府立高等学校	政府立高等学校運営	2,020,568	2,677,631	2,145,088	2,294,294	
政府立特殊学校	政府立特殊学校運営	106,160	213,606	115,377	123,622	
政府立中学校	政府立中学校運営	43,796	57,598	46,914	50,564	印刷費175内務へ
博物館	博物館運営	11,284	16,353	11,902	12,279	印刷費150内務へ
図書館	図書館運営	13,600	48,147	15,566	17,281	
文化財保護委員会	文化財保護委員会一般行政	13,993	16,457	15,507	15,124	
教育センター費	教育センター運営				0	
計		2,412,777	3,500,006	2,561,177	2,761,580	印刷費325内務へ
総計	事業費	14,251,240	22,304,174	(13,715,574) 14,898,952	15,475,622	印刷費38,070内務へ 〔USA2,340,000〕
	運営費	2,412,777	3,500,006	2,561,177	2,761,580	印刷費325内務へ 〔GOJ289,514〕
	計	16,664,017	25,304,180	17,460,129	18,237,202	印刷費38,395内務へ

（外に土地購入費270,766内務へ）

沖縄の特殊教育 ー(盲・聾を除く)ー

義務教育課

はじめに

多年の懸案であつた養護学校が遂に設置されることになつた。養護学校といつても，実際には一度に二校設置されることになつている。その一つは，政府立精神薄弱児養護学校であり，いま一つは，政府立肢体不自由児養護学校である。普通教育を受けることのできない子どもたちに対して，その能力に応ずる教育を施し，よき社会人，職能人として，社会生活に適応し，自立できる人間を育成しようというのであるが，それだけに普通教育を施す学校とは異なつた内容であり，指導でなければならない。

この養護学校の設置によつて在宅して学校教育を受けなかつた子どもで教育を受ける子がでてくるが。普通の小中学校に在籍している子どもの中にも相当数の子どもが養護学校の教育対象となるから，養護学校との関わりも大きいことになる。

精神薄弱児養護学校は中学部90人，肢体不自由児養護学校は小学部90人，中学部45人，計 135人となつている。

両校とも浦添村字大平鏡原に設置されることになり現在仕事がすすめられている。

◎特殊教育の現況

普通に特殊教育というのは盲学校，聾学校，養護学校（肢薄児肢体不自由児，身体虚弱児）及び普通学校の中に設置される特殊学級等で行なわれる教育のことを云いますが，ここでは盲学校，聾学校の教育については割愛します。特殊教育は教育のバロメーターだとも云われています。特殊教育が盛んだと云うことは普通教育の水準も上位にあるということだと思います。それでは戦後20年を経た沖縄の特殊教育の現況はどうなつているのでしょうか。

1．特殊学級

(イ) 現在沖縄には精神薄弱児及び肢体不自由児のための学級と遅進児（知能は普通以上にありながら学力の劣る児童，生徒）のための特殊学級があります。

学校教育法第77条には

1. 性格異状者（本土法では削除されている）
2. 精神薄弱者
3. 聾者及び難聴者（本土法では聾者は削除）
4. 盲者及び弱視者（本土法では盲者は削除）
5. 言語不自由者（本土法では削

除）

6. その他の不具者（本土法では肢体不自由児者）

7. 身体虚弱者

以上7項に対して特殊学級を設け，又は教員を派遣して教育を行なうことができるとうたわれていますが，そのうちの2項及び6項が設置されています。

(ロ) 沖縄の特殊教育の実態はどうなつているだろうか。肢体不自由者の為の学級が小学部7学級、中学部が3学級でおよそ110人が神原小学校，寄宮中学校整肢療護園分教場に収容されています（64年4月現在）特殊学級（精薄児促進）が1963年までは37学級であつたのが1964年4月現在では50学級に増設されおよそ750人が特殊教育を受けています。なお，1965年度では大巾な増設計画がありますが，後で述べることにします。

2. 肢体不自由児と精神薄弱児の出現率と沖縄の特殊教育対象児数の推計

上記の数の児童生徒が特殊教育を受けていますが，実際にはどの位の児童生徒が対象となるのか次に記述します。

文部省調査（昭36.3広報資料18）によると特殊教育を受けるべき児童生徒の出現率は次のようになつています。

精神薄弱児	4.25%	就学可能者のみ
肢体不自由児	0.34%	
病弱、虚弱	1.35%	
計	5.94%	

以上の資料から沖縄の特殊教育を受けるべき児童生徒の数はどうなつているか推計してみました。そのうち精神薄弱児の出現率4.25%は高いようにも思われますので（世界的には3～4%といわれている）これを4%にさげて算出しました

全琉の児童生徒の在籍236,630人（64.4末現在）でみると沖縄の特殊教育を受ける可能性のある者は次の通りになります。

精神薄弱児	9,465人	（出現率4%として）
肢体不自由児	804	
病弱、虚弱	3,194	
計	13,463	

3. 沖縄に於ける肢体不自由児の実態

沖縄にはどの位の肢体不自由児がいるかは上記のことでも把握できますが沖縄肢体不自由児協会が2ケ年余にわたり実際に調査したものによりますと18才未満の出現率は0.58%（全出現率）で全肢体不自由児数は2,450名となつています（文部省調査の全出現率は0.67%となつている）そのうち登録済の者は1,701人で，病類別にみると次のとおりであります。特に脳性麻痺と小児麻痺が多いのは世界的な現象のようです。

病類別	数	百分率(%)
脳性マヒ	832	49.4
ポリオ（小児マヒ）	432	25.4
骨関節結核	54	3.2
関節炎	43	2.5
先天股脱	81	4.6
内反足	55	3.2
ペルテス氏病	36	2.1
先天性奇形	11	0.6
その他	157	9.0
計	1,701	100.0

以上の数字は実際調査によるものであつて就学可能者の数ではありません。

尚資料として教育区別には末尾に添付。

◎特殊教育について

1．養護学校設置の必要性

盲、聾学校が80年の歴史をもつているのに反し養護学校の歴史は20年たらずの浅いものであります。これには色々な理由のあることではありますが憲法や教育法などにうたわれている「能力に応じた教育の機会均等」という理念からもこれ等薄幸な子ども達に適した「場」を与えなければならないと思います。

50人の普通学級の中には強度の弱視や難聴や，さらに精神薄弱児や肢体不自由の児童生徒が交じり合つて編入されているとしたらはたしてひとりの教師でじゆうぶんな指導ができるものでしようか。特殊な児童，生徒に対しては勿論，学級内で大多数を占める心身に異状のない児童生徒の教育そのものが，大きな障害を受けずにはいられません。普通学級の学級経営をできるだけ完全に行うためにも，特殊な児童生徒の為にはそれぞれの故障に応じた適切な教育を行う場所が必要なのです。

2．精神薄弱教育の主旨とそのねらい

精神薄弱児の教育は普通の教育課程をわかりやすく，ゆつくりと積みあげていくというやり方ではなく円滑な社会生活ができる人間にしていこうということであります。つまり他人に（社会）迷惑をかけずに自立生活が営み得る「社会生活能力」を伸ばしてやろうというのがこの教育の主旨でもありねらいでもあるわけです。更に云いかえると精神薄弱児の特殊教育は，分化された教科的学習ではなく実生活に即した生活カリキユラムで職業生活の基本的な条件を満たすための学習と云えます。

3．肢体不自由児の教育

四肢やその他身体の部分に不自由なとたろがあり，そのままでは将来社会生活を営む上に支障をきたすおそれのある者を肢体不自由児といい，これらの者の教育を肢体不自由児教育といつています。

肢体不自由児は手足は不自由であるが，知能は通常であります。（脳性マヒの中には，知能の遅れた者が少なくない）だからといつてこれ等の

子どもたちを普通学校で普通児と同等に教育することは酷ではないでしようか。彼等の機能訓練の為には特別な教室を設け特別な器械器具等を利用し，更に身体の故障か所の診療や矯正がともなわなければなりません。

◎沖縄の養護学校はどうなつているか

1．肢体不自由児養護学校

①　沖縄の肢体不自由児中就学可能な児童生徒の数はおよそ 800人もいます。そのうち収容されている者が「沖縄整肢療護園」に小学部92人中学部18人（64年4月現在）で就学可能児の12％程度にすぎません。他の該当児では普通学校に通学しているか或は就学猶余，免除になつているということになるわけです。

回　この為政府では浦添村大平鏡原に1965年1月開校を目ざして着々と準備をすすめて居ります。これが完成しますと更に小学部6学級（90人）　中学部3学級　（45人）の収容が予定されています。

2．精神薄弱児養護学校

精神薄弱児対象の教育としては現在28の特殊学級がありますが（促進も含めると50学級）次年度は特殊学級を 124学級まで増設する計画になつています。

更に肢体不自由児養護学校と同一場所に同時開校の予定で工事が進められています。完成しますと（中学課程のみ）1年2学級（30名）2年2学級（30名）3年2学級（30名）計90人の収容が予定されています。

これ等の養護学校が完成しますと沖縄は2つの養護学校を保有することになります。

3，教員養成について

以上の様に特殊教育がもり上つてきますと当然の問題として教師の問題がありますが，この事について文教局では研究教員の派遣研修と夏期講座開設等々によつて教員養成に努力をはらいつつありますが将来更に講習会をもつとか色々な方法でこれ等の問題を解決したいと思つています。

特殊学級への協力を望む

普通学校の中に特殊学級がありますが場所が場所だけになにかと支障をおこしがちです「ものずきな教師が何かはじめたな」と奇異な目でみたり「デキランヌー学級」と蔑視するような態度や行動は大いにつつしまねばならない事です

特殊学級設置を決意し担任を任命したからには校長以下職員が直接間接に援護してもらう事を強く要望します。更に父兄の理解と協力が必要であることは云うまでもありません。その事が殊特教育の成功を握る鍵だといつても過言ではないと思います

（資料１）　肢体不自由児の地区別病類別登録数　(1963・9・30現在)

地区別＼病類別	脳性マヒ	ポリオ	骨関節結核	関節炎	先天股脱	内反足	ペルテス氏病	先天性奇形	その他	計	%
北部地区	115	78	12	15	20	16	4	1	47	308	18.0
中部 〃	256	105	5	12	17	16	9	4	34	458	27.0
那覇 〃	209	87	8	2	15	9	6	2	21	359	21.0
南部 〃	150	75	9	4	17	9	10	1	23	298	17.5
宮古 〃	62	56	9	9	6	2	3	1	14	162	9.5
八重山〃	40	31	11	1	6	3	4	2	18	116	7.0
計	832	432	54	43	81	55	36	11	157	1,701	100.0

注：全肢体不自由児数2,450名（18才未満の0.58%）の内70%登録完了する。

（資料２）　とくに市町村別に肢体不自由児登録数を次にかかげる。

	市町村名＼病類	脳性マヒ	ポリオ	骨関節結核	関節炎	先天股脱	内反足	ペルテス氏病	先天性奇形	その他	計
北部地区	国頭村	9	12	2	1	2	—	—	—	3	29
	大宜味村	7	3	1	1	—	1	1	—	4	18
	東村	3	3	—	1	—	—	—	—	—	7
	羽地村	7	9	1	—	1	1	—	—	3	22
	屋我地村	3	1	—	1	—	—	—	—	3	8
	今帰仁村	7	9	—	2	1	3	—	1	4	27
	上本部村	4	—	—	—	1	—	—	—	1	6
	本部村	14	12	4	—	9	1	2	—	11	53
	屋部村	3	3	—	—	1	1	—	—	1	9
	名護町	23	11	2	1	1	3	—	—	2	43
	金武村	13	3	—	3	—	1	—	—	7	27
	宜野座村	4	2	1	4	3	—	1	—	—	15
	久志村	5	2	—	1	—	—	—	—	1	9
	恩納村	6	3	—	—	—	4	—	—	2	15

	病類 / 市町村名	脳性マヒ	ポリオ	骨関節結核	関節炎	先天股脱	内反足	ペルテス氏病	先天性奇形	その他	計
	伊江村	4	4	—	—	1	—	—	—	4	13
	伊是名村	2	1	1	—	—	1	—	—	—	5
	伊平屋村	1	—	—	—	—	—	—	—	1	2
北部地区 計		115	78	12	15	20	16	4	1	47	308
中部地区	石川市	24	9	1	—	—	3	—	—	2	39
	具志川村	24	14	—	—	4	1	—	—	4	47
	美里村	17	5	—	—	1	2	1	—	2	28
	嘉手納村	15	4	—	—	1	2	1	—	1	24
	読谷村	19	6	—	1	—	1	—	1	5	33
	北谷村	5	3	1	—	1	2	1	—	1	14
	コザ市	54	15	—	1	2	—	1	—	4	77
	宜野湾市	29	11	1	4	2	—	3	—	6	56
	浦添村	18	16	—	2	4	1	1	1	5	48
	中城村	7	2	1	1	—	2	—	2	—	15
	北中城村	9	6	1	1	—	—	—	—	1	18
	西原村	11	2	—	—	1	—	1	—	—	15
	勝連村	12	5	—	—	—	1	—	—	—	18
	与那城村	12	7	—	2	1	1	—	—	3	26
中部地区 計		256	105	5	12	17	16	9	4	34	458
南部地区	那覇市	209	87	8	2	15	9	6	2	21	359
	豊見城村	14	7	—	1	—	1	—	—	1	23
	糸満町	44	9	2	—	2	1	2	—	3	63
	知念村	8	3	—	2	—	—	—	—	—	13
	玉城村	6	3	2	—	3	—	1	—	2	17
	佐敷村	12	2	1	—	3	1	—	—	2	21
	大里村	9	9	—	—	—	—	—	—	3	21

市町村名＼病別		脳性マヒ	ポリオ	骨関節結核	関節炎	先天股脱	内反足	ペルテス氏病	先天性奇形	その他	計
南部地区	与那原町	9	4	1	—	1	2	—	—	2	19
	東風平村	13	4	—	—	1	1	—	—	—	19
	具志頭村	8	9	—	—	5	—	2	—	3	27
	南風原村	13	11	2	—	1	2	—	1	—	30
	渡名喜村	—	1	—	—	—	—	—	—	—	1
	渡嘉敷村	—	1	—	—	—	—	—	—	—	1
	粟国村	1	—	—	—	—	—	—	—	—	1
	仲里村	5	4	1	1	—	—	2	—	2	15
	具志川村	3	7	—	—	1	1	3	—	5	20
	南大東村	5	1	—	—	—	—	—	—	—	6
南部地区　計		150	75	9	4	17	9	10	1	23	278
宮古地区	平良市	35	34	2	7	4	1	3	—	7	93
	城辺町	12	7	—	1	—	—	—	—	3	23
	伊良部村	11	5	2	—	—	—	—	—	—	18
	上野村	2	2	2	—	—	—	—	1	—	7
	下地町	2	7	3	1	2	1	—	—	4	20
	多良間村	—	1	—	—	—	—	—	—	—	1
宮古地区　計		62	56	9	9	6	2	3	1	14	162
八重山地区	石垣市	27	16	8	—	1	2	—	—	12	66
	竹富町	8	3	1	—	—	—	1	1	1	15
	大浜町	5	12	2	1	5	1	3	1	5	35
	与那国町	—	—	—	—	—	—	—	—	—	—
八重山地区計		40	31	11	1	6	3	4	2	18	116

（資料3）　全国養護学校設置の現状

昭和38年5月1日現在

区分	肢体不自由養護学校					精神薄弱養護学校				
	国立	府都県立道	市立	私立	計	国立	都県道府立	市立	私立	計
北海道		1			1		1		1	2
青森		1			1					
岩手		1			1					
宮城							1		1	2
秋田		1			1					
山形										
福島		1			1					
茨城		1			1					
栃木										
群馬		1	1		2			5		5
埼玉										
千葉		1	1		2			1		1
東京	1	4			5	2	1		2	5
神奈川		1			1			2		2
新潟		1			1					
富山										
石川										
福井										
山梨	1				1					
長野		1			1		1			1
岐阜								1		1
静岡		1			1			1		1
愛知		2			2					
三重		1			1					

区分	肢体不自由養護学校					精神薄弱養護学校				
	国立	府都県立道	市立	私立	計	国立	府都県立道	市立	私立	計
滋賀										
京都			1		1					
大阪		1	1		2			2		2
兵庫			4		4			1		1
奈良										
和歌山										
鳥取		1			1					
島根										
岡山		1			1					
広島		1			1					
山口										
徳島		1			1					
香川		1			1					
愛媛										
高知		1			1			1		1
福岡		1			1			3	2	5
佐賀									1	1
長崎										
熊本										
大分							1	3		4
宮崎										
鹿児島										
総計	1	28	8		37	2	5	20	7	34

○ 肢体不自由養護学校をもつ都道府県数　26

○ 精神薄弱養護学校をもつ都道府県数　15

○ 上記の両者をもつ都道府県数　11

（資料４）　精神薄弱者児童生徒の判別基準と教育措置

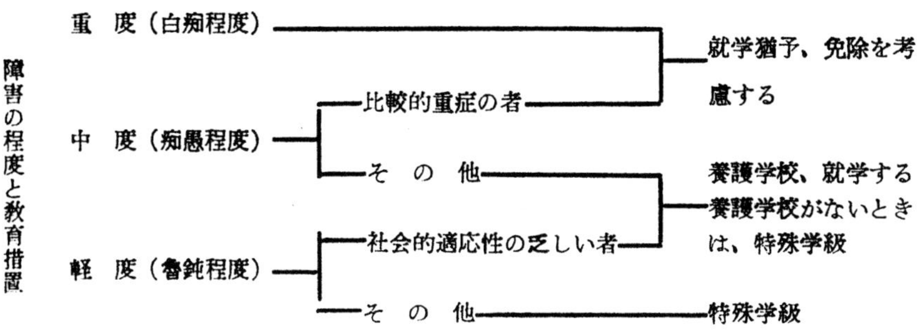

（資料５）　肢体不自由者児童生徒の判別基準と教育措置

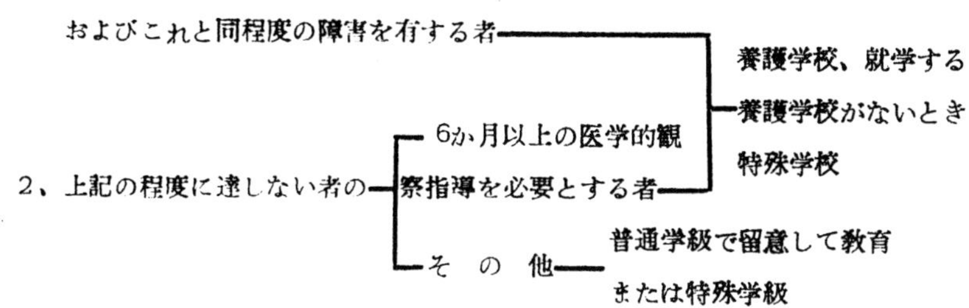

○　文部省資料による

公立小中校の規模の適正化
小規模学校の解消

学校統合の必要性

義　務　教　育　課

学校規模は教育環境を最良の条件にするというたてまえからすると，小学校18学級(900人)，中学校15学級（750人）を標準として考えることが一般に行なわれている。

沖縄は地理的関係から極めて小規模の学校が多い。仮りに小学校で在籍300人以下の学校を数えると1963年5月1日現在で72校となりそれは，全琉の小学校の3分の1の割合を占めることになる。また中学校で在籍 250人以下の学校はさらに高い割合で，全琉の中学校の半数に近く，73校となつている。

このような小規模の学校を幾つか統合して適正化することは，学校教育の上から適切な措置であり，これは自明の理である。ただこれが，いろいろの理由から時間を要することが実情である。

そこで学校統合の必要に直面すべき地域や学校では，改めて近い将来の問題として，学校統合への教育的配慮とそのためにつとめられることを期待したいものである。

文教局はこれまで幾つかの学校の統合実現に努力してきた。この統合措置は今後も続ける方針である。以下学校統合が何故に必要であるかについてかいつまんで述べることにする。

○まず小規模学校には単級学校や複式学級が多いということである。したがつて教員数は教科の数より少なく，勢い教師は免許教科以外の教科も担当しなければならないということになる。実際1人で3教科以上担当している教員も少なくない。

このことは教材研究が広く浅く，生徒の学力低下を招来することが予想される。特に中学校は教科担任制であるので各教科の専門教師が必要であるが，これらの学校でそのような教員配置を期待することは無理である。

○新教育課程は，職業教育，技術教育のための施設，設備が必要であるが，これら小規模学校のすべてにこれを設けることは財政面から困難である。特に中学校において義務教育最終の段階として，社会へ出るための職業訓練が必要である。にもかかわらず小規模学校において，不経済を理由，にこれらの訓練が行なわないということであれば教育の機会均等の面から好ましくないことである。

○小規模学校の生徒は一般的に視野がせまく閉鎖的である。教育においては「よりよき人間関係」を培い，さらに卒業後村勢に対する協力体制を養うためにも，ある程度の広い仲間意識を作ることが肝要である。

○教育財政の面から小規模学校は一人当たり教育費が大きい割に生徒の学力ー教育効果はあまりあがらない。教育財政を効率的に活用して学力向上をはかるためにこれらの不経済学校の解消は必要である。

○学校規模の適正化のための統合に要する経費は大きいが，長い目で見た場合大きな節減となり，反面教育効果の面からは大きな効果をもたらすものと確信できる。

○1963学年は，5学級以下の小規模中学校の数は64校で，中学校総数は152校のうち 42%を占めているが，計画実施後の1969学年は17校となり11%に減ずる。この17校は離島で統合が著しく困難な学校である。

学校を統合してみて

伊原間中学校長

黒島廉智

1．学校統合前と統合後はどう変つたか。

学校の統合といい，分離といい，これはあくまで学校を適正規模にして教育の諸条件を整備することにより現場においては児童生徒の学力とモラルの昂揚をはかることにあり，また行財政担当当局においては教育財政を確立し健全な行政措置を行い易くすることにある。

従来、5つの当校区の各小中学校は複式学級をかかえ，または小規模学校であつたため教員の負担が過重であつたり，適材を適所にという行政措置がうまくできなかつたため，他校に比して学力は著しく下位にあつたようである。それに加えて小さい学校では生徒が互いに他と競争しようという意欲にも欠けていたためか，いきおい学力の向上ということにはおよそ縁遠い状況であつた。

それが統合後，各教師は大体において専門教科を担当することが出来，また複式解消により今までの間接指導から来る困難や過重な負担からも脱皮し生徒も指導時間の不足から来る学力低下という悪条件を取除くことが出来た。

尚統合後は各学年とも三学級づつの編成になつたため互いに各面で他と競

争して向上しようという気配がみられたため，学校でも月例テストを施行して彼等の向学心に拍車をかけて成績の向上に努めて来た。このことは統合後第一回目の去る高校入試の合格率が74.2%を示していることからも裏づけることが出来ると思う。

そのことよりも学校が統合により，最も力を入れたのは集団の中の「人づくり」であつた。池田首相は「国づくりの根本は人づくり」といい，大田主席も最近「人づくり」を提唱しているがその人づくりは何といつても「学校づくり」が根本ではないかと思う。

なる程学校教育の外に，社会教育，職場教育，家庭教育と「人づくり」の場はいろいろあろうが，それぞれ方法が違い環境が違う。学校が専門的教育の機関であるからには人づくりはまず学校づくりからをモツトーにして統合を機会に環境づくりに精を出した。けだし環境浄化が人づくりを大きく左右すると信じているからである。

即ち，無から有をつくり出すようなもので不足教室6教室，保健室，給食準備室，技術室，便所等々が促進して来たおかげで後旬日にして完成をみることになつており，その他小まぎれ予算を受けていた各中学校の予算をまとめて必要度の大きいしかも多量の備品が購入できた。

町当局からは1町6反の土地を提供して戴き，委員会では校舎敷地や運動場の拡張工事や予算の増額をPTAでは1町1 2反の甘蔗の植付や校門建立それに給食準備室充実費を寄附してもらい卒業生も記念事業として池の構築をしてくれる等小規模学校という集団の中では全くなし得なかつた諸活動，諸事業が，着々実を結んで今では前とは何もかも変つてしまつた環境の中で「和哀」「協力」を方針に「学力向上」「道義の高揚」を教育目標に人づくりに力を入れている。また統合前と統合後の変つた点といえば校区民は互いに未開地開拓という共同の目的で入植はしたものの点在した部落であることと，交通不便のため親同志はもち論，生徒相互間の心の結びつき，交歓が全然なかつたものが学校が統合してからは学校を通し互いに意志相通じ和と協力という学校の経営方針に同調するようになつた。もち論辺地教育の閉塞性も次第になくなり，生徒間の親しみや尊敬の念，思いやりも深くなつて適正規模の学校統合はただに学力向上のみでなくモラルの高揚にも大へん役立つ方法であるといえよう。

また，行財政面では人件費の節約，備品の合理的購入，専門教師の適正配置の上から大きくプラスになつたということは事実であると思う。

2．学校統合後どのようなことに力をそそいだか，また苦労した点

学校統合の目的が学力を向上させるためになされたものであるからには目的

にそうような措置を講じなければならない。月別テスト，進級テスト，漢字ドリルテストを度々行つて5小学校区の生徒の実態を調べたり，文教局の実験協力校として心理テストを施行して進路指導に役立てるべく研究発表を行つたりして来た。

或いはまたいなかの閉塞性や因習をなくするために校内弁論大会を度々催したり言語指導に力を入れたり，小中併置校ではかけ声ばかりに終りがちな生徒会活動を本来の姿に替え，校内はもち論校外行事にも数多く参加させるなどして学力向上と並行して社会性の涵養にも努力してきた。

生徒の管理面では各出身学校が違いまた出身地も沖縄本島，宮古，八重山日本本土というように異るばかりか21の部落に点在しているので今まではその間にお互いの交流が思うように出来ないためそれぞれ独自の気質の相違もあるので衝突もたまには起りはしないかと心を配り部落対抗の競争や遊びはこの一ケ年は極力これをさけ，専ら大同団結をスローガンとして統合した私たちの学校だという意識をつくることに努めた。

尚特筆大書したい苦労は統合の条件として関係当局が，保証し，校区民に約束された配車の件である。三台のバスは最小必要台数だということは地理的条件からはつきりしていることであるが予算関係で一度に三台の配車は出来なかつたが一年次のバス一台は去年の十月頃から動き出すようになつたものの，その間民間バスを利用したため線路回数の少いことと遠隔の石垣発のバスであるため登校下校の定刻が常におくれ，学校運営上大きながんとなつていた。

一台のバス配車により或程度の時間の都合はついたものの一台ではやはり登校，下校時に前者はあまり早すぎ後者は遅すぎるという箇所も出てきて他のどの学校にもあまりみることのないバス通学までも学校運営の一環として心を痛めねばならない状態が今だに続いていることは残念でならない。

また学校と地域は一体でなくてはならないから遠隔のため学校を訪れる父兄も常時は少なく，評議員会，学級PTA，総会，入学式，卒業式の時見えても帰宅のバスの心配で気も落ちつかず，教師も各部落に点住しているので集会研修等に著しく時間の制約を受け学校統合が形の上で成績をあげつつある蔭にはまたこうした筆舌に尽し難い苦労も伴っている。

それで，学校側，PTAは委員会や政府に対し，再度このバスの完全配置や運営費について陳情し，善処方を懇願して来たが，未だに解決されていない。けだし，このような特殊事情のある学校運営は，年度ごとの政府の財政事情や委員会でまかなう教育税の徴収状況に左右されるべきでなく法で守ら

こそうまくいくものだと一ケ年を顧てつくづく痛感した次第である。

3 今後配慮すべき点

一般行政であろうとまた教育行政であろうと財政の伴わない行政はあり得ない。またせつかく財政措置は講じられてはいるが事務的処理がおくれて実行に移されないのでは，その間政治も学校運営も足踏みどころか，後退しているようなものである。今後次々と統合の計画をなさつておられる当局に望みたいことは財政措置に裏づけられた統合に要する基本施設を整え新学期からスムーズなすべり出しが出来るよう願いたいものである。つまり物も金も人もちやんと揃つた環境の中でこそ統合の目的も充分果せると思うからである。なお教育は全住民のものであるので学校統合に当つては何よりも校区全住民がよく統合の利害功罪を理解し，そしてその絶大な協力なくしては実現出来ないどころか実現しても運営上大きな困難を招くのではないかと思われる。

寮設置による学校統合

大 原 中 学 校

八重山竹富教育区の大原中学校は63年4月に上地，由布，古見，大原の4つの小規模学校を統合してできた学校である。統合前の4校がそれぞれ離島同志であるため，統合は生徒の寮設置によつて行なわれた。以下は同校からよせられた統合による学校のよい点と問題点である。学校統合が教育的に効果であることの実証とも言えるが，同時に学校統合を行なうにあたつて配慮すべき幾つかの問題点を指摘しているものとして注目したいものである。(編集子)

統合前と統合後ではどう変つたか

1 学 力 向 上

(イ) テストを行ない上位の15～20人を豊原，大原，大富寮生の区別をして発表したが，統合された当時は発表された人員での寮生の占める割合は小さかつたが，2学期，3学期と寮生の占める割合が大きくなつてきた。発表された20人中，10人が寮生だつたという例もある。

(ロ) 1学期の中頃，前学年の教科をテストした結果70点以上の上位を占めたのは地元生徒であり，寮生はあまり良くなかつた。その後統合された後の現在授業している教科をテストした結果寮生の成績は良かつた。すなわち統合前の教師1人による複式の授業と各教科単式の授業とでは学力に大きな差があることを証明するものである。

二　規律協力責任感の精神

寮生活がスムースに営なまれる為にいろいろな役員が置かれている。寮長，副寮長，文化係，体育係。

生産係……等。任務は，

※寮長……朝夕の点呼，寮生寮生活全般にわたつて舎監を助ける。

※生産係……寮食料の運搬，野菜の栽培……この2つの任務を例にとつて考えてもわかるように寮生活を営むには非常に大切な欠くことのできない役目である。役員に選出された当時はあまり役目を果たしているとは思えなくとも任期の終わる頃にはすばらしい働きを見せてくれる。他の寮生もよく協力する。

三　発表力がつく

小さい部落，小さい学校，狭い範囲での生活は精神的にも広がりのないものとする。統合された当時は互いにグループをつくり，他との交わりが見えず人前に出て話すということも容易でなかつた。現在ではクラスでも良く話すようになり，意志を充分に発表できるようになつた。

四　交際範囲の拡大

限られた小数の生徒同志の友人関係から多くの生徒との友人関係になり，視野も拡大された。

五　親兄弟のありがたさを知る

統合前自分の家から学校へ通つていた頃は親のいいつけも聞かず兄や弟とよくケンカをした。しかし統合されて週1回家に帰るようになると親の言うことを良く聞き，手伝いもやるし，兄弟とはケンカもしない。これは古見，田布，上地の父兄から聞いたことである。

今後配慮すべき点（要望事項を含めて）

(1)　寮専用の野菜園の獲得
国有地である上入植当時すでに配分されているので思うようにいかないがなんとか解決したい。（現在は空地を利用してやつている）

(2)　寮（建築中）周辺の清掃美化……（小公園化）

(3)　風呂，食堂，タンク，給水場等の建設

(4)　休養娯楽室，舎監室，保健室の建設

(5)　電話の設置
学校ー上地間（無電を早急に）
学校ー由布間
学校ー寮　間
（以上 連絡用）

(6)　ジープかバイクを購入してもらいたい。

(7)　炊事婦給料の増額，期末手当，へき地手当の支給

(8)　急病人発生時の往診料，車賃の支給

(9)　救急薬品の購入費支給

(10) 食糧運搬賃（トラック，馬車使用の時）の支給

(11) 専任舎監，寮母の配置

(12) 事務職員の配置（寄宿舎のある学校は事務量が多い）

(13) 普通教室，特別教室（技術教室、家庭科教室）の建設

(14) 教員住宅の増築

(15) 寮生食料費の補助増額

要　望　事　項

教育委員　君　島　茂

1　風呂場の建設

現在寄宿舎には風呂場がなく，民家にお願いして入浴させている状態でありますので寄宿舎の学習時間にも支障をきたしている状態であります。早急に風呂場を建設していただきたい。

2　便所の増築

現在使用中の便所は統合前（分校時代からの）のもので生徒増に伴い増築が必要である。現在建築中のものは寄宿舎に隣接した寄宿舎専用のものである。（寄宿舎は学校から350mの所にある。）

3　寄宿舎内に娯楽室、病人の療養室の設置

現在建築中の寄宿舎は寝室兼勉強室のみであるので病人の療養や新聞雑誌の閲読，役員の集会する室の必要を感ずる。現在建築中のものは室数が少いためそれらを設ける余裕がない。

4　寄宿舎内の諸費用（電灯料，水道料等）**の政府負担**

食費（現在1人につき6弗）以外の政府負担がないので諸費用も政府予算に計上していただきたい。現在支給されている1人につき6弗の中から諸費用も支出される場合生徒の健康に支障をきたさないかが心配される

5　炊事婦の増員

現在1人分（11ケ月分，8月なし）の支障を受けているが長時間勤務で労基法違反になるので炊事婦2人傭人して1人分の給料を2人に分配している。ぜひ2人分を支給して貰い度い。

6　炊事婦の期末手当等の支給

政府予算に計上して支給していただきたい。区委員会から20弗支給しているがこれも政府で考慮していただきたい。

7　医薬品の支給

寄宿舎生に病人がでることがあるのでこの面の費用も政府で計上して貰い度い。

—道徳の指導資料の使い方—

人間尊重を基調に
学校の実情に適した指導を

—文部広報第376号より—

刊行趣旨

道徳教育が真に効果をあげるためには，教師が明確な指導理念をはあくし，熱意をもつて指導にあたることが肝要である。昭和三十三年九月の道徳の時間の実施以来，各種講習会の開催あるいは指導書・指導資料の作成・提供等を通して，特設道徳の指導の向上を図つてきた。

その結果，各学校における道徳の指導も軌道にのり，多くの学校において着実な成果をあげている現状である。

しかしながらその反面，具体的・効果的な指導のための適切な教材の選定に困難を感じている向きもあり，さる昭和三十八年七月の教育課程審議会の答申においても，教師用の指導資料をできるだけ豊富に提供することの必要性が強調された。

このような要請に応じ，学校における道徳の時間の効果的な指導計画の作成のしかたや適切な教材の選択に参考となるように，今回道徳の指導資料第1集が作成された。無償で配布されることになつた。従来の指導資料は有料で提供され，発行部数にもおのずから限度があつたため，その普及徹底の面にも問題があつたが，今回は小・中学校のすべての学級担任教師に対し，当該学年用の資料がもれなく配布されるのであるから，全国的な視野からみて，特設時間における指導の向上が期待される。

この指導資料には，年間を通しての道徳時間に充当できるだけの指導案や資料が盛られており，内容もそれなりの完結を示してはいるが，なお昭和三十九年度においても同様の趣旨に基づく第11集が作成され，いつそうの充実が図られる予定になつている。

学習指導要領には，小学校三十六項目，中学校二十一項目の内容が示されているが，これは今日われわれに要請されている道徳的価値のすべてをおおうものである。この指導資料は，それらの道徳的価値を児童・生徒に自覚させ，実践への意欲を高めることを意図して編集されたものであるが，前述の教育課程審議会の答申においてもとくに公正な愛国心の育成，宗教的あるいは芸術的な面からの情操教育の推進の必要性が説かれているので，それらに関連して本書の内容を紹介してみよう

資料の内容

まず愛国心の問題であるが，直接にその育成をねらつた主題としては，小学校では三年の「日の丸の旗」（スライド利用）四年の「富士と北斎」（読み物利用），五年の「パドヴアの少年愛国者」（読み物利用），六年の「ペンの力」「くわでおこした祖国」（読み物利用）が，中学校では一年の「国土愛」，二年の「国民のひとりとして」，三年の「日本人として」（ともに読み物利用）などがあげられる。これらの主題によつて，わが国の文化，伝統のすぐれた面に着目させ，民族共同体・文化共同体の一員たる自覚をいだかせるとともに，広く国際的視野においてわが国の正しいあり方を志向する国民の育成を目ざしているのである。

なお，この指導資料に，いわゆる偉人などの伝記が掲げられているが，本年度の資料に登場した人物の総和が文部省の目ざす理想的人間像という訳ではない。たまたま本年度は，このような人物が登場したのであつて，来年度には当然別の人物がとりあげられることになろう。

また，宗教的，芸術的情操とうやの問題も，道徳の特設時間だけにかかわる事がらではない。もちろん，公教育の立場では，一宗一派に片寄る宗教教育は行ない得ないが，情操というものの特質からみて，宗派的な迫り方が不可欠な要素とは考えられない。草木を愛し，動物をいたわり，自然の美しさを感嘆するすなおな心情のとうやが，やがては人間愛ないしは価値的情操の育成につながることを期待して各学年にふさわしい主題が設定されている。

そのほか，戦後一般の関心のまとなつている家庭愛や公共心などについても，児童生徒の心情に迫る指導を期待した主題が設けられているのである。

以上は，本資料に盛られている内容の一端にすぎないが，要は，人間尊重の精神を失うことなく，道徳的価値の実現に向かつて努力をおしまない日本人の育成を目ざすものにほかならない。

利用上の留意点

この指導資料は，いわゆる副読本のように読み物教材だけが掲載されているものではない。各主題ごとに，「ねらい」「展開の大要」等が掲げられ、

―道徳の指導資料の使い方―

その展開に読み物を使用する場合には「読み物」の本文が，紙しばいやスライドを使用する場合にはそのあら筋などが掲げられている。

学習指導要領にも明記されているように，道徳の指導にあたつては，話し合い，教師の説話，読み物の利用，視聴覚教材の利用，劇化等の諸方法を適切に組み合わせ，教師の一方的な教授や単なる徳目の解説に終わることのないように留意しなければならないが，この指導資料の編集にあたつてもこの根本方針にのつとり，片寄りのない指導方法を駆使して指導が行なわれるよう配慮されている。したがつて，この指導資料を単なる道徳指導用の読み物集と解することは誤りである。

前述したように，本書は教師の年間にわたる利用にも応じられるよう編集してあるので，各学年において指導することが望ましい道徳的価値のすべてを含んでいるということができるだろう。しかしながら，各学校における実際の指導においては，地域の実態，学校の教育目標等によつて、一つないしは二つ以上の道徳的価値を組み合わせて一つの「ねらい」を構成し，その「ねらい」を達成させるのにふさわしい「主題」を設定することになるので，本書の「主題」がそのまま各学校に適した主題になるとは限らない。

また，本書と同一の「ねらい」を達成させるために別の指導方法をとることが有効な場合もあるだろう。

次に本書を利用するにあたつてのおもな留意事項をまとめて掲げてみよう。

① 各学校において道徳の指導計画の作成または改善のために本書を利用する場合には，学習指導要領に示されている内容，各学校における道徳教育の全体計画，地域や児童生徒の実態等に即応して，必要な「ねらい」を加えるなどの適切な配慮をすること。

② 本書における主題の配列は指導の順序を意味するものではない点に留意すること。

③ 各主題の指導にあてる時間を適切に調整すること。

小学校●中学校「道徳の指導資料」ねらいと主題は次頁より掲載、
あわせて参考にしていきたい

小学校「道徳の指導資料」ねらいと主題

ねらい	主題					
	1年	2年	3年	4年	5年	6年
1 生命尊重健康安全	1 みんなのきまり 2 よい姿勢 3 よごれた手	1 あぶない 2 元気なこども	1 止まれ，見よ 2 元気なよいこ	1 たのしい水泳	1 生命の尊さ	1 冬山の遭難
2 礼儀作法，整理整とんものの使い方，時間尊重	6 先生さようなら 7 あいさつ 8 もちものをきちんと 9 一粒の米 10 ものの手入れ 11 遊びの相談	4 お客さま 5 まいごのさいふ 6 おそうじ 7 げたにおれい 8 もちのまと 9 まちぼうけ	3 明るい世の中 4 いつでも 5 落とし物，忘れ物 6 見られなかつたテレビ	2 よい服装とよいことば 3 本居宣長 4 とけい	2 お客様の応待 3 短い時間	2 とけいの歴史
3 自主自律，個性伸長，人格尊重	4 宿　題 5 自分のことは自分で	3 お母さんの願い 10 おくびようなうさぎ	7 仲間はずれ 8 ろばを売りにいく親子	5 あだな 6 かまの改良	4 ふたりの兵士 5 将軍と少年 12 こころの目	3 ふつうの人間 4 砲煙の中の講義 12 フランクリン
4 正直，誠実，勇気	12 うそつきの羊飼い	11 正直なきこり 12 公園のこい	9 正直エイブ 10 灯台もりの少女	7 拾つたポケツト 8 いのしし退治	7 かげひなたなく 8 渋沢栄一	6 一枚のガラス 7 勇気ということ
5 不とう不屈	13 りすと友だち 14 わがまま 15 ひとりだつて	13 はつちやん 15 いじわる	11 金色の魚	9 塙保已一	9 白州燈台	8 凍りついた風力計

6 思慮反省 向上心、 合理的精神、創意くふう、 探求心、 進取	18 一寸法師 19 からすとつぼの水	14 笑つたねこ	11 尊い汗 13 ねずみの絵 14 よい思いつきを 15 牧野富太郎 16 小鳥のえさ	10 あらそい 11 伊能忠敬 13 関 孝 和 14 広重の写生旅行 15 進んでやろう	10 人に言われて 11 心にきざみこまれたもの 13 勝 海 舟 14 五つの真珠 15 探求する心 16 津田梅子	9 落ちついて 10 佐久間象山 13 解体新書 14 ガリレイ 15 くふうを生かす 16 キュリー夫人 17 金原明善
7 親切同情 尊敬感謝 信頼友情 寛容	20 橋の上のおおかみ 21 たこあげ 22 おかあさんおめでとう 23 知らない子 24 二わのつる 25 やさしいゆり子さん	18 台風にあつた金魚 19 こまのひも 20 きつねとぶどう 21 金色のクレヨン 22 犬の「まいら」 23 友だちのあやまち	17 すぎの木 18 二つの考え 20 一郎君の失敗 21 こわされたタワー	16 列車の中で 17 友子さんのセーター 18 うりばたけ 20 大音楽家のなさけ 21 ひとふさのぶどう	17 愛のこころ 18 箱根用水 19 農林一号の父 20 友 情 22 どちらが正しいか	18 和井内貞行 19 防波堤を築いた人 20 ニコラスとウェエーク 21 こわした飼育箱
8 公共心、 公徳心	29 まいごのボール	28 みんなで使うもの 29 気持ちのよい町	26 公園のりんご	25 道をなおして 26 ペスタロツチ	26 駅の水のみ場	24 灯台を守つた親子
9 家庭愛、 愛校心	30 病気のとき	30 赤いぼうし	27 あしたは天気だ 28 轉校した友の手がみ	27 母からの借り 28 校舎や校具の訴え	27 明るい家庭 28 美しい学校に	25 家族のたすけあい 26 校　風
10 愛国心	17 日本の花	29 気持ちのよい町	29 日の丸の旗	29 富士と北斉	29 少年愛国者	27 ペンの力 28 国を愛する心
11 人類愛				30 外国の人びと	30 世の中に光を	29 ひとりひとりの人間 30 世界なかよし

中学校「道徳の指導資料」ねらいと主題

ねらい	主題名とその番号		
	1年	2年	3年
1　生命の尊重，安全の保持，康健の維持増進	12 公徳心	11 節度ある生活	7 人間の尊さ 12 人生の試練
2　礼儀，能率的な動作，整理整とん，清潔，環境の美化，時間，金銭，物資の活用	2 日常の礼儀 4 計画と実行 5 整理の習慣	3 心とかたち	2 男女の交際
3　自他の人格の尊重，自主・自律，個性の伸長	3 みんなのきまり 4 計画と実行 17 反省と決意	1 自律的な生活 2 自分を育てる 5 正しい自己主張 12 先人に学ぶ	4 正義を守る 6 自他の尊重 7 人間の尊さ
4　謙虚，建設的な批判，反省，向上，感謝	2 日常の礼儀 3 みんなのきまり 4 すなおな気持ち 14 明るい家庭 17 反省と決意	3 心とかたち 5 正しい自己主張 10 反省と向上 12 先人に学ぶ	5 心の中のたたかい
5　思いやりと励まし，寛容，人間愛，敬老	11 思いやり 17 反省と決意	9 真の友情 10 反省と向上 14 助けあいと励まし	3 社会とわたし 7 人間の尊さ
6　男女の敬愛，清純な交際	15 わたしの責任	8 男女の協力	2 男女の交際 12 人生の試練
7　真理愛．理想，不とう不屈．誠実	1 新しい出発 6 くじけない心 7 正しい競争心 13 国土愛 16 誠実な生き方	4 強い意志	1 理想をかかげて 11 敬けんな心 12 人生の試練

8 真の幸福，豊かな情操，文化の継承と創造	7 正しい競争心 8 趣味と生活	6 豊かな生活	8 文化を育てていく心 11 敬けんな心 12 人生の試練 13 幸福について 14 新しい門出
9 父母敬愛と感謝，家族愛	6 くじけない心 8 趣味と生活 9 すなおな気持ち 11 思いやり 14 明るい家庭 16 誠実な生き方	3 心とかたち 7 働く尊さ 10 反省と向上 13 家庭の幸福	7 人間の尊さ 14 新しい門出
10 信頼，責任，協力，悪を退ける勇気，正義	2 日常の礼儀 3 みんなのきまり 10 わたしの立場，あなたの立場 15 わたしの責任	12 先人に学ぶ	4 正義を守る 5 心の中のたたかい 6 自他の尊重 13 幸福について
11 公共心，奉仕，勤労．遵法，集団の利己主義の克服	12 公徳心 13 国土愛 15 わたしの責任	7 働く尊さ 8 男女の協力 14 助けあいと励まし 15 国民のひとりとして	3 社会とわたし 4 正義を守る 13 幸福について
12 愛国心，国旗，君が代の用重，伝統への敬愛	7 正しい競争心 8 趣味と生活 13 国土愛	**3** 心とかたち 15 国民のひとりとして	8 文化を育てていく心 9 日本人として
13 国際理解・人類愛	7 正しい競争心	15 国民のひとりとして	10 人類愛

補助教材の取り扱い
入手の手続き・方法は公正に

—文部広報第376号より—

最近，学校で使用されている補助教材（学習帳，練習帳，問題帳等）の中にはその内容が必ずしも適切でないものがあり，また購入の方法などに適正を欠く場合もあるようだ。そこで本省では，市町村教委や学校等などに対する適切な指導の徹底を図るよう，都道府県教委へ要請した。

第一は，教委への事前の届け出・承認に関することである高校以下の学校で教科書以外の図書やその他の教材（学習帳，問題帳，練習帳，解説書などのいわゆる補助教材。）を使うときは，教委に事前に届け出るか，承認を受けるかすることになつている。現在，市販されている補助教材の中には，内容が学習指導要領に準拠していないもの，正答がいくつも出てくるようなものなど，適切さを欠いたものがある。そこで，補助教材を使用する場合の教委への届け出・承認に関する手続き等を整備し，それが厳正に運用され右のような適切さを欠く補助教材が使われることがないように，あらかじめ市町村教委や学校を指導する必要がある。また，都道府県教委では，指導主事の視察指導その他の機会を利用して，補助教材使用の状況を調査し，適切な指導助言を行なう必要がある。

第二は学習の評価に関することである。

学習の評価は，学校の指導計画に基づいて、教師みずから適切な方法で行なうのが本来であつて，安易に問題帳などで代用したりすることは，教育上望ましいものとは考えられない。つまりテストをする場合でも担当の教師が自分で問題を作り，それをこどもたちにやらせるのがよいわけである。まして問題帳などを使つて，その採点を外部の第三者に依頼するようなことは当然避けるべきである。業者が自己の製品を売り込むために採点事務を引き受け，主婦の内職にこれをゆだねているところもあるようだ。採点作業は，その過程で児童生徒の誤まりやすい箇所を発見できるなど、教師にとつては軽視できない学習評価の一環であるはずである。

第三はリベートに関することである。

補助教材や学用品などを学校で取り扱う場合，先生がたが業者から手数料，寄付など，名目がどうあろうと金品を受け取ることは，教職員の服務の厳正を期するうえから望ましくない行為である。またその場合，学校として業者から金品などの寄付を受けることは適切でない。現在，補助教材といわれるものの年間売り上げは百六十億円～百八十億円といわれており，そのうちテストブツク，ワークブツクの類の売り上げは約三十億円に達するようだ、業者も三十数社が競争し，勢い金品を先生に贈つて注文をとつたり，破格の割り引きをしてその差額を学校に納入したりする例がみられる。これらの行為は公務員法に抵触するものとして懲戒処分の対象となることもあるし，場合によつては収賄罪として刑事責任を問われることもありうるので，じゆうぶん留意する必要があるわけである。

―「補助教材の取り扱を」をめぐつて―

前向きの解釈を

―文部広報377号より―

以上の通達は少なからぬ反響をよんだ。この問題は3月18日の衆議院文教委員会でも取りあげられた。

山中吾郎委員と本省の福田初中教育局長との質疑応答のあらましは後掲のとおりであるが，その中で，①学習指導要領に即した有効適切な教材の使用を抑制したり阻止したりする考えはないこと，②一般の客観テスト等の使用についても，適切なものの使用を制限する意思はないこと，③教育的な配慮で採用された副読本等について，従来のように貧困家庭の児童生徒に対して寄贈するというような美名の下に一般の父兄の負担となるようなやり方は好ましくないが限られた常識的な範囲の処理ならやむを得ないことなどのことが確認された。

質　補助教材の取り扱いについての通達全体を読むとそうは感じませんが，新聞の記事からみると，先生がリベートをとつているという弊害だけが強調され，また一方にそのために学校では教科書以外の必要な有効な教材をなるたけ採用しないほうがいいというような受け取り方のように反響しているようなのは遺憾です文部当局としては学校の教科書以外に有効適切な補助教材を使用することは，教育効果のために重要だと考えていると思いますが，当局の見解を聞いておきたいと思います。

答　学校では教科書以外の教材については，適切なものがあればこれを積極的に使つてもよいというような学校教育法の規定があります。その場合には，あらかじめ教委に届け出あるいは承認等の手続きを経て，有効適切なものを利用するわけです。最近学習帳あるいは練習帳，問題帳等がたくさん出ていますがその内容は必ずしも全部が適切であるとはいいがたいものが中にはあるようです。また一昨年来，この購入方法などをめぐつてとかくの批判がありますのでそういつた点を是正する意味で通達を出したわけです。学校においても，教員が全体の奉仕者として当然にそういうことを扱う際には慎重にやつてもらいたいこういう趣旨で出したのですから適切有効な教材を使うことを抑制する趣旨でないことはもちろんです。

質　有効適切な教材の使用を抑制したり阻止したりする意思は毛頭ない。むしろ教育効果を高めるのには当然採用すべきものは採用すべきだという御趣旨ですね

答　有効適切な教材はできる限り利用するほうが望ましいということに変わりないわけです。

質　通達の学習評価のところで安易に問題帳等で代用することはいけないといつている。客観テストというものは一般的な学問基準その他によつて衆知を集めてできるので，個々の担任の先生ができるものじやないと思いますから，そういう意味でそういうものを制限するという意味はないと考えてしかるべきかそういうご趣旨かどうか。

答　いわゆる客観テストの中にもいろいろあると思います。調査したところではいろいろでありまして，必ずしも指導要領にピツたり適合しているとはいいがたいものもありうるかと思います。したがつて，それぞれの客観テストの問題自体によることですが，決していいものを使つてはいけないという趣旨ではありません。ただじゆうぶんに検討したうえで使つていただきたいと思つております。またそれを使うことによつて採点までも業者に依頼するようなことはこれは教師としてどうであろう学校で適当な指導のもとに行なうのが適切ではないか，こういうふうに考えております。したがつていちがいにこの客観テスト全部がいけない，こういう趣旨ではないことではもちろんす。

質　客観テストのような場合にはむしろ専門家が採点をする。その結果を担当の学校あるいは教師に通報するというほうがむしろ正確である場合もあると思うのです。知能テストその他のものについて大学の研究室から依頼されることもあるでしよう。そうすると，研究室で採点をして，あなたの学校はこういう結果であるというふうな措置の中に教育的な処理があるわけです。その点，局長のいわれ

るのは，誤解を生むのじやないかと思うので，いま一度お答えを願いたい。

答　大学などで研究のためにそういう客観テストをつくつて，これの調査をするという場合は当然におつしやるとおりだと思いますが，市販されているいわゆるテストの中にはいろいろなものがあります。したがつて名称はいわゆる客観テスト，標準テストというようなことばを使つているようですが，やはり中身をよくみませんと，いろいろございますから，いちがいにはおつしやるようにはいえないと思います。

質　次にリベートということばが新聞に出ていたわけですが，確かに百円の安価のものに九十円だけを支払つて，あと十円をふところに入れるなんということはもつてのほかで，初めから問題にならない。しかし，副読本，副教材を学校が採択しても学年途中に父兄の転勤の関係で出入りする生徒，児童がいる。困窮児童もある。あるいは紛失することもある。そのときに学年途中でこういう教材が手にはいらない場合が通常である。そういうわけで，教育的必要上，学校で５％なり10％なりを多く寄付させるとか，寄贈させるということは常識的にやつているこういうことをも阻止するとなると現実にあわなくなつてくる。その点はいかがですか。

答　その点は非常にデリケートな問題があろうかと思うのです。おつしやるように，常識の範囲でそれが処理される限りにおいてはけつこうだと思いますが，従来のいろいろ慣行を調べてみますと，そういう美名のもとにいろんなことが行なわれているという例が往々あるようです。たとえば準要保護児童などのために寄贈するというような場合に，その分は一般のこどもに渡るほうの定価の中にはいつているということになるわけです。したがつて一般のこどものほうは，定価どおりに買つて，そしてその負担をさせられている。部数にもよりますけれども，そういう点が問題の点ですから，その辺はけじめをはつきりつけるべきではなかろうか。常識の範囲を逸脱しない範囲で，できる限りけじめをつけて運用されるほうが適当ではないかと思つております。

中校教育課程研究集会
全国共通問題

文部省では，ことしの夏，各都道府県で開催される研育課程研究集会で研究する問題のうち，全国共通の研究問題を決めたが，以下は中学校の共通問題である。

国語　作文の指導はどのようにしたらよいか。

（趣旨）書くことのうち作文を主とする学習について，その年間指導計画の作成と指導法とをくふうするとともに，特に必要や目的に応じて文章を書くことの指導を研究する。その際，表現の意欲や文章の主題，要旨，取材，構想などの指導に注意し，語句・文・文章に関することばのきまりの指導および作文の評価の方法などについても留意する。

なお，第一学年の場合、第二学年の場合，第三学年の場合のどれかを選び，その学年の程度に合うように具体的に研究する。ただし，二個学年，あるいは三個学年の関連を研究するのもよい。

社会　社会科の学習において思考力を高めるためにどのような指導をしたらよいか。

（趣旨）中学校学習指導要領社会に示されている基本的事項に関する見方や考え方を養い，思考力を高めるための指導の重点および指導上の問題点について研究する。なお，研究する分野については下記の，1 2および3のうち，二つ以上を取り上げるものとする。

1　地理的分野の学習において気候に関する基本的見方や考え方を養うためにはどのような指導をしたらよいか。

2　歴史的分野の学習において，歴史に関する基本的な思考力を養うために，歴史上の人物についてどのように指導したらよいか。

3　政治，経済，社会的分野の学習において，人権と公共の福祉に関する基本的な見方や考え方を養うためには，どのように指導したらよいか。

数学　方程式の指導をどのようにしたらよいか。

（趣旨）中学校学習指導要領数学に示されている一元一次方程式・連立一次方程式に関して，下記の1および2のうち一つ以上について，指導上の問題点および指導法を具体的に研究する。

1　第二学年において，一元一次方程式の解法とこれを用いて問題を解決すること，または，連立二元一次方程式の解法とこれを用いて問題を解くこと。

2　第三学年において，連立二元一次方程式と連立三元一次方程式の解法およびこれらを用いて問題を解決すること。

理科　具体的な事象から一般性，法則性を導き出すための指導をどのようにしたらよいか。

（趣旨）中学校理科の指導において，具体的な事象から一般性を導き出すことがたいせつであり，学習指導要領でもこれを重視している。この問題の研究にあたつては次の点に留意する。

1　一般論ではなく，学習指導要領に示されている内容の事項の中の適当なものについて，その具体的な指導過程を研究すること。

2　具体例は，できるだけ第一分野，第二分野から一つづつ選ぶようにすること

3　単なる指導の順序だけでなく，具体的事象をどのようにして一般化するか，その過程において研究すること。

音楽　創作意欲を盛り上げてこの学習を活発にし，創作能力を高めるためにはどのように指導したらよいかを，次の諸点から具体的に研究する。

1　創作への導入　　2　創作の指導体系

3　創作の指導の展開　　4　創作の評価

なお，上項の研究にあたつて，いずれかの項目に重点をおいて行なつてもよい。

美術　彫塑の表現指導はどのようにしたらよいか。

（趣旨）中学校学習指導要領美術に示されている彫塑の指導のうち次の事項について研究する。

1　充実したかたまりによる表現指導に中心をおき，量感，均衡，動静などを表現活動を通して，中学校生徒の発達段階に即して効果的につかせるにはどうするか。

2　彫塑の表現活動を円滑にするための物的な環境を整えるにはどうするか。

3　彫塑作品の保管その他，表現活動を円滑に進めるためにはどうするか。

保健　性教育の指導は，どのようにしたらよいか。

（趣旨）心身の発達，病気の予防精神衛生などの学習において，性教育をどのように考慮して指導すればよいか。また，他の教科，道徳，特別教育活動などの関連をどのようにすればよいかについて研究する。

体育　各運動の特性に応じた指導をどのようにするか。

（趣旨）生徒の発達，運動技能の発展系統を考えて学習指導の過程（導入・展開・整理）をどのようにするかを各運動種目ごとに研究する。

技術・家庭　（男子向き）技術の理論に関する事項をじゆうぶん理解させるた

めには，どんな教具を準備し，どのように活用したらよいか。
（趣旨）中学校学習指導要領技術・家庭A男子向きに示されている各項目の指導において，技術の理論に関する事項の取り扱いが，ややもすると抽象的になりやすく，生徒の理解が困難であるが，これらを具体的に，かつ直感的に理解させ，製作や整備などの目的にじゆうぶん活用させるためには，どんな実験的教具を準備し，いかなる指導過程において，これらを活用したらよいかを研究する。

技術・家庭（女子向き）技術，家庭子女向き「調理」に関する基礎的技術を習得させて、食生活を合理的に営む能力と態度を養うには，どのように指導すればよいか。
（趣旨）食生活を合理的に営んで健康の維持増進を図り，家庭生活を明るくするには，調理に関する知識と基礎的技術を習得しなければならない。そのためには三年間の指導計画を立てて，指導内容の関連を明らかにし，教科書その他の教材教具，資料などを，どの内容の指導においてどのように活用したらよいか研究する。

外国語　英語を読む能力を伸ばすには，どのように指導したらよいか。
（趣旨）中学校学習指導要領外国語に示されている「英語を読む能力の基礎を養う。」という目標のもとに音読し，直接英語から理解し，文と文との関係をつかみ，パラグラフの大意をつかむ力を伸ばすには，どのように指導したらよいか。また生徒の弱点を補強するために，指導をどのように改善したらよいかについて研究する。

道徳　道徳の時間の指導の効果をあげるために，読み物の利用をどのようにしたらよいか。（趣旨）道徳の時間の指導にはさまざまな方法が行なわれているが読み物の利用は，きわめて有効な方法の一つである。ここでは、道徳の時間の本質に照らした読み物の利用は，きわめて有効な方法の一つである。ここでは，道徳の時間の本質に照らし読み物の利用の性格（その長所や限界）の理解実際例に即したその正しい利用方法（生徒用読本の利用法たを含む）などについて研究する。

特別教育活動・学校行事等　学校行事等の個々の活動（特に学芸会や運動会）についての指導計画を，どのように作成し，実施したらよいか。
（趣旨）中学校学習指導要領によれば，「学校が計画し実施する教育活動」としての学校行事等においても，「その計画や実施にあたつては，生徒に自主的な協力をさせるようにする。」ことが求められている。しかし，これは必ずしも容易なことではない。このことが特に顕著な問題となつてくるのは，学芸会，運動会などの場合であると考えられる。ここでは，特に上記の問題の解決に重点をおきながら，学芸会，運動会などの指導計画の作成やその実施について研究する。

高校教育課程研究集会
全国共通問題

国語　「古典甲」「古典乙Ⅰ」「古典Ⅱ」において，古典としての古文をどのように指導したらよいか。

趣旨＝高等学校学習指導要領国語の「古典甲」「古典乙Ⅰ」「古典乙Ⅱ」の中には，古典としての古文および漢文がある。三科目の目標に沿い，それぞれの特質を生かした指導計画および相互間の関連にも留意するが，主として「古典乙Ⅰ」の古文の指導について，①古典としての古文に親しむための態度を養うための指導，②読解力鑑賞力を確実に高めるための指導，③文語文法や文学史の指導などおよそ生徒のひとりひとりが古典学習の意義を理解し，その学習に強い意欲をもつようになる指導の方法を研究する。なおいずれか一項目をとり上げて，研究してもよい。

社会　（倫理・社会）「倫理・社会」において「人間性の理解」は，どのように指導したらよいか。

趣旨＝人間のあり方についての理解と自覚を得させるための基礎として「人間性の理解」を指導するためには，どのような点に配慮したらよいかについて，「人間と文化」，「人間形成の条件」および「青年期の問題」のいずれか一項目を取り上げて，具体的にその指導計画や指導法を研究する。

社会　（世界史）「世界史A」および「世界史B」で，世界史の基本的事項を具体的に理解させるために，どのように指導したらよいか。

趣旨＝「世界史A」および「世界史B」の指導では，生徒の発達段階に即応して，世界史の基本的事項をわかりやすく具体的に理解させ考えさせることが重要である。この点に留意しながら資料（文献教科書の図版・図表，年表・地図，スライド・放送・映画など）の有効な利用などについて研究する。高等学校学習指導要領社会の「世界史A」（「世界史B」）の内容①，②のそれぞれの各事項の中から適宜一つを選んで，具体的な指導を示すこと。

① 文明の成立と古代国家の発展

② 中国社会の展開とイスラム世界の形成

数学　「数学Ⅱ」または「応用数学」におけるベクトルの指導をどのようにしたらよいか。

趣旨＝高等学校学習指導要領の「数学ⅡB」または「応用数学」に示されている

ベクトルに関して，下記の①または②の事項について，指導上の問題点および指導法を具体的に研究する。

① 「数学ⅡB」におけるベクトルの意味，記号，加法，減法実数との 乗法，内積およびこれらの応用など」

② 「応用数学」におけるベクトルの意味，記号，加法，減法実数との乗法内積，外積およびこれらの応用など。

理科 「化学 A」または「化学B」における基本的な実験・観察にはどのようなものがあるか。または，それらをどのように指導したらよいか。

趣旨＝高等学校学習指導要領理科の「化学A」および「化学B」の目標には，物質や化学現象，実験・観察などを通して考察し処理する能力と態度を養うべきことが示されている。この目標を達成するための指導について，特に次の二点に重点をおいて研究する。

① 「化学A」または「化学B」にふさわしい基本的な実験・観察を選定するにはどのような方針によるか。また，基本的な実察・観察にはどのようなものが考えられるか。

② 具体的な事象と概念や法則との結びつきを図る指導をするには，どのような実験・観察を取り上げ，それをどのように展開したらよいか。

保健体育 （保健）人体の生理，精神衛生の指導は，どのようにしたらよいか

趣旨＝人体の生理，精神衛生の具体的な指導計画および指導法をどうすればよいか。また性教育をどのように考慮して指導すればよいか。

芸術 （美術・工芸）「美術Ⅰ」の「構成」の指導はどのようにしたらよいか

趣旨＝高等学校学習指導要領芸術科「美術Ⅰ」のデザインの内容に示されている「構成」の指導は，形体，色彩，材質の造形の要素を扱い「配色，形の構成，技法や材料についての研究」の学習を通して、造形的な感覚を練り，表現における発想の素地を養うことをねらいとしているが，具体的な指導において，どうすれば効果があがるかを研究する。

「工芸Ⅰ」の「デザインの基礎練習」の指導はどのようにしたらよいか。

趣旨＝高等学校学習指導要領芸術科「工芸Ⅰ」の「デザインの基礎練習」の指導は「美的構成，材料と構造，表示」の学習を通して，工芸的デザインの特質を考慮してその要因と表示に関する基礎事項を計画的に学習させることをねらいとしているが，具体的な指導において，どうすれば効果があがるかを研究する。

外国語 「英語 B」において，英語を書く能力を伸ばすにはどのように指導したらよいか。

趣旨＝高等学校学習指導要領外国語に示されている「基本的な語法に習熟させ書く能力を養う。」という目標のもとに，文の組み立て方，語のつづり，大文字の用い方句とう点の用い方などに習熟させるために，どのように指導したらよいかまた，学習指導要領に示されている十一種の「学習活動」の実施において生徒の弱点を調べ，その原因を分析するとともに，指導をどのように改善したらよいかについて研究する。

特別教育活動・学校行事等　ホームルームにおける「人間としての望ましい生き方」に関する内容は、どのように指導したらよいか。

趣旨＝高等学校学習指導要領特別教育活動のホームルームの「内容」に「人間としての望ましい生き方」という項目があげられたことは，大きな特色であるが，特別教育活動の一分野としてのホームルームの性格に即した，その正しい指導のあり方を確立することはきわめて重要な問題である。ここでは，これに関する内容としてどんな題材があるか，「活動の計画」のうちにそれらをどのように盛りこませるか，それの展開における生徒の自主的な活動はどのようにあるべきであるかなどについて，なるべく実際例に即して研究する。

―あ と が き―

※立法院の会期中に行政府提案の文教局才出予算案をみなさんに紹介したい。最近学力向上とか人づくり等と教育に関する話題は年ごとに盛んになつてきた。それが教育の前進のために役立つことであれば，幸いなことである。65年度予算案に文教局はどのような構想をもち，また予算要求の経過を理解していただき，みなさんのご協力を期待したい。

※来春1月早々沖縄養護学校が誕生する。こでまで設置の必要が叫ばれて久しく，このほどやつと実現することになつたもの。

※養護学校は肢体，精薄の二校で今後の両校の役割はじみではあるが重要である。関係教職員のみなさんのご活躍に期待するものである。

※ところで，本号でとくに養護学校の紹介を試みた真意は，普通教育を施す小中学校と養護学校とが常に不離であり，普通教育にたずさわる教職員のみなさんの協力が必要であることを強調したいためであつた。

※学校規模の適正化は，沖縄の教育行政の一つの重要な課題だと思う。適正化をはかつて行なわれた小規模学校の統合後について，八重山竹富町の大原中学校と大浜町の伊原間中学校に資料を提供していただいた。

※学校統合は，おおかたはこれから行なわれるのであるが，それには関係学校はもち論地域の積極的な協力が必要である。伊原間中校はスクールバスによる通学、大原中学校は宿舎の設置によるものだが，今後学校統合を実現する学校にとつては両校の資料は参考になると思う。

（登川）

一九六四年六月十日　印刷
一九六四年六月十五日　発行

文教時報　（第八十七号）

非売品

発行所　琉球政府文教局調査広報課

印刷所　向春印刷所

電話　(8)　一八三九番

沖縄文教部／琉球政府文教局 発行

復刻版

文教時報

第12巻

第80号〜第87号／号外5〜8
（1962年9月〜1964年6月）

編・解説者 藤澤健一・近藤健一郎

不二出版

『文教時報』第12巻（第80号〜第87号／号外5〜8）復刻にあたって

一、本復刻版では琉球政府文教局によって一九五二年六月三〇日に創刊され一九七二年四月二〇日刊行の一二七号まで継続的に刊行された『文教時報』を「通常版」として仮に総称します。復刻版各巻、および別冊収載の総目次などでは、「通常版」の表記を省略しています。

一、第12巻の復刻にあたっては左記の各機関に原本提供のご協力をいただきました。記して感謝申し上げます。

沖縄県公文書館、沖縄県立図書館、上原 実

一、原本サイズは、第80号から第87号までA5判です。号外5〜8はタブロイド判です。

一、復刻版本文には、表紙類を含めてすべて墨一色刷り・本文共紙で掲載し、各号に号数インデックスを付しました。なお、表紙の一部をカラー口絵として巻頭に収録しました。また、白頁は適宜割愛しました。

一、史料の中に、人権の視点からみて、不適切な語句、表現、論、あるいは現在からみて明らかな学問上の誤りがある場合でも、歴史的史料の復刻という性質上そのままとしました。

（不二出版）

◎全巻収録内容

復刻版巻数	原本号数	原本発行年月日
第1巻	通牒版1〜8	1946年2月〜1950年2月
第2巻	1〜9	1952年6月〜1954年6月
第3巻	10〜17	1954年9月〜1955年9月
第4巻	18〜26	1955年10月〜1956年9月
第5巻	27〜35	1956年12月〜1957年10月
第6巻	36〜42	1957年11月〜1958年6月
第7巻	43〜51	1958年7月〜1959年2月
第8巻	52〜55	1959年3月〜1959年6月
第9巻	56〜65	1959年6月〜1960年3月
第10巻	66〜73／号外2	1960年4月〜1961年2月
第11巻	74〜79／号外4	1961年3月〜1962年6月
第12巻	80〜87／号外5〜8	1962年9月〜1964年6月
第13巻	88〜95／号外10	1964年6月〜1965年6月
第14巻	96〜101／号外11	1965年9月〜1966年7月
第15巻	102〜107／号外12、13	1966年8月〜1967年9月
第16巻	108〜115／号外14〜16	1967年10月〜1969年3月
第17巻	116〜120／号外17、18	1969年10月〜1970年11月
第18巻	121〜127／号外19	1971年2月〜1972年4月
付録	『琉球の教育』1957（推定）、1959／別冊＝『沖縄教育の概観』1〜8	1957年（推定）〜1972年
別冊	解説・総目次・索引	

〈第12巻収録内容〉

『文教時報』 琉球政府文教局 発行

号数	表紙記載誌名（奥付誌名）	発行年月日
第80号	文教時報（文教時報）	一九六二年 九 月 五 日
号外第5号		一九六二年 九 月一八日
第81号	文教時報（文教時報）	一九六二年 九 月二九日
号外第6号		一九六二年一二月一五日
号外第7号		一九六三年 二 月 二 日
号外第8号		一九六三年 二 月一五日
第82号	文教時報（文教時報） ＊第82~87号は横組みのため巻末より収録	一九六三年一一月二五日
第83号	文教時報（文教時報）	一九六四年 一 月二五日
第84号	文教時報（文教時報）	一九六四年 四 月 四 日
第85号	文教時報（文教時報）	一九六四年 四 月一一日
第86号	文教時報（文教時報）	一九六四年 五 月一五日
第87号	文教時報（文教時報）	一九六四年 六 月一五日

（注）

一、次の箇所には一部の原本に訂正紙の貼り込みがあるが、そのまま復刻した（ただし、編集上の訂正か、旧所蔵者によるものかは判別できない）。
　第80号2頁3段目左から1・2行、3頁1段目右から1・2行（白紙貼込）

一、次の箇所は訂正紙の貼り込みがない原本を使用して未訂正の版面を復刻した（ただし、編集上の訂正か、旧所蔵者によるものかは判別できない）。
　第83号5頁中段の写真キャプション（一部の原本は「高等弁務官代理」が「藤田南連所長」に訂正紙により訂正されている）

一、号外第7号の正誤表は当該号最後尾の頁に掲出した。

一、号外第8号欄外誌名の左側は原本において切り取られていたため、白塗りした。

（不二出版）

『文教時報』復刻刊行の辞

わたしたちは、沖縄現代史のあゆみをどこまで知っているだろうか。この問いを掲げつつ、第二次大戦後、米軍によって占領されていた時期（一九四五―一九七二年）、沖縄・宮古・八重山（一時期、奄美をふくむ）において、文教担当部局が刊行した『文教時報』を復刻する。

同誌は沖縄文教部、つづいて琉球政府文教局が刊行した。前者では示達事項を中心とした指導書であり、後者では教育行政にかかわる情報、教育についての調査・統計、教室での実践記録や公民館を中心とした社会教育関連記事など、盛り込まれた内容は幅広い。総じて教育広報誌といえる同誌は、発行期間の長さと継続性から、沖縄現代史を分析するうえで、もっとも基礎的な史料のひとつと目される。しかし、これまで同誌は全体像についての理解を欠いたまま、断片的に活用されるにとどまってきた。

その背景にはなにがあるのか。まず、発行が群島ごとに分割統治されていた時期から琉球政府期にいたるまで四半世紀におよび、雑誌としての性格が変容していることがある。くわえて多くの機関に分蔵されるとともに、附録類、号外や別冊など書誌的な体系が複雑に入り組みつかみにくい。このために本格的な調査が進まなかった。今回、わたしたちは所蔵関係にかかわる基礎調査をふまえ、添付書類までもふくめた全体像の把握に体系的に取り組んだ。その成果をこうして全一八巻、付録1に集約して復刻刊行する。解説のほか、総目次や執筆者索引などから構成される別冊をあわせて刊行する。今回の復刻により、教育行政側からみた沖縄現代史について、それを総覧できる史料的な環境がようやく整備されることになる。

統治者として君臨した、米国側との関係、また、沖縄教職員会をはじめとした教員団体との関係、さらに「復帰」に向けた日本政府や文部省との関係、さらに離島や村落の教育環境など、同誌は変動する沖縄現代史のダイナミズムを体現するかのような史料群となっている。

沖縄の「復帰」からすでに四五年にいたるいま、沖縄研究者はもとより、教育史、占領史、政治史、行政史など複数の領域において、本復刻の成果が活用され、沖縄現代史にかかわる確かな理解が深まることを念じている。物事を判断するためには、うわついた言説に依るのではなく事実経過が知られなければならない。あらためて問いたい。沖縄現代史のあゆみははたしてどこまで知られているか。

（編集委員代表　藤澤健一）

80号

82号

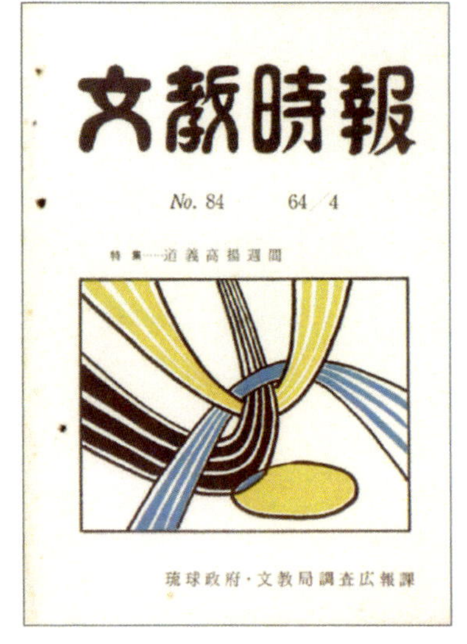

84号

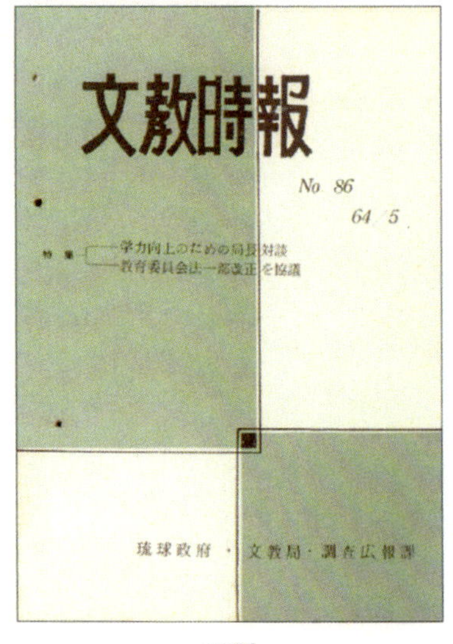

86号

80

文教時報

1962、8　　No.80

琉球　文教局　調査広報室

はしがき

文教局長　阿波根朝次

一九六一年六月池田・ケネデイ共同声明が発表され、同年十月には米国からケイセン調査団が来島した。

こえて六二年三月、ケネデイ大統領の『米国の琉球に対する新政策』が発表され、その中で——私は琉球が日本本土の一部であることを認めるもので、自由世界の安全保障上の考慮が、沖縄が完全に日本の主権の下へ復帰することを許す日を待望している。それまでの間は、すべての関係者が寛容と相互理解の精神で対処しなければならない事態にある。私は米国がこの精神を表明し、琉球住民に対する米国の責任を今までよりも効果的に果し、さらに琉球諸島が日本の施政下に復帰することになる場合の困難を最も少なくするため、いくつかの特定の措置を取るよう指令した。これらの措置は次のとおりである。

一、琉球諸島に対する援助を六百万ドル以内にしている現在の制限を撤廃するためプライス法（公法八六—六二九）を改正するよう議会に要請する。

二、米軍および琉球政府が雇用している琉球人に対する給与の水準並びに公衆衛生、教育および福祉の水準を数年後には、日本本土の相当する地域での水準に達するよう引上げるため、琉球における新しい計画を支持する案を議会に提出する準備を行う。

三、琉球の経済開発のための借款資金を今後年々着実に増加させるための提案を議会に提出する準備を行う。

四、昨年の池田総理大臣のワシントン訪問に際し同総理大臣と私が討議したとおり、琉球住民の安寧と福祉及び琉球の経済開発を増進するための援助供与について、米国と日本との協力関係実施に関する明確な取決めを作成するため日本政府と討議を開始する。

五、施政権者としての米国が必ずしも保留しておく必要のない行政機能を、いついかなる状況の下で今まで以上に琉球政府に委譲することができるかを決定するため、琉球諸島の行政機能について継続的な検討を行う。

六、琉球にある米国の軍事施設または琉球諸島自体の安全保障維持のために必ずしも必要でないすべての統制を撤廃するため、琉球住民の個人的自由を不必要に制限していると考えられる諸統制について継続的な検討を行う。——

この大統領声明に基づいて、一九六二年六月小平総務長官を団長とする日本政府第一次調査団が来島し、引き続き第二次、第三次調査団が沖縄に派遣され、九月には、沖縄援助に関する日米交渉が東京で開かれようとしている。戦後十七年、沖縄問題は何か新しい転機を迎えようとしている。

琉球政府においても日米の援助を得て、沖縄の民生を飛躍的に向上させることを目途に一九六四会計年度を初年次とする民生向上五年計画を策定している。

この資料は、琉球政府の文教局関係の一九六三会計年度の予算について解説を試みたのであるが、本土類似県と同じ水準におく場合の予算規模にくらべると約六十%程度であり、これを次年度以降五年計画による日、米の援助によつて類似県並みにもつて行けることを期待するものである。

もくじ

教育予算の内容はどうなっているか

一九六三年度　予算編成方針

(一)　教育財政の需要

教育諸条件の整備確立ということは、教育行政の主要なる任務であります。

これはその大部分が財政需要を伴うものであります。

この財政需要を決定するものは、基本的には教育の対象となる児童生徒の数でありますが、この現状と将来の見通しはおよそ次のとおりであります。

下表で見ますように、小学校においてはピークを超しましたものの、中学につきましては、なお当分増加が続くものと予想され、これは教員数、校舎、設備、備品その他の教育費として

第一表　義務教育人口の現在と将来

	1962	1963	1964	1965	1966
小学校	163,908	160,730	155,790	151,780	148,050
中学校	73,514	78,970	83,120	84,530	82,790
計	237,422	239,700	238,910	236,310	230,940

	1967	1968
小学校	143,750	139,960
中学校	81,470	79,350
計	225,220	219,310

大なる需要が予測されるのであります。なおこの中学生の急増は引き続き高等学校入学者の急増となり、したがつて高等学校の経費の増加が、考えられるのであります。

こうしたいわば、経費の必然的増加に加うるに、近時科学文化の急速なる発達は教育内容の一層の拡充を要求し、これが、児童生徒一人当たり教育費増加となつて現われているのであります。

このような状況のもとに、わが琉球においても、適切なる教育水準の維持と、その向上を期待する世論が一般化しているのであります。

このような時代の要請と世論の期待を、政府財政の許す限りにおいて実現すべく予算編成に当たつて努力致したのであります。

(二) 適正需要額の算定

教育に対する政府の支出につきましては、以上のような教育的要請を考慮するとともに、教育の一般的に適正妥当な規模と内容を想定することと、それに対応するだけの最低必要限度の経費を目途として、適正需要額を算定することが考えられるのであります。

このために、日本々土の教育水準とその教育費を一応の参考として、本土の諸資料によつて、琉球における教育財政の適正額の算定に努めたのであります。

具体的には本土の国民所得と教育費の関係、児童生徒一人当たり教育費等による算定であります。

このようにして琉球大学を除いて一八、六一一、〇〇〇弗の適正需要額を算定したのであります。この額は地方教育区負担と政府の負担に区分されることになります。

(三) 文教局予算の規模

ところで現実には、琉球政府の才入

一九六三年度文教局重点施策

1 文教施設(校舎)及び設備・備品の充実

(1) 中学校及び高等学校生徒の急増に対応する不足教室の充実
(2) 木造老朽校舎の改築
(3) 理科教室、技術教室等の特別教室の建築
(4) 特殊学校(盲ろう学校)の建築(継続)
(5) 給水施設及び実習教室等の附属建物の建築(継続)
(6) へき地教員住宅、寄宿舎、便所等の建設
(7) 政府立中学校(附属実験学校)の建築(継続)
(8) 教科用及び一般備品の充実

2 教職員の待遇改善と資質の向上

規模と各行政分野の財政需要の関係から文教局才出予算は琉球大学を含めて、総額一三、九一〇、一八〇弗となつたのであります。

この額は一九六三年度政府一般会計予算の三三・二%に相当するのでありまして、前年度当初予算に比べますと三、四八〇、九五五弗の増額になつている次第であります。

四 文教局予算構成の概要

一九六三年度文教局才出予算の琉球大学費等の大学関係等費は一、一七六、八五六弗でありまして、琉球大学を除く公費教育費は一二、七三三、三三〇弗であります。

この公費教育費の支出項目別構成は次に示すとおりとなつております。

支出項目	予算額	構成百分比
文教局才出予算額	12,733,330	100.00%
A 消費的支出	10,157,070	79.8
1 教職員の給与	9,036,521	71.0
2 その他の消費的支出	1,120,549	8.8
B 資本的支出	2,576,260	20.2
1 校舎建設費	1,539,866	12.1
2 その他の資本的支出	1,036,394	8.1

右表にみられますように校舎建築等の資本的支出が全経費の二〇%を超え、これが相対的に消費的支出を圧迫することになつているのであります。

なお消費的支出の中では教職員の給

---

(1) 中学校、高等学校生徒の急増に対応する教員定員の増加と給与の引上げ

(2) 教職員の福祉の拡充

(3) 教育課程改訂に対応して教職員研修の改善充実(特に道徳教育の振興)

(4) 本土援助による教職員研修の継続強化

(5) 心理テスト、教育測定評価、教育相談に関する現職教育の強化

3 科学技術教育の振興

(1) 理科教育用設備備品の充実

(2) 産業教育用設備備品の充実

(3) 本土政府援助による水産学校実習船の建造と専攻科の新設

(4) 理科教育センターの強化

(5) 理科教員、産業担当教員の現職教育の強化

(6) 中学校における技術のセンター校の設置

与が、全経費の七一%になっております。して、結局教職員給与と校舎等の臨時的経費を合わせて九二%に達しております。

したがいまして、これを除くその他の教育活動費が、相対的に圧縮されております。このことは教職員給与および校舎建築費等が、義務経費として文教予算に負担が求められている止むを得ない事情によるのであります。

(五) 重点施策

琉球大学を除いた一二、八一〇、六二四弗の予算で教育の重点施策を行い、児童生徒の学力水準を本土なみに向上させることは至難のことではありますが、次に掲げる重点施策に基いて予算を計上し、中学校、高等学校生徒の急増対策および学力向上に最も影響力の大きい経費については重点的に予算を投入した次第であります。(重点施策は二－五頁参照)

1 文教施設(校舎)及び設備備品の充実

文教施設整備に必要な経費は教職員給与費と共に重要なものであり、その額の大部分は学校建設費であります。

六三年度の文教局予算では本年四月の不足と来年四月の不足教室の一部を充足するようになっているのであります。

この予算に計上された学校建設費は、政府立、公立併せて四七五教室でありまして、新築が二七七教室、木造老朽校舎の改築が一九八教室であります。

なおこの他に、へき地教員住宅、公立学校の給水施設、政府立高等学校の寄宿舎、便所等の経費が計上されております。六三年度予算を執行した場合、全琉の小学校、中学校の校舎の生徒一人当りの面積は次のようになるの

---

(7) 教職員の科学技術研究奨励金の交付

4 教育の機会均等の確保

(1) 特殊教育の振興(盲、ろう、精薄児、肢体不自由児)
(2) へき地教育の振興
(3) 奨学制度の拡充及びこれに伴う本土援助の導入
(4) 人材開発に関する経費の増額
(5) 要保護児童及び準保護児童に対する就学奨励の拡充(教科書、給食等)
(6) 定時制教育の強化
(7) 私立学校の育成

5 保健体育の振興

(1) 学校保健体育管理指導の強化
(2) 養護教諭の増員
(3) 安全教育の徹底(学校安全の育成)
(4) 学校給食の強化(琉球学校給食会の発足)
(5) 総合競技場の建設と社会体育の振

であります。

		基準	現況
小学校	沖縄	$2.64m^2$	$1.96m^2$
	本土	$2.97m^2$	$3,352m^2$
中学校	沖縄	$3.3m^2$	$1.59m^2$
	本土	$3,664m^2$	$4,379m^2$

右の表で見ますように沖縄の暫定基準に対して、ほど遠く、さらに本土の現況の約半分以下の面積しかないのであります。

なお木造老朽校舎の改築につきましては、民政府補助金によりまして、六二年度末までに八九六教室が改築され、六三年度では、小、中学校一七四教室、高校二四教室計一九八教室の改築が予定され一九五二年以前の木造教室は、一応改築を完了することになります。

次に、公立小、中学校の給水施設については六三年度も引続き実施し、これで学校における飲料水は一応確保されることになり、今後はその施設整備拡充を年次的に計画しております。

なお政府立学校の照明、給水、校地の整地、保全の経費も計上し、学習環境の整備に留意しております。

教科用一般備品の充実については、小学校、中学校及び高等学校用として二一九、〇〇〇弗を計上し、これを効率的に運用して学力の向上をはかりたいと存じます。

2 教職員の待遇改善と資質向上

(1) 教職員の給与

教職員給与は文教局予算のうちで

興（第一種競技場）

6 社会教育の振興と青少年の健全育成

(1) 社会教育施設の拡充
（文化センター建設の推進）
（敷地の確保）
（中央図書館の建設）
(2) 公民館、青年学級、成人講座の育成
(3) 青少年モデル地区の設定
(4) 健全娯楽の普及
(5) 新生活運動の推進
(6) 本土援助による、青年、婦人研修の強化（海外派遣）

7 教育行財政運用の強化と指導援助の拡充

(1) 教育行財政の長期計画案の樹立
（日米援助を含む）
(2) 連合教育区事務局の組織の強化と施設の援助及び緊密な連繋
(3) 教育補助金の適正化
(4) 教育行政に関する広報活動の拡充

中核的経費ともいうべきものでありまして、これは最も学力と結びつく重要な経費であります。

給料手当を合算いたしますと、政府立、公立を通じて九、〇三六、五二一弗で、琉大を除いた予算額の約七一%でありますが、本土の場合は、この比は約五四%となつていまして、本土に比して大きな比重を占めているのであります。

教職員の定数やその給与が本土に比べてまだ不十分であるのに、このように高い比率を示しているのは、教育予算の規模が本土に比較して小さいのに対して、この経費が必要不可欠の経費として、自然増加を余儀なくされているからであります。

しかも前年度に比べて、政府立、公立の学校全体として約二、八三一、〇〇〇弗の増加となつていますが、これは中学校、高等学校の生徒の急増に伴う教員数の増加、昇給によることは勿論でありますが、とりわけ一九六一年七月以降米国援助の百万弗による給与改善に伴う増額が大きな原因となつております。

(二) 教職員の資質向上

児童生徒の学力向上については、総合的な対策を樹立して前進する必要があると考えておりますが、その一環として教職員の研修による資質の向上を図ることが不可欠の要件でありますので教育関係職員等研修費を一八、八一九弗計上した次第であります。この経費は夏季、冬季の認定講習をはじめ、各教科、各教育分野別の研修を行うに要する経費であります。夏季講習については、六二年度と同様本土政府の援助による講師三三人によつて行われることになつています。これらの講習会や研修会によつて免許資格の向上はもとより指導技術等の資質の向上を強く期待している次第であります。

さらに児童生徒の心理的発達や学力の測定を科学的に行ない、学習指導を効果的に推進するための諸テスト、教育諸条件の調査をするための経費、すなわち教育測定調査費を二四、九〇六弗計上してあります。以上の経費は児童生徒の学力に大きな関係を有するものでありまして、今後もこの経費の効果的運用をはかることによつて総合的な学力を期待している次第であります。

(3) 教職員の福祉

教職員の福祉の向上については、前年度同様に、退職手当、公務災害補償費を計上し、結核罹病の教員、産休教員が安んじて休養できるよう補充教員を配置する措置をこうじてあります。

3 科学技術教育の振興

科学技術の急速なる進歩は、われわれの生活内容及び各種産業の形態に画期的な改革をもたらしてありまして、これに対応するために科学技術教育の振興が急務であることは論をまたないところであります。

その振興策として

(1) 理科教育備品の充実をはかるため、理科教育振興法に基づいて、備品補助を引き続き行なう計画であります。

(2) 理科教育担当教員の現職教育を強化するために、理科教育センターを拡充しまして、理科の実験および観察等の技術及び指導面の向上をはかる計画であります。

(3) 産業教育備品については、中学校における技術教育の向上のため、六二年度に引き続き六三年度も米国から二二五、〇〇〇弗の備品補助があり、六二、六三年度を通じて四二のセンター校を設定する計上であります。

その他の中学校に対しては、政府負担により三一、四四〇弗を計上漸次その充実をはかるよう努力しております。

高等学校産業教育の備品の充実につきましては、七〇、〇〇〇弗を計上してありますが、なおこの他に水産高校の練習船が本土政府の援助費二三二、二二二弗で建造されることになつております。

(4) 職業及び技術家庭科の教員の現職教育は各種研修会の開催、研究教員の派遣等によつて強化する考えであります。

4 教育の機会均等の確保

教育基本法第三条に「すべての住民はひとしくその能力に応ずる教育をうける機会を与えられなければならない。」とうたわれておりまして、その精神に則り、すべての児童生徒が均等に教育をうけることができるよう考慮致している次第であります。

盲ろう教育におきましては、毎年のように入学者が増し、その就学率は盲者にありましては約七〇%、ろう者におきましては約五七%という率を示しております。その予算も八一、〇一八弗を計上し、前年度よりも二一、〇八〇弗の増加を示しております。

なお盲ろう学校に、一九六一年五月に高等部を設け、職業教育を行ない、将来健全な社会人として生活できるよう考慮している次第であります。

精薄児および遅進児につきましては普通の小中学校において、特殊学校および促進学級を増設して、その教育をすすめております。

肢体不自由児につきましては、現在整肢療護園内に学級を設けておりますが近き将来においては、養護学校を政

府立で設置したい所存であります。

へき地教育につきましては、へき地教育振興法の趣旨に基づいて、へき地の教育文化を向上させることを目標としまして、へき地手当補助金、へき地教育文化備品補助金、へき地衛生材料補助金、へき地教育養成費複式手当補助金、開拓地学校運営補助金等、へき地教育振興補助金等合計六八、一二〇弗計上した次第であります。

なおこれらの経費以外に、教育補助金が財政均衡と人口、交通、地理的条件等によつて補正交付されているのであります。これらの交付方式によつて、へき地教育区の負担を相当に軽減するとともに、大きな財政援助となり、結果的にはへき地教育の振興を大きく推進しているものと思料致します。

更に連合教育区の統合によつて、今年四月以降連合区の指導主事を増員し、これまで指導のゆきわたらなかつたへき地まで充分に指導できるよう考慮致しております。

要保護児童生徒および準要保護児童生徒に対する就学奨励の一環として、教科書補助金および給食補助金を計上してありますが、教科書補助金については、要保護児童生徒に対する補助を$\frac{1}{2}$補助から全額補助に引きあげました。準要保護児童生徒に対しましては、本土政府よりの無償配布が一九六二年新学期から実施されております。

給食費補助につきましては、要保護児童生徒については、厚生局予算に計上されておりますので、準要保護児童生徒の分を文教局予算に計上したのであります。

定時制教育の振興につきましては、勤労青年教育が文化国家形成のうえに重要な役割りを占めることは言をまたないことであります。

中学校卒業生の急増に対応して全日制課程とともに定時制課程も定員増をする計画であります。

5　保健体育の振興

児童生徒の保健体育及び安全教育等につきましては単に保健体育の時間のみでなく、あらゆる学習活動の機会に留意されるべきでありますが、特に指導者の実技が、この面の効果をあげる重要な要素になると考えられるのであります。このために現場教師の研修強化をはかりたいと思います。

更に学校体育団体の育成強化をはかると同時に児童生徒の保健管理を強化し、健康の保持増進をはかるために学校保健法を制定し、学校保健の強化を図つて行きたいと思つております。養護教諭の設置は日が浅いけれども児童生徒の保健管理面に実績をあげております。最近養護教諭の活動が高く評価され、現場から増置の要望がきわめて

多いのでその増員を計画しております。
次に米国宗教団体から寄贈される粉ミルク、メリケン粉によつて二三三、二四四の児童生徒にパンとミルクの給食が実施されております。
一九六三年度の物資の総量は粉ミルク七、四五七万ポンド、メリケン粉一、二三九万ポンドでこれを市価に換算しますと約一六七万弗に値する物資であります。
なおこれらの物資によつて学校給食が円滑に行なわれるようにするため、生活困窮家庭の児童生徒の給食費補助と給食施設費補助を考えております。
学校給食物資量の増大にともない、この物資を適正円滑に供給し、学校給食の普及とその健全な発達を図るとともに、保健体育課を膨大な物資配給事務から解放し、指導行政に専念せしめるために学校給食法を立法し、学校給食会を発足させたいと考えております。これにより学校給食は一段と強化されるものと思われます。
社会体育の振興を図るために、各種大会選手団派遣及び選手強化訓練等を計画しております。
更にスポーツの振興の基盤をなす施設設備の充実強化費として、総合競技場の陸上競技場建設費として八四、八〇〇弗とカヌー購入費として一、二〇〇弗計上し、社会体育の振興を図つております。

6 社会教育の振興

社会教育の振興方策としては、社会教育諸団体の教育活動を奨励助長をはかるために各種奨励費の中に二、一二一弗を計上してあります。
次に社会教育諸団体の指導者の養成をはかるとともに公民館、図書館及び博物館施設等の整備特に文化センターの一環としての中央図書館の建設を年次計画としてその第一歩を踏み出し、本年度は二〇、〇〇〇弗を計上した。更に青年学級、各種講座、健全レクリエーション等の振興をはかり、青少年の健全育成につとめたい。次に新生活運動についてはなお一層の推進をはかるとともに地方教育区に社会教育主事を設置しているが、その資質の向上をはかり、地方の社会教育の全般的な進歩向上をはかるように、これら社会教育の諸機関に指導と援助を与えたい。
これらの経費として予算中の社会教育振興費、公民館振興費、青年学級振興費、社会教育主事設置補助、博物館費、図書館費として総額一一〇、五八六弗を計上した次第であります。

7 教育行財政運用の強化と指導援助の拡充

教育行政費は文教局費及び地方教育区の教育行政に補助される経費でありますが、いずれも教育全般に関する

管理並びに地方教育区や学校等に対して教育の内容、方法、行政等についての一般的基準を示すとともに専門的技術的援助、助言を与えるための経費でありまして、教育水準の向上のために不可欠な最小限の経費を計上したのであります。地方教育区については、昨年五月連合教育区の統合以来その運営も漸次軌道に乗りつつありますが、統合後日なお浅くその目的達成のための組織の強化や施設の充実については、まだまだ幾多の問題を残しており、これが解決のためには相当な技術的財政援助を必要とするのであります。

　これらの行政費の補助として連合区、教育区合せて一三二、七二六弗を計上している次第でありますが、これにより教育行政がますます健全なる発展を示しますよう一段の努力を重ねたい所存であります。

(六) 育英会予算

育英事業費は琉球育英会法に基く経費でありまして、選抜された学生に対する給付や指導費、育英会の運営費及び基金に必要な経費として総額一二五、八七七弗計上した次第であります。このうち五五、五五五弗は本土政府の贈与金でありまして沖縄の高等学校生徒約五〇〇人が特奨生として選抜給付される予定であり、更にこれらの中から毎年数十名が本土大学に進学した場合、日本育英会の特奨生に採用を予定されております。

(七) 文化財保護委員会予算

文化財保護に関する経費は文化財保護法に基くものでありまして文化財保護委員会の運営費及び文化財の保護、調査、研究及び文化財要覧編集等に必要な経費として総額三二、六七七弗を計上してあります。

　特に六三年度は円覚寺総門及び按門の修復に重点をおくとともに北山城、中城城の修復等への援助をする計画であります。

(八) 琉球大学

むすび

予算の効率的運用

1 教育予算は住民の厳しゆくなる公課によつて得たものである。

2 文教局主管課で綿密なる執行計画を樹立する。

3 毎月の執行状況報告を検討する。

4 教育補助金割当ての適正化をはかる。

5 地方教育委員会の補助受入れ態勢の整備

例　備品購入計画財務に関する諸規則整備

6 地方教育区の校舎建築及び教育施設の長期計画の樹立

1963年度日米援助額

日本政府より		505,849＄
沖縄育英奨学贈与金	（文部省関係）	55.555
沖縄現職教員再教育講習会講師派遣費	（〃）	22,853
沖縄教員内地派遣研修教員費	（〃）	16.683
国費沖縄学生招致費	（〃）	82,747
琉球大学への教授派遣費	（〃）	947
琉球大学教員の内地研究員派遣費	（〃）	1,536
沖縄への教育指導委員派遣費	（〃）	39,553
沖縄青年及び婦人内地教育研究活動促進費補助	（〃）	2,403
沖縄水産練習船建造費	（総理府関係）	232,222
教科書贈与費（児童生徒数の4％）	（〃）	51,350
小 6578人　中 2995人分	教科書	20,667
計 9 5 7 3 人 分	学用品	30,683
米国援助		
校舎建築費（改築）		600,000
職業教育充実費（中学校）		225,000
職業教育備品（琉球大学）		225,000
大学建築		115,000
公立学校用備品		150,000
米留学生派遣（毎年35人派遣）		
給食用物資（現物支給）時価換算約		1,670,000
アジヤ財団援助前年度援助額	17,700＄以上の額	計 3,002,700

一九六三年度文教局各課重点目標

施　設　課

一　中学校および高等学校生徒の急増に対応する不足教室の充足

小中学校においては、六二年四月の不足教室が一七二教室、六三年四月が一〇七教室で更に前年度で予算不足のために、建築できなかつた三五教室を加えると、実際の小中校の普通教室の不足教室は、三一四教室である本年度の普通教室の建築計画が一八六教室である。次に高校においては六三年四月採用の急増に伴い二七教室の不足となつているが、六二年四月の不足教室の三七教室を加えると一〇九教室の必要教室になるわけである。本年度予算による特別教室以外の普通教室の建築計画が四七教室である。

二　木造老朽校舎の改築

一九六二年四月以前の木造瓦葺校舎の改築については、アメリカ民政府の補助により年々改善され、本年度で当初計画の改築が一応終ることになる。本年度改築計画は高校二四教室、小校九八教室、中校七六教室、計一九八教室が改築されることになる。

三　理科教室、技術教室等の特別教室の建築

高校特別教室の建築計画が九教室で、うち三教室を改築の校舎で計画している。中校理科教室の建設については、現在四九校に九五教室が建設され、本年度も引続き九教室分の計画である。うち二教室は改築の校舎から計画している。技術家庭科教室については、現在まで二一校が建設され、本年度も引続き二一校分の計画である。そのうち六校分が改築校舎からの計画である。

四　盲ろう学校の建築

盲ろう学校においても、自然増に伴い五教室の建築計画である。

五　給水施設および高校諸施設の整備

公立学校給水施設については一九五九年以来実施され現在まで、約七〇%

の学校に施設補助がいつている。本年度も引続き実施の計画である。

高校の給水、照明、校地の整備等も年々改善拡充されてきたが、本年度も引続き実施計画である。

六　へき地教員住宅、寄宿舎、便所等の建設

政府補助金によるへき地教員住宅の建設は六二年度までに四級地および三級地に家族住宅二六棟、独身住宅二七棟が建築されている。本年度も引続き家族住宅五棟、独身住宅三棟の建築計画である。

高校寄宿舎についても、例年に引続き本年は二棟建築計画である。便所については、中小学校にも年次計画によつて、本建築予定であるが、本年度高校に六棟分を建築計画している。

七　政府立中校の建築

政府立中校においては、前年度に引続き不足教室の充足で普通教室の五教室、特別教室の三教室、技術家庭科教室一教室、教生室、保健室各一教室の計画である。

指　導　課

○教科用及び一般備品の充実

（説明）

1　学習指導の効果をあげるために備品の充実は重点的に取り上げる

2　小中校における備品の現有量は基準額（六、〇一九、四九六弗）に対して約一〇%

3　現年度予算は一七〇、〇〇〇弗（補助金）で一二〇、〇〇〇弗の増である

○理科教育用備品の充実

（説明）

1　現保有量は基準総額（一、一四一、三七八弗）に対して約一六%

2　現年度予算は三〇、〇〇〇弗（補助金）で増減ない

○教職員の科学技術研究奨励金交付

（説明）

1　現場の職員で職業技術、科学技術、その他の科学研究で継続的に研究しているのに対して交付する奨励金

2　予算額は六〇〇弗　一人一〇〇弗の六人程度

○理科教員の現職教育の強化

（説明）

1　理科教育センターで小中高校理科教員の長期、短期の計画で現職教育をする

2　小中校は一カ月以上の長期教育、高校は今年度から実施する

3　予算は二、二九五弗である

○理科教育センターの強化

（説明）

1　科学教育振興の叫ばれる今日理科教育センターの強化は重要

2　理科センターは・理科教員の現職教育・理科施設設備及びその活用に対する地方教育委員会への指導助言・理科教育に関する基礎的調査研究、資料の収集等を任務とする

3　予算は二、二九五弗である

○教育課程の改訂に対応して教職員研修の改善充実

(説明)

1　教育課程(改訂)の完全実施に伴つての教職員研修強化が必要

2　特に道徳の時間の特設による指導技術の改善充実が重要

3　教育課程のための研修は補助金(旅費)の中にあるが特に道徳に関する研修の予算及び生活指導技術研修の予算として七八二弗

○本土援助による教職員研修の継続強化

1　研究教員について

継続派遣　年間三五人程度

日本政府の支給額は去年の一一、四〇〇円から一二、〇〇〇円に増

2　教育指導員の招致費として三、五三二弗

高校教育課

一　中学校、高等学校生の急増に対応する教員定員の増加と給与の引上げ

(一)　急増の意義

一九六三年度から、中学卒業生の急激な増加に伴つて高校への進学希望者もまた、急増するものと予想されるので、これらの進学希望者をどの程度、また、どのようにして、高校に収容すべきかということが問題となる。これについての対策が高等学校生徒の急増対策である。

この期間にどれだけの生徒が高校に入学すると見込めばよいかという点が重要であるが、文教局が計画している入学者見込み数は次のとおりである。

(二)　年次別生徒状況

年　度	中学卒業者	高校入学者見込み	進学率	総生徒数
1962年度	13,375人	7,225人	54.02%	21,825人
63年度	24,530人	12,265人	50.00%	26,352人
64年度	23,700人	11,850人	50.00%	31,371人
65年度	26,570人	13,285人	50.00%	37,288人
66年度	28,970人	14,485人	50.00%	39,903人
67年度	28,020人	14,010人	50.00%	41,945人
68年度	28,090人	14,045人	50.00%	42,768人

この計画は基準年度を、一九六〇年度とし、一九六三年度における高校への進学率を五〇%をもつて、六八年度までの入学生徒数を推計したものである。

(三)　高校生徒増に伴う学科別生徒数

六四年度以降においては、商業科(一般職業を含まれた学科)の性格や内容の検討を加え、生徒数の比率を調整して、工業高校の生徒人口の確保に重点をおくことにしているが、全般的な生徒増をみればその約四〇%は普通学科、残り六〇%が職業学科という割当であり、工業の比率を本土並みの一三・五%程度にしたい。

(四)　増加生徒数の収容方法

六三年度から六八年度までの六カ年間に六二学年度の生徒総数の約倍の一〇、〇〇〇人の生徒が増加する。そこで、この生徒増をどのような方法で収容するかということが第二の問題であるがとりあえず六三年度では五、〇四〇人増加するとみて、これについての文教局の計画

は、次のとおりである。

収容方法	政府立高校
現施設の利用	1,820人
学校の新設	600人
校舎の増築 学級増	2,620人
計	5,040人

(五)　(イ)　現施設の利用

一学級の定員が四〇人のもの（普通、商業、家庭、一般職業などの学科）は五〇人まで農業、水産、工業などの学科は四〇人まで増加して収容することなどを考えている。これは決して不当な〃すし詰め〃を強いるものではなく、この程度の措置はこの際やむを得ないものと考えられる。

(ロ)　学校新設

これは学校を新設して生徒を収容するもので政府立、私立ともに将来生徒数が減少してもむだにならないよう配慮している。現在のところ六三年度以降で三校程度の新設が計画されている。

(ハ)　校舎の増築

これは現存校に教室の増築を行つて収容増を図るもので年五〇教室の新築を計画しており、校舎の内容充実として現存瓦ぶき校舎の改築を本年に二四教室計画している。

(六)　教職員の確保

高等学校生徒の急増期間中（六三年度から六八年度）において増員をしなければならない教員数は本務教員だけで六二年度において一、一三六人に対して一九六八年においては一、八九八人と見込まれている。これを年度別にみれば毎年後三七人の教員だけの増員となる。

この確保については、二つの問題がある。その一つは理工系教科の担当教員確保の問題であり、特に工業高校の拡充に伴う工業教科担当教員をどうして確保するかということが重要な問題である。

2　中学校における産業教育設備、備品の充実

中学校における産業教育は卒業後直ちに就職しようとする生徒を対象に農業、工業、商業、水産、家庭の五教科が選択教科として設けられている。しかし近年工業技術の目覚ましい発展に即応して国民一般の工業技術に対する理解を深めるために、工業を主体とする技術、家庭科にかわり必修として全生徒に課されることになつており（一九六二年四月より）この教科の設備の充実が目下の急務となつている。一九六一会計年度までの中学校職業教育備品に対する投入額は約二十五万弗とな

っているが、その大部分は農業、工業家庭関係の備品購入にあてられ、技術科（工業関係）に利用できるのは約二〇%程度しかない

なお、この備品費については、米国民政府より六二、六三予算年度で備品費として琉球政府に交付されるが、これは四二校の指定校に割り当てられるので、それ以外の中学校は琉球政府自体の財源でやっていかなければならない。

その自主財源によるのが、本年度は三一、四四〇・〇〇弗となっているわけで決して充分とはいえないが、政府の予算総枠から考えれば止むを得ないものがあり、来年度以降はもっと改善するよう努力していきたい。

目標額	1962年度までの投入額	1963 年 度 投 入 額	計
$1,626,000.00	$257,000.00	$256,440.00	$513,440.00
	15.8%	15.77%	31.57%

3　高等学校における産業教育に必要な設備、備品の充実

高等学校の産業教育関係設備、備品の充実は琉球政府予算では僅少で遅々と進まない。一九六二年度までに投入された総額は一、一四三、七〇一・五一弗でこれは目標額の五四・八六%にしか達していない。

六三年度は二五、〇〇〇・〇〇弗を予算計上して約十一%の目標引上げになり、約六六%の達成になる。

充実した産業教育を推進し、中堅産業人の養成を目標とする高等学校において、その設備、備品の充実は急を要するものである。

従って六三年度に計上された二五、〇〇〇・〇〇弗は不十分であるが、政府予算のわく内で止むを得ないと思うが、次年度に大幅の予算を確保し、早急に充実を計りたい。

なお、六三年四月から高校教育課程の改訂があり、高校急増対策による学科の増設、学科の分科等のため、六四年度から六八年度まで五ヶ年にわたり、年間四七八、六〇六、〇〇弗必要である。

年度／学校	目標額	62年まで投入	%	63年度予算	%	合計	%
高校	$ 2,084,685.49	1,143,701.51	54.86	25,000.00	11.90	1,168,701.51	66.76

4　奨学制度の拡充及びこれに関する本土政府援助の導入

日本政府よりの援助金五五、五五六、〇〇弗で一九六一年度より高校特別貸与奨学生制度が実施され、五三七人の高校生に奨学金を貸与（五〇四人の自宅通学生に対しては月額八・三三弗を、三十三人の下宿通学生に対しては月額一二・三三弗を貸与する）しているが、次年度から更に日本政府の経済援助を得て次の奨学生制度を新たに実施したい考えであります。

一　沖縄内大学の大学特別貸与奨学生

本土大学への入学志望者に対しては昭和三七年度入学者から日本育英会の奨学生として実施されることになりましたが、沖縄内大学の学生に対しても本土と同様に在籍の五%に相当する数の学生に貸与したい。

この計画によりまして、沖縄内大学の学生約四、七〇〇名の五%に当たる二三五人に貸与される必要な資金は四八、七四四・〇〇弗になりますが、その内訳は（日本育英会の貸与額を基にして）

自宅通学者　$12.50×100人12カ月＝　$15,000.00
下宿　〃　$20.83×135×12カ月＝　$33,744.00

であります。

二　沖縄内大学の大学一般貸与奨学生

本土では在籍の二十%の学生に対して実施されていますので沖縄内大学の学生にも同様の基準に基づいて実施したいと考えます。この計画によりまして沖縄内大学の学生約四、七〇〇名の二〇%に相当する九四〇人の学生に貸与される必要な資金は九三、九六二・四〇弗になります。

（$8.33×940人×12カ月＝　$93,962.40）

三　高校一般貸与奨学生

本土では高校生在籍の三%の生徒に

貸与されていますので、沖縄でも同様な基準に基づいて高校在籍約二五、〇〇〇名の三%に当る七五五人の生徒に貸与したい考えであります。その必要額は二五、一八六・八〇弗（$ 2.78×755人×12カ月）であります。

以上の計画実施に要する資金は一六七、八九三・八〇弗となります。

5　高等学校教員の資質の向上

（一）産業教育のための教員の研修制度の強化

一九六〇年四月から文部省の配慮により産業教育関係教員を年間十人を本土に派遣して技術研修を継続実施している。四月現在延べ人員四十二人（農業十七人、工業十人、水産十人、商業四人、家庭一人）が研修を受け、各学校の中堅教員として管理、指導に活躍し、その教育効果は大きい。

この制度の研修費は本土政府負担で、その補充教員と給与は政府負担である。これは産業関係教員の技術研修には良い制度であり、今後も継続して充実していきたい。

（二）学校管理、人事管理のため管理者並びに事務職員の研修の強化

一九六〇年四月政府立移管に伴ない今回で三回目の校長、教頭、定時制主事の研修を学校経営全般にわたつて研修し、その教育効果も大きい。又事務職員についても庶務、会計全般の合理的処理の研修を行い、学校事務の強化に重点をおいている。

この研修費も増加しつつあり、少数精鋭主義で事務能率を強化して行きたい。

（三）高等学校の各教科の研修

高等学校の各教科ごとの教育研究会、同好会を全琉的に組織し、教員の教科指導研修を政府負担又はアジア財団等の援助で実施しているが、指導技術の強化をはかる意味から活動団体の育成のため予算措置の充実をはかりたい。

6　産業教育のための教員の研修制度の強化

一九六〇年四月から文部省の配慮によりまして、高校の産業教育関係教員を年間十名本土の高等学校に派遣して技術研修を継続実施している。四月現在延べ人員、農業十七人、工業十人、水産十人、商業四人、家庭一人、合計四十二人が研修の機会を得て、帰任後は各学校において、中堅教員として又実習教室管理者として活躍し、その教育効果は大きい。この制度に対して研修費は本土政府負担、補充教員と本人の研修期間中の給料は琉球政府負担である。

これは産業関係教員の技術研修には良い制度であり、今後も継続して充実していきたい。

イ 高等学校職員の平均給

(一) 教員(教諭、助手)

一九六一年七月一日付をもつて米国援助による百万弗の基本給への繰入により、待遇改善が大幅になされた。これを現行給与表に基づき、平均給を比較すると次の通りである。

$

年月	人員	現給額	平均給	新給額	平均給	差額
1961年7月	1,244人	81,230.10	65.30	93,814.00	75.41	12,584.70
1962年7月	1,252人	83,435.20	66.64	95,950.49	76.64	2,515.28

一九六三会計年度の教員数の増員は予定しない。

(二) 高等学校教員以外の職員の給与

一九六一年七月一日以降一般職の給与に関する立法の一部改正が実施されたときの十五%引き上げを行つた場合と平均給を比較すると次のとおりである。

事業 / 職種	現行給料		15%引き上げた場合	
	人員	平均給	人員	平均給
書記	66	51.15	66	59.29
給仕	40	31.92	40	36.62
農夫	11	36.60	11	42.07
船員	21	59.12	21	67.84

(三) 高等学校職員(教員、その他の

職員を含む）の平均給

一九六二年七月一日以降現行給料と十五%引き上げた場合の平均給を比較すると次のとおりである。

$

年　月	人　員	現　給　額	平均給	新給額（15%引　上　げ）	平均給	備考
1962 7.1	人 1,390	89,497.90	64.38	102,867.59	74.00	

義務教育課

教職員の待遇改善と資質の向上

(1)　中学校生徒の急増に対応する教員定員の増加と給与の引上げ

小、中学校の教員定数

（小学校）

区分 / 学年	児　童　数	学　級		教　員		その他及補充を加えた場合	
		学級数	1学級当り児童数	教員数	1人当り児　童　数	教員数	教員1人当児童数
61	165,391	3,633	45.5	3,934	42.1	4,075	40.5
62	163,915	3,628	45.2	3,944	41.6	4,085	40.1
増△減	△1,476	△5		10		10	

（中学校）

区分 / 学年	生　徒　数	学　級		教　員		その他及補充を加えた場合	
		学級数	1学級当り児童数	教員数	1人当り児　童　数	教員数	教員1人当児童数
61	61,028	1,373	44.5	2,035	30.0	2,172	28.1
62	73.513	1,690	43.5	2,479	29.7	2,616	28.1
増△減	12,485	313		444		444	

△　前記のように小学校においては、児童数は六一学年度をピークとして六二学年から徐々に下向線をとるようになつてくる。ところが、教員数は、本土と比較した場合、教員一人当り生徒数をもつて示すと、本土の全平均が、六一学年度において三三・九人に対し沖縄の場合は、四〇・一人と大きな差を持つている。これを一挙に本土の線まで引き下げることは、予算及び漸減の児童数からすると教員の整理等も予想されるので、教員数はすえ置きにして児童数の漸減による教員一人当り児童数を引き下げていくことが望ましいと思われる。

△　中学校においては、六〇年から六一年への増は一二、五〇〇人、六一年から六二年が同じく一二、五〇〇の増と大きく伸びている。そこで、その自然増に対応して教員数も、六〇年から六一年にかけて二六三人、六一年から六二年は三一三人と増になつている。

中学校の教員一人当り生徒数は、本土平均と比較してみると、六一年度の全国平均は二九・八人で沖縄の六一年度が二八・一人六二年度も二八・一人で却つて沖縄の方が良いようである。

これは小規模学級を数多く有する沖縄の特殊性も加わつているものと思われるが、一応本土並みの線を維持しているものと思料される。

以上の外に特殊学級増設による教員増と、進路指導主事の設置を一一学級から一〇学級に引き上げたこと及び補充教員制度の中に長期病休教員の為に補充教員をおくようにしたことは、前年度より改善されたものと思う。

教職員の福祉の拡充

(イ)　給料補助金　　六、二六一、九一八弗

教育職員の給料は、一九六二年度から米国援助による百万弗が加わつて、一般の公務員より十五%もアツプしている。今年度はこれがそのまま引継がれて六、二六一、九一八弗となり六二年度予算より凡そ三〇〇、〇〇〇弗の増となつている。

(ロ)　期末手当　　一、〇九二、三八〇弗

今年度の予定はこれまでの百五〇%に対し二一〇%で六〇%の増である。夏季八〇%、冬季百三〇%の予定

(ハ)　単位給手当　　一、八〇〇弗

六二年度と同様一単位十仙で本年度内に修得した大学単位に対して補助する。

(ニ)　退職給与　　九〇、八五五弗

勧奨退職者は本年度と同様六五才以上となつている。

(ホ)　複式手当　　三、四五六弗

個人当り単価は六二年度と同額の単級は小学校が六弗中学校は二弗、二学年、三学年複式は小学校のみで二学年が二弗三学年は三弗となつている。更に特殊学級担当教員に対しては、六一年七月からさかのぼつて二弗あて支給しているので本年度も引継き支給したい。

(ヘ)　旅　　費　　三九、〇〇〇弗

一九六二年度と同額で変化はない。

(ト)　公務災害　　二、七二八弗

一九六三年度は二、七二八弗計上されている。

特殊教育の振興（盲、ろう、精薄、肢体不自由）

(イ)　盲、ろう教育　　八六、七〇五弗

一九五八年度において僅か十教室十四名の教員であつたのが、六三年度においては三六教室五一名の職員及び二〇〇名収容の寄宿舎ができたという事は一大飛躍といえよう。

盲者及びろう者はその出現率は盲〇・〇七%、ろう〇・一三%といわれている。それからして沖縄では義務教員人口二三万人中その該当者数は盲約百六〇人ろう約三〇〇人と見られる。就学者数は盲八三人で就学率は約五〇%（本土では四〇%ー三五年五月一日現在）本土よりも一〇%上廻り、ろう者の場合は一八一人で約五七%（本土では六八%ー三五年五月一日現在）で本土よりも一〇%下廻つていることになつている。

(ロ)　精神薄弱教育

一九五七年度から僅か三人ではあつたが「その他教員」の中にその数をとつていた。希望校もなく、更に配つても単に補助教員として利用されたうらみがあつたが、その中で根気強く続けて来たのは城北小学校のみであつた。そこで六一年には多少無理ではあつたが、新卒の教員から二人その他に希望者を集めて城北小を中心として研修会を持ち七学級（読谷小、普天間小、城北小、与那原小、大里中、糸満小、平良第一小）を設置した。各学級共大体一二〜三名の児童数である。この一年間担任教師はお互に研修の機会を持ち子供達の幸福の為に頑張つて来ておられる。そこで、局としても六二年度予算から各学級二五〇弗の備品費補助を出し教育の効果がより以上上るように考慮してきた。六二年になつて数多

くの学校から希望が出されている。今学年度設置認可した数は八学級（今帰仁小、コザ小、神原小、城南小真和志小、糸満中、下地小、石垣小）計十五学級となつた訳である。

なお、この他に促進学級が十四学級（城北小、兼次小、羽地小、宜野座小、美里小、美東小、松川小、若狭小、東風平小、南風原小、佐敷小西城小、登野城小）あつて、学力遅進児を対象にその学力不振性を排除し、不良化のおそれのある子供等をすぐ上げていく事に目的をおいて設置してある。

（八）　肢体不自由児学級

本土のお年玉年賀はがきの配分金によつて整肢療護園が設置されると同時に、神原小、寄宮中の分教場として六学級七人の教師がおかれた。今年は何とか養護学校を設置したいと思い一応計上したが、政府の予算枠内では無理があるので、六四年度からの長期計画の中に盛り込む予定である。

現在五四人の児童生徒が入院してその治療、訓練を受けつつ授業を続けている。

へき地教育の振興

へき地学校として指定されている学校数は、級外へき地を除いて小学校五七校中学校五〇校で全学校数の、小学校は二五・一％中学校は三一・五％と大きな比率を占めている。そこで、政府としても一九五八年にへき地教育振興法を制定し、教育の機会均等及びへき地教育の特殊性を考慮しその教育水準の向上をはかつて来たのである。過去五ケ年間へき地教育の為に支出された予算は、次のとおりである。

項目＼年度	1958	59	60	61	62
へき地手当	12,360	12,360	20,500	22,900	21,780
へき地教育文化備品費	0	0	5,500	10,000	10,000
へき地衛生材料費	0	0	0	1,000	1,000
複式手当	0	1,150	1,150	3,684	3,456
開拓地学校運営補助金	0	3,029	3,000	1,500	3,000
計	12,360	16,539	30,150	39,084	39,236

以上のように年々増加の傾向をとり更に六三年度においては、へき地手当三六、三〇〇、文化備品費一〇、〇〇〇、衛生材料費一、三五〇・〇〇複式手当三、四五六・〇〇開拓地学校運営費二、一二二・〇〇へき地教員住宅料補助七、九二〇・〇〇計六一、一四八・〇〇と二一、九一二弗の増を見て増の主なものは、へき地手当増額（一級地七ドル、二級地六ドル、三級地五ドル、四級地四ドル、五級地三ドル）とへき地教員住宅料の七、九二〇弗（月三ドルの二二〇人分）の新規増によるものである。なお、この外に施設面ではへき地教員住宅建築費が六三年度においては、一四、三九九ドル予定されおてり家族宿舎五棟、独身宿舎を建築する予定である。

教員養成の面ではへき地教員希望奨学生の制度があり、これを配置された数は二七〇人となつており、現在その制度の適用を受ける学生が七〇人となつている。

要保護児童及び準保護児童に対する就学奨励の拡充

〇教科書二五、一三七弗

準保護児童生徒に対しては、六二学年度から本土政府によつて補助されている。その算定は、児童生徒総数の四％に対し、教科書の全額、学用品は一人当り平均三・二五弗（九月以降支給予定）となつている。

保護児童生徒に対しては、琉球政府予算から支出され、教科書の全額が支給されるようになつている。六三年度の予算額は二五、一三七弗である。学用品については厚生局において教育扶助料として計上されている。

連合区教育区事務局の組織の強化と、施設の援助及び緊密な連繫

（行政補助金一三二、七二六弗）

〇 前年度は、連合区統合の第一年次で構成教育区の編成替え、庁舎の廃止、統合、財産の処分、組織の再編成、職員人事の処理等統合に伴う多くの事務を整備しなければならない、いわゆる暫定期間の年度であつた。なかんずく、その間、最も困難な問題は職員人事の処理であつたが、関係者の協力によつて一人の不利益や犠牲を出さずにスムースに処理できたことはよろこびに堪えない。

しかして、統合の大きなねらいである指導行政の強化は、統合前の指導主事八名を二二名に大巾に増員したことによつて期待される。また連合区の規模の拡大によつて教員人事の交流が従来に比して遥かに広域化されたことが、去つた三月の教員異動の結果によつてうかがわれる。地域の拡大もさることながら、行政の迅速化をはかるための機動性の必要により各連合区に車

両が置かれたことは統合による大きな利点である。更に事務局職員の給与の全額政府負担にしたことは、地位や給与の安定性と、この面の予算の安定性を確保する上に極めて有利である。

○今年度は、各連合区とも職員組織も整備され、いよいよ本格的に統合の目的を実現すべき年度である。

今年度の新予算における教育行政補助金は一三二、七二六弗で前年度の一二八、四二六弗に比して四、三〇〇弗の増額である。更にこれを統合前の一九六一年度の七五、〇〇〇弗に比べると実に五七、七二六弗の大巾な増となつているが、前年度は教育区へは七、七〇〇弗で、したがつて連合区へは一二一、〇二六弗となつていた。今年度は教育区に一〇、〇〇〇弗、連合区へは一二二、七二六弗の割当の予定であるので、前年度に比べて教育区へは二、三〇〇弗連合区とは一、〇〇〇弗の増となる。連合区への増額は、職員組織の強化すなわち指導陣営の強化による職員給与や指導に要する経費の増額が主であり、その他資本的支出として庁舎建築への年次的補助を考えているからである。

このように連合区への行政補助の増額は、統合の目的たる指導行政の実をあげるために、その面への財政を効率的に運用しようという意図からである。

○次に、教育長は地方教育行政執行の責任者であり、その責任は重大である。教育長は、相互の繋はもとより、関係機関、地域社会と絶えず密接な連繋を保つて行政に当らなければならない地位にある。教育長協会はその意味において大きな役割を果しつつある。今年度の予算に始めて一、〇〇〇弗をこの協会への補助として実現したことは、よろこばしいことで、今後の活動がいよいよ大きく期待できよう。

保建体育課

一、学校体育指導の強化

全教員に改訂学習指導要領の指導の徹底をはかるとともに、施設用具の最低基準を維持するよう設備用具の基準を設定し、且つその取扱方法の徹底をはかり、学校体育の指導を強化したい今年度は設備費として、二四、八八二弗計上されている。

二、学校保健の強化

学校保健学習と相まつて、今年度は、学校保健法を立法制定し、学校における保健管理を細部にわたつて規定し、学校保健の強化につとめたい。特に学校保健法に基づいて文教局に学校保健技師を置き、児童生徒の健康管理に万全を期したい。

なお、今年度は養護教諭を三七人に増加し、学校保健管理にあたらせた

い。保健関係予算は次のとおりである。

学校医手当補助	3,000$
検便費補助	5,982
医療費補助	2,527
計	11,509$

三、学校給食の強化

学校給食は、毎年給食人員、給食物資の量も増加拡充されている。一方研修会を開催したり、資料を指供し、給食指導の強化をはかっているが今後学校給食を一層強化するために、今年学校給食会法を立法制定し、特殊法人としての学校給食会を設立し、一九六二年度まで文教局で行っていた物資取扱いの仕事を今年度から給食会にゆだね、文教局は専ら指導管理面に力を入れるようにしている。学校給食関係の予算は次の通りである。

学校給食補助金	19,163$
其の他学校給食運営費	322
学校給食会補助金	43,458
計	62,943$

四、学校安全教育の強化

近年学校管理下に於ける児童、生徒の各種の事故が激増の傾向であるので文教局でも学校安全研修会等を開催し、安全教育の徹底をはかっている。

一方、学校管理下に於ける災害に対し、いくらでも補償を行なうために財団法人学校安全会が設立されているので、その運営費として六〇〇弗を補助金として支出している。

五、指導者の資質向上

改訂学習指導要領に基づいて学習指導の徹底を期するためには教員の資質の向上をはからなければならない。今年度は、保健体育課では、次のような研修会を開催し、資質の向上をはかりたい。

学校保健体育及び学校安全研修会	513$
養護教諭　〃	37
学校給食　〃	148
計	698$

六、社会体育の振興

近年、社会体育の振興は目ざましく

、本土大会に出場しても本土各県に比して遜色のない立派な成績をあげるようになつている。又、種目によっては、今後きわめて有望な種目もあるので今後はこの面も十分育成するため、施設、設備を整備しなければならない。

そのために今年度社会体育面では、次のような予算を計上し、その向上をはかりたい。

社会体育研修費	690$
各種スポーツ運営費	2,871
選手団派遣招聘費	6,869
スポーツ技術訓練費	960
総合競技場建設費	84,800
スポーツ用品費購入費	1,200
体育祭	100
計	97,490$

社会教育課

(1) 社会教育施設の拡充（中央図書館の建設）

文化センター施設（中央図書館—予算二万弗、東恩納文庫、美術工芸館、科学博物館）を五カ年で建設するように計画しているが、一九六三年度は東恩納文庫の完成と中央図書館の建設に着手する。中央図書館は六四年度完成の予定

(2) 公民館青年学級成人講座の育成

イ 関係職員の資質の向上を図るため、地区別研修会の開催、本土研修派遣を計画している。

ロ 研究指定を行い活動を充実を図る。

ハ 設備の充実を図るために、施設補助金、公民館一一、九〇〇弗を、運営を強化するために運営補助金、公民館八、六〇〇弗、青年学級三、一五〇弗、成人講座五、七五二弗を交付する。

ニ 村公民館の設置を奨励する。（現在五館　六三年度十館予定）

(3) 青少年モデル地区の設定

イ 青少年育成モデル地区を設定し、関係機関及び団体、民間有志等が一体となつて組織をつくり、総合的な施策を立て青少年対策を実施する。（現在指定地区—越来中学校、六三年度—越来中校区を継続指定の予定）

ロ 実施項目

1 青少年のためのよい環境をつくる。

2 青少年を非行や事故から守る。

3 基礎調査を実施し問題点を究明する。

4 広報活動を活発にし、地域社会の関心を高める。

(4) 健全娯楽の普及

体育レクレーションの指導者を養成して、健全娯楽の普及を図るとともに、各種体育大会とレクレーション大会を開催してその奨励に努める。

(5) 新生活運動の推進

イ 組織について

1 市町村実践組織の運営の強化と活動の充実を図る。

2 幹部講習会、本土派遣研修を実施し指導者の養成に努める。

3 関係機関団体の連絡を密にし、指導の強化を図る。

ロ 運動に内容について

貯蓄の奨励、結婚祝の合理化、時間励行、新正実施、迷信打破等

(6) 本土援助による青年婦人研修の強化

本土政府の全額援助により、青年十一名（三一万九千円）婦人十一名（五一万六千円）を約三週間の予定で本土派遣研修を実施する。

教育研究課

1 小、中、高校全国学力調査について

児童生徒の学力の実態を全国的な水準においてとらえ学習指導の改善向上をはかるとともに、教育課程に関する方策の樹立ならびに教育諸条件の整備に必要な資料を得るため小学校五年、六年、中学校二年、三年、高等学校三年（定時制四年）に対し、文部省作成による調査問題により学力調査を実施する。

予算一二、七六一弗

2 各種標準検査について

科学的客観的資料にもとづいて児童生徒の学習指導および生活指導の合理化、効率化をはかる目的で、実験協力校を設定して各種心理テストを実施し、その結果の活用について普及指導する。

予算一、二七七弗

3 琉球歴史資料編集について

琉球歴史資料編集については、今年度は第八集（続経済篇）を刊行する予定であるが、更にこれと伴せて沖縄県史編纂の事業も今年度から継続実施することになつている。

予算四、三五五弗

1963会計年度文教局予算中の地方教育区への各種補助金及び直接支出金

A　地方教育区

1　学校教育費（公立小、中学校）

総　額　$9,347,498

内　訳　補　助　金　9,122,498

直接支出金　225,000

児童生徒1人当り金額　39$37¢

(1)　**補助金の明細**

予算項目	科目名	予算額	備考
学校給食費	学校給食補助	19,163	準保護児童生徒　14,262 給食器材　4,901
各種奨励費	研究奨励　〃	3,060	
科学振興費	備　品　〃	30,000	理科備品
教育測定調査費	委員手当　〃	3,700	
産業教育振興費	備　品　〃	31,440	技術家庭科の備品助
学校建設費	施　設　〃	1,224,855	建築　1,203,656　教員住宅　14,399 給水施設　6,800
学校教育補助	給　料　〃	6,261,918	
〃　〃	期末手当　〃	1,092,380	
〃　〃	単位給　〃	1,800	
〃　〃	退職給与　〃	90,855	
〃　〃	公務災害　〃	2,728	
〃　〃	複式手当　〃	3,456	

〃	〃	開拓地学校運営 〃	2,122	
〃	〃	学校運営 〃	299,331	旅費 39,000 教科書 25,137 修繕 53,686 備品 170,000 学校保健 11,509
〃	〃	へき地教育振興 〃	55,570	教育文化備品 10,000 へき地手当 36,300 衛生器材 1,350 へき地員借宅料補助 7,920
〃	〃	実習生受入	120	

合　計　9,122,498

(2) **文教局直接支出金**

予算項名	科目名	予算額	備考
産業教育振興費	備品費	225,000	技術家庭科備品

註　公立小中学校児童生徒数　237,422人（1962年4月現在）

2　社会教育費

補助金総額　76,822＄

人口1人当たり金額　8.7¢

補助金の明細

予算項名	科目名	予算額	備考
社会教育振興費	燃料補助	1,000	
〃 〃	講師手当 〃	5,752	
公民館振興費	施設 〃	11,900	
〃 〃	運営 〃	8,600	
青年学級振興費	運営 〃	3,150	
社会教育主事設置補助	給与 〃	45,360	
〃 〃	旅費 〃	700	

社会体育振興費	講師手当　〃	360	
合　　計		76,822	

3　教育行政費

補助金総額　132,726$
人口1人当り金額　15.0¢

補助金の明細

予算項名	科目名	予算額	備考
教育行政補助	教育行政補助	132,726	連合区 122,726　区教委 10,000

（註）人口883,122人（1960年12月国勢調査）

B　政府立学校

1　高等学校

予算総額　2,440,198$
生徒1人当たり金額　112$00¢

予算項名	科目名	予算額	備考
建物修繕費	施設費	13,039	政府立建物保有面積に按分比例
実験学校指導費	消耗品費	540	
科学振興費	備品費	15,000	
政府立高校費	一般職給料	1,302,499	
〃　〃	期末手当	220,591	
〃　〃	その他手当	83,029	非常勤職員手当 40,496 超勤手当22,856　特殊勤務手当7,163 へき地手当 1,225　宿直手当 11,289
〃　〃	備品費	34,000	

〃 〃	需要費	65,196	職員旅費消耗品費その他
産業教育振興費	その他手当	2,037	非常勤職員手当
〃 〃	建造費	232,222	水産練習船建造
〃 〃	施設・備品費	71,200	
〃 〃	需要費	121,482	職員旅費、消耗品費その他
学校建設費	施設費	279,377	
合計		2,440,198	

(註) 生徒数21,787人 (1962年4月現在)

2 中学校

予算総額　91,196$
生徒1人当たり金額　221$35¢

予算項名	科目名	予算額	備考
政府立中学校費	一般職給料	23,401	
〃 〃	期末手当	3,840	
〃 〃	その他手当	1,519	非常勤職員手当 981　超勤手当 420 宿直手当54　特殊勤務手当 64
〃 〃	備品費	9,500	
〃 〃	需要費	3,228	職員旅費、消耗品費その他
学校建設費	施設費	49,708	
合計		91,196	

(註) 生徒数412人 (1962年4月現在)

3 特殊学校

予算総額　　101,140$

生徒1人当たり金額　　344$01¢

予算項名	科目名	予算額	備考
建物修繕費	施設費	285	政府立建物保有面積に按分比例
政府立特殊学校費	一般職給料	46,175	
〃　〃	期末手当	7,858	
〃　〃	その他手当	8,580	非常勤職員手当2,888 超勤手当3,208 特殊勤務手当1,367 宿日直手当1,117
〃　〃	需要費	18,472	職員旅費、消耗品費その他
〃　〃	備品費	5,620	
学校建設費	施設費	14,150	
合計		101,140	

(註) 生徒数294人 (1962年4月現在)

法律上の義務経費と人員調　（事業費のみ）

文　教　5

名	項　名	1963年度 予算計上額	人員	備　考
育委員会法	学校教育補助	$ 6,261,918	人 7,121	公立小中校職員給料 法第136条
〃	〃	1,092,380	6,949	〃　期末手当 〃
〃	〃	90,855	93	〃　退職手当 〃
〃	〃	3,456	115	〃　複式手当 〃
〃	校舎建築費	1,568,090		学校建築費 〃
へき地教育振興法	へき地教育 振興補助	36,300	777	公立小中校教職員へき地手当法　第6条の2
理科教育振興法	科学教育振興費	45,000	高　校 25校 小中校297校	理科教育備品費補助 法第6条
学校給食法	学校給食費	4,901	297	給食設備補助金 法第7条
〃	〃	14,262	人 11,965	準要保護児童生徒補助金 〃
〃	〃	34,800	297校 43工場 2倉庫	輸送保管費 法第6条
琉球育英会法	育英会出資金	8,400		育英会基金 法第3条
〃	〃　運営補助	117,477		〃　業務費 法第27条

注　へき地教育振興法施行規則第8条の規定によりへき地教員住宅料にして、月3ドル以下の補助が計上されている。（総額7,920＄）

1963年度文教局才出予算

科　　　　　目	63年度予算額	説　　　　明
文　教　局	13,910,186.00	
1　文　教　局　費	333,594.00	
1　文　教　本　局　費	163,037.00	本局の運営費、教育作品展、教科用図書の目録編集、教育要覧、文教時報等の編集費
2　学　校　給　食　費	62,943.00	給食費補助、給食器材補助給食会補助（物資の保管及び輸送等を含む）
3　教　員　養　成　費	6,972.00	奨学生70人
4　建　物　修　繕　費	13,888.00	文教局主管建物の修繕
5　実験学校指導費	2,024.00	実験学校、研究校の指導費、研究集録等の印刷
6　各　種　奨　励　費	22,318.00	実験学校、研究校に対する奨励費各種研究活動の奨励及体育奨励費等
7　科学　教育振興費	47,295.00	科学教育センターの運営費、理科備品の購入費等
8　私立学校補助	1,000.00	
9　学校安　全会補助	600.00	
2　中央教育委員会費	11,256.00	
1　中央教育委員会費	11,256.00	
3　各種調査研究費	29,261.00	
1　教育測定調査費	24,906.00	教育課程、各種調査統計、各種学力テスト
2　琉球歴史資料編集費	4,355.00	
4　教育関係職員修等研費	18,819.00	

1教育関係職員等研修費	18,819.00	夏季、冬季の講習会、教育指導員受入、各教科研修校長研修会等
5 政府立学校費	1,833,508.00	
1 政府立高等学校費	1,705.315.00	
2 政府立特殊学校費	86,705.00	
3 政府立中学校費	41,488.00	
6 産業教育振興費	683,367.00	
1 産業教育振興費	683,367.00	高校の実習費、備品費、中校の備品費、実習船の建造費
7 社会教育費	228,076.00	
1 社会教育振興費	15,286.00	青年、婦人、ＰＴＡの指導者研修、社MI学級、新生活運動、視聴教育、レクリエーション普及等
2 公民館振興費	21,887.00	施設補助、運営補助、研究奨励、研修派遣
3 青年学級振興費	3,937.00	講師手当補助、研究奨励、研修派遣
4 社会教育主事設置補助	46.060.00	給与及び研修旅費補助
5 子供博物館補助	1,000.00	
6 博物館費	10,033.00	
7 図書館費	12,383.00	
8 社会体育振興費	97,490.00	体育研修、各種スポーツ大会、国体派遣、青年大会派遣、総合競技場建設、カヌー購入費等
9 中央図書館建設費	20,000.00	
8 学校建設費	1,584,700.00	
1 学校建設費	1,584,700.00	

9 学校教育補助	7,810,280.00	
1 学校教育補助	7,810,280.00	
13給料補助金	6,261,918.00	
13期末手当 〃	1,092,380.00	
13単位給 〃	1,800.00	
13退職手当 〃	90,855.00	
13公務災害 〃	2,728,00	
13複式手当 〃	3,456.00	
13開拓地学校運営 〃	2,122.00	
13学校運営 〃	299,331.00	
13へき地教育振興 〃	55,570.00	
13実習生受入 〃	120.00	
10 教育行政補助	132,726.00	
1 教育行政補助	2,726.00	
11 育英事業費	125,877.00	
1 育英事業費	125,877.00	日本政府援助の特別奨学資金 55,555.00
12 琉球大学補助	1,099,562.00	
1 琉球大学補助	1,099,562.00	
13文化財保護費	32,677.00	
1 文化財保護委員会費	12,791.00	
2 文化財保護費	19,886.00	文化財要覧、円覚寺総門復旧費 文化財買上補助等

校長・教育委員研修会
質疑ならびに要望事項

那覇地区

一、備品補助金の交付に際して、財政補正をしないでもらいたい。

理由

① 委員会は、敷地購入や環境整備に多額の経費が入つて、備品費を予算に計上することがむつかしい。

② 学級段階補正がきつ過ぎる。

③ 同一サイズの地方の学校と備品費を比較してもらいたい。

④ 那覇の学校の備品費が余りにも少な過ぎる。

二、特殊教育を強力に推進してもらいたい。

三、給水、電気施設を各教室にしてもらいたい。

四、技術科教室を普通教室分から取らないで、特別に割当てもらいたい。

五、高校急増対策には、那覇地区の生徒が普通学科に進学出来ないような事がないようにしてもらいたい。

(地方の生徒との比較に於て)

北部(辺土名)地区

一、独立小学校に教員一人を増員してもらいたい(事務職でもよい)

二、併置校において、校長は小学校に配置してもらいたい。

三、巡回教師を配置してもらいたい。

四、自力校舎の費用の返済で委員会が困つているので、旅費補助、行政補助金を増額してもらいたい。

(教育税は村民税の倍額になつている)

五、パン給食のパンの運搬費が父兄負担になつている。

奥学校一日五〇仙　楚洲学校　婦人会　一日六〇仙

安田　安波も困つている。補助していただきたい。

南部地区

1 普通教室を早く造つてもらいたい。

2 高校急増対策にともなう中学校教育の充実も考えてもらいたい。

3 木造以外の乱石造りは改築対象に

なるか。

4　五二年以前の校舎改築の方針について承りたい。

5　教室は通風、採光、冷房、防音等考慮に入れて沖縄に適するよう改善、工夫してもらいたい。

中部地区（石川、前原）

1　学校便所は文部省では三秒以内にいけるところがよいといつているが、三階等はそこに造らんといかんのじやないか。

2　五三年以降の瓦ブキ校舎の改築はどうなるか。

3　校舎の建築は地域の特殊性を見て設計建築したらどうか。

例　湿地帯は床を上げるとか、校地の狭いところは三階建以上にするとか。

4　小学校は教室が余つてくるが、学級定員を引き下げる考えはないか。

5　事務職員の配置は全学校にやつてもらいたい。

6　義務教育の教育補助額をもつと増やしてもらいたい。

7　小学校の専科教員を考えてもらいたい。

8　教育費三三％（琉球政府予算の）の中から校舎建築費を引いたらいくらか、又日本に比べてどうなつているか。

9　教育税は上つて村民税は下がるということになつては困るので、教育補助金を増やすよう十分検討してもらいたい。

10　高等学校と小、中学校の経費の比較（校舎建築等）義務教育軽視になつていないか。

11　学力向上問題に対する真栄城玄明氏の新聞記事に対してどう処置しているか。

12　文教時報を教育委員会にも送つてもらいたい。

中部地区（コザ・普天間・嘉手納・読谷）

1　一、〇〇〇人以上の学校には、補助職員と事務職員の双方が配置されているが一、〇〇〇人未満には、そのどちらも配置されていないが、その配置の基準及び将来一、〇〇〇人未満の学校にも事務職員を配置する計画をもつているかどうか伺いたい。

2　学校建築に際して、建築校舎の方位（向き）も許可条件の中に入つているかどうか。

3　不足教室の解消見込みの時期について伺いたい。

4　備品購入の入札制について、購入計画を提出させる理由及びそれが許可になる時期について伺いたい。

5　技術家庭科の設備についての長期計画を伺いたい。

6　教育委員会の性格について、現組織では委員会は議決、執行の両権を行使している形になつているが、行政上好ましい姿とは思えない。これら教育委員会の組織について再検討の上、改正していく意志はないか。

7　教育税法の早期確立を要望する。
（教育財政確立の上から）

8　教育予算の適正規模算出の概略を承りたい。

9　高校急増とも関連して、学区域制を緩和する意志はないか。

10　学校の教員定数確保に対する将来の計画を承りたい。

11　幼児教育は現状では野ばなしの状態にあるが、政府の施策として積極的に取り上げて、解決にもつていく必要があると思考されるがこれについての見解を問う。

12　備品購入についてはひもつきにしないで、学校に任せてもらいたい。

久米島地区

1　へき地振興法、離島振興法にある補助金の率を上げるようにしてもらいたい。
例　同じ建築でも輸送費、資材費がかさむ（大東ではセメントと砂が同値）

2　へき地教員の待遇改善をやつてもらいたい（よい教員を招致するため）

3　学校給食を完全給食にもつていくようにしたら。

4　教室は冬房、暖房、防音の装置が出来るよう建築してほしい。

5　養護教諭の配置を考えてもらいたい。

6　精薄児の取り扱いをどうするか。

7　へき地は金がない、補助金をうんと増してもらいたい。

高等学校長会

1　校舎建築計画について承りたい。

2　保健室、給食調理室をＰＴＡで造つたら政府からの予算支出はどうなるか。

3　保健体育備品が少なくて困つているが、今よりも予算を多くとつてもらいたい。保健体育備品購入の予算を保健体育課に移す考えはないか。

北部二班（名護・宜野座）

1　技術家庭科の設備について、センター校以外の学校の設備計画について承りたい。また、センター校以外の学校がセンター校の施設を利用することが可能かどうか承りたい。

2　校舎建築について、学校敷地の拡張余裕が可成りあることにも拘らず人口密集地域であるとの理由で、必ず二階建、三階建でなければ許可し

ないというケースがあつたが、その理由を承りたい。

3　校地や校舎配置の永久計画を各学校で立案する上から政府の将来における施設充実計画を承りたい。例えば屋内運動場などは将来建設されるものと見て計画を立ててよいかどうか。

4　急増対策について新設校三校を予定しているようだが、その設置場所は確定しているかどうか承りたい。

5　教育税法の早期確立を望む。

6　教育行政補助金をもつと増額してもらいたい。

7　併置校の校長を小学校へ移してもらいたい。

8　小規模学校へも事務職員を配置してもらいたい。

宮古地区

○高校急増対策について、宮古の場合現在の三高校に学級増するのでなく、工業高校を新設してもらいたい。

○行政補助金の割当方針はどうなつているか（上野村のような貧弱教育区には多くいくようにしてもらいたい。）

○教頭は小、中併せて六学級以上の場合も設置してもらいたい。

○複式学級の教員定数を増してもらいたい。

○給食加工費を全額補助してもらいたい。

○教育長に対する委任事項について、委任された事項は教育長に全権があるか。

八重山地区

○結、産休以外の長期病床の取扱いについて（補充教員との関連において）

○併置校（小、中）の校長を小学校において中学校の定員増をはかつてもらいたい。

○小さい学校にも書記を配置してもらいたい。

○複式学級の教員算定を改善してもらいたい。（学力向上のためにも）

○中学校、技術家庭科の設備がセンター校に較べて、その他の中学校の予算（三一、四四〇弗）が少な過ぎるのではないか。

○六三年度へき地教員住宅建設に波照間（三級地）は入つているか。

○中学校に複式手当を支給しないのは片手落ではないか。

○へき地手当の中をひろげる（五級地をつくる）ことは決定されているか。

○給料を法定支給日に支給できるようにしてもらいたい。

○区の行政補助金を増額してもらいたい。

○区の事務職員の給料を補助してもら

いたい。

○社会教育主事（市町村設置）の旅費を補助してもらいたい。

○へき地の学力向上のため、中学校を統合して寄宿舎から通学できるようにしてもらいたい。

○開拓地学校運営補助金が減額になつているようだが、これは納得できない。これが住民に与える影響を考慮して、何とか増額の方途を講じてもらいたい。

○へき地に対する補助金の対応費をやめて全額補助してもらいたい。

○開拓地教員住宅をつくつてもらいたい。

○行政補助金の増額四千弗は竹富と与那国に配分してもらいたい。

○へき地の教員住宅は校舎建築とかみ合せてできるように考慮してもらいたい。教員住宅一棟だけの工事を引きうけるものがいない。

○平久保と伊原間の危険校舎に対し、至急特別校舎割当をしてもらいたい。

○竹富、与那国の理地調査をしてもらいたい。

八重山連合区教育委員会

1 開拓地学校補助金を増額してもらいたい。
（例えば大浜教育区の開拓地における固定資産税及び事業税等が賦課できるまで引続き補助してほしい）

2 行政補助金を増額してもらいたい。

3 へき地教育区の補助金の対応費を減額してもらいたい。

4 開拓地の教員住宅を増設してもらいたい。

5 へき地教育区の学校の現状を責任ある調査をしてもらいたい。

6 中学校にも複式手当を支給してもらいたい。
（併置校における複式は小中学校教員入り乱れて授業を進めている関係上、小学校にあつて中学校にないのは片手落ちと思われる）

7 校舎改築の対象を改訂してもらいたい。
（例えば平久保の離れ一教室のようなもの）

8 準へき地手当を支給してもらいたい。

9 技術センター校の基準を改訂してほしい。各教育区にも最少限一校は設置してほしい。現在の設置基準では与那国、竹富、大浜には設置の可能性はない。

―随　筆―

委員会「こぼれ話」

中央教育委員　石垣喜興

▲男教師と女教師

男女の差別を公然と認めていたのは戦前の話。

今は男女平等の原則で、差をつけてはならないことになつているがいまだにその、非民主主義的な残骸が「戦前女教師」の上にあるから、この際是正方をと、二十二日の委員会に、各地区の婦人部長が大挙来訪、中教委員に〃ハツパ〃をかけていた（八重山地区は郡島政府時代、いち早く格差を無くしてあるから見習えとのこと）

同期卒業の（師範）男子と女子で、現在甚だしいのが、二十弗二十仙で、十弗以上も相当の差があるが、最低でも五弗以上ですと、表を出して説明していた。

最低が五弗なので、ふに落ちないから質問して見ると、卒業の時、すでに初任給が男女〃五円〃の差で発令されたとのこと。

戦後十六年、個人差の出ている事は認めるが、戦前、女なるが故につけられた差を、今からでも是正してもらいたいと〃くい下り〃委員長もどう返答するか局長と額を合せて苦慮。

立替り入り替りの補足説明は熱が入りすぎたか（御列席の皆様（全員男）には失礼ないいぶりと存じますが、男教師のように、作業や力仕事には弱い点もあると思うが、生徒の学力向上に、教師としての責任に絶対負けていません。特に男の先生のようにお酒を飲んで休んだり、フラフラ授業をしたりする事はありませんから対等に扱うべきで……」には居ならぶ男連中、頭を押えて苦笑。

財源難に頭をいためる文教局に、酒のみの男教員を減俸して財源を生み出せばとの珍説も飛出して大笑い。

学力低下が大きな問題になつている昨今、笑いごとで済ませんのは男先生方の日頃の素行ではなかろうか。

男女平等までは良いが、やがては男の弱さが認められて〃ギヤク〃に差をつけら

れたらこれこそ笑ごとではなかろう。学力低下は男の先生に責任があり、と言われんうちに酒飲みもほどほどにしたいもんだ。

▲百万弗の責任

教育界に話題を投じた、米国援助の百万ドルは一応、各教師に配分されて一段落、あれだけ〃ムキ〃になつていた教員の中でも、ひそかに感謝会をもつ組も現われ、もらつた喜びをかくしきれずに居るが、もらえなかつた文教局勤務の先生方、「ふんまんやるせない」といつたあんばい。

沖縄の労力向上は教員の待遇改善にあり、学力低下の原因は教員の経済不安定がその要因だと。

三年この方教員の待遇は良く良くなつて来た（若手教員給は日本並）ところが沖縄の学力は日本の最低県より二、三段階も下だと言う。そこで文教局の指導課の先生方、百万ドルの手前、現場の先生方は生徒の学力が日本の普通県に近づかねば、もらつたお金は返すべきだろうよと責任を負わして〃ウップン〃をはらしていた。

委員の中でも「そうだ」学力向上に責任を持つてもらうべきだとの声も出た。こうなればもらつた百万ドルは、無条件の〃ただ〃もらいではなさそうだ。

▲学力と父母の負担

学力向上は先生や学校だけで「ジタバタ」しても、地域社会の協力がなくては上らないと鹿児島県教育視察報告会で指導主事の先生方は話して居られた。

各校がPTAを組織して学校に協力しているのも、子供等の学力向上をめざしてのことであるがいつも問題になるのは父母の負担のようです。子供の父母がPTA会費は勿論、直接。間接に教育に支出する金はいくらだろうか調べて見たら、日本では全国平均、小学校で、三十四ドル六十八セント、中学校で三十八ドル二十四セントになつているらしい。

全琉平均をみると小学校が二六弗三一仙中学校が三五弗一六仙となつている。八重山では石中、登小、石小、平均から割出して中学生で四十一ドル七十八セント、小学生で三十三ドル三十三セントとなつて居り、日本平均に中学生は三ドル五十四セントも上廻り、小学生は一ドル三十五セント下廻つている事になつて、父兄の負担は日本とほぼにていると言う事が言える。

ここらで学力もにてくれれば、父母の協力のしがいもあるが、余り差がありすぎるので張合がなく心配だとの声もある。

この際みんなで学力向上の問題点をしつかり研究しこれとの関連性も研究し合うべきだとの声もある。

一九六二年九月三日印刷
一九六二年九月五日発行
文教時報（第八〇号）
非売品
発行所　琉球政府文教局調査広報室
印刷所　星印刷所

81

文教時報

1962、9　　No. 81

教育関係法令特集

琉球　文教局　調査広報室

もくじ

学校教育法の一部改正

学校教育法（一九五八年立法第三号）の第八条の規定は校長の任期について定めているが、社会情勢の変動に伴い二、三の問題点が浮び上つてきたのでこれらの問題点を除去するため改正するものである。即ち同法第八条第二項は「校長は、第三項の場合を除いては、同一教育区に通算して十年をこえて勤務することはできない。」と規定している。この規定のため市町村の合併（教育区の合併）が多少のブレーキをかけられていることはやむをえない現状といえる。

そこで第二項の「同一教育区」については、二以上の教育区が合併した場合は、合併後においても、期間の通算については、合併前の教育区を同一教育区とみなすよう改正するものである。

次に、公務員の勧奨退職制度が立法化されましたので、これに伴い、校長の任期制限との関係が新たに問題となつてきた。即ち、勧奨退職をしようとする校長でも任期制限の規定により、退職までの期間が二、三ケ月であつても転任を余儀なくしなければならないようになる。そこで校長が勧奨退職をする場合は、第八条第一項、第二項の規定の適用を排除して現に勤務する学校又は教育区において退職の日まで連続して勤務できるよう措置をしようとするものである。

更に、この第八条の校長の任期についての規定は、一九六三年四月一日に効力が失なわれることに附則第一項で規定された。したがつて一九六三年四月以降は、校長の任期については、なんの制限もないということになる。

学校教育法の改正されたか所

（一九六二年三月三十日立法第三号）

学校教育法（一九五八年立法第三号）の一部を次のように改正する。

「ろう学校」を「聾（ろう）学校」に、「ろう者」を「聾（ろう）者」に改める。

第八条を次のように改める。

（校長の任期）

第八条　校長は、校長として同一学校に五年をこえて継続して勤務することはできない。

2　校長は、第三項の場合を除いては、同一教育区（二以上の教育区が合併した場合は、合併後においても、期間の通算については、合併前の教育区を同一教育区とみなす。以下本条中同じ。）

に通算して十年をこえて勤務することはできない。

3　通算して十年以上勤務した校長は、その後五年を経ずして校長として、また同一教育区に戻ることはできない。

4　通算して十年未満、校長として勤務した教育区には、校長としていつでもまた戻り、十年から、以前校長として勤務した年数を差し引いた期間、勤務することができる。ただし、同一学校に戻つて勤務するときは、その期間は半減されるものとする。

5　職業課程のみをおく高等学校の校長については、前各項の規定は適用しないことができる。

6　第一項又は第二項の規定により勤務することができる期間を満了するに至る校長が当該満了するに至る日から一年以内において年令六十年に達し、琉球政府公務員の退職手当に関する立法（一九五六年立法第三号）第四条の二の規定による勧奨の場合の退職手当の受給該当者となるとき、又は公立学校教育職員の退職手当補助金交付に関する規則（一九五八年中央教育委員会規則第三十六号）第四条の二の規定による勧奨の場合の退職手当の受給該当者となるとき、又は公立学校教育職員の退職手当補助金交付に関する規則（一九五八年中央教育委員会規則第四条の二の規定による勧奨の場合の退職手当の受給該当者となるときにおいては、第一項又は第二項の規定にかかわらず、勧奨の場合の退職手当の支給を受けて退職するまでの期間、継続して同一学校又は同一教育区に勤務することができる。

附　則

（施行期日）

1　この立法は、公布の日から施行する。ただし、改正後の第八条の規定は一九六三年四月一日に効力を失う。

（同一教育区の経過規定）

2　この立法施行前に合併した教育区については、改正後の第八条第二項の規定による同一教育区とみなす。

（学校給食法の一部改正）

3　学校給食法（一九六〇年立法第四十七号）の一部を次のように改正する。

第三条第二項中「ろう学校」を「聾学校」に改める。

（理科教育振興法の一部改正）

4　理科教育振興法（一九六〇年立法第六十二号）の一部を次の様に改正する。

第二条中「ろう学校」を「聾学校」に改める。

（教育職員免許法施行法の一部改正）

5　教育職員免許法施行法（一九五八年立法第九十八号）の一部を次のように改正する。

「ろう学校」を「聾学校」に、「ろうあ学校」を「聾唖学校」に改める。

教育職員免許法等の一部改正

中学校においては一九六二年四月、高等学校においては一九六三年四月より教育課程が改訂になり、中学校の図工科が美術科に、職業科と家庭科が技術家庭科に、高等学校の美術科が芸術と改められるようになつた。

したがつて、当該教科を担任する教員の免許状も中学校においては、図工を美術に、職業を技術に、高等学校においては、図画・工作を美術・工芸に改めねばならないようになつたのである。

教育職員免許法の改正されたか所

（一九六二年三月三十日立法第四号）

教育職員免許法（一九五八年立法第九十七号）の一部を次のように改正する。

「ろう学校」を「聾(ろう)学校」に改める。

第四条第六項第一号中「図画工作」を「美術」に改め、「保健、」の下に「技術、」を加え、同項第二号中「図画、工作」を「美術、工芸」に改める。

第五条第一項第四号中、「禁こ」を「禁錮(こ)」に改める。

附則第六項の次に次の三項を加える。

7　次の表の第二欄に掲げる基礎資格を有する者に対して教育職員検定により次の表の第一欄に掲げる高等学校教諭二級普通免許状を授与する場合における学力及び実務の検定は、当分の間、第六条第二項の規定にかかわらず、次の表の第三欄及び第四欄の定めるところによる。

第一欄	第二欄	第三欄	第四欄
所要資格／受けようとする免許状の種類	基礎資格	第二欄に規定する基礎資格を取得したのち、高等学校において第一欄に掲げる実習を担任する教諭の職務を助ける職員として良好な成績で勤務した旨の所轄庁の証明を有することを必要とする最低年数	第二欄に規定する基礎資格を取得したのち、大学又は授与権者の認定する講習において修得することを必要とする最低単位数

高等学校において家庭実習、農業実習、工業実習、商業実習、水産実習又は商船実習を担任する教諭の二級普通免許状	イ　大学に二年以上在学し、第一欄に掲げる実習に係る実業に関する学科を専攻し、六十二単位（内二単位は、体育とする。）以上を修得すること又は授与権者がこれと同等以上と認める資格を有すること。	三	一〇
	ロ　高等学校において第一欄に掲げる実習に係る実業に関する学科を修めて卒業すること又は授与権者がこれと同等以上と認める資格を有すること。	六	一〇
	ハ　九年以上第一欄に掲げる実習に関する実地の経験を有すること。	三	一〇

備考

一　第五条第一項別表第一備考第一号並に第六条第二項別表第四備考第一号及び第四号の規定は、この表の場合について準用する。

二　第三欄に掲げる「高等学校において第一欄に掲げる実習を担任する教諭の職務を助ける職員」とは、高等学校において第一欄に掲げる実習を担任する助教諭及び高等学校において第一欄に掲げる実習を担任する教諭の職務を助ける実習助手（中央委員会規則で定めるものに限る。）をいい、実習助手について証明すべき所轄庁は、中央委員会規則で定める。

三　九年以上第一欄に掲げる実習に関する実地の経験を有する者のうち、

その者の小学校から最終学校を卒業し、又は修了するに至るまでの学校における修業の年数が通算して九年に不足するものについては、ハの項中「九年以上」とあるのは、「九年に不足する年数に二を乗じて得た年数を九年に加えた年数以上」と読み替えるものとする。

8　前項の表ハの項に掲げる基礎資格を有する者に、前項の規定による教育職員検定により、同表第一欄に掲げる高等学校教諭二級普通免許状を授与する場合については、第五条第一項第二号の規定は、適用しない。同項の規定による教育職員検定により当該二級普通免許状の授与を受けた者に、当該免許状に係る教科の高等学校教諭一級普通免許状を授与する場合についても、同様とする。

9　第五条第一項別表第一の規定により工業の教科について高等学校教諭免許状の授与を受ける場合は、同表の高等学校教諭の免許状の項に掲げる教職に関する専門科目についての単位数の全部又は一部の数の単位の修得は、当分の間、同表の規定にかかわらず、それぞれ当該免許状に係る教科に関する専門科目についての同数の単位の修得をもつて、これに替えることができる。

附則第六項を附則第十項とし、附則第五項を附則第六項とし、附則第四項の次に次の一項を加える。

5　農業、工業、商業若しくは水産又は農業実習、工業実習、商業実習若しくは水産実習の教科について高等学校の教諭の免許状を有する者は、当分の間、第三条第一項及び第二項の規定にかかわらず、それぞれその免許状に係る教科に相当する教科の教授又は実習を担任する中学校の教諭又は講師となることができる。

別表第一の備考第五号中「理科」、の下に「技術、」を加え、「図画工作」を「美術」に、「図画、工作」を「美術、工芸」に改める。

別表第一の備考に次の一号を加える。

六　この表の中学校及び高等学校の教諭の免許状の項の教職に関する専門科目についての大学における最低修得単位数については、当分の間、中学校にあつては音楽及び美術、高等学校にあつては数学、理科、音楽、美術工芸、書道、農業、工業、商業、水産及び商船の各教科の免許状の授与の場合には、その半数までの単位は、当該免許状に係る教科に関する専門科目について修得することができる。

別表第四の所要資格の項第三欄中「学校の教員」の下に「（仮免許状及び二級普通免許状の授与を受けようとする場合にあつては、これらに相当する盲学校、聾学校及び養護学校の各部の教員を含

む。）」を加える。

附　則

1　この立法は、公布の日から施行する。ただし、第四条第六項第一号の改正規定、附則第四項の次に一項を加える改正規定、別表第一の備考第五号及び別表第一の備考に次の一号を加える改正規定（中学校教諭免許状に係る教科の改正に関する部分に限る。）並びに附則第二項及び附則第四項の規定（以下「中学校教員免許状に係る教科の改正等に関する規定」という。）は一九六二年四月一日から施行する。

2　中学校教員免許状に係る教科の改正等に関する規定の施行の際、現にこの立法による改正前の教育職員免許法（以下「旧法」という。）若しくは教育職員免許法施行法（一九五八年立法第九十八号。以下「施行法」という。）の規定により旧法に規定する図画工作の教科について中学校の教員の免許状の授与を受けている者又は施行法の規定により旧法に規定する図画工作の教科について中学校の教員の免許状の交付を受けている者は、中学校教員免許状に係る教科の改正等に関する規定の施行の日において、それぞれその有する免許状の種類に応じ、この立法による改正後の教育職員免許法（以下「新法」という。）若しくは施行法の規定により新法に規定する美術の教科について中学校の教員の免許状の授与を受けた者又は施行法の規定により新法に規定する美術の教科について中学校の教員の免許状の交付を受けた者とみなし、その者が現に授与又は交付を受けている旧法に規定する図画工作の教科についての中学校の教員の免許状は、それぞれその免許状の種類に応じ、新法に規定する美術の教科についての中学校の教員の免許状とみなす。

3　この立法（附則第一項ただし書に係る部分を除く。以下同じ。）の施行の際、現に旧法若しくは施行法の規定により旧法に規定する図画若しくは工作の教科について高等学校の教員の免許状の授与を受けている者又は施行法の規定により旧法に規定する図画若しくは工作の教科について高等学校の教員の免許状の交付を受けている者は、この立法の施行日において、それぞれその有する免許状の種類に応じ、新法若しくは施行法の規定により新法に規定する美術若しくは工芸の教科について高等学校の教員の免許状の授与を受けた者又は施行法の規定により新法に規定する美術若しくは工芸の教科について高等学校の教員の免許状の交付を受けた者とみなし、その者が現に授与又は交付を受けている旧法に規定する図画又は工作の教科についての高等学校

の教員の免許状は、それぞれその免許状の種類に応じ、新法に規定する美術又は工芸の教科についての高等学校の教員の免許状とみなす。

4 中学校教員免許状に係る教科の改正等に関する規定の施行の際、現に旧法若しくは施行法の規定により旧法に規定する図画工作若しくは職業の教科について中学校教諭免許状の授与を受けている者又は施行法の規定により旧法に規定する図画工作若しくは職業の教科について中学校教諭免許状の交付を受けている者で、中学校教員免許状に係る教科の改正等に関する規定の施行の日までの間において中央委員会規則で定める技術の教科に関する講習を修了した者には、新法第五条第一項本文の規定にかかわらず、同法に規定する技術の教科についての中学校教諭二級普通免許状を授与することができる。

教育職員免許法施行規則等の一部を改正する規則

（一九六二年四月十二日中央教育委員会規則第五号）

（教育職員免許法施行規則の一部改正）

第一条 教育職員免許法施行規則（一九五九年中央教育委員会規則第十号）の一部を次のように改正する。

「ろう学校」を「聾学校」に「ろう教育」を「聾教育」に「ろう心理」を「聾心理」に改める。

第三条第一項の表中備考以外の部分を次のように改める。

第一欄	第二欄	第三欄	
免許教科	教科に関する専門科目	最低修得単位数	
		二級普通免許状	仮免許状
国語	国語学（音声言語及び文章表現に関するものを含む。）	六又は四	四又は二
	国文学（国文学史を含む。）	八又は六	六又は四
	「漢文学、書道（書写を中心とする。）」	四	二
		計 一六	一〇

教科	科目		
社会	日本史及び外国史	六	三
	地理学（地誌を含む。）	六	三
	「法律学、政治学」	二	二
	「社会学、経済学」	二	
	「哲学、倫理学、宗教学」	四	二
	計	二〇	一〇
数学	代数学	四	四又は二
	幾何学	四	四又は二
	解析学	四	四又は二
	統計学	二	二
	測量	二	
	計	一六	一〇
理科	物理学（実験を含む。）	五	三
	化学（実験を含む。）	五	三
	生物学（実験を含む。）	五	二
	地学（実験を含む。）	五	二
	計	二〇	一〇
	ソルフエージユ	二、	二

音楽	声楽（合唱を含む。）	六又は四	四又は二
	器楽（合奏を含む。）	六又は四	四又は二
	指揮法	二	二
	音楽理論及び音楽史	二	
	計	一六	一〇
美術	絵画	六又は四	四又は二
	彫塑	六又は四	四又は二
	デザイン（構成を含む。）	六又は四	四又は二
	美術理論及び美術史	二	二
	計	一六	一〇
保健体育	体育実技	四	四又は二
	「体育原理、体育管理」	四	四又は二
	生理学（運動生理学及び解剖学を含む。）	四	二
	「学校保健、衛生学」	四	二
	計	一六	一〇
保健	「生理学、細菌学、栄養学」	六	四
	衛生学（公衆衛生学、救急処置及び看護法を含む。）	六	四
	学校保健	四	二
	計	一六	一〇

教科	科目		
技術	設計及び製図	四又は二	二
	木材加工及び金属加工	八又は六	三
	農業（栽培に関する科目とし、実習を含む。）	二	二
	工業（機械及び電気に関する科目とし、実習を含む。）	八	三
		計 二〇	一〇
家庭	「食品学、栄養学」及び調理実習	六又は四	四又は二
	「被服学、衣料学」及び衣服実習	六又は四	四又は二
	「家庭管理、住居学、家族関係」	四	二
	「育児、家庭看護学」	二	二
	家庭機械及び家庭工作（設計及び製図を含む。）	四又は二	
		計 二〇	一〇
職業	産業概説	二	二
	職業指導	四	二
	「農業、工業、商業、水産」	一〇	四
	「農業実習、工業実習、商業実習、水産実習、商船実習」	四	二
		計 二〇	一〇
職業指導	職業指導	四	二
	職業指導の技術	八	六
	職業指導の運営管理	四	二
		計 一六	一〇

英語	英語学	六	四
	英文学	六	四
	英会話及び英作文	四	二
	計	一六	一〇
宗教	宗教学	六	四
	宗教史	六	四
	「教理学、哲学」	四	二
	計	一六	一〇

第三条第一項の表の備考第三号本文を次のように改める。

「　　」内に表示された専門科目の単位の修得は、その専門科目の一以上にわたつて行うものとする。（以下本規則中「　　」内に表示された専門科目に関し単位を修得する場合において同様とする。）

第三条第一項の表の備考第四号とし、本文を次のように改める。

五　国語に関する専門科目の単位の修得方法は、仮免許状にあつては、国語学四単位以上、国文学四単位以上及び「漢文学、書道」二単位以上又は国語学二単位以上、国文学六単位以上、

及び「漢文学、書道」二単位以上、二級普通免許状にあつては、国語学六単位以上及び「漢文学、書道」四単位以上又は国語学四単位以上、国文学八単位以上及び「漢文学、書道」四単位以上を修得するものとし、仮免許状の数学、音楽、美術、保健体育又は家庭及び二級普通免許状の音楽、美術、技術又は家庭に関する専門科目の単位の修得方法は、国語に関する専門科目の単位の修得方法の例にならうものとする。

第三条第一項の表の備考第三号の次に次の一号を加える。

四　第三欄の｛で表示された専門科目の単位の修得は｛で表示された第二欄の専門科目中その専門科目の一以上にわ

たつて行なうものとする。

第四条第一項の表を次のように改める。

第一欄 免許教科	第二欄 教科に関する専門科目	第三欄 最低修得単位数
国語	国語学（音声言語及び文章表現に関するものを含む。）	六又は四
	国文学（国文学史を含む。）	八又は六
	漢文学	六又は四
		計 一六
社会	日本史及び外国史	六
	地理学（地誌を含む。）	六
	「法律学、政治学」	二
	「社会学、経済学」	二
	「哲学、倫理学、宗教学、心理学」	四
		計 二〇
数学	代数学	六又は四
	幾何学	六又は四
	解析学	六又は四
	「統計学、測量」	二
		計 一六

教科	科目	単位数
理科	物理学	四
	化学	四
	生物学	四
	地学	四
	「物理学実験、化学実験、生物学実験、地学実験」	四
	計	二〇
音楽	ソルフエージユ	二
	声楽（合唱を含む。）	六又は四
	器楽（合奏を含む。）	六又は四
	指揮法	二
	音楽理論及び音楽史	二
	計	一六
美術	絵画	六又は四
	彫塑	六又は四
	デザイン（構成を含む。）	六又は四
	美術理論及び美術史	四又は二
	計	一六
	図法及び製図	六又は四

科目	内容	単位
工芸	デザイン（構成を含む。）	六又は四
	工芸製作	六又は四
	工芸理論及びデザイン理論	四又は二
	計	一六
書道	書道	八
	書道史及び美術史	四
	「国文学、漢文学」	四
	計	一六
保健体育	体育実技	四
	「体育原理、体育管理」	四
	生理学（運動生理学、病理学及び解剖学を含む。）	四
	「学校保健、衛生学」	四
	計	一六
保健	「生理学、病理学、細菌学、栄養学」	六
	衛生学（公衆衛生学、救急処置及び看護法を含む。）	六
	学校保健	四
	計	一六
家庭	「食品学、栄養学」	六又は四

	「被服学、衣料学」	六又は四
	「家庭管理、住居学、家族関係」	六又は四
	「育児、家庭看護学」	二
	「調理実習、衣服実習」	四
	計	二〇
農業	農業の関係科目	一六
	職業指導	四
	計	二〇
工業	工業の関係科目	一六
	職業指導	四
	計	二〇
商業	商業の関係科目	一六
	職業指導	四
	計	二〇
水産	水産の関係科目	一六
	職業指導	四
	計	二〇
商船	商船の関係科目	一六

	職業指導	四
	計	二〇
職業指導	職業指導	四
	職業指導の技術	八
	職業指導の運営管理	四
	計	一六
英語	英語学	六
	英文学	六
	英会話及び英作文	四
	計	一六
宗教	宗教学	六
	宗教史	六
	「教理学、哲学」	四
	計	一六

備考

一　前条第一項の表の備考第一号及び第二号の規定は、この表の場合に準用する。

二　国語、数学、音楽、美術、工芸又は家庭に関する専門科目の単位の修得方法は、前条第一項の表の備考第五号に規定する専門科目の修得方法の例にならうものとする。

第七条に次の一項を加える。

3　第三条第二項の規定は、第一項の場合に準用する。

附則第五項から附則第十一項までを一項ずつ繰り下げ、附則第四項の次に次の一項を加える。

5　免許法附則第七項の規定の適用を受ける者の単位の修得方法は、第十九条に定める修得方法の例にならうものとする。

附則に次の二項を加える。

13　免許法附則第七項の表イの項に掲げる「授与権者がこれと同等以上と認める資格」は、旧令による修養年限三年以上の専門学校において同表の第一欄に掲げる実習に係る実業に関する学科を専攻して卒業することとし、同表のロの項に掲げる「授与権者がこれと同等以上と認める資格とは、旧令による国民学校初等科修了程度を入学資格とする修業年限五年の実業学校又は旧令による国民学校高等科修了程度を入学資格とする修業年限三年の実業学校において同表の第一欄に掲げる実習に係る実業に関する学科を修めて卒業することとする。

14　免許法附則第七項の表備考第二号に規定する中央教育委員会規則で定める実習助手は、高等学校においてもっぱら実習助手の職務に従事する者で常時勤務に服することを要するものとし、その者について証明をすべき所轄庁は、その者の勤務する学校の教員について免許法第二条第二項に規定する所轄庁と同様とする。

別表の表面の記載注意第二号の次に次の一号を加える。

二の二　教育職員免許法の一部を改正する立法（一九六二年立法第四号）附則第四項の規定による免許状の授与の場合は、「教育職員免許法第一条」の箇所は「教育職員免許法の一部を改正する立法（一九六二年立法第四号）附則第四項」と記入するものとする。

（教育職員免許法施行規則の一部改正）

第二条　教育職員免許法施行規則（一九五九年中央教育委員会規則第十一号）の一部を次のように改正する。

「ろう学校」を「聾学校」に改める。

第三条中「附則第七項」を「、附則第八項」に改める。

附則第三項の次に次の一項を加える。

4　教育職員免許法施行規則等の一部を改正する規則（一九六二年中央教育委員会規則第五号）（附則第一項ただし書に係る部分を除く。）の施行の日までに施行法第一条の規定により中学校又は高等学校の教員の免許状の交付又は授与を受けた者で、旧教員免許令により実業科のうち工業の学科について中学校、高等女学校教員免許状若しくは工業に関する学科について実業学校

教員免許状の授与を受けたもの又は旧令による大学若しくは修業年限三年以上の専門学校において工業に関する学科を専攻して卒業したもの若しくは旧令による工業教員養成所を卒業したものは、当分の間、第一条第一項又は第二条第二項の規定にかかわらず、これらの規定に定める教科の数をこえて、工業の教科についての高等学校の教員の免許状又は職業の教科についての中学校の教員の免許状の交付又は授与を受けることができる。

附　則

1　この規則は、公布の日から施行する。ただし、この規則の規定中、教育職員免許法施行規則第三条第一項の表の改正規定、同規則第四条第一項の表の改正規定（美術及び工芸に係る部分を除く。）、同規則別表の表面の記載注意に一号を加える規定並びに附則第五項の規定（以下「教科専門科目の単位の修得方法の改正等に関する規定」という。）は、一九六二年四月一日から施行する。

2　教科専門科目の単位の修得方法の改正等に関する規定の施行の際、現にこの規則による改正前の教育職員免許法施行規則（以下「改正前の施行規則」という。）第三条又は第十五条、第十六条第一項、第十七条、第十八条第一項、若しくは附則第四項の規定により図画工作の教科について中学校教諭免許状の授与を受けるために必要とする教科に関する専門科目の単位の全部又は一部を修得している者が、美術の教科について、教育職員免許法（一九五八年立法第九十七号。以下「免許法」という。）第五条第一項別表第一の規定により中学校教諭免許状の授与を受ける場合又は、同法第六条第二項別表第四及び別表第五の規定により中学校教諭免許状の授与を受けようとする場合の教科に関する専門科目の単位の修得方法は、この規則による改正後の教育職員免許法施行規則（以下「改正後の施行規則」という。）第三条の規定（同条に定める修得方法の例にならうものとする改正後の施行規則第十五条、第十六条第一項、第十七条、第十八条第一項、及び附則第四項の規定を含む。）にかかわらず、免許法第五条第一項別表第一の規定により免許状の授与を受ける場合にあつては一九六五年三月三十一日まで、免許状の授与を受けようとする場合にあつては一九六七年三月三十一日までは、改正前の施行規則第三条に定める図画工作の教科について中学校教諭免許状の授与を受ける場合の教科に関する専門科目の単位の修得方法の例によることができる。

3　教科専門科目の単位の修得方法の改正等に関する規定の施行の際、現に改

正前の施行規則第三条又は第十五条、第十六条第一項、第十七条、第十八条第一項若しくは附則第四項の規定により国語、社会、数学、理科、音楽又は外国語の教科について中学校教諭免許状の授与を受けるために必要とする教科に関する専門科目の単位の全部又は一部を修得している者が、当該教科について、免許法第五条第一項別表第一の規定により中学校教諭免許状の授与を受ける場合又は同法第六条第二項別表第四、若しくは別表第五の規定により中学校教諭免許状の授与を受けようとする場合の教科に関する専門科目の単位の修得方法は、改正後の施行規則第三条の規定（同条に定める修得方法の例にならうものとする改正後の施行規則第十五条第十六条第一項、第十七条、第十八条第一項及び附則第四項の規定を含む。）にかかわらず免許法第五条第一項別表第一の規定により免許状の授与を受ける場合にあつては一九六五年三月三十一日まで、免許法第六条第二項別表第四又は別表第五の規定により免許状の授与を受けようとする場合にあつては一九六七年三月三十一日までは、それぞれ改正前の施行規則第三条に定める当該教科について中学校教諭免許状の授与を受ける場合の教科に関する専門科目の単位の修得方法の例によることができる。

4　この規則（附則第一項ただし書に係る部分を除く。以下同じ。）の施行の際、現に改正前の施行規則第四条又は第十五条、第十六条第一項、第十七条、第十八条第一項若しくは附則第四項の規定により図画又は工作の教科について高等学校教諭免許状の授与を受けるために必要とする教科に関する専門科目の単位の全部又は一部を修得している者が、美術又は工芸の教科について、免許法第五条第一項別表第一の規定により高等学校教諭免許状の授与を受ける場合又は同法第六条第二項別表第四若しくは別表第五の規定により高等学校教諭免許状の授与を受けようとする場合の教科に関する専門科目の単位の修得方法は、改正後の施行規則第四条の規定（同条に定める修得方法の例にならうものとする改正後の施行規則第十五条、第十六条第一項、第十七条、第十八条第一項及び附則第四項の規定を含む。）にかかわらず、免許法第五条第一項別表第一の規定により免許状の授与を受ける場合にあつては一九六五年三月三十一日まで、免許法第六条第二項別表第四又は別表第五の規定により免許状の授与を受けようとする場合にあつては一九六六年三月三十一日までは、それぞれ改正前の施行規則第四条に定める図画又は工作の教

科について高等学校教諭免許状の授与を受ける場合の教科に関する専門科目の単位の修得方法の例によることができる。

5　教科専門科目の単位の修得方法の改正等に関する規定の施行の際、現に改正前の施行規則第四条又は第十五条、第十六条第一項、第十七条、第十八条第一項若しくは附則第四項の規定により国語、社会、数学、理科、音楽、保健体育、保健又は外国語の教科について高等学校教諭免許状の授与を受けるために必要とする教科に関する専門科目の単位の全部又は一部を修得している者が当該教科について免許法第五条第一項別表第一の規定により高等学校教諭免許状の授与を受ける場合又は同法第六条第二項別表第四若しくは別表第五の規定により高等学校教諭免許状の授与を受けようとする場合の教科に関する専門科目の単位の修得方法は、改正後の施行規則第四条の規定（同条に定める修得方法の例にならうものとする改正後の施行規則第十五条、第十六条第一項第十七条、第十八条第一項及び附則第四項の規定を含む。）にかかわらず、免許法第五条第一項別表第一の規定により免許状の授与を受ける場合にあつては一九六五年三月三十一日まで、免許法第六条第二項別表第四又は別表第五の規定により免許状の授与を受けようとする場合にあつては一九六六年三月三十一日までは、それぞれ改正前の施行規則第四条に定める当該教科について高等学校教諭免許状の授与を受ける場合の教科に関する専門科目の単位の修得方法の例によることができる。

6　教科専門科目の単位の修得方法の改正等に関する規定の施行の際、現に改正前の施行規則第十五条、第十六条第一項、第十七条、第十八条第二項、第十九条若しくは附則第四項の規定により修得した図画工作の教科に係る教科教育法の単位は、改正後の施行規則第十五条、第十六条第一項、第十七条、第十八条第二項、第十九条若しくは附則第四項の規定により修得した美術の教科に係る教科教育法の同教の単位とみなす。

7　この規則の施行の際、現に改正前の施行規則第十五条、第十六条第一項、第十七条、第十八条第二項、第十九条若しくは附則第四項の規定により修得した図画又は工作の教科に係る教科教育法の単位は、改正後の施行規則第十五条、第十六条第一項、十七条、第十九条若しくは附則第四項の規定により修得した美術又は工芸の教科に係る教科教育法の同教の単位とみなす。

8　教科専門科目の単位の修得方法の改正等に関する規定の施行の際、現に改正前の施行規則第二十四条の規定により図画工作の教科についての中学校教

論免許状に係る授与権者の認定を受けた課程において修得した図画工作の教科に係る専門科目の単位は、改正後の施行規則第二十四条の規定により美術の教科について中学校教諭免許状に係る授与権者の認定を受けた課程において修得した美術の教科に係る専門科目の単位とみなす。

9　教育職員免許法の一部を改正する立法（一九六二年立法第四号）（附則第一項ただし書に係る部分を除く。）の施行の際（以下「法施行の際」という。）、現に改正前の施行規則第二十四条の規定により図画又は工作の教科についての高等学校教諭免許状に係る授与権者の認定を受けた課程において修得した図画又は工作の教科に係る専門科目の単位は、それぞれ、改正後の施行規則第二十四条の規定により美術又は工芸の教科についての高等学校教論免許状に係る授与権者の認定を受けた課程において修得した美術又は工芸の教科に係る専門科目の単位とみなす。

10　教科専門科目の単位の修得方法の改正等に関する規定の施行の際、現に改正前の施行規則第二十四条の規定により職業の教科についての中学校教諭免許状に係る授与権者の認定を受けた課程において、同規則第三条第一項の表職業イの項及び第三条第二項の規定により修得した職業の教科に係る教科に関する専門科目の単位並びに同規則第六条の規定により修得した教職に関する専門科目の単位は、それぞれ、改正後の施行規則第二十四条の規定により技術の教科についての中学校教諭免許状に係る授与権者の認定を受けた課程において、同規則第三条の規定により修得した技術の教科に係る教科に関する専門科目の単位及び同規則第六条の規定により修得した教職に関する専門科目の単位とみなす。

11　教育職員免許法の一部を改正する立法附則第四項に規定する中央教育委員会規則で定める技術の教科に関する講習は、一九五八年七月一日から一九六二年三月三十一日までの間において文教局の計画に基づき実施した技術・家庭科についての講習とする。

12　教科専門科目の単位の修得方法の改正等に関する規定の施行の際、現に改正前の施行規則第二十四条の規定により図画工作の教科についての中学校教論免許状に係る授与権者の認定を受けている課程は、教科専門科目の単位の修得方法の改正等に関する規定の施行の日において、改正後の施行規則第二十四条の規定により美術の教科についての中学校教諭免許状に係る授与権者の認定を受けた課程とみなす。

13　法施行の際、現に改正前の施行規則第二十四条の規定により図画又は工作

の教科についての高等学校教諭免許状に係る授与権者の認定を受けている課程は、その日において、それぞれ、美術又は工芸の教科についての高等学校教諭免許状に係る授与権者の認定を受けた課程とみなす。

教育職員免許法の一部を改正する立法及び教育職員免許法施行規則等の一部を改正する規則の施行

一、改正の要点

1　中学校及び高等学校の教育課程の改訂に即応して、中学校及び高等学校の教員の免許状に係る教科について改正を行うとともに、これらの免許状の授与を受ける場合の教科に関する専門科目の単位の修得方法を改めたこと。

2　中学校及び高等学校の教員の需給の現状にかんがみ、不足することが予想される教科即ち中学校にあつては、音楽、美術、高等学校にあつては、数学、理科、音楽、美術、工芸、書道、農業、工業、商業、水産及び商船の教科を担任する教員の免許状の取得方法に特例を設けたこと。

3　高等学校の実習助手に実習を担任する教諭の免許状の授与を受けることができるよう特例を設けたこと。

二、改正事項及び留意すべき事項

1　中学校及び高等学校の教員の免許状に係る教科の改正

(1)　中学校教員の免許状に係る教科については、図画工作の教科の名称を美術に改めるとともに、技術の教科を新設し、これらの改正は、一九六二年四月一日から施行することとしたこと。（教育職員免許法）以下「免許法」という。（第四条第六項第一号、第五条第一項別表第一備考第五号及び第六号の改正ならびに改正法附則第一項）なお、職業の教科についての教員の免許状は、一九六二年四月一日以降は、中学校における農業、工業、商業、水産の教科に対応する教員の免許状として、存置するものであること。

(2)　高等学校教員の免許状に係る教科については、図画及び工作の教科の名称を美術及び工芸に改め、改正法の公布の日から施行することとしたこと。（免許法第四条第六項第二号、第五条第一項別表第一備考第五号及び第六号の改正ならびに改正法附則第一項）

(3)　中学校及び高等学校の教員の免許

状に係る教科の改正に伴う経過措置

イ　上記(1)及び(2)に掲げる教科の改正に伴い、改正前の教科について免許状の授与または交付を受けている者は、改正法の規定の施行の日において、その者の有する免許状の種類に応じ、改正後の教科について同種類の免許状の授与または交付を受けた者とみなし、またその者が有する改正前の教科についての免許状は、改正後の教科についての免許状とみなすものであること。（改正法附則第二項及び第三項）

したがつて、該当者は、あらためて免許状の授与、交付、再交付等の手続を要しないものであること

ロ　改正法の規定の施行の際、現に改正前の図画工作または職業の教科について中学校教諭免許状の授与または交付を受けている者が、一九五八年七月一日から一九六二年三月三十一日までの間において文教局の計画に基づき実施した技術・家庭科についての講習を修了した場合には、技術の教科についての中学校教諭二級普通免許状の授与を受けることができることとすること。（改正法附則第四項）

なお、文教局の計画に基づき実施した技術・家庭科の講習とは、左記のとおり実施した講習会をいうものであること。

「一九五八年十月から一九五九年三月まで琉大における十五週間の職業科教員の講習会」

「一九五九年十月から一九六〇年三月まで琉大における十五週間の職業科教員の講習会」

「一九六一年二月から仝年五月まで工業高校における職業科教員の講習会」

「一九六一年六月から仝年九月まで工業高校における職業科教員の講習会」

「一九六二年三月二十六日から仝年四月五日まで各連合区における中学校技術の免許状授与のための講習会」

2　中学校及び高等学校の教諭の免許状の授与を受ける場合の教科に関する専門科目の単位の修得方法の改正等

(1)　中学校の教育課程の改訂に則応して、美術または技術の教科について中学校教諭免許状の授与を受ける場合の教科に関する専門科目の単位の修得方法について規定するとともに、国語、社会、数学、理科、音楽、職業または英語の教科について中学校教諭免許状の授与を受ける場合の教科に関する専門科目の単位の修得方法を改め、一九六二年四月一日から施行することとしたこと。

（教育職員免許法施行規則（以下「施行規則」という。）第三条第一項の表の改正及び改正規則の附則第一項）

(2) 高等学校の教育課程の改訂に即応して、美術または工芸の教科について高等学校教諭免許状の授与を受ける場合の教科に関する専門科目の単位の修得方法について規定するとともに、国語、社会、数学、理科、音楽、保健体育、保健または英語の教科について高等学校教諭免許状の授与を受ける場合の教科に関する専門科目の単位の修得方法を改め、美術及び工芸の教科に関する専門科目の単位の修得方法に関する規定は、改正規則の公布の日から、その他の教科に関する専門科目の単位の修得方法に関する改正規定は、一九六二年四月一日から施行することとしたこと。（施行規則第四条第一項の表及び同条第三項の改正ならびに改正規則の附則第一項）

(3) 中学校及び高等学校の教諭の免許状の授与を受ける場合の教科に関する専門科目の単位の修得方法の改正に伴う経過措置

イ　改正規則の規定の施行の際、現に改正前の教科（図画工作、図画及び工作）について中学校教諭免許状または高等学校教諭免許状の授与を受けるために必要とする当該教科に関する専門科目の単位の全部または一部を修得している者が、改正後の教科（美術、美術及び工芸）について中学校教諭免許状または高等学校教諭免許状の授与を受ける場合には、所定の期限までは改正前の教科に関する専門科目の単位の修得方法の例によることができるものとすること。（改正規則の附則第二項及び第四項）

ロ　改正規則の規定の施行の際、現に国語、社会、数学、理科、音楽もしくは外国語の教科についての中学校教諭免許状または国語、社会、数学、理科、音楽、保健体育、保健もしくは外国語の教科についての高等学校教諭免許状の授与を受けるために必要とする教科に関する専門科目の単位の全部または一部を修得している者は、所定の期限までは改正前の教科に関する専門科目の単位の修得方法の例によることができるものとすること。（改正規則の附則第三項及び第五項）

ハ　改正規則の規定の施行の際、現に改正前の施行規則の規定により修得した改正前の教科に係る教科教育法の単位は、改正後の施行規則の規定により修得した改正後の

教科に係る教科教育法の同数の単位とみなすものとすること。（改正規則の附則第六項及び第七項）

ニ　改正規則の規定または改正法の施行の際、現に改正前の教科についての中学校教諭免許状または高等学校教諭免許状に係る授与権者の認定を受けた課程において修得した改正前の教科に係る専門科目（教科に関する専門科目及び教職に関する専門科目）の単位は、改正後の教科についての中学校教諭免許状または高等学校教諭免許状に係る授与権者の認定を受けた課程において修得した改正後の教科に係る専門科目の単位とみなすものとすること。（改正規則の附則第八項及び第九項）

ホ　改正規則の規定の施行の際、現に職業の教科についての中学校教論免許状に係る授与権者の認定を受けた課程において改正前の職業のイにより修得した職業の教科に関する専門科目の単位及び職業の教科に係る教職に関する専門科目の単位は、技術の教科についての中学校教諭免許状に係る授与権者の認定を受けた課程において修得した技術の教科に係る教科に関する専門科目及び教職に関する専門科目の単位とみなすものとすること。
（改正規則の附則第十項）

ヘ　改正規則の規定または改正法の施行の際、現に改正前の教科についての中学校教諭免許状または高等学校教諭免許状に係る授与権者の認定を受けている課程は、改正規則の規定または改正法の施行の日において、改正後の教科についての中学校教諭免許状または高等学校教諭免許状に係る授与権者の認定を受けた課程とみなすものとすること。（改正規則の附則第十二項及び第十三項）

　したがつて、改正前の教科について授与権者の認定を受けた課程を有する大学（短期大学を含む。以下同じ。）は、あらためて授与権者に対する認定の申請を行うことを要しないこと。

なお、職業の教科について授与権者の認定を受けた課程を有する大学が技術の教科について授与権者の認定を受け ようとする場合には、所定の手続により申請を行なわなければならないこと。

3　中学校の音楽及び美術ならびに高等学校の数学、理科、音楽、美術、工芸、書道、農業、工業、商業、水産及び商船の教科についてそれぞれの学校の教諭の免許状の授与を受ける場合の単位の修得方法の改正

(1) 免許法第五条第一項別表第一の規定により中学校の音楽及び美術ならびに高等学校の数学、理科、音楽、美術、工芸、書道、農業、工業、商業、水産及び商船の教科について、それぞれの学校の教諭免許状の授与を受ける場合の教職に関する専門科目の単位数の半数までの単位は、当該教科に関する専門科目について修得することができるものであること。（免許法別表第一備考第六号の改正）

(2) 免許法第五条第一項別表第一の規定により工業の教科について高等学校教諭免許状の授与を受ける場合の教職に関する専門科目の単位数の全部または一部の数の単位の修得は、当分の間、教科に関する専門科目の同数の単位の修得をもつて替えることができるものであること。（免許法附則第九項）

(3) 改正法の公布の日以前に大学（旧令による大学を除く。）を卒業した者に対してもこれらの規定は適用されるものであること。

4 高等学校において実習を担任する教諭の二級普通免許状を授与する場合の学力及び実務の検定の特例

(1) 教育職員検定により高等学校において職業に関する実習を担任する教諭の二級普通免許状の授与を受ける場合における学力及び実務の検定は、免許法第六条第二項別表第六の定めるところにより行なうこととされているが、一定の基礎資格を有する者が、高等学校の当該職業に関する実習を担任する助教諭または教諭の職務を助ける実習助手で中央教育委員会規則で定めるものとして所定の在職年数を良好な成績で勤務し、かつ、基礎資格取得後所定の単位を修得した場合には、当分の間、それぞれ上記の実習を担任することができる教諭の免許状の授与を受けることができるよう特例が設けられ、この規定は、改正法の公布の日から施行するものであること。（免許法附則第七項、改正法附則第一項）

(2) 上記の中央教育委員会規則で定める実習助手とは、高等学校においてもつぱら実習助手の職務に従事する者で常時勤務に服することを要するものとしたこと。（改正後の施行規則附則第十四項）

したがつて、実習助手の職名を有する者であつても実習助手の職務として定められた職務に従事しないもの及び実習助手以外の職名を有する者で実習助手の職務と同様の職務に従事しているものは含まれないものであること。

(3) 上記(1)の中央教育委員会規則で定める実習助手の在職年数について証

明をすべき所轄庁は、その者の勤務する学校の教員について免許法第二条第二項に規定する所轄庁と同様であること。（改正後の施行規則附則第十四項）

(4) 上記(1)の所定の単位の修得方法は、施行規則第十九条に定める免許法第六条第二項別表第六に規定する単位の修得方法と同様とするものであること。（改正後の施行規則附則第五項）

(5) 上記(1)の免許状の授与を受けることができる者の基礎資格に関し、「大学に二年以上在学し、第一欄に掲げる実習に係る実業に関する学科を専攻し、六十二単位以上を修得すること」と同等以上と授与権者が認める資格とは、旧令による修業年限三年以上の専門学校において職業に関する実習に係る実業に関する学科を専攻して卒業することとしたこと。

また「高等学校において第一欄に掲げる実習に係る実業に関する学科を修めて卒業すること」と同等以上と授与権者が認める資格とは、旧令による国民学校初等科修了程度を入学資格とする修業年限五年の実業学校又は旧令による国民学校高等科修了程度を入学資格とする修業年限三年の実業学校において職業に関する実習に係る実業に関する学科を修めて卒業することとしたこと。（改正後の施行規則附則第十三項）

(6) 上記(1)の所定の在職年数及び単位数には、改正法施行前における基礎資格取得後の在職年数及び単位数を含むものであること。

(7) 九年以上職業の実習に関する実地の経験を有することを基礎資格とする者に上記(1)の免許状を授与する場合または当該免許状の授与を受けた者に当該教科に係る高等学校教諭一級普通免許状を授与する場合には、免許法第五条第一項第二号の規定（高等学校を卒業しない者には、免許状を授与しない旨の規定）は適用しないものであること。（免許法附則第八項）

5 その他の改正

(1) 高等学校の職業または職業に関する実習の教科について教諭の免許状を有する者は、当分の間、それぞれの免許状に係る教科に相当する教科の教授または実習を担任する中学校の教諭または講師となることができるものであること。（免許法附則第五項）

(2) 改正法附則第四項の規定により技術の教科について中学校教諭二級普通免許状を授与する場合の教員の免許状の様式中、「教育職員免許法第　　条」の箇所については上記立法の該当項を記入するものである

こと。（改正後の施行規則別表表面の記載注意）

(3) 改正規則の施行の日までに教育職員免許法施行法の規定により中学校または高等学校の教員の免許状の授与または交付を受けた者で、旧教員免許令により工業に関する学科について教員の免許状の授与を受けた者または旧令による大学、専門学校において工業に関する学科を専攻して卒業した者等は、職育職員免許法施行法施行規則第一条第一項または第二条第二項に規定する教科の数をこえて、高等学校の工業または中学校の職業の教科についても免許状の交付または授与を受けることができるものであること。（教育職員免許法施行法施行規則附則第四項）

なお、この規定により一九六二年三月三十一日までの間に職業の教科について中学校教諭普通免許状の授与を受け、かつ、同日までに改正法附則第四項及び改正規則附則第十一項に規定する技術の教科に関する講習を修了した場合には、技術の教科について中学校二級普通免許状の授与を受けることができるものであること。

琉球学校給食会法

一、学校給食法が制定され、学校給食制度が一応法的に確立したが、学校給食を適正円滑に運営してその効果をあげるためには、学校給食用物資即ち米国宗教団体から贈与された脱脂粉乳並びに、メリケン粉等の受入れ保管、配布の適正を期するとともに、加工其の他の副資材の吟味・撰択、買入れ等についても迅速な供給がなされなければならない。

二、現在米国宗教団体から贈与されている給食用脱脂粉乳及び、メリケン粉等の受入れ保管、配布については、文教局保健体育課職員がその仕事に当つているが、そのために多くの時間を費し、指導に専念することができない状態におかれている。本来、保健体育並びに学校給食の指導監督に専念すべき専門職員が物資の受入れ、保管、配給の仕事に従事するということは、職務上誠に不経済なことであり、また当を得ていない。

更に物資量の激増と学校給食の拡充に伴う業務内容の増大に伴つていよいよ今後の指導監督の不徹底が予想される。それで特殊法人としての学校給食会を設立し、業務をこれにゆだねて、政府は専ら指導監督の立場に在ることが適当であり又、十分な効果をあげ

て、学校給食の充実を期することができる。

三、従つて学校給食会を設立し、役員を行政主席が任免し、業務の運営に要する人件費並びに事務費を政府で補助し、且つこれの指導監督に関する権限等を規制し、学校給食の充実強化をはかるためにこの学校給食会法の立法が制定された。

琉球学校給食会法

（一九六二年六月二十七日立法第三十六号）

目次

第一章　総則

（目的）

第一条　学校給食用物資を適正円滑に供給し、あわせて学校給食の普及充実とその健全な発達を図ることを目的として、琉球学校給食会を設立する。

（法人格）

第二条　琉球学校給食会（以下「給食会」という。）は、法人とする。

（定義）

第三条　この立法において「学校給食」とは、学校給食法（一九六〇年立法第四十七号）第三条第一項に規定する学校給食をいう。

2　この立法において「学校給食用物資」とは、学校給食法第三条第三項に規定する学校給食用物資をいう。

（事務所）

第四条　給食会は、主たる事務所を那覇市に置く。

2　給食会は、必要な地に従たる事務所を置くことができる。

（定款）

第五条　給食会は、定款で次の各号に掲げる事項を規定しなければならない。

一　目的
二　名称
三　事務所の所在地
四　役員に関する事項
五　評議員会及び評議員に関する事項
六　業務及びその執行に関する事項
七　資産に関する事項
八　会計に関する事項
九　その他給食会の業務に関する重要事項

2　定款の変更は、行政主席の認可を受

けなければ、その効力を生じない。

（登記）

第六条　給食会は、規則で定めるところにより、登記をしなければならない。

2　前項の規定により登記しなければならない事項は、登記の後でなければ、これをもつて第三者に対抗することができない。

3　登記した事項は、登記所において、遅滞なく公告しなければならない。

（名称使用の制限）

第七条　給食会でない者は、琉球学校給食会という名称又はこれに類似する名称を用いてはならない。

（民法の準用）

第八条　民法（明治二十九年法律第八十九号）第四十四条、第五十条及び第五十四条の規定は、給食会に準用する。

第二章　役員及び職員

（役員）

第九条　給食会に役員として、理事長一人、理事三人以上五人以内及び監事二人を置く。

2　役員のうち理事長は常勤とし、他は非常勤とする。

（役員の職務）

第十条　理事長は、給食会を代表し、その業務を総理する。

2　理事は、定款で定めるところにより、給食会を代表し、理事長を補佐して給食会の業務を掌理し、理事長に事故があるときはその職務を代理し、理事長が欠員のときはその職務を行う。

3　監事は、給食会の業務を監査する。

（役員の任命及び任期）

第十一条　役員は、給食会の目的を達成するために必要な学識経験を有する者のうちから、行政主席が任命する。

2　役員の任期は、二年とする。ただし、補欠の役員の任期は、前任者の残任期間とする。

3　役員は、再任されることができる。ただし、引き続き六年をこえて在任することはできない。

（代表権の制限）

第十二条　給食会と理事長又は理事との利益が相反する事項については、これらの者は代表権を有しない。この場合においては監事が給食会を代表する。

（兼職の禁止）

第十三条　理事長は、他の職業に従事してはならない。ただし、行政主席がその職務の執行に支障がないものと認めて許可した場合は、この限りでない。

（役員及び職員の地位）

第十四条　給食会の役員及び職員は刑法（明治四十年法律第四十五号）その他の罰則の適用については、法令により公務に従事する職員とみなす。

（給与及び休暇等）

第十五条　給食会は職員の給与及び休暇に関する規程を定める場合には琉球政府公務員に準じて定めるものとする。

第三章　評議員会

（評議員会）

第十六条　給食会に評議員会を置く。

2　評議員会は、六人以上十二人以内の評議員で組織する。

（評議員会の職務）

第十七条　次の各号に掲げる事項については、理事長は、あらかじめ、評議員会の意見を聞かなければならない。

一　定款の変更

二　業務方法書の変更

三　毎事業年度の予算

四　重要な財産の処分又は重大な義務の負担

五　訴訟又は訴願の提起及び和解

六　その他給食会の業務に関する重要事項で、定款で定める事項

2　前項に規定する事項のほか、評議員会は、理事長の諮問に応じ、又は必要と認める事項について、理事長に建議することができる。

（評議員の任命及び任期）

第十八条　評議員は給食会の業務の適正な運営に必要な学識経験を有する者のうちから、行政主席が任命する。

2　第十一条第二項及び第三項の規定は、評議員について準用する。

第四章　業　務

（業務）

第十九条　給食会は、第一条に規定する目的を達成するため、次の各号に掲げる業務を行なう。

一　学校給食用物資の受入れ、配布、買入れ、売渡しその他供給に関する業務

二　学校給食の普及充実に関する業務

三　前各号に掲げる業務に附帯する業務

2　給食会は、前項の業務の遂行に支障のない限り、あらかじめ行政主席の承認を受けて、同項の業務に準ずる業務を行なうことができる。

（学校給食用物資の供給の相手方の制限）

第二十条　給食会は、学校給食用物資を行政主席が指定する者以外の者に供給してはならない。

（学校給食用物資の売渡価格）

第二十一条　給食会が学校給食用物資を学校給食用として売り渡す場合における売渡価格は、学校給食用物資の買入れ、加工、売渡し等に要する経費の適正な原価を償うものであり、かつ、営利の目的の介入がないものでなければならない。

2　給食会は、前項の売渡価格について、行政主席の認可を受けなければならない。これを変更しようとするときも、同様とする。

（業務方法書）

第二十二条　給食会は、業務方法書を定め、これに次の各号に掲げる事項を記載しなければならない。

一　学校給食用物資の受譲、買入れ、売渡しその他供給の契約に関する事項

二　学校給食用物資の輸送、保管、加工等に関する事項

三　学校給食の普及充実に関する業務の実施方法に関する事項

四　その他給食会の業務の執行に関して必要な事項

2　給食会は、業務方法書を変更しようとするときは、行政主席の認可を受けなければならない。

第五章　会　計

（事業年度）

第二十三条　給食会の事業年度は、毎年七月一日に始まり翌年六月三十日に終わる。

2　給食会は、毎事業年度の決算を翌年度の八月三十一日までに完結しなければならない。

（事業計画、予算及び決算）

第二十四条　給食会は、毎事業年度、事業計画並びに収入及び支出の予算を作成し、事業年度開始前に行政主席の認可を受けなければならない。これに重要な変更を加えようとするときも、同様とする。

2　給食会は、毎事業年度、財産目録、貸借対照表及び損益計算書（以下「財務諸表」という。）を作成し、これに予算の区分に従つて作成した当該事業年度の決算報告書を添付し、監事の意見をつけて、決算完結後二月以内に行政主席に提出し、その承認を受けなければならない。

3　理事長は、前項の財務諸表及び決算報告書に、監事の意見をつけて、決算完結後一月以内に、これを評議員会に提出しなければならない。

（借入金）

第二十五条　給食会は、借入金をするについては、行政主席の認可を受けなければならない。

（規則への委任）

第二十六条　前三条に規定するもののほか、業務上の余裕金の運用その他給食会の会計について必要な事項は、規則で定める。

第六章　監督及び助成

（監督）

第二十七条　給食会は、行政主席が監督する。

（監督命令）

第二十八条　行政主席は、この立法を施行するため必要があると認めるときは、給食会に対して、その業務に関し、監督上必要な命令をすることができる。

（報告及び検査）

第二十九条　行政主席は、必要があると認めるときは、給食会に対して業務及び資産の状況に関し報告をさせ、又は当該職員をして給食会の事務所若しく

は給食会が学校給食用物資を保管する場所に立ち入り、業務の状況若しくは帳簿書類その他必要な物件を検査させることができる。

2 前項の規定により職員が立入検査をする場合においては、その身分を示す証明書を携帯し、あらかじめ関係人に提示しなければならない。

3 第一項の規定による立入検査の権限は、犯罪捜査のために認められたものと解してはならない。

（役員の解任）

第三十条 行政主席は、役員が次の各号の一に該当するに至つたときは、これを解任することができる。

一 この立法、この立法に基づく規則、第二十八条の規定に基づく行政主席の監督上の命令又は定款に違反したとき。

二 刑事事件により有罪の宣告を受けたとき。

三 禁治産、準禁治産又は破産の宣告を受けたとき。

四 心身の故障により職務を執ることができないとき、その他前各号に掲げるもののほか、役員として不適当と認められるとき。

（政府の補助）

第三十一条 政府は、給食会に対し予算の範囲内で次の各号の金額の補助金を交付することができる。

一 第十九条の業務の運営に必要な経費

二 第十九条の業務のための借入金の利子に相当する金額

第七章 雑則

（施行規則）

第三十二条 この立法の施行に関し必要な事項は、規則で定める。

第八章 罰則

第三十三条 第二十九条第一項の規定による報告をせず、若しくは虚偽の報告をし、又は同条同項の規定による検査を拒み、妨げ、若しくは忌避した者は、八十五ドル以下の罰金に処する。

2 給食会の代表者又は代理人、使用人その他の従業者が、給食会の業務又は財産に関して前項の違反行為をしたときは、行為者を罰するほか、給食会に対しても同項の刑を科する。

第三十四条 次の各号の一に該当する場合には、その違反行為をした給食会の役員を五十五ドル以下の過料に処する。

一 この立法又はこの立法に基づく規則に違反して登記をすることを怠つたとき。

二 この立法又は定款に規定する業務以外の業務を営んだとき。

三 第二十八条の規定に基づく行政主席の監督上の命令に違反したとき

第三十五条 第七条の規定に違反して、琉球学校給食会という名称又はこれに

類似する名称を用いた者は、十五ドル以下の過料に処する。

附　則

（施行期日）

1　この立法は、一九六二年七月一日から施行する。ただし、附則第二項から第六項までの規定は、公布の日から施行する。

（給食会の設立）

2　行政主席は、給食会の設立前に、第十一条第一項の例により、理事長、理事又は監事となるべき者を指名する。

3　前項の規定により指名された者は、給食会成立の日において、この立法の規定により、それぞれ、理事長、理事又は監事に任命されたものとする。

4　行政主席は、設立委員を命じ、給食会の設立に関する事務を処理させる。

5　設立委員は、定款、業務方法書並びに最初の事業年度の事業計画並びに収入及び支出の予算を作成し、行政主席の認可を受けなければならない。

6　前項の認可があつたときは、設立委員は、遅滞なく、その事務を第二項の規定により指名された理事長となるべき者に引き継がなければならない。

7　第二項の規定により指名された理事長となるべき者は、前項の事務の引継を受けたときは、規則で定めるところにより設立の登記をしなければならない。

8　給食会は、設立の登記をすることによつて成立する。

（他の立法の一部改正）

9　登録税法（一九五三年立法第八十八号）の一部を次のように改正する。

第二十三条第八号中「琉球育英会」の下に「、琉球学校給食会」を、「琉球育英会法（一九五二年立法第三十五号）」の下に「、琉球学校給食会法（一九六二年立法第　号）」を加える。

10　印紙税法（一九五二年立法第三十二号）の一部を次のように改正する。

第三条第八号の次に次の一号を加える

八の二　琉球学校給食会の業務に関する証書、帳簿

11　所得税法（一九五二年立法第四十四号）の一部を次のように改正する。

第三条第三号中「琉球育英会」の下に「、琉球学校給食会」を加える。

12　法人税法（一九五三年立法第二十一号）の一部を次のように改正する。

第四条に次の一号を加える。

八　琉球学校給食会

琉球学校給食会法施行規則

（一九六二年七月十日規則第七十四号）

（設立の登記）

第一条　琉球学校給食会（以下「給食会」という。）の設立の登記は、主たる事務所の所在地においてしなければならない。

2　設立の登記には、次の事項を掲げなければならない。

一　目的及び業務

二　名称

三　事務所

四　役員の氏名及び住所

五　理事に代表権を与えたときは、その者の氏名及びその代表権の範囲

（従たる事務所の新設の登記）

第二条　給食会がその成立した後従たる事務所を設けたときは、主たる事務所の所在地においては二週間以内に従たる事務所を登記し、その従たる事務所の所在地においては三週間以内に前条第二項に掲げる事項を登記し、他の従たる事務所の所在地においては同期間内に従たる事務所を設けたことを登記しなければならない。

2　主たる事務所又は従たる事務所を管轄する登記所の管轄区域内において新たに従たる事務所を設けたときは、その従たる事務所を設けたことを登記すれば足りる。

（事務所の移転の登記）

第三条　給食会が主たる事務所を移転したときは、旧所在地においては二週間以内に移転の登記をし、新所在地においては三週間以内に第一条第二項に掲げる事項を登記し、従たる事務所を移転したときは旧所在地においては三週間以内に移転の登記をし、新所在地においては四週間以内に同項に掲げる事項を登記しなければならない。

2　同一の登記所の管轄区域内において事務所を移転したときは、その移転の登記をすれば足りる。

（登記事項の変更の登記）

第四条　第一条第二項に掲げる事項中に変更を生じたときは、主たる事務所の所在地においては二週間以内に、従たる事務所の所在地においては三週間以内に登記をしなければならない。

（管轄登記所及び登記簿）

第五条　給食会の登記については、その事務所の所在地を管轄する法務支局又は登記所を管轄登記所とする。

2　各登記所に琉球学校給食会登記簿を備える。

（登記の申請）

第六条　給食会に関する登記は理事長の

申請によつてする。

（登記の申請書の添付書類）

第七条　設立の登記の申請書には、定款及び役員となるべき者であることを証する書面を添付しなければならない。

第八条　事務所の新設又は移転その他第一条第二項に掲げる事項の変更の登記の申請書には事務所の設定又は移転その他登記事項の変更を証する書面を添付しなければならない。ただし、役員の氏名又は住所の変更の登記についてはこの限りでない。

（登記の期間の計算）

第九条　登記すべき事項で行政主席の認可を要するものは、その認可書の到達したときから登記の期間を起算する。

（非訟事件手続法の準用）

第十条　給食会の登記については、非訟事件手続法（明治三十一年法律第十四号）第百四十二条から第百四十九条まで、第百五十条ノ二から第百五十一条ノ六まで及び第百五十四条から第百五十七条までの規定を準用する。

（学校給食用物資の売渡価格の認可申請手続）

第十一条　琉球学校給食会法（一九六二年立法第　　号以下「法」という）第二十一条第二項の規定により給食会が学校給食用物資の売渡価格の認可を受けようとするときは、認可申請書に売渡価格算定の基礎となる資料を添えて行政主席に提出しなければならない。

（証明書の様式）

第十二条　法第二十九条第二項の規定による証明書の様式は別記様式による。

（経理単位）

第十三条　給食会の経理は、物資経理及び業務経理の各経理単位に区分して行なうものとする。

2　物資経理は法第十九条第一項第一号の業務及びこれに附帯する業務（同条第二項の規定により給食会が行なうことができるこれらの業務に準ずる業務を含む）において取り扱う物資に関する取引（各経理単位における資産、負債及び基本金の増減又は異動の原因となる一切の事実をいう。以下同じ）を経理するものとする。

3　業務経理は、前項に規定する取り引き以外の取引を経理するものとする。

（経理単位の資金の繰入制限）

第十四条　物資経理と業務経理との間においては、相互に資金の繰入れをしてはならない。

（余裕金の運用）

第十五条　給食会は次の各号に掲げる方法によるほか、その業務上の余裕金を運用してはならない。

一　公債又は行政主席の指定する有価証券の取得

二　銀行への預金又は郵便貯金

三　信託会社又は信託業務を営む銀行

への金銭信託

（証明書の様式）

第十五条　法第二十九条第二項の規定による証明書の様式は別記様式による。

附　則

この規則は一九六二年七月一日から施行する

別記様式

第　　号

一九六二年　　月　　日付

官職　氏名

琉球政府

琉球学校給食会法（抄）

（報告及び検査）

第二十八条　行政主席は、必要があるときは給食会に対して業務及び資産の状況に関し報告をさせ、又は当該職員をして給食会の事務所若しくは給食会が学校給食用物資を保管する場所に立ち入り、業務の状況若しくは帳簿書類その他必要な物件を検査させることができる。

２　前項の規定により職員が立入検査をする場合においては、その身分を示す証明書を携帯し、関係人にこれを提示しなければならない

３　第一項の規定による立入検査の権限は、犯罪捜査のために認められたものと解してはならない。

第三十四条　第二十八条第一項の規定による報告をせず、若しくは虚偽の報告をし、又は同条同項の規定による検査を拒み、妨げ、若しくは忌避した者は、八十五弗以下の罰金に処する。

２　給食会の代表者又は代理人、使用人その他の従業者が給食会の業務又は財産に関して前項の違反行為をしたときは、行為者を罰するほか、給食会に対しても同項の刑を科する。

備　考

この証はA列七番「74mm×150mm」の大きさとし、厚紙を使い、中央の点線の所から二つ折とし、表面に「琉球学校給食会検査証明書」と記載すること

学校保健法

この立法は、学校における保健管理に関し必要な事項を定め、学校における保健管理について全琉的水準を維持し、向上するための諸条件を整備しようとするものであります。学校は、多数の児童、生徒、学生または幼児を収容して教育を行うところでありますから、人的にも物的にも最も健康に適した環境でなければなりません。また児童、生徒の健康は、学校教育における学習能率の向上の基礎でもあり、更には健康の増進そのものが教育の目的につながるものであります。

およそ児童、生徒、学生及び幼児並びに職員の健康の保持増進を図ることは、学校教育の円滑な実施とその成果の確保に資する基本的要件の一つと言わなければならない。

ところで現行の学校教育関係諸法規に規定された学校における保健管理に関する制度は、学校教育法第十三条の規定とこれに基く学校身体検査規程その他一、二の中央教育委員会の規定がある程度でありますので、政府といたしましてはとりあえず指導措置によつて学校における保健管理の強化に努力してきたのでありますが、法的不備と相まつて必ずしもじゆうぶんな成果を期待できず優良な学校も一部出てきた反面全琉的には低水準にあることは免れなかつたのであります。こうした現状にかんがみ、現場の教職員からたえず学校保健に関する立法措置が要望され、政府としても学校における保健管理の学校教育において占める重要性にかんがみ、慎重に検討の結果この立法が制定された次第であります。

次にこの立法の要点とするところを申し上げます。

第一総則においては目的学校保健計画および学校環境衛生のことを規定しております。学校保健に関することは学校保健計画をたて、計画性をもつて実施すべきことおよび学校においては常に学校環境衛生の維持および改善に努めるべきことを明らかにしております。

第二章は健康診断および健康相談の制度を規定したことであります。すなわち就学時の健康診断を新たに制度化し、また学校に於ける健康診断については児童、生徒、学生および幼児の健康診断と職員の健康診断について所要の規定の整備を計り、その充実を期し、更に健康相談の制度を規定したものであります。又健康診断の結果に基き、疾病の予防措置を行い、また治療を指示し、ならびに運動および作業を軽減する等適切な事後措置を講ずることとしてあります。

第三章は、学校伝染病の予防に関して所要の規定を整備したことであります。

第四章は文教局に学校保健技師を置くこととし、また学校には、学校医、学校歯医科および学校薬剤師を置くための制度を整備したことであります。

第五章は、要保護および準要保護の児童または生徒の伝染性または学習に支障を生ずるおそれのある一定の疾病の治療のための医療に要する費用について 地方教育委員会が必要な援 助を行うこととし、これに要する経費について政府の補助が規定されています。

第六章は 保健室の設置、保健所との連絡に関する規定を設け た こ とであります。

資料「沖縄児童生徒の健康状態」について省略

学校保健法

（一九六二年八月二十二日
立法第八十六号）

目次

第一章　総則

（目的）

第一条　この立法は、学校における保健管理に関し必要な事項を定め、児童、生徒、学生及び幼児並びに職員の健康の保持増進を図り、もつて学校教育の円滑な実施とその成果の確保に資することを目的とする。

（学校保健計画）

第二条　学校においては、児童、生徒、学生又は幼児及び職員の健康診断その他その保健に関する事項について計画を立て、これを実施しなければならない。

（学校環境衛生）

第三条　学校においては、換気、採光、照明、保温及び防音を適切に行ない清潔を保つ等環境衛生の維持に努め、必要に応じてその改善を図らなければならない。

第二章　健康診断及び健康相談

（就学時の健康診断）

第四条　地方教育区教育委員会（以下「地方教育委員会」という。）は、学校教育法（一九五八年立法第三号）第二十四条第一項の規定により翌学年の初めから小学校又は盲学校若しくは聾学校の小学部に就学させるべき者で、当該教育区内に住所を有するものの就学に当つて、その健康診断を行なわなければならない。

第五条　地方教育委員会は、前条の健康診断の結果に基づき、治療を勧告し、保健上必要な助言を行ない、及び学校教育法第二十四条第一項に規定する義務の猶予若しくは免除又は盲学校、聾学校若しくは養護学校への就学に関し指導を行なう等適切な措置をとらなければならない。

（児童、生徒、学生及び幼児の健康診断）

第六条　学校においては、毎学年定期に、児童、生徒、学生（通信による教育を受ける学生を除く。）又は幼児の健康診断を行なわなければならない。

2　学校においては、必要があるとき

は、臨時に、児童、生徒、学生又は幼児の健康診断を行なうものとする。

第七条　学校においては、前条の健康診断の結果に基づき、疾病の予防処置を行ない、又は治療を指示し、並びに運動及び作業を軽減する適切な措置をとらなければならない。

（職員の健康診断）

第八条　学校の設置者は、毎学年定期に、学校の職員の健康診断を行なわなければならない。

2　地方教育区立の小学校及び中学校の校長及び教員の結核に関する定期の健康診断は、前項の規定にかかわらず、政府が行なう。

3　学校の設置者は、必要があるときは、臨時に、学校の職員の健康診断を行なうものとする。

第九条　学校の設置者は、前条第一項又は第三項の健康診断の結果に基づき、治療を指示し、及び勤務を軽減する適切な措置をとらなければならない。

2　文教局長は、地方教育委員会に対し、前条第二項の健康診断の結果を通知し、かつ、その結果に基づき必要な指示をしなければならない。

（健康診断の方法及び技術的基準等）

第十条　第四条から前条までに定めるもののほか、健康診断の時期、検査の項目、健康診断の方法及び技術的基準その他健康診断に関し必要な事項は、中央教育委員会規則（以下「中央委員会規則」という。）で定める。

（健康相談）

第十一条　学校においては、児童、生徒、学生又は幼児の健康に関し、健康相談を行うものとする。

第三章　伝染病の予防

（出席停止）

第十二条　校長は、伝染病にかかっており、かかっておる疑いがあり、又はかかるおそれのある児童、生徒、学生又は幼児があるときは、中央委員会規則で定めるところにより、出席を停止させることができる。

（臨時休業）

第十三条　学校の設置者は、伝染病予防上必要があるときは、臨時に、学校の全部又は一部の休業を行なうことができる。

（規則への委任）

第十四条　前二条（第十二条の規定に基づく中央委員会規則を含む。）及び伝染病予防法（明治三十年法律第三十六号）その他伝染病の予防に関して規定する法令に定めるもののほか、学校における伝染病の予防に関し必要な事項は、中央委員会規則で定める。

第四章　学校保健技師並びに学校医及び学校歯科医

（学校保健技師）

第十五条　文教局に、学校保健技師をおくものとする。

2　学校保健技師は、学校における保健管理に関する専門的事項について学識経験があるものでなければならない。
3　学校保健技師は、上司の命を受け、学校における保健管理に関し、専門的指導及び技術に従事する。

（学校医及び学校歯科医）

第十六条　学校には、学校医を置くものとする。
2　学校には、学校歯科医を置くことができる。
3　学校医及び学校歯科医は、それぞれ医師及び歯科医師のうちから任命する。
4　学校医及び学校歯科医は、学校における保健管理に関する専門的事項に関し、技術及び指導に従事する。
5　学校医及び学校歯科医の職務執行の準則は、中央委員会規則で定める。

第五章　地方教育委員会の援助及び政府の補助

（地方教育委員会の援助）

第十七条　地方教育委員会は、当該教育区の設置する小学校及び中学校の児童又は生徒が伝染性又は学習に支障を生ずるおそれのある疾病で中央委員会規則で定めるものにかかり、学校において治療の指示を受けたときは、当該児童又は生徒の保護者（学校教育法第二十四条第一項に規定する保護者をいう。）で次の各号の一に該当するものに対して、その疾病の治療のための医療に要する費用について必要な援助を行なうことができる。
一　生活保護法（一九五三年立法第五十五号）第六条第二項に規定する要保護者
二　地方教育委員会が生活保護法第六条第二項に規定する要保護者に準ずる程度に困窮していると認める者
2　地方教育委員会は、前項第二号に規定する認定を行なうため必要があるときは、社会福祉事業法（一九五三年立法第八十二号）に定める福祉に関する事務所の長に対して、助言を求めることができる。

（政府の補助）

第十八条　政府は、地方教育委員会が前条の規定により援助を行なう場合には、予算の範囲内において、その援助に要する経費の一部を補助することができる。
2　前項の規定により政府が補助を行なう場合の補助の基準については、中央委員会規則で定める。

第六章　雑　則

（保健室）

第十九条　学校には、健康診断、健康相談、救急処置等を行なうため、保健室を設けるものとする。

（保健所との連絡）

第二十条　学校の設置者は、この立法の

規定による健康診断を行なおうとする場合その他中央委員会で定める場合においては、保健所と連絡するものとする。

（学校の設置者の事務の委任）

第二十一条　学校の設置者は、他の立法に特別の定がある場合のほか、この立法に基づき処理すべき事務を校長に委任することができる。

（施行規則）

第二十二条　この立法の施行に関し必要な事項は、中央委員会規則で定める。

附　則

（施行期日）

1　この立法は、公布の日から施行する

（学校教育法の一部改正）

2　学校教育法の一部を次のように改正する。

第十三条を次のように改める。

（健康診断等）

第十三条　学校においては、別に立法で定めるところにより、学生、生徒、児童及び幼児並びに職員の健康の保持増進を図るため、健康診断を行ない、その他その保健に必要な措置を講じなければならない。

第二十七条中「伝染病にかかり、若しくはそのおそれのある児童又は」を削る。

（教育委員会法の一部改正）

3　教育委員会法（一九五八年立法第二号）の一部を次のように改正する。

第百十一条第十四号中「身体検査」を「健康診断」に改める。

第百三十八条第一項中「学校身体検査」を「健康診断」に改める。

（結核予防法の一部改正）

4　結核予防法（一九五六年立法第八十五号）の一部を次のように改正する。

第四条第五項中「（琉球教育法（琉球列島米国民政府布令第六十六号）」を「学校保健法（一九六二年立法第八十六号）」に改める。

学校保健法施行規則

第一章　健康診断

第一節　就学時の健康診断

（就学時の健康診断の時期）

第一条　学校保健法（以下「法」という。）第四条の健康診断（以下就学時の健康診断という。）は、学校教育法施行規則（一九五八年中央教育委員会規則第二十四号）第二十四条の規定により学令簿が作成された後同規則第二十五条第一項の規定により入学期日の通知が行われるまでの間に行うものとする。

（検査の項目）

第二条　就学時の健康診断における検査

の項目は、次のとおりとする。
一　身長及び体重
二　栄養状態
三　脊柱及び胸郭の疾病及び異常の有無
四　視力、色神及び聴力
五　眼疾、耳鼻咽頭疾患及び皮膚疾患の有無
六　歯の疾病及び異常の有無
七　その他の疾病及び異常の有無

（保護者への通知）

第三条　地方教育区教育委員会（以下「地方教育委員会」という。）は、就学時の健康診断を行うに当つて、あらかじめ、その日時場所及び実施の要領等を法第四条に規定する者の学校教育法（一九五八年立法第三号）第二十四条第一項に規定する保護者以下「保護者」という）に通知しなければならない。

（就学時の健康診断票）

第四条　地方教育委員会は、就学時の健康診断を行つたときは、第一号様式により、就学時健康診断票を作成しなければならない。

2　地方教育委員会は、翌学年の初めから十五日前までに、就学時健康診断票を就学時の健康診断を受けた者の入学する学校の校長に送付しなければならない。

（方法及び技術的基準）

第五条　法第四条の健康診断の方法及び技術的基準は、次の各号に掲げる検査の項目につき、当該各号に定めるとおりとする。
一　身長は、たび、靴下等を脱ぎ、両かかとを密接し、背、臀部及びかかとを身長計の尺柱に接して直立し、両上肢を体側に垂れ、頭部を正位に保たせて測定する。
二　体重は、衣服を脱ぎ、体重計のはかり台の中央に静止させて測定する。ただし、衣服を着たまま測定したときは、その衣服の重量を控除する。
三　栄養状態は、皮膚の色沢、皮下脂肪の充実、筋骨の発達等について検査し、栄養状態が不良で特に注意を要する者の発見につとめる。
四　脊柱の疾病の有無は特にカリエスに注意し、異常の有無は形態について検査する。
五　胸郭の異常の有無は、形態及び発育について検査する。
六　視力は万国式試視力表を用いて左右各別に裸眼視力を検査する。その結果裸眼視力が一・〇未満の者については、矯正視力を検査し、屈折異常の種別を明らかにする。
七　色神は、色盲検査表を用いて検査し、色神障害の有無及び障害の種別を明らかにする。
八　聴力は、オージオメーターを用い

て検査し、左右各別に聴力障害の有無及び障害の程度を明らかにする。

九　眼疾の有無は、特にトラホームその他の伝染性眼疾に注意する。

十　耳疾の有無は、特に中耳炎に注意する。

十一　鼻及び咽頭の疾患の有無は、鼻炎、鼻たけ、蓄膿症、アデノイド、扁桃腺肥大等に注意する。

十二　皮膚疾患の有無は、白癬、疥癬その他の伝染性皮膚疾患に注意し、なお、湿疹、頭しらみ等に注意する。

十三　歯の疾病及び異常の有無は、齲歯その他の歯疾について検査し、不正咬合についても注意する。

十四　その他の疾病及び異常の有無は、知能及び呼吸器、循環器、消化器、神経系等について検査するものとし、知能については標準化された知能検査法によつて精神薄弱の発見につとめ、呼吸器、循環器、消化器、神経系等については臨床医学的検査、その他の検査によつて結核性疾患、心臓疾患、腎臓疾患、貧血、脚気、ヘルニア、言語障害、精神神経症その他の精神障害、骨、関節の異常及び四肢運動障害等の発見につとめる。

第二節　児童、生徒、学生及び幼児の健康診断

（時期）

第六条　法第六条第一項の健康診断は、毎年四月に行なうものとする。ただし、結核の有無の検査及び寄生虫の有無の検査については、五月又は六月に行なうことができる。

2　疾病その他やむを得ない事由によつて当該期日に健康診断を受けることができなかつた者に対しては、その事由のなくなつた後すみやかに健康診断を行なうものとする。

3　第一項の健康診断における結核の有無の検査において、結核発病のおそれがあると診断された者については、おおむね六か月の後に再度結核の有無の検査を行なうものとする。

（検査の項目）

第七条　法第六条第一項の健康診断における検査項目は、次のとおりとする。

一　身長、体重、胸囲及び座高

二　栄養状態

三　脊柱及び胸郭の疾病及び異常の有無

四　視力、色神及び聴力

五　眼疾、耳鼻咽頭疾患及び皮膚疾患の有無

六　歯の疾病及び異常の有無

七　結核の有無

八　寄生虫卵の有無

九　その他の疾病及び異常の有無

2　前項各号に掲げるもののほか、肺活量、背筋力、握力等の機能を検査の項目

に加えることができる。

3 大学においては、第一項各号に掲げる検査の項目のうち第一号の胸囲及び座高並びに第三号、第四号、第六号及び第八号に掲げるものは、検査の項目から除くことができる。

（方法及び技術的基準）

第八条 法第六条第一項の健康診断の方法及び技術的基準については、次項から第五項までに定めるもののほか、第五条の規定（同条第十四号中知能に関する部分を除く。）を準用する。

2 前条第一項第一号の胸囲は、起立の姿勢で両上肢を自然に垂れさせ、尺帯を背面は肩甲骨の直下部、前面に乳頭の直上部に当て、安静呼息の終つたとき測定する。

3 前条第一項第一号の座高は、背及び臀部を座高計の尺柱に接して腰掛に正座し、両上肢を体側に垂れ、頭部を正位に保たせて測定する。

4 前条第一項第七号の結核の有無は、ツベルクリン反応検査、エックス線検査、赤血球沈降速度検査、喀痰検査、聴診、打診その他必要な検査によつて検査するものとし、その技術的基準は、次の各号に定めるとおりとする。

一 ツベルクリン反応検査は、結核患者及び結核に感染していると認められる者（医師の証明書により結核患者であつたことが明らかな者、予防接種を受けたことのない者でツベルクリン反応が二年以上継続して陽性の者又は結核発病のおそれがあると診断されている者をいう。）以外の者に対して、厚生局長の指定する診断用ツベルクリン希釈液〇、一立方センチメートルを前膊屈側の中央からやや上部の皮内に注射し、注射後およそ四十八時間後に判読して行なう。

二 ツベルクリン反応判読の基準は、次の表による。ただし発赤の直径は長短径の算術平均をとり、一ミリメートル以下は四捨五入する。

反応	判定		符号
発赤の直径四ミリメートル以下	陰性		(−)
発赤の直径五ミリメートルから九ミリメートルまで	疑陽性		(±)
発赤の直径十ミリメートル以上	陽性	弱陽性	(+)
発赤の直径十ミリメートル以上で硬結を伴うもの		中等度陽性	(++)
発赤の直径十者リメートル以上で硬結に二重発赤水泡、壊死等を伴うもの		強陽性	(+++)

三　次に掲げる一に該当する者に対しては、ツベルクリン反応検査を行なわないことができる。

イ　著しい栄養障害に陥いつている者

ロ　重症又は有熱の疾病にかかつている者

ハ　蔓延性の皮膚疾患にかかつている者

四　エックス線間接撮影の対象者は、次に掲げる者とする。

イ　ツベルクリン反応検査の対象者であつて、その反応が陽性であつたもの及び担当の医師において必要と認めるもの。

ロ　医師の証明により結核患者であつたことが明らかな者又は予防接種を受けたことがない者でツベルクリン反応が二年以上継続して陽性のもの

五　エックス線間接撮影によつて病変の発見された者及びその疑のある者結核患者並びに結核発病のおそれがあると診断されている者に対してはエックス線直接撮影、喀痰検査及び赤血球沈降速度検査を行い、更に必要に応じエックス線透視、聴診、打診その他必要な検査を行なう。

5　前条第一項第八号の寄生虫の無有は、直接厚層塗抹法によつて検査するものとする。ただし特に十二指腸虫卵の有無の検査を行なう場合は集卵法によるものとする。

（健康診断票）

第九条　学校においては、法第六条第一項の健康診断を行なつたときは、第二号様式及び第三号様式によつて、児童、生徒、学生又は幼児の健康診断票及び児童、生徒又は学生の歯の検査票を作成しなければならない。

2　校長は、児童又は生徒が進学した場合においては、その作成に係る当該児童又は生徒の健康診断票及び歯の検査票を進学先の校長に送付しなければならない。

3　校長は、児童、生徒、学生又は幼児が転学した場合においては、その作成に係る当該児童、生徒、学生又は幼児の健康診断票及び児童、生徒又は学生の歯の検査票を転学先の校長に送付しなければならない。

4　児童、生徒、学生又は幼児の健康診断票及び児童、生徒又は学生の歯の検査票は、五年間保存しなければならない。ただし、第二項の規定により送付を受けた児童又は生徒の健康診断票及び歯の検査票は、当該健康診断票及び歯の検査票に係る児童又は生徒が進学前の学校を卒業した日から五カ年間とする。

（事後措置）

第十条　学校においては、法第六条第一項の健康診断を行なつたときは、二十

一日以内にその結果を児童、生徒又は幼児にあつては当該児童、生徒又は幼児及びその保護者（学校教育法（一九五八年立法第三号）第二十四条第一項に規定する保護者をいう。）に、学生にあつては当該学生に通知するとともに、次の各号に定める基準により、法第七条の措置をとらなければならない。

一　疾病の予防処置を行なうこと。

二　必要な医療を受けるよう指示すること。

三　必要な検査、予防接種等を受けるよう指示すること。

四　療養のため必要な期間学校において学習しないよう指導と助言を行なうこと。

五　養護学校への就学又は特殊学級への編入について指導と助言を行なうこと。

六　学習又は運動、作業の軽減、停止、変更等を行なうこと。

七　修学旅行、対外運動競技等への参加を制限すること。

八　机又は腰掛の調整、座席の変更及び学級の編成の適正を図ること。

九　その他発育、健康状態等に応じて適当な保健指導を行なうこと。

2　前項の場合において、結核の有無の検査の結果に基づく措置については当該健康診断に当つた学校医その他の医師が別表第一に定める生活規正の面及び医療の面の区分を組み合わせて決定する指導区分に基づいてとるものとする。

（臨時の健康診断）

第十一条　法第六条第二項の健康診断は、次に掲げるような場合で必要があるときに、必要な検査の項目について行なうものとする。

一　伝染病又は食中毒の発生したとき

二　風水害等により伝染病の発生のおそれのあるとき。

三　夏季における休業日の直前又は直後。

四　結核、寄生虫病その他の疾病の有無について検査を行なう必要のあるとき。

五　卒業のとき。

第三節　職員の健康診断

（時期）

第十二条　法第八条第一項の健康診断の時期については、第六条の規定を準用する。

（検査の項目）

第十三条　法第八条第一項の健康診断における検査の項目は、次のとおりとする。

一　身長及び体重

二　視力、色神及び聴力

三　結核の有無

四　血圧（四十才未満の職員における場合を除くことができる。）

五　その他の疾病及び異常の有無

2　前項各号に掲げる検査の項目のうち第一号及び第二号に掲げるものは、検査の項目から除くことができる。

（方法及び技術的基準）

第十四条　法第八条第一項の健康診断の方法及び技術的基準については、次項に定めるもののほか、第五条（同条第十四号中知能に関する部分を除く。）及び第八条第四項の規定を準用する。

2　前条第一項第四号の血圧は、なるべくリバ・ロッチ型血圧計を用い、利き腕について聴診法で測定する。

（健康診断票）

第十五条　学校の設置者は、法第八条第一項の健康診断を行なつたときは、第四号様式によつて、職員健康診断票を作成しなければならない。

2　学校の設置者は、当該学校の職員がその管理する学校から他の学校へ移つた場合においては、その作成に係る当該職員の健康診断票を異動後の学校の設置者へ送付しなければならない。

3　職員健康診断票は、五年間保存しなければならない。

（事後措置）

第十六条　法第八条第一項の健康診断に当つた医師は健康に異常があると認めた職員及びツベルクリン反応検査の結果陰性、疑陽性又は自然陽転と認めた職員については、検査の結果を総合し、かつ、その職員の職務内容及び勤務の強度を考慮して、別表第二に定める生活規正の面及び医療の面の区分を組み合わせて指導区分を決定するものとする。

2　学校の設置者は、前項の規定により医師が行なつた指導区分に基づき、次の基準により、法第九条第一項の措置をとらなければならない。

「A」休暇又は職休等の方法で療養のため必要な期間勤務させないこと。

「B」勤務場所又は職務の変更、休暇による勤務時間の短縮等の方法で、勤務を軽減し、かつ、深夜勤務、超過勤務、休日勤務及び宿日直勤務をさせないこと。

（臨時の健康診断）

第十七条　法第八条第三項の健康診断については、第十一条の規定を準用する。

（地方教育区立の小学校、中学校の校長及び教員の結核定期健康診断の時期）

第十八条　法第八条第二項の健康診断は、毎年　月から　月までの間に行うものとする。

2　第六条第二項及び第三項の規定は、前項の健康診断に準用する。

（方法及び技術的基準）

第十九条　法第八条第二項の健康診断の方法及び技術的基準については、第八条第四項の規定を準用する。

（健康診断票）

第二十条 地方教育委員会は、法第八条第三項の健康診断が行なわれたときは、第五号様式によつて、当該教育区立小学校及び中学校の校長教員結核健康診断票を作成しなければならない。

2 前項の健康診断票は、五年間保存しなければならない。

（事後措置）

第二十一条 文教局長は、法第八条第二項の健康診断を行なつたときは、地方教育委員会に対し、当該健康診断に当つた医師が別表第二に定める生活規正の面及び医療の面を組み合わせて決定する指導区分を付して健康診断の結果を通知し、かつ、生活規正及び医療等を必要とする者についての必要な指示をしなければならない。

第二章　伝染病の予防

（伝染病の種類）

第二十二条 学校において特に予防すべき伝染病の種類は、次のとおりとする。

一 第一類 コレラ、赤痢（疫痢を含む）、腸チフス、パラチフス、痘瘡、発診チフス、猩紅熱、ジフテリア、流行性脳脊髄膜炎、ペスト及び日本脳炎

二 第二類 インフルエンザ、伝染性下痢症、百日咳、麻疹、急性灰白髄炎、流行性肝炎、泉熱、流行性耳下腺炎、風疹、水痘及び流行性腎炎、

三 第三類 開放性結核、癩及び梅毒

四 第四類 トラホームその他の伝染性眼疾及び疥癬その他の伝染性皮膚疾患

（出席停止の指示）

第二十三条 校長は、法第十二条の規定により出席を停止させようとするときは、その理由及び期間を明らかにして、児童、生徒（高等学校（盲学校聾学校及び養護学校の高等部を含む、以下同じ。）の生徒を除く。）又は幼児にあつてはその保護者に、高等学校の生徒又は学生にあつては当該生徒又は学生にこれを指示しなければならない。

（出席停止の期間の基準）

第二十四条 前条の規定による出席停止の期間の基準は、第二十二条の伝染病の種類に従い、次のとおりとする。

一 第二類の伝染病にかかつた者については、次の期間、ただし、病状により学校医その他の医師において予防上支障がないと認めたときは、この限りでない。

イ インフルエンザにあつては、主要症状が消退した後三日を経過するまで。

ロ 伝染性下痢症にあつては、主要症状が消退するまで。

ハ 百日咳にあつては、特有の咳が消失するまで。

ニ 麻疹にあつては、主要症状が消

退した後七日を経過するまで。
ホ　急性灰白髄炎にあつては、急性期の主要症状が消退するまで。
ヘ　流行性肝炎にあつては、主要症状が消退するまで。
ト　泉熱にあつては、主要症状が消退するまで。
チ　流行性耳下腺炎にあつては、耳下腺の腫脹が消失するまで。
リ　風疹にあつては、主要症状が消退した後五日を経過するまで。
ヌ　水痘にあつては、痂皮が全部脱落するまで。
ル　流行性腎炎にあつては、主要症状が消退するまで。

二　第三類、又は第四類の伝染病にかかつた者については、治癒するまで。ただし、呼吸器系の開放性結核以外の伝染病にあつては、学校医その他の医師において適当と認める予防処置をしたとき又は病状により伝染のおそれがないと認めたときは、この限りではない。

三　第一類又は第二類の伝染病患者のある家に居住する者又はこれらの伝染病にかかつておる疑がある者については、予防処置の施行の状況その他の事情により学校医その他の医師において伝染のおそれがないと認める期間。

四　第一類又は第二類の伝染病が発生した地域から通学する者については、その発生状況により必要と認めたとき、学校医の意見を聞いて適当と認める期間。

五　第一類又は第二類の伝染病の流行地を旅行した者については、その状況により必要と認めたとき、学校医の意見を聞いて適当と認める期間。

（出席停止の報告）

第二十五条　校長は、第二十三条の規定による指示をしたときは、次条で定めるところにより、その旨を学校の設置者に報告しなければならない。

（出席停止の報告事項）

第二十六条　前条の規定による報告は、次の事項を記載した書面をもつてするものとする。

一　学校の名称
二　出席を停止させた理由および期間
三　出席停止を指示した年月日
四　出席を停止させた児童、生徒、学生又は幼児の学年別人員数
五　その他参考となる事項

（伝染病の予防に関する細目）

第二十七条　校長は、学校内において伝染病にかかつており、又はかかつておる疑がある児童、生徒、学生又は幼児を発見した場合において、必要と認めるときは、学校医に診断させ、法第十二条の規定による出席停止の指示をするほか、消毒その他適当な処置をするものとする。

2　校長は、学校内に伝染病の病毒に汚染し、又は汚染した疑がある物件があるときは、消毒その他適当な処置をするものとする。

3　校長は、第二十四条第二号ただし書の規定に該当して出席する児童、生徒、学生又は幼児がある場合において、学校医の意見を聞いて必要と認めるときは、次の各号に準拠して適当な予防処置をするものとする。

一　患者の座席をその他の者の座席と隔てること。

二　患者の使用する器具、書籍等を専用とすること。

三　患者の使用する座席、器具、書籍等をときどき消毒すること。

四　患者の使用した衣類、器具、書籍その他の物を他人に与え、又は使用させるときは、これを消毒すること。

4　学校においては、その付近において、第一類又は第二類の伝染病が発生したときは、その状況により適当な清潔方法を行なうものとする。

第三章　学校医及び学校歯科医の職務執行の準則

（学校医の職務執行の準則）

第二十八条　学校医の職務執行準則は、次の各号に掲げるとおりとする。

一　学校保健計画の立案に参与すること。

二　学校環境衛生の維持及び改善に関し、必要な指導と助言を行なうこと。

三　法第六条の健康診断に従事すること。

四　法第七条の疾病の予防処置に従事し、及び保健指導を行なうこと。

五　法第十一条の健康相談に従事すること。

六　法第三章の伝染病の予防に関し、必要な指導と助言を行ない、並びに学校における伝染病及び食中毒の予防処置に従事すること。

七　校長の求めにより、救急処置に従事すること。

八　地方教育委員会又は学校の設置者の求めにより、法第四条の健康診断又は法第八条第一項の健康診断に従事すること。

九　前各号に掲げるもののほか、必要に応じ、学校における保健管理に関する専門的事項に関する指導に従事すること。

2　学校医は、前項の職務に従事したときは、その状況の概要を学校執務記録簿に記入して校長に提出するものとする。

（学校歯科医の職務執行の準則）

第二十九条　学校歯科医の職務執行の準則は、次の各号に掲げるとおりとする。

一　学校保健計画の立案に参与すること。

二　法第六条の健康診断のうち歯の検

査に従事すること。

三　法第七条の疾病の予防処置のうち齲歯その他の歯疾の予防処置に従事し、及び保健指導を行なうこと。

四　法第十一条の健康相談のうち歯に関する健康相談に従事すること。

五　地方教育委員会又は学校の設置者の求めにより、法第四条の健康診断のうち歯の検査に従事すること。

六　前各号に掲げるもののほか、必要に応じ、学校における保健管理に関する専門的事項に関する指導に従事すること。

2　学校歯科医は、前項の職務に従事したときは、その状況の概要を学校歯科医執務記録簿に記入して校長に提出するものとする。

第四章　国の補助

（法第十七条の規則で定める疾病）

第三十条　法第十七条の中央委員会規則で定める疾病は、次の各号に掲げるものとする。

一　トラホーム及び結膜炎

二　白癬、疥癬及び膿痂疹

三　中耳炎（乳様突起炎を伴わないものに限る。）

四　蓄膿症（慢性副鼻腔炎に限る）及びアデノイド

五　齲歯（永久歯の齲歯でアマルガム充填により治療できるものに限る）

六　回虫病（虫卵保有を含む。）及び十二指腸虫病（虫卵保有を含む。）

（法第十七条第二号の規則で定める者）

第三十一条　法第十七条第二号の中央委員会規則で定める者は、当該小学校及び中学校を設置する地方教育委員会が、生活保護法（一九五三年立法第五十五号）第六条第二項に規定する要保護者（以下「要保護者」という。）に準ずる程度に困窮していると認める者（以下「準要保護者」という。）とする。

（補助の基準）

第三十二条　法第十八条第一項の規定による政府の補助は、地方教育委員会の設置する小学校並びに中学校の児童及び生徒のうち、要保護者及び準要保護者の児童又は生徒で、第三十条に規定する疾病のため治療を要するものについて毎年度文教局長が定める児童及び生徒一人一疾病当りの医療費の平均額に当該教育区の当該児童又は生徒の延数を乗じて得た額の二分の一を限度として行なうものとする。

（実施報告書）

第三十三条　法第十八条第一項の規定により、補助金の交付を受けた地方教育委員会は別に定める様式により作成した実施報告書に、当該地方教育委員会が別に定める様式により作成した資料を添えて、補助金の交付を受けた年度の三月三十一日までに文教局長に提出しなければならない。

第五章　雑　則

（法第二十条の中央教育委員会規則で定める場合）

第三十四条　法第二十条の中央教育委員会規則で定める場合は、次の各号の一に該当する場合とする。

一　法第十二条の規定による出席停止が行なわれたとき。

二　法第十三条の規定による学校の休業を行なつたとき。

別表　第一

附　則

1　この規則は、公布の日から施行し、一九六二年七月一日から適用する。

2　聴力の検査の方法は、第　条第八号の規定にかかわらず当分の間囁語法によることができる。

3　次に掲げる中央教育委員会規則は、廃止する。

学校身体検査規則（一九五八年中央教育委員会規則第三一号）学校伝染病予防規則（一九五八年中央教育委員会規則第三一号）

4　学校教育法施行規則（一九五八年中央教育委員会規則第二四号）の一部を次のように改正する。

第七条及び第八条を次のように改める。

第七条及び第八条削除

第十二条第一項第二号中「学校医視察簿」を「学校医執務記録簿」に改め、同項第四号中「身体検査」を「健康診断」に改める。

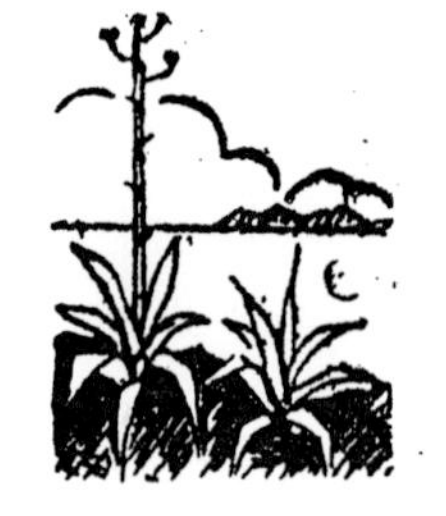

別表 第一

区分		内容
生活規正の面	A（要休業）	授業を休む必要のあるもの
	B（要軽業）	授業に制限を加える必要のあるもの
	C（要注意）	授業をほぼ平常に行つてもよいもの
	D（健　康）	全く平常の生活でよいもの
医療の面	1（要医療）	医師による直接の医療行為を必要とするもの
	2（要観察）	医師による直接の医療行為を必要としないが、定期的に医師の観察指導を必要とするもの
	3（健　康）	医師による直接、間接の医療行為を全く必要としない

別表第二

区分		内容
生活規正の面	A（要休業）	勤務を休む必要のあるもの
	B（要軽業）	勤務に制限を加える必要のあるもの
	C（要注意）	勤務をほぼ平常に行つてよいもの
	D（健康）	全く平常の生活でよいもの
医療の面	1（要医療）	医師による直接の医療行為を必要とするもの
	2（要観察）	医師による直接の医療行為を必要としないが、定期的に医師の観察指導を必要とするもの
	3（健康）	医師による直接、開接の医療行為を全く必要としないもの

第1号様式（用紙8×13）

就学時健康診断票

健康診断年月日	

就学予定者	氏　名		性別	男　女	保護者	氏　名	
	生年月日	年　月　日生	年令	年		現住所	
	本　籍					就学予定者との関係	
	現住所						

身長		cm	聴力	右	（　）
				左	（　）
体重		kg	眼疾		
栄養状態			耳鼻咽頭疾患		
せき柱			皮膚疾患		
胸郭			歯	う歯数 処置	
視力	右	（　）		う歯数 未処置	
	左	（　）			
色神				その他の歯疾	
その他の疾病及び異常	（知能）				

主な既往症		
予防接種		種痘（　　　）ジフテリア（　　　）その他
担当医師所見		
担当歯科医師所見		
事後措置	治療勧告	
	就学に関し保健上必要な助言	
	就学義務の猶予又は免除	
	盲学校聾学校又は養護学校への就学	
	その他	
備考		

教育委員会

（注）　各欄の記入については、特に次の事項に注意すること。

1．「健康診断年月日」の欄　健康診断の全部を終了した年月日を記入する。

2　「年令」は、1月1日現在において満5年1日以上満6年に達するまでの者を5年とし、その他の者はその例による。

3　「身長」及び「体重」の規定単位は、小数第２位で４捨５入し、小数第１位までを記入する。

4　「栄養状態」の欄　栄養状態が不良で特に注意を要すると認めた者を「要注意」と記入する。

5　「脊柱」の欄　疾病のある者については病名を記入し異常のある者については「平背」、「円背」、「亀背」、「側わん」等を区別して記入する。

6　「胸郭」の欄　異常のある者については、「扁平胸」、「漏斗胸」、「鳩胸」等を区別して記入する。

7　「視力」の欄　裸眼視力をかっこの左側に記入する。矯正視力を検査したときはかっこ内に矯正視力を記入し、屈接異常があるときは「近視」、「遠視」又は「乱視」の種別をかっこの右側に記入する。

8　「色神」の欄　色神障害のある者については色弱又は色盲の種別を記入する。

9　「聴力」の欄　20デシベルを聴収できない者については聴力損失デシベルを次の式より算出して記入する。ただし、囁語法によつて検査したときは、聴取距離６メートルに達しない者についてはその距離を記入し、更に、精密聴力の検査を行い難聴と認められたときはその旨をかつこ内に記入する。

$$聴力損失デシベル=\frac{a+2b+c}{4}$$

上の式のうち、aは500サイクル、bは1,000サイクル、cは2,000サイクルの聴力損失デシベルを示す。

なお、4,000サイクルの聴力損失デシベルは、かつこ内に記入する。

10　「眼疾」、「耳鼻咽頭疾患」及び「皮膚疾患」の欄疾病又は異常の病名を記入する。

11　「歯」の欄　次による。

イ　「齲歯数」

(1)　「処置」乳歯と永久歯の齲歯のうち、処置歯の数を記入する。この場合の処置歯とは、充填てん（ゴム充填を除く。）

補綴（金冠、継続歯、架工義歯の支台歯等）によつて歯の機能を営むことができると認められるものとする。ただし、う歯の治療中のもの及び処置がしてあるが齲蝕の再発等によつて処置を要するようになつたものは未処置歯とする。

(2)　「未処置」乳歯と永久歯の齲歯のうち、未処置歯の数を記入する。

ロ　「その他の歯疾」

要抜去乳歯（抜去を心要と認められる乳歯）、不正咬合（不正咬合であつて、矯正手術、徒手的矯正、不良習慣の除去等の処置を要すると認められるもの）等のある者については、その旨の数を記入する。

12　「その他の疾病及び異常の病名を記入する。ただし、「（知能）」の右には知能指数75程度以下の者についてのみその知能指数を記入する。

13　「予防接種」の欄　健康診断の当日までに受けた予防接種法（昭和23年法律第68号）及び結核予防法（昭和26年法律第76号）の規定による定期の予防接種の種別及び接種年月を記入する。

14　「担当医師所見」及び「担当歯科医師所見」の欄　法第５条の規定によつて地方教育委員会がとるべき事後措置に関連して担当医師又は担当歯科医師が必要と認める所見を記入し、及び押印する。

15　「事後措置」の欄　法第５条の規定によつて地方教育委員会がとるべき事後措置に関し必要な事項を具体的に記入する。

16　記入事項のない欄には、斜線を引き空欄としないこと。

17　「備考」の欄　健康診断に関し必要のある事項を記入する。なお、疾病等の事由によつて健康診断を受けなかつた者があるときは、その旨を記入する。

第2号様式の1 (用紙8×13)

児　童（生徒、学生）健　康　診　断　表
（表　面）

学校の名称						
氏名			性別　男　女	生年月日	年　月　日生	
年令	年	年	年	年	年	年
健康診断年月日	年　月　日	年　月　日	年　月　日	年　月　日	年　月　日	年　月　日
身長 (cm)	•	•	•	•	•	•
体重 (kg)	•	•	•	•	•	•
胸囲 (cm)	•	•	•	•	•	•
座高 (cm)	•	•	•	•	•	•
栄養状態						
脊柱						
胸郭						
視力　右	(　)	(　)	(　)	(　)	(　)	(　)
視力　左	(　)	(　)	(　)	(　)	(　)	(　)
色神						
聴力　右	(　)	(　)	(　)	(　)	(　)	(　)
聴力　左	(　)	(　)	(　)	(　)	(　)	(　)

眼疾								
耳鼻咽頭疾患								
皮膚疾患								
	齲歯数	処置						
		未処置						
	その他の歯疾							
結核								
寄生虫卵								
その他の疾病及び異常								
担当学校医所見								
担当学校歯科医所見								
事後措置	結核以外							
	結核							
備考								

(注)

1　各欄の記入については、特に次の事項に注意すること。

イ、「年令」は、当核学年の４月１日現在において満６年１日以上満７年未満の者を６年とし、その他の者はその例による。

ロ　胸囲及び座高の測定単位は、小数第２位で４捨５入し、小数第１位までを記入する。

ハ　「歯」の欄　児童、生徒又は学生については、児童、生徒又は学生の歯の検査票から齲歯数（「処置」及び「未処置」の両欄にそれぞれ乳歯との永久歯と齲歯の数を合計した数）及びその他の歯疾についてその結果を転記する。

ニ　「結核」の欄　裏面に記入した結核の有無の検査による病名を転記する。

ホ　「寄生虫卵」の欄保有する寄生虫名を記入する。

ヘ　「担当学校医所見」及び「担当学校歯科医所見」の欄　第７条の規定によつて学校においてとるべき事後措置に関連して担当学校医又は担当学校歯科医が必要と認める所見を記入し、及び押印する。ただし、児童、生徒又は学生についての「担当学校歯科医所見」の欄は児童、生徒又は学生の歯の検査票の該当欄から転記する。

ト　「事後措置」の欄　第７条の規定によつて学校においてとるべき事後措置に関し必要な事項を具体的に記入する。

チ　以上のほか、表面の各欄の記入については、第１号様式の「（注）」の例による。

2　転学してきた児童、生徒又は学生については送付を受けた健康診断票を用いること。（裏面において同じ。）

3　中学校、高等学校又は大学にあつては、「年令」の欄から「備考」の欄までの縦の区分欄は、それぞれの修業年限に応じて作製すること（裏面において同じ。）。

（注）（69頁より）

1　各欄の記入については、次によること。

イ　「歯式」の欄　次による。

(1)　現在歯、喪失歯、要抜去乳歯及び齲歯は、記号を用いて、歯式の該当歯に該当記号を附する。

(2)　現在歯は、乳歯、永久歯とも該当歯を斜線又は連続横線で消す。

(3)　喪失歯は、永久歯の喪失歯のみとする。

(4)　要抜去乳歯は、抜去を必要と認められる乳歯とする。

(5)　齲歯は、乳歯にあつては処置歯又は未処置歯に分ち、永久歯にあつては、処置歯又は4分類の未処置歯に分つ。

(6)　処置歯とは、充填（ゴム充填を除く。）補綴（金冠、継続歯、架工義歯の支台歯等）によつて歯の機能を営むことができると、認められるものとする。ただし、齲歯の治療中のもの及び処置がしてあるが齲蝕の再発等によつて処置を要するようになつたものは、未処置歯とする。

(7)　永久歯の未処置歯は、次によつて分類する。

(イ)　第一度齲蝕（C_1）は、初期齲蝕で、エナメル質（琺瑯質）のみ又は象牙質の表層まで及んだと認められるもの。

(ロ)　第二度齲蝕（C_2）は、齲蝕が象牙質の部深にまで及んだが、歯髄は保存できると認められもの。

(ハ)　第3度齲蝕（C_3）は、齲蝕が髄腔まで達し、歯髄の保存は困難と認められるもの。

(ニ)　第4度齲蝕（C_4）は、歯冠の崩壊が著しく、いわゆる残根状態になつたもの

ロ　「齦歯炎」及び「歯槽膿漏」の欄歯齦炎又は歯槽膿漏のある者については、その旨を記入する。

ハ　「不正咬合」の欄　不正咬合であつて、特に矯正手術、徒手的矯正、不良習慣の除去等の処置を要すると認められる者については、その旨を記入する。

ニ　「その他の疾病及び異常」の欄疾病及び異常の病名を記入する。

ホ　「喪失歯数」、「齲歯数」及び「要抜去乳歯数」の欄歯式の欄に記入された該当事項について、上下左右の歯数を集計した数を該当欄　に記入する。

ヘ　「担当学校歯科医所見」の欄第7の規定によつて、学校においてとるべき事後措置に関連して学校歯科医が必要と認める所見を記入し、押印する。

ト　以上のほか、各欄の記入については、第1号様式の「（注）」による。

2　転学してきた児童又は生徒については、送付を受けた歯の検査票を用いる。

3　中学校、高等学校又は大学にあつては、横の区分欄はそれぞれの修業年限に応じて作製すること。

診　断　票
面)

性別　男　女	生年月日	年　月　日生	
年　令	年	年	年
健康診断年月日	年　月　日	年　月　日	年　月　日
結　核			
寄生虫卵			
その他の疾病及び異常			
担当学校医所見			
担当学校歯科医所見			
事後処置　結核以外			
事後処置　結　核			
備　考			

年	年月日	上右下	6	E	D	C	B	A	A	B	C	D	E	6	上左下
			6	E	D	C	B	A	A	B	C	D	E	6	
年	年月日	上右下	6	E	D	C	B	A	A	B	C	D	E	6	上左下
			6	E	D	C	B	A	A	B	C	D	E	6　6	

の記入については、第3号様式の「(注)」の例による。ただし、永久歯齲(う)歯の未処置歯は
令」の欄から「備考」の欄までの縦の区分欄は、(表面)の区分欄に応じて作成すること。

第2号様式の2（用紙８×13）

幼　児　健　康
（表

学校の名称				
氏　　名				
年　　令		年	年	年
健康診断年月日		年　月　日	年　月　日	年　月　日
身　　長(cm)				
体　　重(kg)		・	・	・
胸　　囲(cm)		・		・
座　　高(cm)		・		・
栄　養　状　態				・
脊　　柱				
胸　　郭				
視　　力	右	（　　）	（　　）	（　　）
	左	（　　）	（　　）	（　　）
色　　神				
聴　　力	右	（　　）	（　　）	（　　）
	左	（　　）	（　　）	（　　）
眼　　疾				
耳鼻咽頭疾患				
皮　膚　疾　患				
歯　う歯数	処置			
	未処置			
歯　その他の歯疾				

歯式	年令	年月日	検査 記入 記号	現在歯（例A） 要抜去乳歯　×									う歯 処置歯 ○ 未処置歯 C			
	年	年月日	上右下	6	E	D	C	B	A	A	B	C	D	E	6	上左下
				6	E	D	C	B	A	A	B	C	D	E	6	

（注）１　各欄の記入等については、第２号様式の１の（表面）の「（注）」の例によること。歯の欄４分類の必要はない。

２　（裏面）については、第２号様式の１の（裏面）に準ずること。ただし、「年

（裏　面）

氏名		性別	男　女	生年月日	年　月　日生		
年齢		年	年	年	年	年	年
ツベルクリン反応検査	注射年月日	年　月　日	年　月　日	年　月　日	年　月　日	年　月　日	年　月　日
	反応	×（硬、二重 水、壊）	×（硬、二重 水、壊）	×（硬、二重 水、壊）	×（硬、二重 水、壊）	×（硬、二重 水、壊）	×（硬、二重 水、壊）
	判定						
BCG接種	接種年月日	年　月　日	年　月　日	年　月　日	年　月　日	年　月　日	年　月　日
間接撮影	撮影年月日	年　月　日	年　月　日	年　月　日	年　月　日	年　月　日	年　月　日
	フイルム番号						
	所見						
直接撮影	撮影年月日	年　月　日	年　月　日	年　月　日	年　月　日	年　月　日	年　月　日
	フイルム番号						
	所見						

赤血球沈降速度検査	年 月 日 10 mm 20 mm	年 月 日 10 mm 20 mm	年 月 日 10 mm 20 mm	年 月 日 10 mm 20 mm	年 月 日 10 mm 20 mm	年 月 日 10 mm 20 mm
喀（かく）痰（たん）検査	年 月 日 塗 培	年 月 日 塗 培	年 月 日 塗 培	年 月 日 塗 培	年 月 日 塗 培	年 月 日 塗 培
聴診、打診その他の検査	年 月 日	年 月 日	年 月 日	年 月 日	年 月 日	年 月 日
病名						
指導区分						
備考						

（注）　1　「ツベルクリン反応検査」の「反応」の欄には、発赤の長短径（二重発赤のあるときは、外径）を「／」の両側にミリメートル単位で記入すること。硬結、二重発赤、水泡、壊死は、かつこ内の該当文字を○でかこむこと。

2　第５条第４項の規定によつてツベルクリン反応検査を免除されたものについては、その旨を「ツベルクリン反応検査」の「判定」の欄に記入すること。

3　「指導区分」の欄には、第７条第２項の規定により決定した指導区分を記入すること。

生）歯の検査票

校の名称

歯槽膿漏（そうのう）	不正咬合（こう）	その他の疾病及び異常	喪失歯数	齲（う）歯数									要抜去乳歯数	担当学校歯科医所見	備考
				乳歯		永久歯									
				処置歯	未処置歯	処置歯	未処置歯								
							第一度	第二度	第三度	第四度	計				

3号様式（用紙8×13）

児　童（生　徒、学

氏名		性別	男　女	生年月日	年　月　日生	学

年齢	検査年月日	歯式	歯齦炎
		記入記号　現在歯（例 A 6） 喪失歯　△ 要抜去乳歯　× 齲歯　—処置歯　O —未処置歯(乳歯)　C —未処置歯(永久歯)　—第1度 C_1　—第2度 C_2　—第3度 C_3　—第4度 C_4	

年齢	検査年月日																	歯齦炎
		8	7	6	5	4	3	2	1	1	2	3	4	5	6	7	8	
	年	上	右		E	D	C	B	A	A	B	C	D	E	左		上	
	月	下			E	D	C	B	A	A	B	C	D	E			下	
年	日	8	7	6	5	4	3	2	1	1	2	3	4	5	6	7	8	
		8	7	6	5	4	3	2	1	1	2	3	4	5	6	7	8	
	年	上	右		E	D	C	B	A	A	B	C	D	E	左		上	
	月	下			E	D	C	B	A	A	B	C	D	E			下	
年	日	8	7	6	5	4	3	2	1	1	2	3	4	5	6	7	8	
		8	7	6	5	4	3	2	1	1	2	3	4	5	6	7	8	
	年	上	右		E	D	C	B	A	A	B	C	D	E	左		上	
	月	下			E	D	C	B	A	A	B	C	D	E			下	
年	日	8	7	6	5	4	3	2	1	1	2	3	4	5	6	7	8	
		8	7	6	5	4	3	2	1	1	2	3	4	5	6	7	8	
	年	上	右		E	D	C	B	A	A	B	C	D	E	左		上	
	月	下			E	D	C	B	A	A	B	C	D	E			下	
年	日	8	7	6	5	4	3	2	1	1	2	3	4	5	6	7	8	
		8	7	6	5	4	3	2	1	1	2	3	4	5	6	7	8	
	年	上	右		E	D	C	B	A	A	B	C	D	E	左		上	
	月	下			E	D	C	B	A	A	B	C	D	E			下	
年	日	8	7	6	5	4	3	2	1	1	2	3	4	5	6	7	8	
		8	7	6	5	4	3	2	1	1	2	3	4	5	6	7	8	
	年	上	右		E	D	C	B	A	A	B	C	D	E	左		上	
	月	下			E	D	C	B	A	A	B	C	D	E			下	
年	日	8	7	6	5	4	3	2	1	1	2	3	4	5	6	7	8	

（63項参照）

第4号様式の1（用紙8×13）

職員健康診断票

（地方教育区立の義務教育諸学校の校長及び教員以外の学校の職員の場合）

<table>
<tr><td colspan="3">学校の名称</td><td colspan="5"></td></tr>
<tr><td colspan="3">氏名</td><td colspan="5">職　　性別　男　女　生年月日　　年　月　日生</td></tr>
<tr><td colspan="3">年令</td><td>年</td><td>年</td><td>年</td><td>年</td><td>年</td></tr>
<tr><td colspan="3">健康診断年月日</td><td>年　月　日</td><td>年　月　日</td><td>年　月　日</td><td>年　月　日</td><td>年　月　日</td></tr>
<tr><td colspan="3">身長（cm）</td><td>・</td><td>・</td><td>・</td><td>・</td><td>・</td></tr>
<tr><td colspan="3">体重（kg）</td><td>・</td><td>・</td><td>・</td><td>・</td><td>・</td></tr>
<tr><td colspan="2" rowspan="2">視力</td><td>右</td><td>（　）</td><td>（　）</td><td>（　）</td><td>（　）</td><td>（　）</td></tr>
<tr><td>左</td><td>（　）</td><td>（　）</td><td>（　）</td><td>（　）</td><td>（　）</td></tr>
<tr><td colspan="3">色神</td><td></td><td></td><td></td><td></td><td></td></tr>
<tr><td colspan="2" rowspan="2">聴力</td><td>右</td><td>（　）</td><td>（　）</td><td>（　）</td><td>（　）</td><td>（　）</td></tr>
<tr><td>左</td><td>（　）</td><td>（　）</td><td>（　）</td><td>（　）</td><td>（　）</td></tr>
<tr><td rowspan="6">結</td><td rowspan="3">ツベルクリン反応検査</td><td>注射年月日</td><td>年　月　日</td><td>年　月　日</td><td>年　月　日</td><td>年　月　日</td><td>年　月　日</td></tr>
<tr><td>反応</td><td>×（硬・二重 水・壊）</td><td>×（硬・二重 水・壊）</td><td>×（硬・二重 水・壊）</td><td>×（硬・二重 水・壊）</td><td>×（硬・二重 水・壊）</td></tr>
<tr><td>判定</td><td></td><td></td><td></td><td></td><td></td></tr>
<tr><td>BCG接種</td><td>接種年月日</td><td>年　月　日</td><td>年　月　日</td><td>年　月　日</td><td>年　月　日</td><td>年　月　日</td></tr>
<tr><td rowspan="2">間接撮影</td><td>撮影年月日</td><td>年　月　日</td><td>年　月　日</td><td>年　月　日</td><td>年　月　日</td><td>年　月　日</td></tr>
<tr><td>フイルム番号</td><td></td><td></td><td></td><td></td><td></td></tr>
</table>

核		所見					
	直接撮影	撮影年月日	年　月　日	年　月　日	年　月　日	年　月　日	年　月　日
		フイルム番号					
		所見					
	赤血球沈降速度検査		年　月　日 10 mm　20 mm	年　月　日 10 mm　20 mm	年　月　日 10 mm　20 mm	年　月　日 10 mm　20 mm	年　月　日 10 mm　20 mm
	喀淡検査		年　月　日 塗　培	年　月　日 塗　培	年　月　日 塗　培	年　月　日 塗　培	年　月　日 塗　培
	聴診打診その他の検査		年　月　日	年　月　日	年　月　日	年　月　日	年　月　日
	病名						
	備考						
血圧			(　)	(　)	(　)	(　)	(　)
その他の疾病及び異常							

指導区分					
事後措置					
備考					

（注）

1　各欄の記入については、特に次の事項に注意すること。

イ　「血圧」の欄　最大血圧を記入し、かつこ内に最小血圧を記入する。

ロ　「指導区分」の欄　第13条第１項の規定により決定した指導区分を記入し、及び医師が押印する。

ハ　「事後措置」の欄　第13条第２項の規定によつて学校の設置者がとるべき事後措置に関し必要な事項を記入する。

ニ　以上のほか、各欄の記入については、第１号様式及び第２号様式の１の「（注）」による。

2　他の学校から移つてきた職員については、送付を受けた健康診断票に空欄がある場合は、これを用いる。

第４号様式の２（用紙　８×13）

職員健康診断票

（地方教育区立の義務教育諸学校の校長及び教員の場合）

学校の名称							
氏名		職		性別	男　女	生年月日	年　月　日生

年令	年	年	年	年	年
健康診断年月日	年　月　日	年　月　日	年　月　日	年　月　日	年　月　日

身長 (cm)		・	・	・	・	・
重体 (kg)		・	・	・	・	・
視力	右	(　)	(　)	(　)	(　)	(　)
	左	(　)	(　)	(　)	(　)	(　)
色神						
聴力	右	(　)	(　)	(　)	(　)	(　)
	左	(　)	(　)	(　)	(　)	(　)
血圧		(　)	(　)	(　)	(　)	(　)
その他の疾病及び異常						
指導区分						
事後措置						
備考						

（注）　1　各欄の記入については、特に次の事項に注意すること。

イ　「血圧」の欄　最大血圧を記入し、かつこ内に最小血圧を記入する。

ロ　「指導区分」の欄　第13条第１項の規定により決定した指導区分を記入し、及び医師が押印する。

ハ　「事後措置」の欄　第13条第２項の規定によつて学校の設置者がとるべき事後措置に関し必要な事項を記入する。

ニ　以上のほか、各欄の記入については、第１号様式の「（注）」による。

2　他の学校から移つてきた職員については、送付を受けた健康診断票に空欄がある場合は、これを用いること。

第5号様式（用紙　8×13）

地方教育区立義務教育諸学校校長教員結核健康診断票

市町村名		学校の名称				
氏名		職		性別　男　女	生年月日	年　月　日生
年令		年	年	年	年	年
健康診断年月日		年　月　日	年　月　日	年　月　日	年　月　日	年　月　日
ツベルクリン反応検査	注射年月日	年　月　日	年　月　日	年　月　日	年　月　日	年　月　日
	反応	×（硬、二重 水、壊）	×（硬、二重 水、壊）	×（硬、二重 水、壊）	×（硬、二重 水、壊）	×（硬、二重 水、壊）
	判定					
BCG接種	接種年月日	年　月　日	年　月　日	年　月　日	年　月　日	年　月　日
間接撮影	撮影年月日	年　月　日	年　月　日	年　月　日	年　月　日	年　月　日
	フイルム番号					
	所見					
	撮影年月日	年　月　日	年　月　日	年　月　日	年　月　日	年　月　日
	フイルム番号					

直接撮影 所見					
赤血球沈降速度検査	年 月 日 1°mm 2°mm	年 月 日 1°mm 2°mm	年 月 日 1°mm 2°mm	年 月 日 1°mm 2°mm	年 月 日 1°mm 2°mm
喀痰検査	年 月 日 塗 培	年 月 日 塗 培	年 月 日 塗 培	年 月 日 塗 培	年 月 日 塗 培
聴診、打診その他の検査	年 月 日	年 月 日	年 月 日	年 月 日	年 月 日
病名					
指導区分					
事後措置					
備考					

（注）　各欄の記入については、特に次の事項に注意すること。

1　「指導区分」の欄　第18条の規定により決定した指導区分を記入し、及び医師が押印する。

2　「事後措置」の欄　第18条の規定によつて地方教育委員会が行うべき指示に関し、必要な事項を具体的に記入する。

3　以上のほか、各欄の記入については、第２号様式の１の（裏面）の「（注）」による。

一九六二年九月二十七日印刷
一九六二年九月二十九日発行

文教時報（第八一号）

非売品

発行所　琉球政府文教局調査広報室
印刷所　星印刷所